Atramentowa

Atramentowa krew

Cornelia Funke

Z ilustracjami autorki

Tłumaczenie z języka niemieckiego
Jan Koźbiał

EGMONT

Tytuł oryginału: *Tintenblut*

Original cover design by Ian Butterworth.
Original cover illustration, map and chapterhead by Carol Lawson.
Inside illustrations by Cornelia Funke.

Redakcja: Anna Jutta-Walenko
Korekta: Anna Sidorek, Agnieszka Trzeszkowska

Wydanie pierwsze, Warszawa 2006
Wydawnictwo Egmont Polska Sp. z o.o.
ul. Dzielna 60, 01-029 Warszawa
tel. (0-22) 838 41 00
www.egmont.pl/ksiazki

ISBN: 83-237-8412-4 (oprawa miękka)
83-237-1816-4 (oprawa twarda)

Opracowanie typograficzne i łamanie: Grażyna Janecka

Druk: Zakład Graficzny COLONEL, Kraków

Dla Brendana Frasera,
którego głos jest sercem tej książki.
Dziękuję Ci za inspirację i czary.
Bez Ciebie Mo nigdy nie przekroczyłby progu mojej pracowni,
a ja nie opowiedziałabym tej historii.
Dla Rainera Streckera,
Czarodziejskiego Języka i Smolipalucha w jednej osobie.
Każde słowo w tej książce czeka niecierpliwie
na chwilę, w której on je przeczyta.

I oczywiście – last *ale na pewno* not least *–*
dla Anny, najcudowniejszej Anny,
której w czasie licznych spacerów opowiadałam tę historię
i która mnie podtrzymywała na duchu oraz wspierała radą,
wskazując miejsca udane i te wymagające jeszcze poprawek.
(Żywię nadzieję, że historia o Meggie i Faridzie
nie wyszła najgorzej).

Gdybym wiedział,
skąd przychodzą wiersze,
zaraz bym się tam wybrał.

Michael Longley

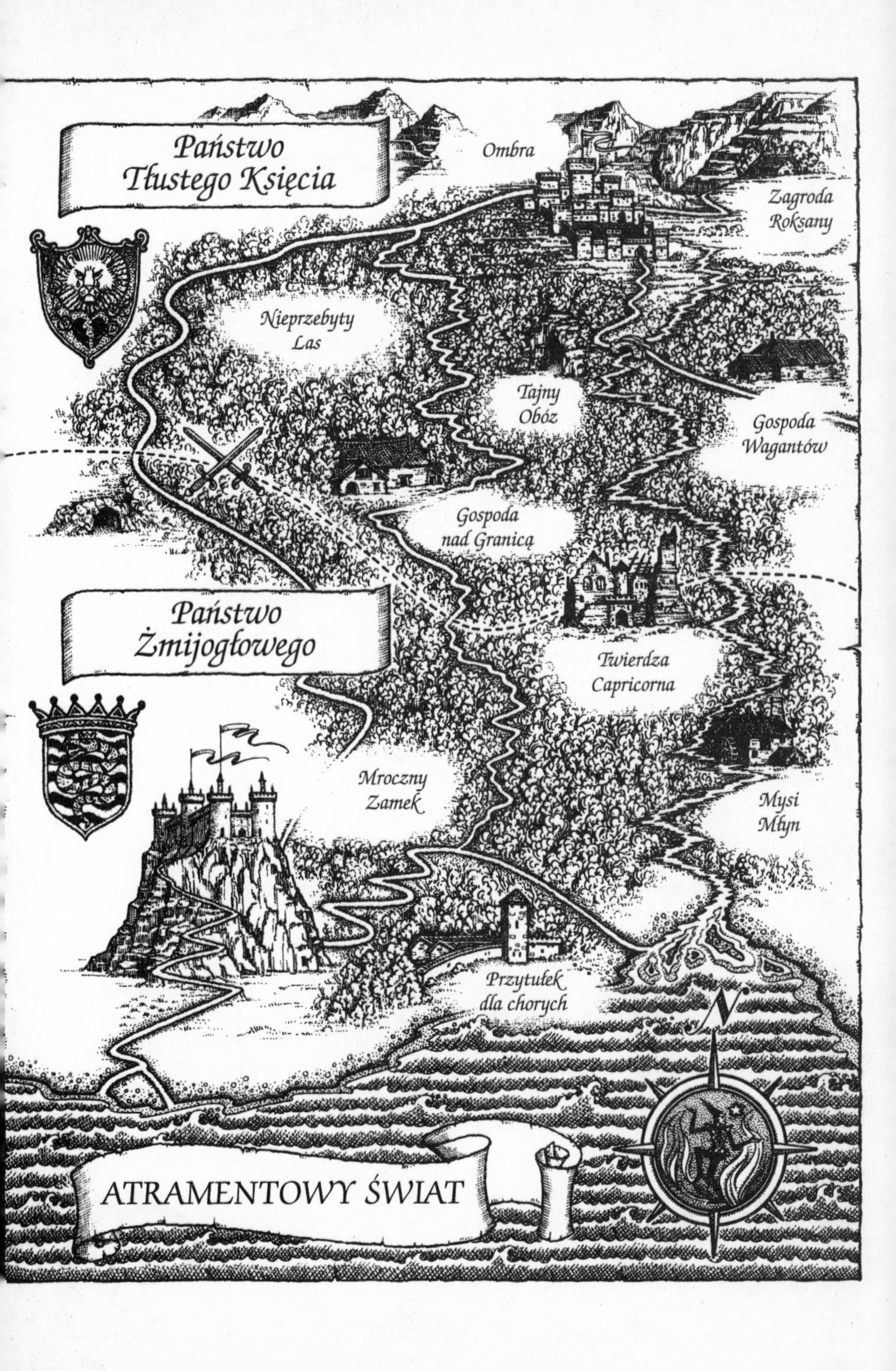
Państwo
Tłustego Księcia
Ombra
Zagroda
Roksany
Nieprzebyty
Las
Tajny
Obóz
Gospoda
Wagantów
Gospoda
nad Granicą
Państwo
Żmijogłowego
Twierdza
Capricorna
Mroczny
Zamek
Mysi
Młyn
Przytułek
dla chorych
N
ATRAMENTOWY ŚWIAT

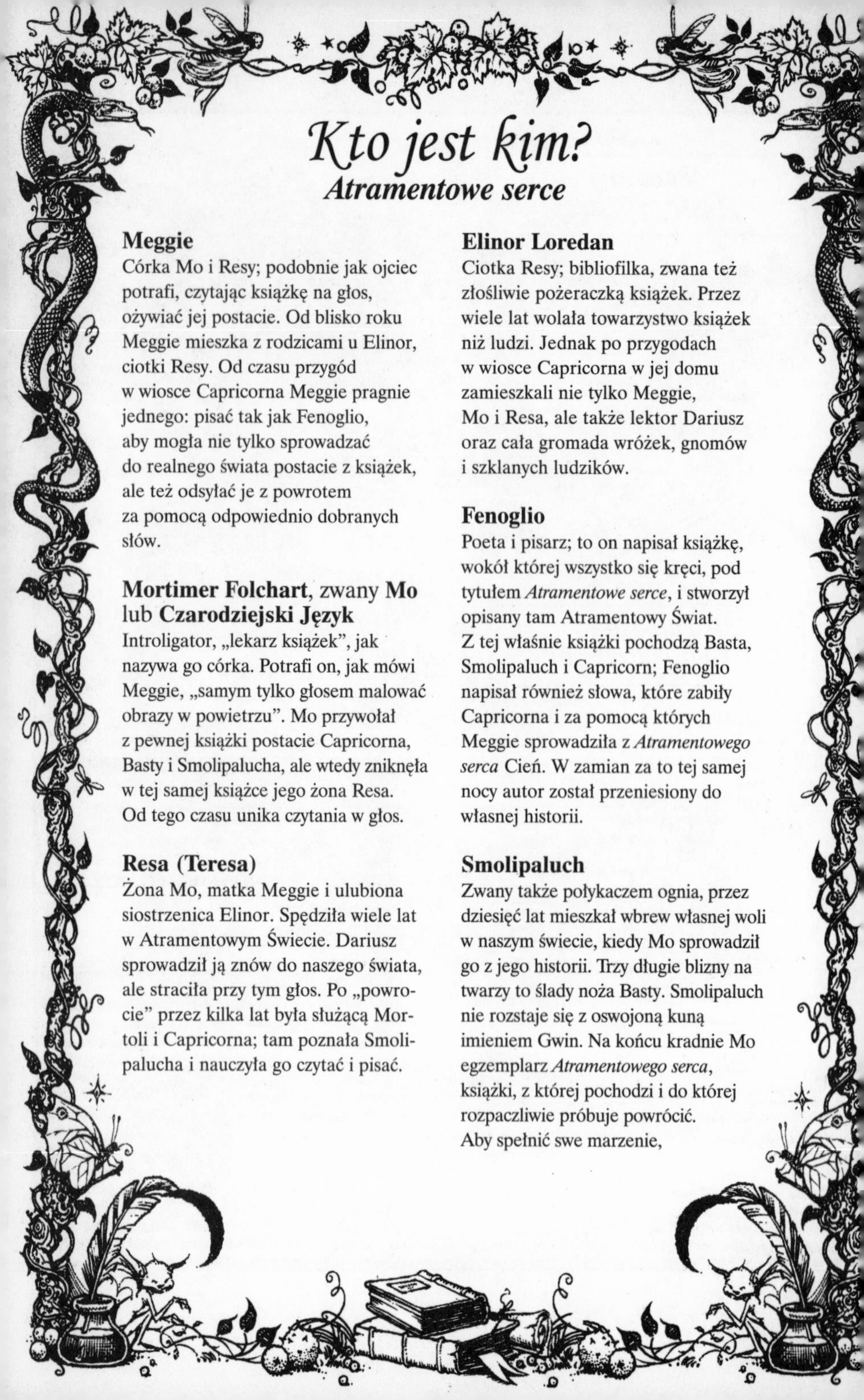

Kto jest kim?

Atramentowe serce

Meggie
Córka Mo i Resy; podobnie jak ojciec potrafi, czytając książkę na głos, ożywiać jej postacie. Od blisko roku Meggie mieszka z rodzicami u Elinor, ciotki Resy. Od czasu przygód w wiosce Capricorna Meggie pragnie jednego: pisać tak jak Fenoglio, aby mogła nie tylko sprowadzać do realnego świata postacie z książek, ale też odsyłać je z powrotem za pomocą odpowiednio dobranych słów.

Mortimer Folchart, zwany **Mo** lub **Czarodziejski Język**
Introligator, „lekarz książek", jak nazywa go córka. Potrafi on, jak mówi Meggie, „samym tylko głosem malować obrazy w powietrzu". Mo przywołał z pewnej książki postacie Capricorna, Basty i Smolipalucha, ale wtedy zniknęła w tej samej książce jego żona Resa. Od tego czasu unika czytania w głos.

Resa (Teresa)
Żona Mo, matka Meggie i ulubiona siostrzenica Elinor. Spędziła wiele lat w Atramentowym Świecie. Dariusz sprowadził ją znów do naszego świata, ale straciła przy tym głos. Po „powrocie" przez kilka lat była służącą Mortoli i Capricorna; tam poznała Smolipalucha i nauczyła go czytać i pisać.

Elinor Loredan
Ciotka Resy; bibliofilka, zwana też złośliwie pożeraczką książek. Przez wiele lat wolała towarzystwo książek niż ludzi. Jednak po przygodach w wiosce Capricorna w jej domu zamieszkali nie tylko Meggie, Mo i Resa, ale także lektor Dariusz oraz cała gromada wróżek, gnomów i szklanych ludzików.

Fenoglio
Poeta i pisarz; to on napisał książkę, wokół której wszystko się kręci, pod tytułem *Atramentowe serce*, i stworzył opisany tam Atramentowy Świat. Z tej właśnie książki pochodzą Basta, Smolipaluch i Capricorn; Fenoglio napisał również słowa, które zabiły Capricorna i za pomocą których Meggie sprowadziła z *Atramentowego serca* Cień. W zamian za to tej samej nocy autor został przeniesiony do własnej historii.

Smolipaluch
Zwany także połykaczem ognia, przez dziesięć lat mieszkał wbrew własnej woli w naszym świecie, kiedy Mo sprowadził go z jego historii. Trzy długie blizny na twarzy to ślady noża Basty. Smolipaluch nie rozstaje się z oswojoną kuną imieniem Gwin. Na końcu kradnie Mo egzemplarz *Atramentowego serca*, książki, z której pochodzi i do której rozpaczliwie próbuje powrócić. Aby spełnić swe marzenie,

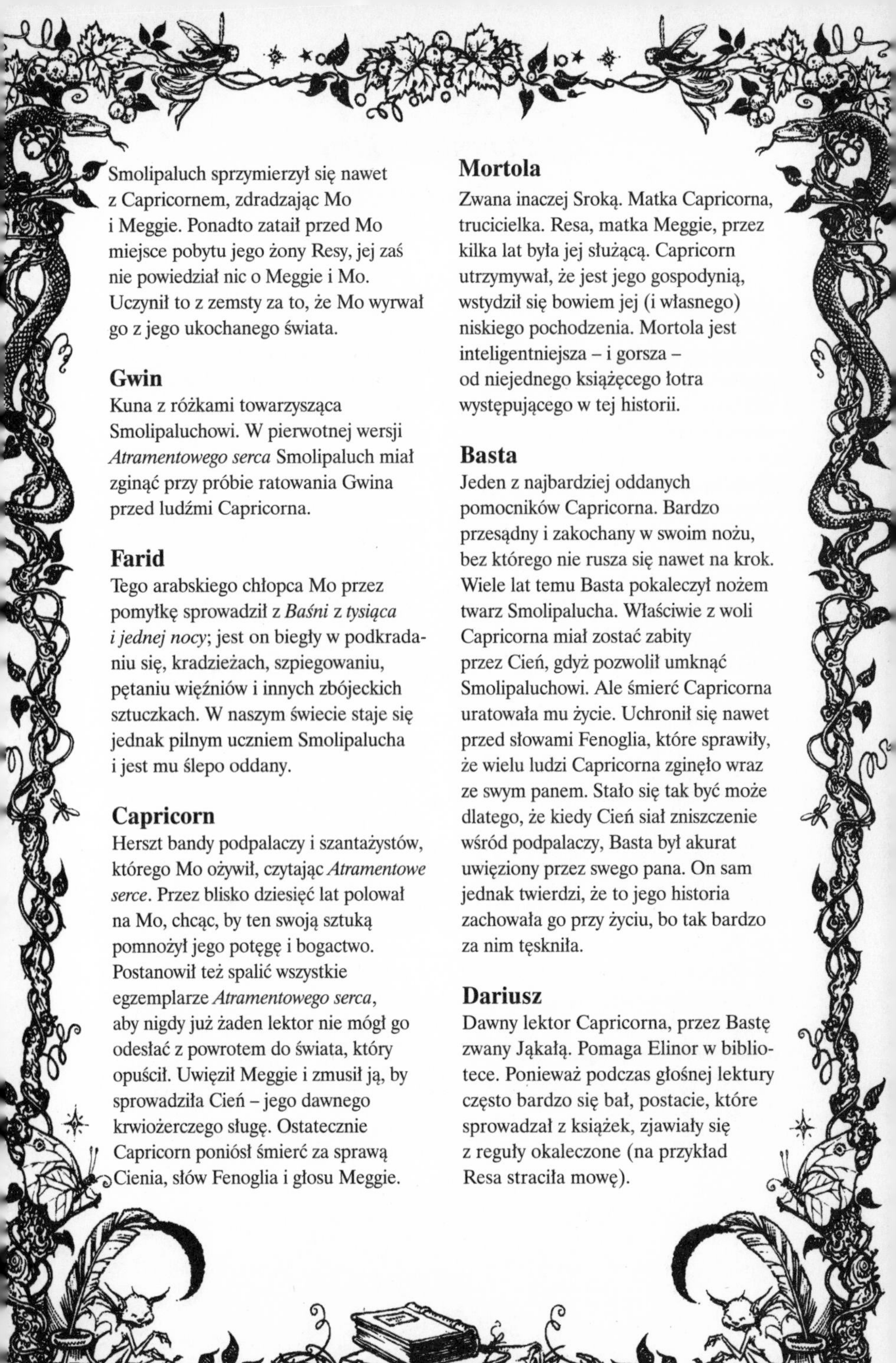

Smolipaluch sprzymierzył się nawet z Capricornem, zdradzając Mo i Meggie. Ponadto zataił przed Mo miejsce pobytu jego żony Resy, jej zaś nie powiedział nic o Meggie i Mo. Uczynił to z zemsty za to, że Mo wyrwał go z jego ukochanego świata.

Gwin

Kuna z różkami towarzysząca Smolipaluchowi. W pierwotnej wersji *Atramentowego serca* Smolipaluch miał zginąć przy próbie ratowania Gwina przed ludźmi Capricorna.

Farid

Tego arabskiego chłopca Mo przez pomyłkę sprowadził z *Baśni z tysiąca i jednej nocy*; jest on biegły w podkradaniu się, kradzieżach, szpiegowaniu, pętaniu więźniów i innych zbójeckich sztuczkach. W naszym świecie staje się jednak pilnym uczniem Smolipalucha i jest mu ślepo oddany.

Capricorn

Herszt bandy podpalaczy i szantażystów, którego Mo ożywił, czytając *Atramentowe serce*. Przez blisko dziesięć lat polował na Mo, chcąc, by ten swoją sztuką pomnożył jego potęgę i bogactwo. Postanowił też spalić wszystkie egzemplarze *Atramentowego serca*, aby nigdy już żaden lektor nie mógł go odesłać z powrotem do świata, który opuścił. Uwięził Meggie i zmusił ją, by sprowadziła Cień – jego dawnego krwiożerczego sługę. Ostatecznie Capricorn poniósł śmierć za sprawą Cienia, słów Fenoglia i głosu Meggie.

Mortola

Zwana inaczej Sroką. Matka Capricorna, trucicielka. Resa, matka Meggie, przez kilka lat była jej służącą. Capricorn utrzymywał, że jest jego gospodynią, wstydził się bowiem jej (i własnego) niskiego pochodzenia. Mortola jest inteligentniejsza – i gorsza – od niejednego książęcego łotra występującego w tej historii.

Basta

Jeden z najbardziej oddanych pomocników Capricorna. Bardzo przesądny i zakochany w swoim nożu, bez którego nie rusza się nawet na krok. Wiele lat temu Basta pokaleczył nożem twarz Smolipalucha. Właściwie z woli Capricorna miał zostać zabity przez Cień, gdyż pozwolił umknąć Smolipaluchowi. Ale śmierć Capricorna uratowała mu życie. Uchronił się nawet przed słowami Fenoglia, które sprawiły, że wielu ludzi Capricorna zginęło wraz ze swym panem. Stało się tak być może dlatego, że kiedy Cień siał zniszczenie wśród podpalaczy, Basta był akurat uwięziony przez swego pana. On sam jednak twierdzi, że to jego historia zachowała go przy życiu, bo tak bardzo za nim tęskniła.

Dariusz

Dawny lektor Capricorna, przez Bastę zwany Jąkałą. Pomaga Elinor w bibliotece. Ponieważ podczas głośnej lektury często bardzo się bał, postacie, które sprowadzał z książek, zjawiały się z reguły okaleczone (na przykład Resa straciła mowę).

Atramentowa krew

Dodatkowo w drugiej części trylogii o Atramentowym Świecie występują:

Z naszego Świata

Orfeusz – poeta i lektor, przez Farida nazywany Świecącą Gębą.
Cerber – pies Orfeusza.
Cukier – osiłek, inaczej człowiek-szafa; służy Mortoli, a później Orfeuszowi.

Z Atramentowego Świata

Waganci (kuglarska brać).
Podniebny Tancerz – dawniej linoskoczek, obecnie posłaniec; przyjaciel Smolipalucha.
Czarny Książę – mistrz w rzucaniu nożami, król wagantów, najlepszy przyjaciel Smolipalucha; zawsze towarzyszy mu wierny niedźwiedź.
Niedźwiedź – czarny niedźwiedź, którego Czarny Książę uratował od niedoli tańczącego niedźwiedzia.
Kopeć – połykacz ognia.
Baptysta – aktor, twórca masek dla aktorów, o twarzy oszpeconej ospą.
Siłacz – potrafi zginać żelazne sztaby i podnosić do góry kilku mężczyzn naraz.

W Nieprzebytym Lesie

Rusałki – żyją w sadzawkach i stawach w Nieprzebytym Lesie.
Błękitne wróżki – to za nimi tak bardzo tęsknił Smolipaluch, przebywając na wygnaniu w naszym świecie.
Ogniste elfy – robią miód, który daje zdolność rozumienia języka ognia.
Białe damy – pomocnice śmierci.
Sójka – wymyślony przez Fenoglia legendarny dobry zbójca, który, jak niegdyś Robin Hood, mści się na możnych i pomaga prostemu ludowi.

W Ombrze

Minerwa – gospodyni Fenoglia.
Despina – córka Minerwy.
Iwo – syn Minerwy.
Kryształek – szklany ludzik Fenoglia.

Na zamku w Ombrze

Tłusty Książę – pan zamku i miasta Ombra; od śmierci syna zwany także Smutnym Księciem.
Cosimo – zwany również Pięknym Cosimem; zmarły syn Tłustego Księcia.
Tulio – paź Tłustego Księcia o twarzy porosłej sierścią.
Wiolanta – zwana inaczej Brzydką Wiolantą; córka Żmijogłowego i wdowa po Pięknym Cosimie.
Jacopo – syn Cosima i Wiolanty.
Balbulus – iluminator; Wiolanta przywiozła go do Ombry jako „posag".
Brianna – służy u Wiolanty; córka Roksany i Smolipalucha.
Anselmo – strażnik.

W zagrodzie Roksany

Roksana – żona Smolipalucha; dawniej wagantka, potem porzuciła wędrowny tryb życia; uprawia zioła lecznicze, jest cenioną zielarką.
Jehan – syn Roksany z drugiego małżeństwa; jego ojciec, mąż Roksany, od dawna nie żyje.
Skoczek – kuna z różkami.
Rosanna – młodsza nieżyjąca córka Smolipalucha i Roksany.

W Tajnym Obozie

Dwupalcy – wagant, dobrze gra na flecie, chociaż ma u jednej ręki tylko dwa palce.
Krzywopalca – stara wagantka; jest przeciwna temu, by waganci ukrywali Mo i Resę w Tajnym Obozie.
Benedykta – niedowidząca wagantka.
Mina – ciężarna wagantka.
Pokrzywa – zielarka.

W gospodzie na skraju Nieprzebytego Lasu

Karczmarz – znany z kiepskiej kuchni.
Mszanka – „leśna kobieta", zielarka.

W Mysim Młynie

Młynarz – odziedziczył młyn po poprzednim młynarzu, który był wrogiem Żmijogłowego.
Syn młynarza – blady ze strachu; ciekawe dlaczego?

W przytułku dla chorych

Puszczyk – cyrulik; opiekował się Smolipaluchem, kiedy ten był jeszcze dzieckiem.
Bella – stara zielarka, zna Smolipalucha prawie tak samo długo jak Puszczyk.
Carla – mała posługaczka.

W Mrocznym Zamku

Żmijogłowy – zwany także Srebrnym Księciem, najokrutniejszy książę w Atramentowym Świecie.
Piąta żona Żmijogłowego – urodziła już dwie córki, jest znów w ciąży; Żmijogłowy ma nadzieję, że tym razem urodzi mu się wreszcie syn.
Rozpruwacz – jeden z podpalaczy Capricorna; pracuje teraz dla Żmijogłowego.
Piszczałka – zwany też Srebrnym Nosem; dawniej grajek Capricorna, obecnie śpiewa swoje ponure piosenki dla księcia Mrocznego Zamku.
Podpalacz – następca Capricorna, obecnie herold Żmijogłowego.
Taddeo – bibliotekarz.
Pancerni – rycerze Żmijogłowego.

W Borsuczej Jamie

Drab – zbójca, sojusznik Czarnego Księcia.

1

Słowa na miarę

Linijka po linijce
Moja własna pustynia
Linijka po linijce
Mój raj

Marie Luise Kaschnitz, *Wiersz*

Zaczynało się już zmierzchać, a Orfeusza wciąż nie było.

Faridowi serce mocniej biło w piersi, jak zawsze gdy odchodzący dzień zostawiał go sam na sam z ciemnością. Przeklęta Świecąca Gęba! Gdzie on się podziewał?

W koronach drzew umilkły ptasie śpiewy, zdławione przez nadciągającą noc, a pobliskie góry poczerniały, jakby osmaliło je zachodzące słońce. Niebawem cały świat okryje się kirem, nawet trawa pod bosymi stopami Farida, a wokół zaczną się naszeptywania duchów. Farid znał tylko jedno miejsce, gdzie nie czuł się przez nie zagrożony: tuż za plecami Smolipalucha, tak bliziutko, że chłonął ciepło jego ciała. Smolipaluch nie bał się nocy. Kochał noc.

– No co, znowu je słyszysz? – spytał Smolipaluch, gdy Farid przysunął się bliżej. – Ile razy mam ci powtarzać, że w tym świecie nie ma duchów? To jedna z jego nielicznych zalet.

Zastygły w bezruchu, oparty o pień dębu, obserwował pustą szosę wznoszącą się stromo w górę. O kilkadziesiąt kroków dalej samotna latarnia oświetlała spękany asfalt, tam gdzie u podnóża pociemniałych wzgórz przycupnęło kilka domków, ściesnionych, jakby się bały nocy, tak jak Farid. Świecąca Gęba mieszkał w najbliższym domu. W jednym z okien paliło się światło. Smolipaluch wpatrywał się w nie od dobrej godziny. Farid próbował zachować taką samą nieruchomą postawę, ale jego stopy po prostu nie chciały tak długo ustać w miejscu.

– Pójdę i zobaczę, gdzie on się podziewa!

– Ani mi się waż!

Twarz Smolipalucha jak zwykle nie wyrażała żadnych uczuć, ale zdradziło go brzmienie głosu. Farid wyczuł w nim niecierpliwość... i nadzieję. Nadzieję, która nigdy w nim nie gasła, chociaż doznał już tylu rozczarowań.

– Jesteś pewien, że powiedział „piątek"?

– Najzupełniej! A dzisiaj jest przecież piątek.

Smolipaluch w milczeniu skinął głową, odgarniając z twarzy długie do ramion włosy. Farid próbował również zapuścić włosy, ale jego czarna czupryna mierzwiła się i skręcała tak dziko, że w końcu musiał je obciąć nożem.

– „Piątek, za wsią, o czwartej" – tak powiedział. A ten jego kundel przez cały czas warczał na mnie, jakby miał ochotę mnie schrupać!

Farid roztarł zmarznięte dłonie, czuł chłód wiatru pod cienkim swetrem. Ileż by dał w tej chwili za rozkoszny, cieplutki ogień, ale przy tym wietrze Smolipaluch nie pozwoliłby mu nawet zapalić zapałki. Miał być o czwartej... Farid, złorzecząc pod nosem, spojrzał w niebo. I bez zegarka wiedział, że jest już o wiele później.

– Mówię ci, że specjalnie każe nam czekać. Głupi pyszałek!

Wąskie wargi Smolipalucha wykrzywił uśmiech. Farid coraz częściej potrafił wywołać uśmiech na jego ustach. Może to dlatego Smolipaluch zgodził się zabrać go ze sobą, oczywiście pod warunkiem, że Świecąca Gęba naprawdę potrafi go odesłać do domu. Z powrotem do jego świata, stworzonego z papieru, farby drukarskiej i słów starego człowieka.

„Ech!" – żachnął się w duchu Farid. Dlaczego właśnie ten Orfeusz miałby dokonać tego, co nie udało się tylu innym wcześniej? A przecież próbowali... i Jąkała, i Złote Oko, i Kruczy Język... Wszystko to byli oszuści wyłudzający pieniądze...

W oknie domu Orfeusza zgasło światło. Smolipaluch drgnął i wyprostował się gwałtownie. Usłyszeli trzaśnięcie drzwi, a potem kroki. Szybkie, nerwowe kroki w ciemności. Po chwili w świetle samotnej latarni ujrzeli Orfeusza, czyli Świecącą Gębę, jak go pogardliwie nazywał Farid, bo jego blada, nalana twarz pociła się niczym plaster żółtego sera na słońcu. Sapiąc, Orfeusz schodził w dół stromą ulicą, a obok biegł ten jego piekielny pies, szpetny jak hiena. Spostrzegłszy Smolipalucha, Orfeusz zatrzymał się i pomachał mu ręką, uśmiechając się szeroko.

Farid złapał Smolipalucha za ramię.

– Spójrz na ten jego głupi uśmiech. Fałszywy i podstępny! – szepnął. – Nie rozumiem, jak możesz mu ufać!

– A kto mówi, że mu ufam? I co się w ogóle z tobą dzieje? Drżysz jak osika. Może jednak wolisz tu zostać? Samochody, ruchome obrazki, muzyka z puszki, światło przepędzające noc... – Smolipaluch przestąpił biegnący wzdłuż drogi wysoki do kolan murek. – Tobie się to wszystko podoba. Będziesz się nudził tam, dokąd ja chcę wrócić.

Co on gadał? Jakby nie wiedział, że Farid chce tylko jednego: być tam, gdzie on. Chłopiec miał już na końcu języka gniewną odpowiedź, kiedy gdzieś między drzewami usłyszał trzask, jakby ktoś twardym butem nadepnął na suchą gałąź. Odwrócił się gwałtownie.

Smolipaluch też usłyszał hałas. Znieruchomiał, nasłuchując. Ale wśród drzew nie widać było niczego podejrzanego, tylko wiatr poruszał gałęziami, a zabłąkana ćma, blada jak duch, uderzyła Farida w twarz.

– Przepraszam! Zrobiło się trochę późno! – zawołał z daleka Orfeusz.

Farid wciąż nie mógł uwierzyć, że z takich ust wydobywał się taki cudowny głos. Kiedy w kilku wioskach usłyszeli o tym głosie, Smolipaluch zaraz udał się na poszukiwanie jego właściciela. Ale dopiero po miesiącu znaleźli Orfeusza w jakiejś podrzędnej bibliotece, gdzie czytał dzieciom bajki. Żaden z zasłuchanych maluchów nie zauważył karła, który pojawił się nagle za regałem pełnym zniszczonych książek. Ale Smolipaluch zobaczył Orfeusza. Toteż czekał na niego na zewnątrz, przy jego samochodzie, a gdy ten wreszcie się zjawił, pokazał mu książkę, którą Farid przeklinał częściej niż cokolwiek w świecie.

– O tak, znam dobrze tę książkę! – sapnął z przejęciem Orfeusz. – I ciebie... – dodał nabożnie, wpijając się chciwie wzrokiem w blizny na jego twarzy – ciebie też znam. Jesteś najlepszy z całej książki. Smolipaluch! Poskramiacz Ognia! Kto cię tu sprowadził, do tej najsmutniejszej historii, jaką czytałem? Nic nie mów! Chcesz wrócić do domu, prawda? Ale nie możesz znaleźć drzwi – drzwi pomiędzy literami! Nie szkodzi. Zrobię ci nowe drzwi, drzwi ze słów na miarę! Po znajomości, za umiarkowaną cenę... jeśli naprawdę jesteś tym, za kogo sie podajesz!

Umiarkowana cena! Akurat. Musieli mu obiecać prawie wszystkie pieniądze, jakie im jeszcze zostały. A teraz na dobitkę kazał im ileś godzin wyczekiwać w tej zakazanej okolicy, tego wietrznego wieczoru pachnącego janowcem.

– Masz ze sobą kunę? – spytał Orfeusz, oświetlając latarką plecak Smolipalucha. – Wiesz, że mój pies jej nie lubi.

– Nie – odparł tamten, a jego spojrzenie powędrowało ku książce, którą Orfeusz trzymał pod pachą. – No jak... skończyłeś?

– Oczywiście!

Pies obnażył kły i wlepił w Farida krwiożerczy wzrok.

– Na początku słowa stawiały opór – mówił Orfeusz. – Może dlatego, że byłem tak bardzo zdenerwowany. Pamiętasz, co ci powiedziałem przy naszym pierwszym spotkaniu? Ta książka – tu przejechał palcem po grzbiecie trzymanego tomu – to moja ulubiona powieść z dzieciństwa. Gdy miałem jedenaście lat, widziałem ją po raz ostatni. Ktoś skradł ją z tej obskurnej biblioteki, skąd ją zawsze wypożyczałem. Ja sam byłem zbyt wielkim tchórzem, żeby to zrobić. Ale nigdy jej nie zapomniałem. To ona mnie nauczyła, że za pomocą słów można uciec przed światem! Że można znaleźć między stronicami przyjaciół, wspaniałych przyjaciół. Takich jak ty, Połykaczu Ognia, jak olbrzymy, wróżki... O, jak ja płakałem, czytając o twojej śmierci! A tymczasem ty żyjesz i teraz wszystko będzie już dobrze! Opowiesz na nowo tę historię...

– Ja? – z drwiącym uśmieszkiem przerwał Smolipaluch. – O, nie! Zapewniam cię, że zrobią to za mnie inni.

– No cóż, być może! – Orfeusz chrząknął zakłopotany, jakby wstydząc się swojej wylewności. – W każdym razie to okropne, że nie mogę odejść wraz z tobą – powiedział, podchodząc do murku. – Lektor musi pozostać na miejscu, to żelazna reguła. Czego to ja nie próbowałem, żeby się dostać do jakiejś opowieści! Wszystko na próżno.

Westchnąwszy, sięgnął do wewnętrznej kieszeni krzywo zapiętej kurtki i wyjął kartkę papieru.

– Proszę, oto słowa, które zamówiłeś – powiedział do Smolipalucha. – Cudowne słowa, tylko dla ciebie, droga ze słów, która zaprowadzi cię prosto do domu. Masz, czytaj!

Smolipaluch z wahaniem wziął kartkę pokrytą drobnymi pochyłymi literkami, zazębiającymi się jak szew krawiecki. Wolno przesuwał palcami po słowach, jakby musiał każde z osobna pokazać swoim oczom, nim je przeczyta, a Orfeusz przyglądał mu się w napięciu, niczym uczeń czekający na ocenę.

Smolipaluch wreszcie podniósł głowę i najwyraźniej zaskoczony odezwał się:

– Jak ty dobrze piszesz! Przepiękne słowa...

Ofreusz poczerwieniał, jakby ktoś oblał mu twarz sokiem z morwy.

– Cieszę się, że ci się podoba!

– O tak, bardzo mi się podoba. Wszystko jest takie, jak ci opowiedziałem, a nawet jeszcze ładniejsze.

Orfeusz wyjął mu kartkę z ręki, uśmiechając się z zakłopotaniem.

– Nie mogę obiecać, że pora dnia będzie się zgadzać – powiedział głosem drżącym z emocji. – Trudno zgłębić reguły mojej sztuki, ale zapewniam cię, że nikt nie wie na ten temat tyle co ja! Na przykład, kiedy chce się zmienić jakąś książkę lub napisać jej dalszy ciąg, można używać tylko tych słów, które w niej występują. Jeśli użyje się zbyt wielu obcych wyrazów, to może w ogóle nie zadziałać albo efekt będzie zgoła niezamierzony! Być może jest inaczej, kiedy to robi autor książki...

– Na wszystkie wróżki świata, w tobie jest więcej wyrazów niż w całej bibliotece! – przerwał mu niecierpliwie Smolipaluch. – Może byś zaczął wreszcie czytać!

Orfeusz umilkł w pół słowa, jakby połknął własny język.

– Jasne – bąknął lekko urażony. – Zobaczysz, książka przyjmie cię jak syna marnotrawnego, wsiąkniesz w nią, tak jak atrament wsiąka w papier!

Smolipaluch w milczeniu skinął głową, zapatrzony w pustą drogę. Farid bardzo chciał wierzyć Świecącej Gębie, a jednocześnie bał się kolejnego rozczarowania.

– A co ze mną? – spytał, przysuwając się do Smolipalucha. – Napisał coś o mnie? Sprawdziłeś?

Orfeusz rzucił mu mało życzliwe spojrzenie.

– Boże, ależ on jest do ciebie przywiązany! – powiedział drwiąco do Smolipalucha. – Skąd ty go wytrzasnąłeś? Wyciągnąłeś go z rowu?

– Niezupełnie – odparł spokojnie Smolipaluch. – Ściągnął go z jego historii człowiek, który i mnie wyświadczył tę samą przysługę.

– Ten... Czarodziejski Język? – Orfeusz wymówił to imię z taką dezaprobatą, jakby wątpił, by ktokolwiek na nie zasługiwał.

Smolipaluch nie potrafił ukryć zdziwienia.

– Tak. Tak się nazywa. Słyszałeś o nim?

Pies obwąchiwał stopy Farida. Orfeusz wzruszył ramionami.

– Wcześniej czy później dowiadujemy się o każdym, kto potrafi sprawić, by litery zaczęły oddychać.

– Ach tak? – bąknął Smolipaluch.

Jego głos zdradzał, że nie bardzo wierzy w tłumaczenie Orfeusza, ale nie spytał o nic więcej, wpatrując się w kartkę pokrytą rządkami liter.

A Świecąca Gęba wciąż przyglądał się Faridowi.

– Z jakiej opowieści pochodzisz? – spytał. – I dlaczego nie chcesz wrócić do swojej własnej historii, tylko do jego? Nic tam po tobie!

– Co cię to obchodzi! – warknął Farid z nieukrywaną wrogością.

Świecąca Gęba coraz mniej mu się podobał. Był zbyt ciekawski. I zbyt przebiegły.

Smolipaluch zachichotał, a w jego głosie zabrzmiała nutka podziwu, gdy rzekł:

– Do jego własnej historii? O, za nią Farid ani odrobinę nie tęskni. Ten chłopak zmienia historie jak wąż skórę!

– Naprawdę?

Orfeusz znów spojrzał na Farida, i to z takim pobłażaniem, że ten miał ochotę kopnąć go w mięsistą łydkę, ale powstrzymywał go widok psa, który wciąż patrzył na niego wygłodniałym wzrokiem.

– No, dobrze – rzekł wreszcie Orfeusz, sadowiąc się na murku. – Ale ostrzegam cię raz jeszcze! Wczytać ciebie to dla mnie drobnostka, ale chłopak nie należy do twojej historii. Nie mogę nawet wymienić jego imienia. Napisałem tylko o jakimś chłopcu, jak sam widziałeś, i nie gwarantuję, że to zadziała. A nawet jeśli się uda, będzie ci tylko zawadzał. Może nawet sprowadzić na ciebie nieszczęście!

O czym ten przeklęty tłuścioch gadał? Farid spojrzał na Smolipalucha. „Proszę! – błagał w myślach. – Nie słuchaj go! Zabierz mnie ze sobą!".

Smolipaluch odwzajemnił jego spojrzenie i uśmiechnął się.

– Nieszczęście? – Jego głos zdradzał dobitnie, że z tą stroną życia jest doskonale obeznany. – Absurd! Chłopiec przynosi mi szczęście. A poza tym jest niezłym połykaczem ognia. Idzie ze mną. I to też! – I zanim Orfeusz się zorientował, chwycił książkę, którą ten położył na murku. – Chyba jej już nie potrzebujesz, a ja będę spał o wiele spokojniej, mając ją przy sobie.

– Ale... – Orfeusz patrzył na niego zdezorientowany. – Przecież ci mówiłem, że to moja ulubiona książka! Chętnie bym ją zachował.

– Ja też – odparł krótko Smolipaluch, podając książkę Faridowi. – Trzymaj. I pilnuj jej dobrze.

Farid przycisnął książkę do piersi.

– Jeszcze Gwin – powiedział. – Musimy zawołać Gwina.

Sięgnął do kieszeni po okruszki chleba i już chciał zagwizdać, ale Smolipaluch zasłonił mu usta dłonią.

– Gwin zostaje tutaj!

Farid byłby mniej zdumiony, gdyby Smolipaluch chciał zostawić prawą rękę.

– No co tak na mnie patrzysz? Tam złapiemy sobie nową kunę. Taką, która nie gryzie.

– No, przynajmniej w tym punkcie zachowałeś rozsądek – odezwał się Orfeusz.

„O czym on mówi?" – nie rozumiał Farid. Ale Smolipaluch unikał jego wzroku.

– Zacznij wreszcie czytać! – fuknął na Orfeusza. – Czy też będziemy tu tkwić do wschodu słońca?

Orfeusz spojrzał na niego przeciągle, jakby chciał o coś spytać, ale zrezygnował.

– Tak – powiedział, chrząkając. – Tak, masz rację. Dziesięć lat w nie swojej historii to szmat czasu. Czytajmy.

Słowa.

Słowa napełniły noc jak woń niewidocznych kwiatów. Słowa na miarę, zaczerpnięte z książki, którą Farid kurczowo przyciskał do piersi, i spojone w nowy sens ciastowatymi dłońmi Orfeusza. Słowa te opowiadały o innym świecie, o świecie pełnym cudów i okropności. A Farid słuchał, zapominając o upływie czasu. Nie istniało nic prócz głosu Orfeusza, tak niepasującego do ust, z których się wydobywał. Ten głos sprawił, że wszystko wokoło zniknęło: wyboista ulica i niepozorne domki w oddali, murek, na którym siedział Orfeusz, nawet księżyc ponad czarnymi sylwetkami drzew. A powietrze napełniło się słodkim, obcym zapachem...

„On to potrafi – myślał Farid – naprawdę potrafi", a głos Orfeusza uczynił go ślepym na wszystko, co nie składało się z liter. Kiedy wreszcie głos Świecącej Gęby umilkł, Farid rozejrzał się oszołomiony, otumaniony jedwabistym brzmieniem słów. „Dlaczego te domy jeszcze tu są i ta latarnia, pordzewiała od wiatru i deszczu?". I Orfeusz był także, i jego pies.

Tylko jeden człowiek zniknął. Smolipaluch.

A Farid wciąż stał na tej samej pustej ulicy. W niewłaściwym świecie.

2
Fałszywy i podstępny

Zrozumieli bowiem, że prawdziwy zbrodniarz najwidoczniej zaprzedał duszę diabłu, a byłoby rzeczą zgubną wdawać się w walkę z człowiekiem, którego chroniła taka potęga.

Mark Twain, *Przygody Tomka Sawyera*

– Nie! – krzyknął Farid i przeraził się własnego głosu. – Nie! Coś ty zrobił! Gdzie on jest?

Orfeusz bez pośpiechu podniósł się z murku, wciąż trzymając w ręce przeklętą kartkę. Uśmiechał się.

– W domu. A gdzież by indziej?

– No, a co ze mną? Czytaj dalej! No czytaj!

Wszystko wokół rozpłynęło się za zasłoną łez. Był sam, znów sam, jak przez te wszystkie lata, dopóki nie spotkał Smolipalucha. Farid zaczął drżeć, drżał tak mocno, że nawet nie zauważył, jak Orfeusz wyjął mu książkę z zaciśniętych dłoni.

– Oto kolejny dowód! – usłyszał głos tamtego. – Nie na darmo noszę to imię. Jestem mistrzem wszystkich słów – tych napisanych i tych wypowiedzianych. Nikt nie może się ze mną mierzyć.

– Mistrzem? Co ty bredzisz?! – krzyknął Farid tak przeraźliwie, że nawet pies Orfeusza skurczył się ze strachu. – Jeśli tak się znasz na swoim rzemiośle, to dlaczego ja wciąż jestem tutaj? Jazda, czytaj jeszcze raz! I oddaj mi książkę!

Wyciągnął rękę, ale Orfeusz cofnął się ze zwinnością, o jaką nikt by go nie posądzał.

– Książkę? A niby dlaczego miałbym ci ją oddać? Pewnie nawet nie potrafisz czytać. Posłuchaj, coś ci powiem! Gdybym chciał, żebyś odszedł razem z nim, tobyś tam teraz był. Ale ty nie należysz do tej historii, dlatego po prostu opuściłem słowa na twój temat, rozumiesz? A teraz zabieraj się stąd, bo inaczej poszczuję cię psem. Tacy chłopcy jak ty obrzucali go kamieniami, kiedy był szczeniakiem. Od tego czasu chętnie się na nich rzuca.

– Ty kanalio! Ty kłamco! Oszuście! – wołał Farid łamiącym się głosem.

Ale on to przewidział! Czy nie ostrzegał Smolipalucha? Świecąca Gęba był fałszywy i podstępny! Poczuł, jak coś puszystego ociera się o jego nogi, coś, co ma okrągły nosek i maleńkie różki między uszami. Kuna. „On odszedł, Gwin! – mówił w duchu Farid. – Smolipaluch odszedł. Nigdy go już nie zobaczymy!".

Ogromne psisko opuściło klocowaty łeb i postąpiło krok w stronę zwierzątka, ale Gwin obnażył ząbki ostre jak igiełki i pies cofnął się zaskoczony.

Ten widok dodał Faridowi otuchy.

– Oddaj mi to! W tej chwili! – zawołał, chudą piąstką uderzając Orfeusza w pierś. – Tę kartkę papieru i książkę! Bo inaczej wypatroszę cię jak karpia! Ja nie żartuję!

Łkanie zdławiło jego słowa i osłabiło zawartą w nich groźbę.

Orfeusz wsadził książkę za pas i klepiąc psa po kosmatym łbie, powiedział ironicznie:

– Ho, ho, ale nam napędził stracha, co, Cerberze?

Gwin przywarł do nogi Farida, nerwowo bijąc ogonem. Farid sądził, że to z powodu psa, i nie zorientował się w sytuacji nawet wtedy, gdy kuna przeskoczyła przez jezdnię i zniknęła za drzewami po drugiej stronie. „Ślepy i głuchy! – strofował się później. – Ślepy i głuchy Farid!".

A Orfeusz przez cały czas uśmiechał się tajemniczo, jak człowiek, który wie więcej od swego rozmówcy.

– Posłuchaj, młody przyjacielu – odezwał się protekcjonalnie. – Muszę ci powiedzieć, że się okropnie przestraszyłem, kiedy Smolipaluch zabrał mi książkę. Na szczęście dał ją tobie, inaczej nic bym dla niego nie mógł zrobić. Dużo trudu kosztowało mnie wyperswadowanie moim mocodawcom, żeby go nie zabijali. W końcu musieli mi to obiecać, bo tylko pod tym warunkiem zgodziłem się posłużyć za przynętę... przynętę dla książki, bo o nią tak naprawdę chodzi, jeśli jeszcze tego nie zrozumiałeś. Chodzi tylko o książkę i o nic więcej. Więc obiecali mi, że Smolipaluchowi włos z głowy nie spadnie. Ale o tobie niestety nie było mowy.

Zanim Farid zdołał pojąć sens słów Orfeusza, poczuł na gardle nóż, ostry jak trzcina i zimniejszy od chłodnych oparów między drzewami.

– Popatrz, popatrz, kogóż my tu mamy? – usłyszał dobrze znany głos. – Jeśli się nie mylę, ostatnio byłeś z Czarodziejskim Językiem. A mimo to pomogłeś Smolipaluchowi ukraść mu książkę. Niezłe z ciebie ziółko!

Ostrze wrzynało się w skórę Farida, a jego twarz owionął oddech pachnący miętą. Gdyby nawet nie skojarzył głosu, poznałby Bastę po tym miętowym oddechu. Nóż i listki mięty to nieodłączne atrybuty Basty. Przeżutą miętę wypluwał delikwentowi pod stopy. Był niebezpieczny jak wściekły pies, choć nie grzeszył inteligencją. W jaki sposób tu trafił? Jak ich znalazł?

– Jak ci się podoba mój nowy nóż? – słodziutkim głosem szepnął Faridowi do ucha. – Chciałem bardzo, żeby połykacz ognia się z nim zapoznał, ale ten Orfeusz ma do niego słabość. Nie szkodzi, jeszcze go dopadnę. Smolipalucha i Czarodziejski Język, i jego córeczkę czarownicę. Zapłacą mi...

– Za co? – wykrztusił Farid. – Za to, że uratowali cię przed Cieniem?

Basta mocniej przycisnął nóż do jego gardła.

– Uratowali? Przynieśli mi nieszczęście, same nieszczęścia!

– Na miłość boską, odłóż nóż! – W głosie Orfeusza brzmiało obrzydzenie. – To tylko mały chłopiec. Pozwól mu odejść. Mam książkę, tak jak się umówiliśmy, więc...

– Pozwolić mu odejść? – roześmiał się Basta.

Lecz śmiech zamarł mu na wargach. Nagle w lesie za ich plecami rozległo się wściekłe prychanie. Pies stulił uszy i podwinął ogon. Basta odwrócił się gwałtownie.

– Co to jest, do diabła? Przeklęty idioto! Coś ty tu sprowadził z tej książki?

Farid nie chciał wiedzieć. Poczuł, jak Basta rozluźnia uścisk. To wystarczyło. Błyskawicznie pochylił się i ugryzł go w rękę. Poczuł smak krwi na języku.

Basta krzyknął i upuścił nóż.

Farid z całej siły uderzył stojącego za nim Bastę łokciami w cherlawą pierś i rzucił się do ucieczki. Na śmierć zapomniał o murku. Potknął się i upadł jak długi, raniąc gołe kolana. Zabrakło mu tchu. Kiedy się podniósł, zobaczył na asfalcie świstek papieru – ten sam, który wyprawił Smolipalucha do domu. Wiatr musiał go zwiać na ulicę. Farid błyskawicznie porwał papier. „Dlatego po prostu opuściłem słowa na twój temat, rozumiesz?” – brzmiały mu w uszach drwiące słowa Orfeusza. Przyciskając kartkę do piersi, przebiegł przez jezdnię i wpadł między ciemne drzewa po drugiej stronie ulicy. Z tyłu, gdzieś za nim, pies Orfeusza warczał i szczekał, a potem zawył przeraźliwie. Znów rozległo się dzikie fuknięcie i Farid pobiegł jeszcze szybciej. Usłyszał krzyk Orfeusza, przenikliwy skrzek. Basta miotał przekleństwa. Farid znowu usłyszał prychanie dzikiego zwierza – znał dobrze ten odgłos ze swojego dawnego świata.

„Nie oglądać się! – myślał gorączkowo. – Biegnijcie, biegnijcie! – rozkazywał w myśli swoim nogom. – Niech wielki kot pożre tego okropnego psa, niech ich wszystkich pożre – Bastę i Świecącą Gębę, a wy biegnijcie!”. Zwiędłe liście leżące pod drzewami były mokre i tłumiły jego kroki, ale poślizgnął się na stromo opadającym stoku. Rozpaczliwie szukając oparcia, uchwycił się pnia drzewa, przywarł do niego i nasłuchiwał, ciężko dysząc. Co będzie, jeśli Basta go usłyszy?

Głośny szloch wyrwał się z jego piersi. Z przerażeniem zakrył sobie usta dłonią. Książka, Basta ma książkę! A on, Farid, miał jej pilnować. Teraz już nigdy nie znajdzie Smolipalucha! Pogładził dłonią kartkę Orfeusza, którą wciąż jeszcze przyciskał do piersi. Była wymięta, wilgotna i brudna. Jego jedyna nadzieja.

– Hej, ty mały kąsający bękarcie! – Głos Basty zabrzmiał donośnie w ciemnościach. – Możesz sobie uciekać, i tak cię złapię, słyszysz? Ciebie, połykacza ognia, Czarodziejskiego Języka i jego słodką córunię, i tego starego, co napisał te wszystkie przeklęte słowa! Wszystkich was pozabijam. Jedno po drugim! Powypruwam z was flaki, tak jak z tej bestii, która wylazła z książki.

Farid bał się nawet oddychać. „Dalej! – pomyślał – dalej! Biegnij dalej. Basta cię nie zobaczy”. Drżąc na całym ciele, wymacał ręką kolejny pień, poszukał oparcia dla stóp. Dziękował wiatrowi, który szumiał w koronach drzew, zagłuszając jego kroki. „Ile razy mam ci powtarzać, że w tym świecie nie ma duchów. To jedna z jego nielicznych zalet”. Te słowa brzmiały mu tak wyraźnie w uszach, jakby Smolipaluch szedł tuż za nim. Farid w kółko je sobie przypominał. Łzy płynęły mu po twarzy, kolce raniły bose stopy. „Nie ma duchów, nie ma duchów!”.

Jakaś gałąź uderzyła go w twarz tak mocno, że o mało nie krzyknął. Czy go ścigali? Nic nie słyszał, tylko szum wiatru. Znów się poślizgnął, niezdarnie schodząc po stoku. Pokrzywy parzyły jego gołe nogi, we włosach miał pełno liści łopianu. Coś wskoczyło na niego, coś puszystego i ciepłego, trąciło go wilgotnym noskiem w twarz.

– Gwin?

Farid dotknął małego łebka zwierzęcia. Tak, miało różki. Wtulił twarz w miękkie futerko kuny.

– Gwin, Basta wrócił! – szepnął. – I ma książkę. Co będzie, jeżeli Orfeusz wyśle go do świata Smolipalucha? Kiedyś na pewno tam wróci, nie sądzisz? I jak teraz ostrzeżemy Smolipalucha?

Jeszcze dwukrotnie natknął się na drogę biegnącą w dół, lecz nie miał odwagi nią pójść. Wolał się nadal przedzierać przez kolczaste krzaki. Każdy oddech sprawiał mu ból, ale on nie zwalniał. Dopiero kiedy pierwsze promienie słońca przebiły się przez korony drzew, a Basta wciąż się nie zjawiał, Farid pojął, że udało mu się umknąć.

„Co dalej? – myślał, leżąc w wilgotnej trawie i oddychając ciężko. – Co dalej?”.

I nagle przypomniał sobie inny głos – głos, który go przywołał do tego świata. Czarodziejski Język. Oczywiście. Tylko on mógł mu pomóc. On lub jego córka. Mieszkali teraz u pożeraczki książek, był tam kiedyś ze Smolipaluchem. Czekała go daleka i trudna droga, zwłaszcza przy jego pokaleczonych nogach. Ale musi zdążyć przed Bastą...

3

Powrót Smolipalucha

– Co to takiego? – odezwał się lampart. – Ciemno zupełnie, a przecież jest tam mnóstwo malutkich, drobniutkich świateł.

Rudyard Kipling, *Jak lampart dostał plam na skórze,*
[w:] *Takie sobie bajeczki*

Przez chwilę Smolipaluch miał takie wrażenie, jakby nigdy stąd nie wyjeżdżał. Jakby to był zły sen, a wspomnienie tamtego świata pozostawało tylko mdłym smakiem na języku, nikłym cieniem na sercu... Bo oto w jednej chwili wszystko odżyło: tak dobrze znane odgłosy, których nigdy nie zapomniał, zapachy, pnie drzew cętkowane w porannym słońcu, cienie liści na jego twarzy. Niektóre z nich zaczynały już rudzieć, podobnie jak w tamtym innym świecie, bo i tutaj nadciągała jesień, choć powietrze było jeszcze łagodne i ciepłe. Pachniało przejrzałymi jagodami, więdnącymi kwiatami. Były ich krocie, a wszystkie odurzały wonią: woskowo blade kielichy przeświecające wśród drzew, błękitne gwiazdeczki na cieniutkich jak nitki łodyżkach, tak delikatne, że musiał bardzo uważać, aby ich nie podeptać. Otaczały go dęby, platany, tulipanowce, niemal sięgające nieba. Zdążył już zapomnieć, jak wysokie mogą być drzewa, jak grube ich pnie, jak rozłożyste korony; pod każdym z nich mógłby się schronić cały oddział rycerzy. Lasy w tym drugim świecie były takie młode. Przy nich czuł się stary, tak strasznie stary, jakby lata pokryły go grubą warstwą pajęczyny. Tutaj był znowu młody, niewiele starszy od grzybów wyrastających pomiędzy korzeniami drzew, niewiele wyższy od ostów i pokrzyw.

Ale gdzie się podział chłopiec?

Smolipaluch rozejrzał się dokoła, raz po raz nawołując go po imieniu:

– Farid! Farid!

W ciągu ostatnich miesięcy to imię stało mu się prawie tak samo bliskie jak jego własne. Ale nikt nie odpowiadał, tylko drzewa niosły echo jego słów.

A więc stało się to, czego się obawiał. Chłopiec został po drugiej stronie. I co on teraz zrobi, całkiem sam? „Jak to co? – odpowiedział sam sobie w myślach, rozglądając się na próżno po raz ostatni. – Poradzi sobie w tamtym świecie lepiej niż ty. Kocha ten ścisk i hałas, zawrotne tempo życia. A poza tym nauczyłeś go wszystkiego, co trzeba. Z ogniem radzi sobie prawie tak dobrze jak ty. Tak, chłopiec na pewno nie zginie". Ale mimo tych pocieszających myśli radość w jego piersi zwiędła, jak jeden z tych kwiatów pod stopami, a jasne światło poranka, którym witał go dom, wydało mu się nagle mdłe i martwe. Tamten świat po raz kolejny go oszukał. Owszem, wypuścił go po tylu latach wygnania, ale zatrzymał jedyną istotę, której oddał tam cząstkę swego serca...

„A jaka płynie z tego nauka, nie po raz pierwszy zresztą? – myślał, klękając w mokrej od rosy trawie. – Zachowaj swoje serce dla siebie, Smolipaluchu". Podniósł liść odcinający się płomienną czerwienią na ciemnym mchu. Takich liści nie było w tamtym świecie. A może mu się tylko zdawało? Co się z nim działo? Podniósł się, zły na siebie. „Ej, Smolipaluchu! Wróciłeś do domu! Wróciłeś! – strofował się w myślach. – Zapomnij o chłopcu. Straciłeś go, to prawda, ale zyskałeś cały świat, twój świat. Uwierz w to! Uwierz w to nareszcie!".

Z jakim trudem mu to przychodziło! Zawsze łatwiej wierzył w nieszczęście niż w szczęście. Musiał dotknąć każdego kwiatu, pomacać każde drzewo, rozetrzeć w dłoniach grudkę ziemi i poczuć pierwsze ukłucie komara, by wreszcie uwierzyć.

O tak, wrócił. Naprawdę wrócił. Nareszcie. I nagle szczęście uderzyło mu do głowy jak młode wino. Nawet niepokój o Farida nie zdołał stłumić radości. Prysnął zły sen, który jak zmora dusił go przez dziesięć lat. Czuł się lekki, tak lekki jak jeden z tych liści, które niby złoty deszcz opadały z drzew.

Był szczęśliwy.

„Przypomnij sobie, Smolipaluchu. Przypomnij sobie to uczucie. To jest właśnie szczęście".

Orfeusz przeniósł go dokładnie w to miejsce, które mu opisał. Oto połyskuje między szarymi kamieniami sadzawka otoczona kwitnącymi oleandrami, a kilka kroków od brzegu stoi platan, w którym mieszkają ogniste elfy. Ich gniazda zdawały się pokrywać jasny pień jeszcze gęściej, niż miał to w pamięci. Niewprawne oko wzięłoby je za gniazda pszczół, ale te były mniejsze i nieco jaśniejsze, prawie tak jasne jak łuszcząca się kora potężnego drzewa.

Smolipaluch jeszcze raz rozejrzał się wokoło, wciągając w płuca powietrze, którego tak mu brakowało przez dziesięć długich lat. Na poły zapomniane wonie mieszały się z zapachami, które znał też ów inny świat. Tam również można było znaleźć takie same drzewa – co prawda mniejsze i o wiele młodsze – jakie tu wyciągały gałęzie ponad wodą, jakby chciały ochłodzić spieczone słońcem liście: eukaliptus i olcha. Smolipaluch przedarł się ostrożnie aż na skraj sadzawki. Jakiś żółw bez pośpiechu ruszył przed siebie, gdy cień Smolipalucha padł na jego pancerz. Siedząca na kamieniu żaba błyskawicznie wysunęła język i połknęła ognistego elfa. Cała ich chmara unosiła się nad wodą z charakterystycznym gniewnym brzęczeniem.

Najwyższy czas podkraść ich skarby.

Smolipaluch ukląkł na wilgotnym kamieniu. Usłyszał za sobą szelest i spoglądając przez ramię, złapał się na tym, że szuka wzrokiem ciemnych włosów Farida i rogatego łebka Gwina. Ale to tylko jaszczurka wypełzła z listowia i ułożyła się na kamieniu, by powygrzewać się w jesiennym słońcu.

– Głupiec! – mruknął, pochylając się nad wodą. – Zapomnij o chłopcu, a jeśli chodzi o kunę, to na pewno za tobą nie tęskni. Poza tym słusznie zrobiłeś, zostawiając ją tam. Arcysłusznie.

W ciemnej tafli wody ujrzał swoje drgające odbicie. Twarz była wciąż ta sama. Stare blizny pozostały – jakżeby inaczej! – ale przynajmniej nie przybyły nowe, nie miał na przykład wgniecionego nosa czy sztywnej nogi, jak Cockerell, wszystko było na swoim miejscu. Nawet głosu nie stracił... Ten Orfeusz dobrze znał swój fach.

Pochylił się jeszcze niżej. Gdzie one są? A może go zapomniały? Błękitne wróżki w ciągu paru minut zapominały każdą twarz. Czy tak samo było z rusałkami? Dziesięć lat to dużo czasu, ale czy one w ogóle liczą lata?

Ale oto woda się poruszyła i obok jego odbicia pojawiło się jakieś inne. Z prawie ludzkiej twarzy wyzierały oczy puszczyka, długie włosy unosiły się niby wodorosty, równie zielone i równie wiotkie. Smolipaluch wyjął dłoń z chłodnej wody, z której w tej samej chwili wysunęła się inna ręka, szczupła i krucha jak rączka dziecka, pokryta ledwo widoczną drobniutką łuską. Wilgotny palec, chłodny jak woda, z której wychynął, dotknął jego twarzy, posuwał się śladem blizn.

– Tak, mam niezapomnianą twarz, prawda? – Zniżył głos prawie do szeptu, gdyż rusałki nie znoszą głośnych rozmów. – A więc pamiętasz te blizny? A może pamiętasz także, czego zawsze od was chciałem?

Oczy puszczyka – złoto-czarne – przez chwilę patrzyły na niego nieruchomo – i rusałka znikła w toni, jakby mu się przyśniła.

Ale po paru chwilach ukazały się aż trzy naraz. Blade ramionka rysowały się pod powierzchnią ciemnej wody niby płatki lilii, rybie ogony, mieniące się kolorami jak podbrzusze okonia, poruszały się ledwo widocznie w przepastnej toni. Komary unoszące się nad wodą kłuły go w twarz, jakby tylko na niego czekały, ale on nic nie czuł. Rusałki go nie zapomniały! Ani jego twarzy, ani tego, czego potrzebował od nich, by przyzywać ogień.

Wyciągnęły do niego ręce. Na powierzchni wody ukazały się pęcherzyki powietrza i rozbrzmiał ich śmiech, cichy i ulotny jak one same. Ujęły w dłonie jego ręce, gładziły jego ramiona, twarz, szyję. Od tych dotyków jego skóra zrobiła się chłodna jak skóra rusałek i pokryła się podobnym delikatnym szlamem, jaki chronił ich łuski.

Zniknęły równie nagle, jak się pojawiły. Ich twarzyczki skryły się w ciemnej wodzie stawu i Smolipaluch – tak zawsze było też dawniej – pomyślałby, że mu się to wszystko śniło, gdyby nie chłód, jaki czuł na skórze, i delikatny połysk na dłoniach i ramionach.

– Dziękuję – wyszeptał, choć w wodzie drgało już tylko jego własne odbicie.

Podniósł się, przedarł przez krzaki oleandrów i starając się nie czynić hałasu, ruszył ku ognistemu drzewu. Gdyby tu był Farid, brykałby po mokrej trawie, radosny jak młody źrebak...

Wreszcie zatrzymał się pod platanem, cały pokryty mokrymi pajęczynami. Najbliższe gniazda zawieszone były tak nisko, że bez trudu sięgnął ręką do jednego z nich. Kiedy tylko wsunął do środka palce, rozeźlone elfy rzuciły się na niego, ale uspokoił je cichym nuceniem. Jeśli się utrafiło we właściwy ton, ich wściekłe furkotanie rychło zamieniało się w otumanienie, ich zjadliwe brzęczenie w usypiający pomruk i jeden po drugim zaczynały opadać na ramiona intruza, parząc dotkliwie jego skórę. Ból był okropny, ale Smolipaluch nie miał wyboru, nie wolno ich było odpędzać. Sięgnął palcami jeszcze głębiej, aż trafił na to, czego szukał: ich ognisty miód. Pszczoły żądliły, a ogniste elfy wypalały człowiekowi dziury w skórze, jeśli nie była zabezpieczona przez rusałki. A zresztą nawet mając taką ochronę, dobrze było powściągnąć chciwość. Jeśli zabrało się elfom zbyt wiele miodu, atakowały twarz, paliły skórę i włosy i nie popuszczały rabusiowi, aż z bólu zaczynał się wić pod ich cudownym drzewem.

Jednak Smolipaluch nigdy nie był na tyle chciwy, by doprowadzić je do gniewu. Toteż i teraz wyjął z gniazda jedynie maleńką bryłkę, niewiele większą od paznokcia. To mu na razie wystarczy. Nadal cicho nucąc, zawijał kleistą zdobycz w liście.

Kiedy tylko przestał nucić, ogniste elfy ożywiły się, coraz szybciej furkocząc wokół niego, a ich głos przeszedł w gniewne brzęczenie, jak buczenie trzmieli. Ale nie atakowały go. Nie wolno było na nie patrzeć, trzeba było udawać, że się ich nie widzi, odwrócić się i odejść jak gdyby nigdy nic, bez pośpiechu, wolno, bardzo wolno.

Jeszcze przez jakiś czas furkotały nad jego głową, ale wreszcie dały mu spokój. Ruszył wzdłuż strumyka wypływającego z sadzawki rusałek i leniwie wijącego się pośród wierzb, olch i trzcin.

Wiedział, dokąd strumyk go zawiedzie. Wyprowadzi go z Nieprzebytego Lasu, w którym prawie nie spotykało się istot mu podobnych, na północ, tam gdzie las należy do ludzi, gdzie tak szybko pada ofiarą ich toporów, że drzewa umierają, nim ich korony zdążą dać schronienie choćby jednemu rycerzowi. I dalej poprowadzi go rozszerzającą się doliną pomiędzy wzgórzami, dokąd nikt się nie zapuszczał; mieszkały tam olbrzymy i niedźwiedzie, a także inne istoty, którym nikt jeszcze nie nadał imienia. Po jakimś czasie pojawią się na zboczach pierwsze chaty smolarzy, pierwsze wypalone w zieleni płaty ziemi, a wtedy Smolipaluch miał nadzieję zobaczyć wreszcie – po wróżkach i rusałkach – paru dawno niewidzianych ludzi.

W oddali między drzewami zamajaczył kształt poruszającego się sennie wilka. Smolipaluch przykucnął, czekając, aż szary pysk zniknie w gęstwinie. Tak, niedźwiedzie i wilki – musi na powrót nauczyć się rozpoznawać ich kroki, wyczuwać ich bliskość, zanim one go zobaczą. A były jeszcze wielkie dzikie koty, cętkowane jak drzewa w porannym słońcu, i węże, zielone jak listowie, w którym miały swoje kryjówki. Opuszczały się z gałęzi ciszej, niż jego dłoń strącała liść z ramienia. Dobrze chociaż, że olbrzymy trzymały się swoich wzgórz, dokąd nawet on się nie zapuszczał. Tylko zimą schodziły czasami w doliny. A były przecież jeszcze inne stworzenia, nie tak łagodne jak rusałki i niedające się tak łatwo uśpić jak ogniste elfy. Najczęściej pozostawały niewidoczne, dobrze ukryte w zielonej gęstwinie, ale mimo to groźne: gruzłowaci, łapidoły, czarne gnomy, nocne strachy... Niektóre z nich zapuszczały się nawet pod chaty smolarzy.

– Postaraj się więc być trochę ostrożniejszy! – szepnął do siebie. – Chyba nie chcesz, żeby twój pierwszy dzień w domu stał się zarazem ostatnim?

Upojenie powrotem do własnego świata powoli mijało, znowu mógł myśleć trzeźwo. Ale uczucie szczęścia pozostało, zagnieździło się w jego sercu, miękkie i ciepłe jak puch pisklęcia.

Nad kolejnym strumykiem rozebrał się, zmył z ciała szlam rusałek, sadzę, jaką pozostawiły na jego skórze ogniste elfy, i brud tamtego świata. Potem włożył szaty, których nie nosił przez dziesięć lat. Dbał o nie bardzo przez cały ten czas, mimo to mole wyżarły kilka dziur w czarnej tkaninie, a rękawy były zniszczone już wtedy, kiedy zdejmował ubranie w tamtym świecie. Szaty były czarno-czerwone, bo takie nosili połykacze ognia, podobnie jak linoskoczkowie stroili się w błękit nieba. Wygładził szorstką tkaninę, włożył kamizelkę z miękkimi rękawami, na ramiona zarzucił ciemną pelerynę. Na szczęście wszystko nadal pasowało na niego. Obstalowanie nowego ubrania to była droga impreza, nawet jeśli wzorem wagantów – wędrownych śpiewaków – dawało się krawcowi stare szaty do przerobienia.

Kiedy zaczęło się ściemniać, Smolipaluch rozejrzał się za jakimś miejscem do spania. Wreszcie wdrapał się na przewrócony dąb, którego korzenie sterczały tak wysoko w górę, że dawały doskonałą ochronę. Wyrwane wraz z podłożem tworzyły prawdziwy wał ziemny. Wciąż jednak część korzeni wczepiała się w grunt, jakby drzewo nie chciało się rozstać z życiem. Korona wypuściła młode pędy, choć już nie sięgała w niebo, lecz wżerała się w ziemię. Smolipaluch ostrożnie posuwał się w górę po potężnym pniu, czepiając się rękami spękanej kory.

Kiedy wreszcie znalazł się na szczycie plątaniny korzeni sterczących w górę, jakby mogły tam znaleźć pożywienie, z gniewnym jazgotem poderwało się do lotu kilka wróżek, które najwyraźniej szukały tu budulca na swoje gniazda. Pewnie, szła jesień i czas było zatroszczyć się o cieplejsze miejsce do spania. Wiosną błękitne wróżki nie przejmowały się zbytnio swymi gniazdami, kleciły je byle jak, lecz kiedy tylko pojawiał się pierwszy żółty liść, zaczynały je uszczelniać i ocieplać włosiem zwierząt i ptasimi piórami, wplatając trawy i gałązki oraz wygładzając ściany mchem i śliną.

Dwie wróżki, ujrzawszy go, nie uciekły, lecz wpatrywały się pożądliwie w jego jasną czuprynę. Ostatnie promienie słońca przeciskające się przez korony drzew zabarwiały ich skrzydełka na czerwono.

– No tak, oczywiście! – roześmiał się cicho Smolipaluch. – Chciałybyście trochę moich włosów na gniazda.

I odciął nożem pukiel. Jedna z wróżek chwyciła włosy rączkami przypominającymi łapki żuków i szybko odleciała. Druga – tak mała, że musiała dopiero niedawno wykluć się z jaja o perłowej barwie – pofrunęła za nią. Stęsknił się za tymi bezczelnymi istotkami, bardzo się stęsknił.

W dole noc obejmowała już las w posiadanie, gdy tymczasem w górze, wysoko nad jego głową, zachodzące słońce znaczyło purpurą wierzchołki drzew; wyglądały jak kwitnący szczaw pośród letniej łąki. Wkrótce wróżki usną w swoich gniazdach, myszy i króliki w swych norkach, jaszczurki zesztywnieją od chłodu nocy, a leśni myśliwi wyruszą na łów – ich oczy żółtymi światełkami zapłoną w ciemnościach. „Miejmy nadzieję, że żadnemu z nich nie przyjdzie ochota na nędznego połykacza ognia" – pomyślał Smolipaluch, wyciągając nogi pośród korzeni dębu. Wbił nóż w korę tuż obok, naciągnął na siebie czarną opończę, której nie używał od dziesięciu lat, i zapatrzył się w ciemniejące listowie. Z pobliskiego dębu poderwała się sowa i jak cień poszybowała między gałęziami. Dzień zgasł. Jakieś drzewo szeptało przez sen słowa, których żaden człowiek nie rozumiał.

Smolipaluch zamknął oczy i słuchał.

Był znowu w domu.

4
Córka Czarodziejskiego Języka

Może światy stale przeplatały się ze sobą, a może mimo wszystko istniał tylko jeden, który śnił o innych?

Philip Pullman, *Magiczny nóż*

Meggie nie cierpiała kłócić się z Mo. Po każdej kłótni była roztrzęsiona i nic nie mogło jej uspokoić, ani pieszczoty matki, ani cukierki lukrecjowe, które podsuwała jej Elinor, ani Dariusz, który w takich wypadkach święcie wierzył w cudowne działanie gorącego mleka z miodem.

Nic.

Tym razem było jeszcze gorzej niż zwykle, bo Mo właściwie przyszedł się tylko pożegnać. Otrzymał nowe zlecenie na oprawę paru książek, zbyt starych i cennych, by można je było przesłać do jego pracowni. Zwykle Meggie towarzyszyła mu w tych podróżach, ale tym razem postanowiła zostać z matką i ciotką Elinor.

Dlaczego musiał wejść do jej pokoju akurat wtedy, kiedy wertowała swoje notatki?

Ostatnio coraz częściej spierali się z powodu tych notatek, chociaż Mo tak samo jak ona nienawidził kłótni. Po każdej awanturze znikał w swojej pracowni, którą Elinor kazała dla niego zbudować z tyłu za domem. Meggie szła tam, kiedy miała już dość gniewania się na niego. Mo nigdy nie podnosił głowy, kiedy wślizgiwała się do szopy, a Meggie bez słowa siadała obok niego na krześle, które zawsze tam na nią czekało, i przyglądała mu się przy pracy, jak to miała w zwyczaju od niepamiętnych czasów, kiedy nawet jeszcze nie umiała czytać. Lubiła patrzeć na jego dłonie, kiedy wyjmował książkę ze zniszczonej okładki, rozdzielał poplamione, zlepione kartki, przecinał nitki rozpadającego się tomu albo kiedy moczył starą makulaturę, aby uzyskać papkę do połatania pogryzionych przez robaki kartek. Po jakimś czasie Mo odwracał się, pytając ją o to czy owo: czy jej się podoba kolor płótna, które wybrał na okładkę, czy nie uważa, że masa papierowa, którą przygotował do konserwacji kartek, wyszła mu za ciemna. Mo miał taki właśnie sposób przepraszania, jakby chciał powiedzieć: no, nie kłóćmy się już, Meggie, zapomnijmy o przykrych słowach...

Ale dzisiaj to było niemożliwe, bo Mo nie zniknął w swojej pracowni, tylko wyjechał do jakiegoś bibliofila, żeby przedłużyć żywot jego książek. Tym razem nie przyjdzie do niej i nie przyniesie jej na przeprosiny książki, którą wyszperał w jakimś antykwariacie, albo zakładki ozdobionej piórami sójki, które znalazł w ogrodzie Elinor...

Dlaczego nie mogła czytać akurat czegoś innego, kiedy wszedł do jej pokoju?

– Rany, Meggie! Musisz bez przerwy wertować te przeklęte notatki? – zawołał już od progu.

Powtarzało się to już od miesięcy, za każdym razem, kiedy zastawał ją w takim stanie – leżącą na dywanie, głuchą i ślepą na wszystko, co się wokół niej działo, z oczami utkwionymi w literach, którymi spisała opowieści Resy o wszystkim, co przeżyła ona „tam", jak z goryczą mówił Mo.

Tam.

Atramentowy Świat – tak właśnie Meggie nazwała owo miejsce, o którym Mo wyrażał się lekceważąco, a matka opowiadała z nieskrywaną tęsknotą... Atramentowy Świat – od tytułu książki, która o nim opowiadała: *Atramentowe serce*. Książka przepadła, ale wspomnienia matki pozostały tak żywe, jakby dopiero wczoraj opuściła ten świat, stworzony z papieru i farby drukarskiej, w którym były wróżki i książęta, rusałki, świetliki i drzewa sięgające nieba.

Trudno zliczyć te dni i wieczory, które Meggie przesiedziała obok Resy, zapisując to, co matka opowiadała jej ruchami palców i dłoni. Resa zostawiła głos w Atramentowym Świecie, dlatego teraz z pomocą papieru i długopisu lub używając rąk, opowiadała córce o spędzonych tam latach. O tych strasznych cudownych latach, jak je nazywała. Czasami rysowała to, co tam zobaczyły jej oczy, a czego nie mogła opisać mową: wróżki, ptaki, egzotyczne kwiaty, naszkicowane kilkoma pociągnięciami pióra, ale tak prawdziwe, że Meggie czuła się, jakby widziała je na własne oczy.

Mo oprawił notatniki, w których Meggie spisała wspomnienia Resy, jeden piękniej od drugiego. Ale po jakimś czasie Meggie spostrzegła, że Mo przygląda jej się z niepokojem, kiedy ona przegląda notatki, a obrazy i słowa całkowicie ją pochłaniają. Rozumiała oczywiście, że czuł się nieswojo, w końcu ten świat z liter i papieru na całe dziesięć lat zabrał mu żonę. Jakże więc mogło mu się spodobać, że jego córka o niczym innym nie potrafi myśleć? Tak, Meggie doskonale rozumiała Mo, a jednak nie potrafiła zrobić tego, o co ją prosił. Chciał, żeby schowala notatki i na jakiś czas zapomniała o Atramentowym Świecie.

Może jej tęsknota nie przybrałaby aż takich rozmiarów, gdyby były tu jeszcze te wszystkie wróżki i gnomy, wszystkie egzotyczne istoty, które przywieźli ze sobą z przeklętej wioski Capricorna. Ale żadnego z nich nie było już w ogrodzie Elinor. Pozostały puste gniazda wróżek przyczepione do drzew i jamy wykopane przez gnomy, ale ich mieszkańcy zniknęli. Początkowo Elinor myślała, że czarodziejskie stwory pouciekały, zostały skradzione albo spotkał je inny przykry los. Ale potem odkryli ten popiół. Popiół, który pokrył trawę w ogrodzie niby cieniutka warstwa kurzu; szary popiół, tak szary jak Cień, z którego wyszły niegdyś stworzenia Elinor. I wtedy Meggie zrozumiała, że nie ma powrotu ze świata śmierci – nawet dla istot stworzonych ze słów.

Jednak Elinor nie mogła się pogodzić z tą myślą. Na przekór wszystkiemu, z sercem przepełnionym rozpaczą, pojechała raz jeszcze do wioski Capricorna. Zastała puste ulice i wypalone domy – i ani jednego żywego stworzenia.

– Wiesz, Elinor – powiedział Mo, gdy wróciła z zapłakaną twarzą – zawsze się tego obawiałem. Jakoś nie mogłem uwierzyć, by słowa mogły przywrócić umarłych do życia. A poza tym musisz przyznać, że te stworzenia nie pasowały do tego świata.

– Tak jak ja – odparła tylko Elinor.

Jeszcze przez kilka tygodni Meggie – idąc do biblioteki, by wybrać jakąś książkę do czytania – często słyszała szlochanie dochodzące z pokoju Elinor. Od tego czasu minęło wiele miesięcy, już prawie rok mieszkali wszyscy w tym ogromnym domu i Meggie miała wrażenie, że Elinor jest zadowolona, iż nie musi już przebywać sama ze swoimi książkami. Oddała im najpiękniejsze pokoje. (Stało się to kosztem kolekcji starych podręczników i paru poetów, którzy popadli w niełaskę u Elinor: książki te powędrowały na strych). Z pokoju Meggie widać było ośnieżone szczyty gór, a z sypialni rodziców rozciągał się widok na jezioro, którego połyskująca tafla przyciągała dawniej wróżki...

Mo jeszcze nigdy nie odjechał tak bez słowa pożegnania, bez przeprosin.

„Może powinnam zejść do biblioteki i pomóc Dariuszowi" – pomyślała, ocierając zapłakaną twarz. Nigdy nie płakała podczas kłótni, dopiero potem pojawiały się łzy... A kiedy Mo spoglądał później w jej zaczerwienione oczy, miał wypisane na twarzy potworne poczucie winy.

Na pewno wszyscy jak zwykle słyszeli, że się pokłócili. Dariusz pewnie już szykował mleko z miodem, a jeśli tylko Meggie zajrzy do kuchni, Elinor natychmiast zacznie wyrzekać na Mo i na mężczyzn w ogóle. Nie, lepiej zostanie w pokoju.

Ach, ten Mo! Wyrwał jej z ręki notatnik, który właśnie przeglądała, i zabrał ze sobą. I to akurat ten tomik, w którym zapisywała pomysły do własnych historii, początki opowiadań, z których nigdy nic nie wychodziło – parę pokreślonych zdań, nieudane próby... Jak mógł to zrobić? Nie chciała, żeby czytał to, co napisała, żeby widział, jak na próżno usiłuje powiązać słowa, które podczas czytania tak lekko i swobodnie spływały z jej warg. Tak, Meggie potrafiła zapisać to, co jej opowiadała matka, zapełniając kolejne strony opisem jej przygód. Ale kiedy tylko próbowała stworzyć coś nowego, zacząć historię, która miałaby własne życie, nic nie przychodziło jej do głowy. Po prostu słowa uciekały, znikały jak płatki śniegu, gdy chce się je zamknąć w dłoni.

Ktoś zapukał do drzwi.

– Proszę! – chlipnęła.

Sięgnęła do kieszeni po jedną ze staromodnych chusteczek, które jej podarowała Elinor. („Należały do mojej siostry – powiedziała, dając je Meggie. – Jej imię też zaczynało się na M, tak jak twoje. O, widzisz, tu w rogu jest wyhaftowana literka M. Pomyślałam sobie, że lepiej, żebyś ty ich używała, niż mają je zeżreć mole").

Resa zajrzała do pokoju. Meggie próbowała się uśmiechnąć, ale nie bardzo jej to wyszło.

– Mogę wejść?

Palce matki szybciej malowały w powietrzu słowa, niż spływały one z ust Dariusza. Meggie skinęła głową. Potrafiła już czytać znaki matki z równą łatwością jak litery. Robiła to lepiej niż Mo i Dariusz i o wiele lepiej niż Elinor. Kiedy dłonie Resy zaczynały się poruszać zbyt szybko, zrozpaczona Elinor wzywała Meggie na pomoc.

Resa zamknęła za sobą drzwi i usiadła obok niej na parapecie. Meggie zawsze zwracała się do niej po imieniu, może dlatego, że przez dziesięć lat nie miała mamy, a może z tego samego tajemniczego powodu, dla którego ojciec był dla niej zawsze tylko Mo.

Meggie od razu rozpoznała notatnik, który Resa położyła jej na kolanach. Ten sam, który Mo zabrał jej podczas kłótni.

– Leżał pod drzwiami – powiedziały ręce mamy.

Meggie przesunęła ręką po wzorzystej okładce. A więc Mo go zwrócił. Tylko dlaczego nie wszedł? Dlatego, że był nadal wściekły, czy dlatego, że było mu przykro?

– Chce, żebym zaniosła notatniki na strych. Przynajmniej na jakiś czas – wyrzuciła z siebie Meggie i poczuła się bardzo mała, a jednocześnie bardzo, bardzo stara. – „Może powinienem się zamienić w szklanego ludzika – powiedział – albo pomalować sobie skórę na niebiesko, bo moja córka i moja żona bardziej tęsknią za wróżkami i szklanymi ludzikami niż za mną".

Resa uśmiechnęła się i pogłaskała ją palcem po nosie.

– Ja wiem, że on nie myśli tak naprawdę! Ale zawsze wpada w złość, kiedy mnie widzi z tymi notatnikami...

Resa wyjrzała przez otwarte okno wychodzące na ogród. Ogród Elinor był tak ogromny, że nie widziało się jego początku ani końca, jak okiem sięgnąć tylko wysokie drzewa i gęste krzaki rododendronów, tak stare, że zdawały się otaczać dom ciotki niczym wiecznie zielony las. Tuż pod oknem Meggie rozciągał się trawnik okolony wąską żwirową ścieżką. Na skraju trawnika stała ławka. Meggie dobrze pamiętała tę noc, gdy siedząc na ławce, z zapartym tchem śledziła ogniowe popisy Smolipalucha.

Tego popołudnia mrukliwy ogrodnik Elinor zagrabił suche liście. Pośrodku murawy wciąż jeszcze widać było wypalone miejsce, gdzie ludzie Capricorna puścili z dymem najpiękniejsze książki Elinor. Ogrodnik na próżno przekonywał Elinor, że trzeba tu posadzić krzewy lub posiać trawę. Za każdym razem ciotka energicznie potrząsała głową. „Odkąd to na grobach sieje się trawę?” – zbeształa go ostatnio. Nie pozwoliła też ruszyć krwawnika, który rozplenił się na obrzeżach wypalonej ziemi, jakby chciał swymi czerwonymi kielichami przypominać im o nocy, kiedy to płomienie strawiły drukowane dzieci Elinor.

Słońce zachodziło nad pobliskimi górami, tak czerwone, jakby ono też chciało przywołać w pamięci dawno zgasły ogień. Z dworu wionęło chłodem i Resa wzdrygnęła się z zimna.

Meggie zamknęła okno. Wiatr rzucił o szybę garścią zwiędłych płatków róż. Przykleiły się do szkła bladożółtymi przezroczystymi plamami.

– Ja wcale nie chcę się z nim kłócić – szepnęła. – Dawniej nigdy się nie kłóciłam z Mo... no, powiedzmy, prawie nigdy...

– Kto wie, może on ma rację – powiedziała matka, odgarniając z twarzy pasemko włosów.

Jej włosy były tak samo długie jak włosy Meggie, tylko nieco ciemniejsze, jakby padł na nie cień. Zwykle Resa upinała włosy grzebykami. Ostatnio Meggie często czesała się tak samo i kiedy patrzyła w lustro, zdawało jej się, że widzi w nim młodsze odbicie własnej matki.

– Jeszcze rok i cię przerośnie – mawiał Mo, kiedy chciał dokuczyć Resie.

A krótkowzroczny Dariusz już nieraz pomylił Meggie z jej matką.

Resa wodziła palcem po szybie, obrysowując kształty przylepionych płatków róż. A potem jej ręce ożywiły się i przemówiły – z wahaniem, tak jak czynią to czasem wargi.

– Rozumiem twojego ojca, Meggie – mówiły. – Czasami sobie myślę, że my obie zbyt często rozmawiamy o tym świecie. Sama nie wiem, dlaczego wciąż do tego wracam. I zawsze opowiadam ci, jak tam było pięknie, ale nie mówię o innych rzeczach. O życiu w zamknięciu, o karach, jakie wymierzała

Mortola, o tym, jak po pracy bolały mnie kolana i ręce, tak że nie mogłam zasnąć... o okrucieństwach, których byłam świadkiem... Czy opowiadałam ci kiedyś o służącej, która umarła ze strachu, bo w nocy do naszej izby zakradła się nocna mara?

– Tak, opowiadałaś! – Meggie przysunęła się do matki.

Ale ręce Resy milczały. Wciąż jeszcze były chropowate po tych wszystkich latach, kiedy to służyła najpierw Mortoli, a potem Capricornowi.

– Opowiadałaś mi o wszystkim – powiedziała Meggie. – Również o tym, co było złe, ale Mo nie chce w to wierzyć!

– Bo czuje, że obie wciąż tylko wspominamy to, co tam było cudowne. Tak jakbym dużo z tego miała!

Resa potrząsnęła głową. Jej palce umilkły na dłuższą chwilę, zanim znów zaczęły mówić.

– Musiałam kraść drobiny czasu, sekundy, minuty, czasem zdarzała się nawet cała bezcenna godzina, na przykład kiedy mogłyśmy pójść do lasu, by zbierać zioła na czarne napary Mortoli.

– Zapominasz o tych latach, gdy byłaś wolna! – zawołała Meggie. – Kiedy przebrana za mężczyznę występowałaś na jarmarkach jako skryba.

Przebrana za mężczyznę... Tę scenę Meggie wyobrażała sobie najczęściej: mama z krótko obciętymi włosami, w czarnym kitlu pisarza, z dłońmi powalanymi atramentem. Miała najpiękniejszy charakter pisma w całym Atramentowym Świecie. Tak jej to przedstawiła Resa. Tak właśnie zarabiała na chleb w świecie, w którym kobietom nie było łatwo. Meggie najchętniej wysłuchałaby po raz kolejny tej historii, choć miała ona smutne zakończenie. Potem przyszły złe lata. Ale nawet wtedy zdarzały się cudowne chwile. Na przykład ta wielka uroczystość na zamku Tłustego Księcia, dokąd Mortola zabrała swoje służące. Wtedy to Resa na własne oczy ujrzała władcę, a także Czarnego Księcia i jego niedźwiedzia, i tego kuglarza, który spacerował po linie – Podniebnego Tancerza...

Ale dzisiaj Resa nie przyszła do niej po to, by o tym wszystkim od nowa opowiadać. A kiedy jej ręce znów zaczęły mówić, poruszały się wolniej niż zwykle.

– Spróbuj zapomnieć o Atramentowym Świecie, Meggie – mówiły. – Spróbujmy obie o tym zapomnieć. Zróbmy to dla twojego ojca... i dla ciebie. Bo inaczej pewnego dnia staniesz się ślepa na piękno, które otacza cię w tym świecie. – Resa spojrzała w okno, za którym zapadał zmrok. – Opowiedziałam ci już wszystko – powiedziały jej palce. – Wszystko, o cokolwiek pytałaś.

Była to prawda. A Meggie zadawała jej tysiące pytań.

„Czy widziałaś kiedyś olbrzyma? W co się ubierałaś? Jak wyglądała leśna twierdza, do której zabrała cię Mortola, i ten książę, o którym mówiłaś, ten Tłusty Książę, i czy jego zamek był tak samo duży i wspaniały jak Mroczny Zamek? Opowiedz mi o jego synu, Pięknym Cosimie, i o Żmijogłowym i jego stalowych rycerzach. Czy na jego zamku naprawdę wszystko było ze srebra? A jak duży był ten niedźwiedź, który zawsze towarzyszył Czarnemu Księciu, i co z tymi drzewami, czy naprawdę potrafiły mówić? A co z tą starą kobietą, którą wszyscy nazywali Pokrzywa? Naprawdę potrafiła latać?".

Resa odpowiadała na te wszystkie pytania najlepiej, jak umiała. Ale nawet z tysiąca odpowiedzi nie da się złożyć historii dziesięciu lat, zwłaszcza że niektórych pytań Meggie w ogóle nie zadawała. Nigdy na przykład nie pytała o Smolipalucha. Ale Resa i tak jej o nim mówiła. Każdy w Atramentowym Świecie znał jego imię, nawet po wielu latach od chwili, gdy zniknął. Nazywano go połykaczem ognia i dlatego Resa od razu go rozpoznała, kiedy po raz pierwszy zobaczyła go w tamtym świecie...

Było jeszcze coś, o co Meggie nie pytała, chociaż bez przerwy chodziło jej to po głowie – ale Resa przecież nie mogła znać odpowiedzi: co się działo z Fenogliem, autorem tej książki, która najpierw wessała matkę Meggie, a na koniec samego autora?

Minął już ponad rok od czasu, gdy Meggie utkała wokół Fenoglia pajęczynę z jego własnych słów, które go w końcu pochłonęły. Czasem Meggie śniła się jego pokryta zmarszczkami twarz, ale nigdy nie umiała powiedzieć, czy wyraża ona radość, czy smutek. Zresztą, patrząc na jego żółwią twarz, nigdy nie można było mieć co do tego pewności. Którejś nocy, obudziwszy się z jednego z tych złych snów i nie mogąc zasnąć, próbowała przelać na papier opowiadanie, w którym Fenoglio usiłuje „wpisać się" z powrotem do swojego domu i do wnuków, do swej rodzinnej wioski, gdzie Meggie spotkała go po raz pierwszy. Ale nie wyszła poza pierwsze trzy zdania, podobnie jak przy wszystkich poprzednich historiach, które zaczynała.

Meggie przez chwilę kartkowała odzyskany notatnik, wreszcie zamknęła go z trzaskiem.

Resa ujęła ją pod brodę i spojrzała jej w twarz.

– Nie gniewaj się na niego!

– Nie umiem długo się na niego gniewać. I on dobrze o tym wie. Na ile wyjechał?

– Na dziesięć dni, może więcej.

Dziesięć dni! Meggie popatrzyła na regał obok jej łóżka. W równiutkich rzędach stały tam Złe Książki, jak je Meggie w tajemnicy nazywała – notatniki wypełnione opowieściami Resy, pełne szklanych ludzików i rusałek, świetlików, nocnych strachów, białych dam i wszelkich innych dziwacznych stworzeń, o których opowiadała jej matka.

– A więc dobrze. Zadzwonię do niego i powiem, żeby mi zrobił na nie skrzynkę. Ale klucz od skrzynki będzie u mnie.

Resa pocałowała ją w czoło. Potem pieszczotliwie przejechała dłonią po zamkniętym notatniku leżącym na kolanach Meggie.

– No powiedz, czy jest na świecie ktoś, kto oprawia książki piękniej od twojego taty? – spytały jej palce.

Twarz Meggie rozjaśniła się w uśmiechu.

– Nie ma – szepnęła, kręcąc głową. – Ani w tym, ani w żadnym innym świecie.

Wreszcie Resa zeszła na dół, by pomóc Dariuszowi i Elinor przy kolacji, a Meggie nadal siedziała przy oknie, patrząc, jak ogród pogrąża się w nocnych cieniach. Po trawniku przebiegła wiewiórka, ciągnąc za sobą puszysty ogon, i Meggie mimo woli pomyślała o Gwinie, oswojonej kunie Smolipalucha. Jakie to dziwne, że teraz tak dobrze rozumiała tęsknotę malującą się na obliczu jej pana.

Pewnie Mo miał rację, za wiele myślała o świecie Smolipalucha. Doszło już do tego, że kilka razy czytała na głos tę czy inną historię Resy, choć dobrze wiedziała, jak niebezpiecznie jej głos potrafił się splatać z literami. Co więcej – przyznała się sama przed sobą ze szczerością, na jaką rzadko się zdobywamy – w głębi duszy miała nadzieję, że słowa pozwolą jej się prześliznąć na tamtą stronę. Ciekawe, co by zrobił Mo, gdyby wiedział o jej próbach? Czy zakopałby notatniki w ogrodzie lub wrzucił do jeziora, tak jak groził bezpańskim kotom, kiedy zakradały się do jego pracowni?

„Tak, zamknę je!" – postanowiła Meggie. Na niebie pojawiły się pierwsze gwiazdy. Zamknie je, kiedy tylko Mo zrobi jej nową skrzynkę. Ta poprzednia była już wypełniona po brzegi ulubionymi książkami. Miała kolor czerwonych maków, niedawno Mo ją świeżo polakierował. Skrzynka na notatniki musi mieć inny kolor, najlepiej zielony, jak Nieprzebyty Las, który Resa tak często jej opisywała. Zdaje się, że strażnicy w twierdzy Tłustego Księcia też są ubrani na zielono.

O szybę uderzyła ćma i przypomniała Meggie o błękitnoskórych wróżkach i najpiękniejszej spośród opowieści Resy: o tym, jak wróżki wyleczyły twarz Smolipalucha, którą mu Basta pokiereszował nożem. W ten sposób wróżki odwdzięczyły mu się za to, że tyle razy uwalniał ich siostry z klatek, w których zamykali je handlarze, by potem sprzedawać na jarmarku jako maskotki przynoszące szczęście. Musiał się udać w głąb Nieprzebytego Lasu... Dosyć!

Meggie oparła czoło o chłodną szybę.

Dosyć!

„Zaniosę je do pracowni Mo – pomyślała. – Teraz, zaraz. A kiedy Mo wróci, poproszę go, by zrobił mi nowy notatnik na historie, które będę pisała o naszym świecie". Kilka opowiadań już nawet zaczęła: o ogrodzie Elinor i o jej bibliotece, o zamku nad jeziorem, gdzie niegdyś mieszkali. Opowiadała jej o tym Elinor, w sobie właściwy sposob, nie szczędząc krwawych szczegółów, aż Dariusz z wrażenia zapominał o sortowaniu książek, a jego oczy za grubymi szkłami okularów robiły się okrągłe ze strachu.

– Meggie, kolacja! – dobiegło ją z dołu wołanie Elinor.

Ciotka miała donośny głos. Głośniejszy od syreny mgłowej „Titanica", jak mawiał Mo.

– Idę! – odkrzyknęła Meggie, zeskakując z parapetu.

Pospiesznie zgarnęła z regału notatniki i ledwie mogąc utrzymać na rękach chwiejącą się stertę, zaniosła je do pokoju, który służył Mo za pomieszczenie biurowe. Kiedyś była to sypialnia Meggie – tu nocowała, gdy razem z Mo i Smolipaluchem po raz pierwszy przyjechała do Elinor. Ale z okna roztaczał się mało ciekawy widok na wysypany żwirem podjazd, parę świerków, wielki kasztan i szare kombi Elinor, które stało tam w każdą pogodę, ciotka uważała bowiem, że samochody rozpieszczane garażowaniem tylko szybciej rdzewieją. Kiedy więc zdecydowali się zamieszkać na stałe z Elinor, Meggie zażyczyła sobie pokoju z widokiem na ogród. Odtąd Mo załatwiał tu swoją papierkową robotę, pośród zbiorów starych przewodników. To tutaj Meggie spała tamtej nocy, kiedy nic jeszcze nie wiedziała o wiosce Capricorna, kiedy jeszcze nie miała matki, kiedy prawie nigdy nie kłóciła się z Mo...

– Meggie, gdzie ty się podziewasz?

W głosie Elinor wyraźnie słychać było zniecierpliwienie. W ostatnich czasach odczuwała często bóle stawów, ale uparła się, że nie pójdzie do lekarza. („Na co mi to? – odpowiedziała krótko. – Chyba nie wynaleziono jeszcze pigułki na starość?”).

– Już schodzę! – odkrzyknęła Meggie.

Ostrożnie złożyła na biurku stertę notatników. Dwa tomy z samej góry zsunęły się, o mało nie przewracając wazonu z jesiennymi kwiatami, które Resa tam ustawiła. Meggie zdążyła złapać wazon, zanim woda rozlała się na dokumenty i rachunki za benzynę. Stała tak, trzymając w drżących rękach wazon, dłonie lepiły jej się od pyłu kwiatowego – i wtedy zobaczyła tę postać między drzewami, w miejscu gdzie ścieżka przechodziła w podjazd. Serce zaczęło jej walić tak mocno, że wazonowi po raz drugi groziło rozbicie.

„Proszę, oto dowód, że Mo miał rację”.

„Meggie, jeśli nie przestaniesz się grzebać w tych historiach, wkrótce nie będziesz mogła odróżnić swoich wyobrażeń od rzeczywistości” – powtarzał jej za każdym razem.

No i właśnie tak się stało! Przed chwilą pomyślała o Smolipaluchu i oto widzi na dworze zjawę, dokładnie w tym samym miejscu, w którym połykacz ognia stał w deszczu tamtej nocy ponad rok temu, tak samo nieruchomo jak ta postać...

– Meggie, do licha, ile razy mam cię wołać? – usłyszała za plecami głos zasapanej Elinor. – Co tak stoisz jak wmurowana? Nie słyszałaś, jak cię... Do licha, a to kto znowu?

– Ty też go widzisz?

Meggie odczuła tak wielką ulgę, że miała ochotę uściskać Elinor.

– Oczywiście!

Postać poruszyła się i przebiegła po jasnym żwirze. Była bosa.

– To przecież ten chłopiec! – W głosie Elinor brzmiało niedowierzanie. – Ten, który pomógł pożeraczowi zapałek ukraść książkę twojemu ojcu. Jeszcze ma czelność się tu zjawiać! Nic dziwnego, że się denerwuję. Chyba nie myśli, że go wpuszczę? Może tamten drugi też tu jest!

Elinor z zasępioną twarzą podeszła do okna, ale Meggie była już w progu. Kilkoma susami zbiegła ze schodów i popędziła przez hol do drzwi wejściowych. W korytarzyku prowadzącym do kuchni spostrzegła matkę.

– Resa! – krzyknęła. – Farid wrócił! Farid!

5
Farid

Był uparty jak osioł, przebiegły jak małpa i zwinny jak zając.

Louis Pergaud, *Wojna guzików*

Resa posadziła Farida w kuchni i zajęła się jego stopami. Były pokaleczone i zakrwawione. Kiedy Resa przemywała rany i opatrywała je, nie szczędząc plastrów, Farid zaczął opowiadać, choć język plątał mu się ze zmęczenia.

Meggie starała się nie patrzeć na niego zbyt często. Był wciąż jeszcze wyższy od niej, chociaż bardzo urosła od czasu, gdy widzieli się po raz ostatni... tamtej nocy, kiedy odszedł ze Smolipaluchem. Z nim i z książką... Nie zapomniała jego twarzy, podobnie jak nie zapomniała dnia, w którym Mo wydobył go z jego własnej historii, z *Baśni z 1001 nocy.* Żaden ze znanych jej chłopców nie miał tak pięknych, niemal dziewczęcych oczu; były czarne jak jego włosy, teraz nieco krótsze, przez co wyglądał doroślej. Farid. Meggie smakowała na języku to imię... Szybko odwróciła wzrok, gdy chłopiec podniósł głowę i spojrzał na nią.

Elinor przyglądała mu się bez najmniejszego skrępowania i z taką samą wrogością jak wtedy Smolipaluchowi, gdy siedział przy jej stole kuchennym i karmił kunę jej chlebem i szynką. Faridowi nie pozwoliła zabrać kuny do domu.

– Biada jej, jeśli pożre choć jednego ptaszka w moim ogrodzie – powiedziała, kiedy Gwin przemknął jak cień po żwirowym podjeździe.

Po czym dokładnie zaryglowała drzwi wejściowe, jak gdyby kuna potrafiła równie łatwo przenikać przez zamknięte drzwi, jak to czynił jej pan.

Farid opowiadał, bawiąc się pudełkiem zapałek.

– Popatrz tylko! – szepnęła Elinor do Meggie. – Zupełnie jak tamten pożeracz zapałek. Nie wydaje ci się, że jest do niego bardzo podobny?

Ale Meggie nie zareagowała. Nie chciała uronić ani słowa z opowieści Farida. Pragnęła usłyszeć wszystko dokładnie o powrocie Smolipalucha, o nowym lektorze i jego piekielnym psie, o prychającym stworze, który mógł być jednym z tych wielkich dzikich kotów z Nieprzebytego Lasu, i o tym, co Basta wykrzykiwał w ślad za uciekającym Faridem: „Możesz sobie uciekać, i tak cię złapię, słyszysz? Ciebie, połykacza ognia, Czarodziejskiego Języka i jego słodką córunię, i tego starego, co napisał te wszystkie przeklęte słowa! Wszystkich was pozabijam. Jedno po drugim!"

W trakcie opowiadania Farida wzrok Resy co chwila wędrował ku brudnej kartce papieru, którą chłopiec położył na stole. Patrzyła na nią, jakby się jej bała; jakby napisane na niej słowa mogły i ją zabrać z powrotem. Z powrotem do Atramentowego Świata. A kiedy Farid powtórzył groźby Basty, objęła Meggie i przytuliła ją do siebie. Dariusz, który przez cały czas siedział w milczeniu obok Elinor, ukrył twarz w dłoniach.

Farid nie rozwodził się zbytnio nad tym, w jaki sposób dotarł do domu Elinor na swoich bosych, krwawiących stopach. Na pytanie Meggie mruknął coś o ciężarówce, która go podwiozła, i zakończył swoją opowieść tak nagle, jakby mu zabrakło słów. A kiedy umilkł, w kuchni zapadła głucha cisza.

Wraz z Faridem do ich domu zawitał niewidzialny gość: strach.

– Zaparz świeżą kawę, Dariuszu – poleciła Elinor, z ponurą miną przyglądając się nietkniętej kolacji. – Ta jest już zimna jak lód.

Dariusz zakrzątnął się skwapliwie – podobny do zwinnej wiewiórki w okularach – a Elinor nadal mierzyła Farida lodowatym spojrzeniem, jakby to on był winien złych wieści, które przyniósł. Meggie pamiętała doskonale, jakim lękiem napawał ją kiedyś ten wzrok. W myślach nazywała wtedy ciotkę „kobietą o paciorkowatych oczach". To określenie nadal do niej pasowało.

– Ładna historia! – mruczała Elinor.

Resa musiała przyjść Dariuszowi z pomocą. Opowiadanie Farida do tego stopnia wyprowadziło go z równowagi, że nie mógł sobie dać rady z odmierzeniem właściwej ilości kawy. Resa łagodnie wyjęła mu z ręki miarkę, gdy po raz trzeci próbował policzyć, ile łyżeczek wsypał do filtra.

– A więc Basta powrócił. Z nowiusieńkim nożem i gębą pełną liści mięty, jak przypuszczam. Tam do licha! – Elinor nie szczędziła przekleństw, kiedy była zmartwiona lub zła. – Jakby mało było tego, że co trzecią noc budzę się zlana potem, bo śni mi się jego ohydna gęba i jego nóż. Ale spróbujmy zachować spokój! Basta wprawdzie wie, gdzie mieszkam, ale nie szuka mnie, tylko was, dlatego powinniście być u mnie całkiem bezpieczni. Bo skąd może wiedzieć, że wprowadziliście się do mnie?

I z triumfującym uśmiechem spojrzała na Resę i Meggie, jakby obmyśliła niezawodny ratunek.

Ale Meggie zepsuła jej humor.

– Farid wiedział... – rzuciła.

– Słusznie! – warknęła Elinor, wbijając wzrok w Farida. – Ty wiedziałeś. Skąd?

Jej głos zabrzmiał tak ostro, że Farid odruchowo wtulił głowę w ramiona.

– Pewna stara kobieta nam powiedziała – odparł niepewnym głosem. – Byliśmy jeszcze raz w wiosce Capricorna. Po tym jak wróżki, które Smolipaluch zabrał ze sobą, zamieniły się w popiół. Smolipaluch chciał się przekonać, czy inne wróżki spotkał ten sam los. Ale wioska była opustoszała, nie spotkaliśmy żywej duszy, nawet bezdomnego psa. Tylko popiół, wszędzie popiół. Zaczęliśmy rozpytywać w sąsiedniej wiosce, co się stało. No i wtedy... jednym słowem, jakaś gruba kobieta, która tam była, opowiadała coś o martwych wróżkach i o tym, że na szczęście przynajmniej pozostali przy życiu ludzie, którzy u niej zamieszkali...

Elinor z miną winowajcy spuściła głowę, zgarniając okruszki na talerzu.

– Psiakrew! – mruknęła. – No, tak. Może i powiedziałam trochę za dużo w tym sklepie, z którego do was dzwoniłam. Byłam taka roztrzęsiona! Skąd mogłam wiedzieć, że te plotkary rozgadają wszystko właśnie temu pożeraczowi zapałek? Od kiedy to staruchy w ogóle rozmawiają z kimś takim?

„Albo z kimś takim jak Basta" – dodała w myślach Meggie.

Farid wzruszył ramionami i zaczął kuśtykać po kuchni na swoich obandażowanych nogach.

– Smolipaluch i tak przypuszczał, że wszyscy tu mieszkacie – powiedział. – Raz nawet byliśmy u was, bo Smolipaluch chciał zobaczyć, czy u niej wszystko w porządku. – Wskazał głową Resę.

Elinor parsknęła pogardliwie.

– Naprawdę? Jak to miło z jego strony!

Elinor nigdy nie lubiła Smolipalucha, a to, że ukradł Mo książkę, zanim zniknął, tylko pogorszyło sprawę. Ale Resa uśmiechnęła się przy słowach Farida, choć próbowała to ukryć przed Elinor. Meggie przypomniała sobie, jak pewnego ranka Dariusz przyniósł matce dziwne zawiniątko, które znalazł pod drzwiami domu. Była w nim świeca, kilka ołówków i pudełko zapałek, a wszystko przewiązane kwitnącym na niebiesko przetacznikiem. Meggie od razu wiedziała, od kogo była ta paczka. I Resa też.

Elinor trzonkiem noża uderzała o talerz.

– Jestem naprawdę zadowolona, że pożeracz zapałek znalazł się znowu tam, gdzie jego miejsce. Kiedy sobie wyobrażę, że krążył nocą koło mojego domu... Szkoda tylko, że nie zabrał ze sobą Basty.

Basta... Kiedy Elinor wypowiedziała to imię, Resa poderwała się, pobiegła do holu i wróciła, niosąc aparat telefoniczny. Stanowczym ruchem podała go Meggie, gestykulując drugą ręką tak szybko, że nawet Meggie miała trudności z odczytaniem znaków. Ale w końcu zrozumiała.

Ma zadzwonić do Mo. Oczywiście.

Trwało całą wieczność, nim podszedł do telefonu. Pewnie jeszcze pracował. Zawsze kiedy wyjeżdżał, pracował do późna w nocy, by jak najszybciej wrócić do domu.

– Meggie?

W głosie Mo brzmiało zdziwienie. Może myślał, że Meggie dzwoni z powodu ostatniego nieporozumienia. Ale kogo teraz obchodziła ich głupia kłótnia?

Przez dłuższą chwilę Mo nie mógł zrozumieć, o co chodzi.

– Powoli, Meggie! – powtarzał. – Powoli.

Ale jak tu mówić powoli, kiedy serce wali jak młotem, a Basta może już stoi przed bramą posiadłości Elinor. Wolała o tym nie myśleć.

Mo był dziwnie spokojny, jakby pogodził się z tym, że przeszłość powróci i znowu ich dopadnie. „Historie nigdy nie mają końca, Meggie – powiedział kiedyś do niej – chociaż książki nam to sugerują. One nie kończą się na ostatniej stronie ani nie zaczynają na pierwszej".

– Czy Elinor włączyła system alarmowy?

– Tak.

– Zadzwoniła na policję?

– Nie. Powiedziała, że i tak jej nie uwierzą.

– Powinna mimo wszystko zadzwonić. I niech im opisze Bastę. Chyba pamiętacie jeszcze, jak wygląda?

Co za pytanie! Meggie na próżno próbowała zapomnieć twarz Basty. Na zawsze odcisnęła się w jej pamięci, wyraźna niczym zdjęcie.

– Posłuchaj, Meggie!

Może Mo jednak nie był tak spokojny, jak jej się zdawało. Jego głos brzmiał inaczej niż zwykle.

– Jeszcze dzisiaj wyjadę i najpóźniej jutro rano będę z wami. Zaryglujcie drzwi i pozamykajcie okna i okiennice, rozumiesz?

Meggie skinęła głową, zapominając, że Mo nie może tego widzieć.

– Meggie?

– Tak, rozumiem.

Starała się mówić spokojnie, jakby nic a nic się nie bała. Ale to nie była prawda. Bała się, potwornie się bała.

– Do jutra, Meggie!

Poznała po jego głosie, że natychmiast wsiądzie do samochodu i wyruszy do domu. I nagle oczyma wyobraźni ujrzała drogę, która w ciemnościach nocy wydawała się nie mieć końca, a przez głowę przebiegła jej przerażająca myśl.

– A co z tobą? – wykrztusiła. – Mo! Co będzie, jeśli Basta czyha już gdzieś na ciebie?

Jednak ojciec zdążył odłożyć słuchawkę.

Elinor postanowiła umieścić Farida na poddaszu, tam gdzie kiedyś nocował Smolipaluch i gdzie sterty kartonów z książkami wznosiły się tak wysoko wokół wąskiego łóżka, że każdy, kto na nim spał, musiał śnić, iż ginie przywalony zwałami papieru. Meggie odprowadziła chłopca do jego kwatery. Kiedy powiedziała mu dobranoc, Farid tylko nieprzytomnie skinął głową. Przycupnął na brzeżku wąskiego łóżka, równie zagubiony jak wtedy w kościele Capricorna, dokąd Mo przeniósł go z jego świata – chudy chłopczyna o brunatnej skórze, w turbanie na czarnej czuprynie.

Elinor przed snem kilkakrotnie sprawdzała, czy na pewno włączyła system alarmowy. A Dariusz przyniósł dubeltówkę Elinor, z której ciotka strzelała czasem w powietrze, gdy jakiś bezpański kot pojawił się pod którymś z ptasich gniazd w jej ogrodzie. Ubrany w pomarańczowy szlafrok, który dostał od Elinor na Boże Narodzenie, usiadł w holu na krześle i trzymając dubeltówkę na kolanach, z groźną miną wpatrywał się w drzwi wejściowe. Ale kiedy Elinor po raz drugi przyszła sprawdzić alarm, spał już twardo na swoim posterunku.

Meggie jeszcze długo się nie kładła. Patrzyła na regał, na którym jeszcze niedawno stały jej notatniki, przesuwała ręką po pustych półkach, wreszcie uklękła przed polakierowaną na czerwono skrzynią. Ani jedna książka już by się tam nie zmieściła; skrzynia była też za ciężka, aby zabierać ją w podróż. Na nowe ulubione książki Elinor podarowała jej więc prawdziwą biblioteczkę z oszklonymi drzwiczkami. Stała tuż przy łóżku Meggie, cała z rzeźbiongo drewna, tak jakby nie chciało ono zapomnieć, że było kiedyś żywym drzewem. Półki za szkłem szybko zapełniały się tomami, teraz bowiem Meggie dostawała książki już nie tylko od Mo, ale także od Resy i Elinor. Nawet Dariusz czasem jej coś przynosił. Ale jej starzy przyjaciele – książki, które Meggie zgromadziła, zanim jeszcze wprowadzili się do Elinor – nadal zamieszkiwali czerwoną skrzynkę. Kiedy podniosła pokrywę, wydawało jej się, że słyszy dawno zapomniane głosy i że spoglądają na nią dobrze znane twarze. Książki nosiły na sobie ślady intensywnej lektury.

„Zauważyłaś, że książka po kilkakrotnym przeczytaniu staje się o wiele grubsza, niż była? – powiedział Mo, gdy w któreś urodziny Meggie przeglądali jej skarby. – Jakby za każdym razem coś zostawało między kartkami: uczucia, myśli, odgłosy, zapachy... A gdy po latach zaczynamy ją kartkować, odnajdujemy w niej nas samych, młodszych, innych... Książka przechowuje nas jak zasuszony kwiat; odnajdujemy w niej siebie i jakby nie siebie".

Młodszych, innych... O tak. Meggie wyjęła jedną z książek leżących na wierzchu i zaczęła ją powoli kartkować. Czytała ją przynajmniej z dziesięć razy. To jest ta scena, która jej się najbardziej podobała, gdy miała osiem lat, a ten fragment zakreśliła czerwonym flamastrem jako dziesięciolatka, bo wydał jej się cudowny. Wodziła palcem po czerwonym obrysie – wówczas w jej życiu nie było jeszcze Resy, Elinor, Dariusza, tylko Mo... nie tęskniła wtedy za błękitnymi wróżkami, nie wspominała czyjejś twarzy pokrytej bliznami, nie znała kuny z różkami ani chłopca, który zawsze chodził boso, ani Basty i jego noża. Książkę tę czytała inna Meggie, całkiem inna... Meggie, która pozostanie między kartkami, zachowana jak wspomnienie.

Meggie, wzdychając, zamknęła książkę i włożyła ją do skrzyni. W sąsiednim pokoju matka niespokojnie chodziła tam i z powrotem, Meggie słyszała skrzypienie podłogi. Czy ona też nie mogła się uwolnić od myśli o pogróżkach, jakimi Basta poczęstował Farida? „Powinnam do niej pójść – pomyślała Meggie. – Razem może będziemy się bały o połowę mniej".

Tymczasem jednak Resa przestała chodzić i w jej pokoju zapanowała senna cisza. Sen... może to nie był zły pomysł. Mo na pewno nie wróci wcześniej tylko dlatego, że Meggie będzie czuwała. Gdyby chociaż mogła do niego zadzwonić, ale on zawsze zapomina włączyć komórkę.

Meggie zamknęła pokrywę skrzyni tak ostrożnie, jakby każdy głośniejszy hałas mógł obudzić Resę, i zdmuchnęła świece. Zapalała je co wieczór, chociaż Elinor jej tego zabraniała. Ściągała właśnie koszulkę, gdy rozległo się cichutkie pukanie do drzwi. Otworzyła, spodziewając się ujrzeć w progu matkę, ale to był Farid. Twarz mu spłonęła rumieńcem, gdy zobaczył ją w samej bieliźnie. Wybąkał jakieś przeprosiny i pokuśtykał z powrotem na swych obandażowanych stopach. Meggie szybko włożyła koszulkę, wybiegła na korytarz i zatrzymała Farida.

– O co chodzi? – szepnęła zaniepokojona, zapraszając go gestem do swego pokoju. – Słyszałeś coś na dole?

Farid przecząco potrząsnął głową. Trzymał w ręce tę kartkę – bilet powrotny Smolipalucha, jak uszczypliwie wyraziła się Elinor. Ociągając się, wszedł do pokoju w ślad za Meggie i rozejrzał się jak człowiek nieprzywykły do przebywania w zamkniętych pomieszczeniach. Odkąd zniknął razem ze Smolipaluchem, prawdopodobnie większość dni i nocy spędził pod gołym niebem.

– Przepraszam! – wyjąkał, przyglądając się swoim stopom. Niektóre plastry zaczynały się już odklejać. – Jest już bardzo późno, ale... – Po raz pierwszy spojrzał Meggie prosto w oczy i zarumienił się. – Orfeusz mówi, że nie przeczytał wszystkiego – ciągnął niepewnie. – Mówi, że opuścił słowa, które i mnie mogły przenieść na drugą stronę. Zrobił to specjalnie, ale ja muszę ostrzec Smolipalucha i dlatego...

– Dlatego co?

Meggie podsunęła mu krzesło stojące przy biurku, a sama usiadła na parapecie. Farid przycupnął na krześle tak samo ostrożnie, jak przedtem wszedł do pokoju.

– Musisz mnie też wczytać, proszę!

Pokazał jej brudny kawałek papieru, patrząc na nią tak błagalnie, że Meggie nie wiedziała, gdzie oczy podziać. Jakie miał długie rzęsy; jej rzęsy nawet w połowie nie były takie piękne.

– Proszę cię! Na pewno to potrafisz – wyjąkał Farid. – Wtedy... tej nocy w wiosce Capricorna... pamiętam dokładnie: wtedy też miałaś tylko taką kartkę!

Wtedy w wiosce Capricorna... Meggie za każdym razem serce zaczynało bić szybciej, gdy myślała o tej nocy, o której mówił Farid. Nocy, kiedy to sprowadziła Cień, a potem nie potrafiła kazać mu zabić Capricorna, aż Mo musiał to zrobić za nią.

– Orfeusz napisał te słowa, sam mi to powiedział! Nie przeczytał ich, ale one są tu, na tym papierze! Oczywiście nie ma tam mojego imienia, bo inaczej nic by nie zadziałało – coraz bardziej gorączkował się Farid. – Orfeusz mówi, że cała tajemnica polega na tym, żeby używać tylko takich słów, jakie występują w historii, którą chcemy zmienić.

– Tak powiedział?

Meggie miała wrażenie, że serce jej przestało bić, jakby potknęło się o słowa Farida. „Cała tajemnica polega na tym, żeby używać tylko takich słów, które występują w historii, którą chcemy zmienić". Może to dlatego nie mogła niczego – ale to niczego – sprowadzić z historii Resy, że używała wyrazów, których nie było w *Atramentowym sercu*? A może chodziło tylko o to, że nie umiała dobrze pisać?

– Tak. Orfeusz – Farid wyrzucił z siebie imię poety, jakby wypluwał pestkę ze śliwki – strasznie się szczyci swoimi umiejętnościami. Ale moim zdaniem, nie jest nawet w połowie tak dobry jak ty albo twój ojciec.

„Możliwe – pomyślała Meggie – ale odesłał Smolipalucha z powrotem. I sam napisał odpowiednie słowa. Ani Mo, ani ja nie potrafilibyśmy tego uczynić".

Wyjęła Faridowi z ręki kartkę z tekstem Orfeusza. Trudno było odcyfrować słowa, ale Orfeusz miał niewątpliwie piękny charakter pisma, litery były pełne dziwacznych zakrętasów.

– W którym miejscu Smolipaluch zniknął?

Farid wzruszył ramionami.

– Nie wiem – szepnął ze skruszoną miną.

Oczywiście zapomniała o tym, że chłopiec nie umiał czytać. Wodząc palcem po literach, Meggie przeczytała pierwsze zdanie: *Dzień, w którym Smolipaluch wrócił do domu, pachniał jagodami i grzybami.*

Zamyśliła się, opuszczając kartkę.

– Nie da rady – powiedziała. – Nie mamy nawet książki. Jak mogę to zrobić bez książki?

– Ale Orfeusz też jej nie używał! Smolipaluch odebrał mu ją, zanim on zaczął czytać z tej kartki!

Farid zerwał się z krzesła i podszedł do niej. Jego bliskość oszołomiła ją, wolała nie wiedzieć dlaczego.

– To niemożliwe! – mruknęła.

A jednak Smolipaluch zniknął. Parę napisanych odręcznie zdań otworzyło mu drzwi między literami – drzwi, do których Mo na próżno się dobijał. W dodatku tych zdań nie napisał Fenoglio, autor książki, lecz ktoś obcy... Obcy o dziwnym imieniu: Orfeusz.

Meggie wiedziała więcej niż większość ludzi, co kryje się za słowami. Ona sama otwierała już tajemne drzwi, wywabiała z pożółkłych kartek żywe, oddychające istoty. Była też świadkiem, jak jej ojciec sprowadził z arabskiej bajki chłopca, który w tej chwili stał obok. Ale ten cały Orfeusz wiedział jeszcze więcej, o wiele więcej niż ona, więcej nawet niż Mo, którego Farid nigdy nie nazywał inaczej jak tylko Czarodziejski Język... I nagle Meggie przestraszyła się słów umieszczonych na brudnej kartce. Szybko położyła ją na biurku, jakby papier parzył ją w palce.

– Proszę! Przynajmniej spróbuj! – błagał Farid. – Co będzie, jeśli Orfeusz wczytał także Bastę? Smolipaluch musi się dowiedzieć, że ci dwaj trzymają ze sobą! Przecież on teraz myśli, że w swoim świecie jest bezpieczny!

Meggie wciąż jeszcze wpatrywała się w słowa Orfeusza. Brzmiały pięknie, urzekająco pięknie. Poczuła ich smak na języku. Niewiele brakowało, a zaczęłaby czytać na głos. Przerażona zasłoniła usta ręką.

Orfeusz. Jasne, że znała to imię, podobnie jak historię oplatającą je niczym wieniec z kwiatów i cierni. Elinor podarowała jej książkę, która najpiękniej o tym wszystkim opowiada:

Ciebie, Orfeju, ptastwo, ciebie zwierzę polne,
Ciebie twarde opoki i posłuszne skały,
Ciebie z schylonym liściem brzozy opłakały.
Łzami przybrały rzeki, i nimfy w żałobie,
Włosy swe rozpuściwszy, płakały po tobie.

Spojrzała pytająco na Farida.

– Ile on ma lat?

– Orfeusz? – Farid wzruszył ramionami. – Dwadzieścia, dwadzieścia pięć, bo ja wiem? Trudno powiedzieć. Ma całkiem dziecinną twarz.

Taki młody? Słowa widniejące na kartce nie pasowały do młodego człowieka. Brzmiały tak, jakby wiedziały o wielu rzeczach.

– Proszę! – Farid wpatrywał się w nią uporczywie. – Spróbujesz, prawda?

Meggie wyjrzała przez okno. Przypomniały jej się puste gniazda wróżek, szklane ludziki, których już nie było, i coś, co Smolipaluch powiedział jej dawno temu: „Czasem, gdy wczesnym rankiem szedłem do źródła, żeby się umyć, nad wodą furkotały te małe wróżki, nie większe od waszych ważek. Nie były zbyt miłe, ale za to nocą świeciły jak robaczki świętojańskie".

– Dobrze – powiedziała, nie poznając własnego głosu. – Dobrze, spróbuję. Ale najpierw twoje stopy muszą wydobrzeć. Świat, o którym opowiadała mi mama, wymaga zdrowych nóg.

– Bzdura! Moje stopy są zupełnie w porządku! – Farid przemaszerował po dywanie, jakby chciał dowieść prawdziwości swoich słów. – Jeśli o mnie chodzi, możesz zaczynać choćby zaraz!

Ale Meggie potrząsnęła głową.

– Nie! – powiedziała twardo. – Muszę się najpierw nauczyć płynnie czytać ten tekst. Przy tym piśmie nie będzie to łatwe. I kartka jest mocno pobrudzona, więc chyba przepiszę całość. Ten Orfeusz nie kłamał. Rzeczywiście napisał coś o tobie, ale jeszcze nie wiem, czy to wystarczy. No i... – usiłowała mówić obojętnym głosem – jeśli spróbuję, chcę iść razem z tobą.

– Co takiego?

– To, co słyszałeś! Masz coś przeciwko temu?

Starała się to ukryć, ale jej ton zdradził, jak bardzo poczuła się dotknięta jego przerażonym wzrokiem.

Farid nie odpowiadał.

Jak mógł nie rozumieć, że ona też chciała zobaczyć, o czym z taką tęsknotą opowiadali jej Smolipaluch i matka: roje wróżek unoszące się ponad trawą, drzewa tak wysokie, jakby chmury zaplątały się w ich koronach, las nie do przebycia, wagantów, zamek Tłustego Księcia i srebrne wieże Mrocznego Zamku, jarmark w Ombrze, tańczące płomienie, szemrzące sadzawki, z których wyzierały twarze rusałek...

Nie, Farid nie rozumiał. Zapewne nigdy jeszcze nie doświadczył tęsknoty za innym światem ani tęsknoty za domem, jaka rozdzierała serce Smolipalucha. Farid pragnął tylko jednego: wrócić do Smolipalucha, aby go ostrzec przed nożem Basty i aby zostać razem z nim. Był cieniem Smolipalucha. I taką rolę nadal chciał odgrywać, obojętnie w jakim świecie.

– Zapomnij o tym! Nie możesz iść ze mną!

Nie patrząc na nią, Farid pokuśtykał do krzesła, usiadł na nim i zaczął odrywać plastry, którymi Resa opatrzyła jego stopy.

– Nikt nie może samego siebie wczytać do książki. Nawet Orfeusz tego nie potrafi! Powiedział to Smolipaluchowi. Próbował wiele razy, ale nic z tego nie wyszło.

– Naprawdę? – Meggie nadrabiała miną, bo wcale nie była pewna swego. – Sam mówiłeś, że czytam lepiej niż on. Może mnie się uda! – „Chociaż piszę gorzej od niego" – dodała w myślach.

Farid spojrzał na nią z niepokojem, chowając plastry do kieszeni.

– Ale tam jest niebezpiecznie – powiedział. – Zwłaszcza dla dziew...

Tu ugryzł się w język i zakłopotany uważnie zaczął się przypatrywać swoim krwawiącym palcom u stóp.

„Głupiec!". Meggie czuła złość, niby gorzki smak na języku. Co on sobie wyobrażał? Wiedziała o wiele więcej od niego o tym świecie, do którego miała go wysłać.

– Wiem, że tam jest niebezpiecznie! – powiedziała rozdrażniona. – I albo pójdę z tobą, albo wcale nie będę czytać. Zastanów się nad tym. A teraz zostaw mnie samą. Muszę sobie to wszystko przemyśleć.

Farid spojrzał jeszcze raz na kartkę i ruszył ku drzwiom.

– Kiedy spróbujesz? – spytał, przestępując próg. – Jutro?

– Może – odparła Meggie krótko.

Potem zamknęła za nim drzwi i została sama ze słowami Orfeusza.

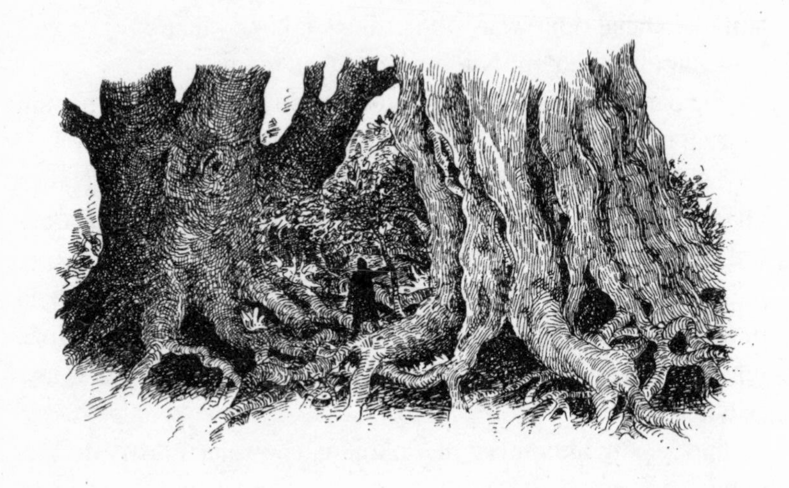

6 Gospoda Wagantów

– Dziękuję – powiedziała Lucy, otworzyła pudełko i wyjęła zapałkę. – Proszę wszystkich o uwagę! – krzyknęła donośnym głosem. – UWAGA! ŻEGNAJCIE NA ZAWSZE, ZŁE WSPOMNIENIA.

Philip Ridley, *Dakota Pink*

Smolipaluch potrzebował dwóch dni, by wydostać się z Nieprzebytego Lasu. Po drodze spotkał niewielu ludzi, paru smolarzy z twarzami wysmarowanymi sadzą, wycieńczonego kłusownika w łachmanach, niosącego na ramieniu dwa upolowane króliki, i oddział uzbrojonych po zęby książęcych gajowych, ścigających pewnie jakiegoś biedaka, który zastrzelił sarnę, by nakarmić głodne dzieciaki. Ale nikt z tych ludzi nie zobaczył Smolipalucha, który potrafił stać się niewidzialny. Dopiero drugiej nocy, kiedy zauważył stado wilków na pobliskich wzgórzach, zdecydował się wezwać ogień.

Ogień. Jakże inny w tym świecie niż w tamtym, w którym przebywał przez tyle lat. Jak dobrze by było usłyszeć znów jego trzaskający głos. I odpowiedzieć mu w jego języku. Smolipaluch nazbierał trochę chrustu, którego pełno było między drzewami pod pleniącym się ogórecznikiem i macierzanką, wyjął skradziony elfom miód zawinięty w liście, dzięki którym zachowywał świeżość i elastyczność, oderwał odrobinę i włożył do ust. Jakże bał się wtedy, kiedy spróbował go po raz pierwszy! Bał się, że jego cenna zdobycz spali mu język, i to tak, że na zawsze straci głos. Ale jego obawy były płonne. Miód palił w język jak rozżarzony węgiel, lecz ból stopniowo mijał, a jeśli się go wytrzymało dostatecznie długo, potem można było rozmawiać z ogniem. Pięć, sześć miesięcy, czasem prawie rok, tak długo utrzymywało się działanie odrobiny miodu. Wystarczyło szepnąć cicho w języku ognia, strzelić palcami – i już sypały się skry z suchego czy mokrego drzewa, a nawet z kamienia.

Z początku ogień niechętnie wydobywał się spod gałęzi, jakby zapomniał głosu Smolipalucha, jakby nie mógł uwierzyć w jego powrót. Ale potem płomyki poczęły szeptać i witać go, coraz bardziej rozpasane, aż musiał poskromić strzelające jęzory ognia, naśladując ich trzaskanie – płomienie przysiadły jak dziki kot, który mrucząc, układa się na ziemi, gdy go ostrożnie pogłaskać.

Podczas gdy ogień trawił chrust, a jego blask utrzymywał wilki w bezpiecznej odległości, Smolipalucha znów opadły myśli o chłopcu. Nie zliczyłby nocy, kiedy to próbował opisać Faridowi mowę ognia, Faridowi, który znał tylko ogień milczący lub strzelający iskrami.

– No i proszę! – mruczał do siebie, grzejąc ręce nad przytłumionym żarem. – A jednak wciąż za nim tęsknisz.

Cieszył się, że chłopiec ma przynajmniej kunę jako oparcie przed duchami, które widział dosłownie wszędzie.

Tak, Smolipaluch tęsknił za Faridem. Ale były jeszcze inne osoby, za którymi tęsknił przez te dziesięć lat, tęsknił tak bardzo, że serce miał obolałe od tej tęsknoty. To dlatego jego kroki stawały się coraz bardziej niecierpliwe z każdą godziną, która przybliżała go do końca lasu i tego, co tam na niego czekało – świata ludzi.

Tak, w tamtym świecie dręczyła go nie tylko tęsknota za wróżkami, szklanymi ludzikami i rusałkami. Było też paru ludzi, których mu brakowało, niewielu, ale przez to tym bardziej za nimi tęsknił.

Jakże usilnie starał się o nich zapomnieć, od kiedy na wpół zagłodzony stanął przed drzwiami Czarodziejskiego Języka, po to tylko, aby się dowiedzieć, że nie ma dla niego powrotu... Wtedy zrozumiał, że musi wybierać. „Zapomnij o nich, Smolipaluchu! – powtarzał sobie w kółko. – Inaczej zwariujesz". Ale serce po prostu go nie słuchało. Wspomnienia, tak słodkie i tak gorzkie... zżerały go i karmiły zarazem. Aż w końcu poczęły blaknąć, traciły kontury, rozpływały się, były już tylko głuchym bólem, który odsuwało się na bok, by nie ranił serca. Po co wspominać coś, co zostało bezpowrotnie utracone?

„Lepiej będzie i teraz sobie nie przypominać" – pomyślał. Drzewa wokół niego były coraz młodsze, a ich korony coraz mniej gęste. Dziesięć lat to szmat czasu, niejeden mógł w tym czasie odejść. Między drzewami pojawiało się coraz więcej chat smolarzy, ale Smolipaluch nie chciał się pokazywać. Ludzie gardzili nimi za to, że siedzieli zaszyci w głębokich lasach, dokąd nikt się nie zapuszczał. Wszyscy potrzebowali węgla drzewnego – rzemieślnicy, chłopi, kupcy i książęta – ale niechętnie widzieli w swych miastach i wsiach tych, którzy go dostarczali. Ale Smolipaluch lubił smolarzy; wiedzieli oni o lesie prawie tyle samo co on, lecz codziennie czynili sobie wrogów z drzew. Ileż to razy siadywał razem z nimi przy ognisku, słuchając ich opowieści. Ale teraz, po tych wszystkich latach, chciał usłyszeć inne opowieści, o tym, co zdarzyło się poza obrębem lasu, a tego mógł się dowiedzieć tylko w jednym miejscu – w przydrożnej gospodzie, do której kierował swe kroki.

Gospoda leżała na północnym skraju lasu, w miejscu, gdzie droga wynurzała się spośród drzew i poczynała serpentynami wspinać się na wzgórza, by zostawiwszy po drodze parę samotnych zagród, dotrzeć wreszcie do bramy Ombry, miasta, na którego dachy padały cienie zamku Tłustego Księcia.

Gospody leżące przy drodze, poza obrębem większych miejscowości, zawsze były ulubionym miejscem spotkań wędrownych śpiewaków i kuglarzy. Tam zjawiali się bogaci kupcy i rzemieślnicy, by ich wynajmować na wesela i pogrzeby, na uroczystości w intencji bezpiecznego powrotu z podróży lub z okazji narodzin dziecka. Za parę miedziaków waganci oferowali muzykę, niewybredne żarty i magiczne sztuczki pozwalające zapomnieć o małych i dużych zmartwieniach. Jeśli Smolipaluch chciał usłyszeć, co wydarzyło się przez te wszystkie lata jego nieobecności, powinien zwrócić się do kuglarskiej braci. Ludzie ci byli gazetą tego świata. Nikt nie wiedział lepiej, co się tutaj dzieje, niż ci wędrowcy, którzy nigdzie nie mieli swojego domu.

„Kto wie? – myślał Smolipaluch, pozostawiając za sobą ostatnie drzewa. – Jeśli będę miał szczęście, może spotkam tu paru starych znajomych”.

Droga była błotnista, pokryta kałużami. Koła wozów wyżłobiły głębokie koleiny, a w zagłębieniach od kopyt koni i wołów stała woda. O tej porze roku deszcze padały czasami przez kilka dni z rzędu. Wczoraj tylko dlatego nie przemókł do suchej nitki, że liście zatrzymywały krople. Noc była chłodna, a on miał wilgotne ubranie, mimo iż spał przy ognisku. Jak to dobrze, że dzień wstał pogodny, tylko daleko ponad wzgórzami sunęły strzępy białych chmur.

Na szczęście w starym ubraniu znalazł kilka monet, powinny wystarczyć na parę talerzy zupy. Nie przyniósł ze sobą nic z tego drugiego świata. Bo i na co zdałyby się zadrukowane papierki, którymi tam płacono. Tutaj liczyło się tylko złoto, srebro lub brzęcząca miedź, najlepiej z głową odpowiedniego księcia. Kiedy skończą się monety, będzie musiał poszukać sobie publiczności na rynku w Ombrze lub gdzie indziej.

Gospoda, do której zmierzał, nie zmieniła się przez te wszystkie lata ani na gorsze, ani na lepsze. Pozostawała wciąż tak samo obskurna, ze swoimi paroma oknami, które nie były niczym więcej niż otworami w szarym kamiennym murze. W świecie, który jeszcze trzy dni temu dawał mu schronienie, żaden gość nie przekroczyłby tak brudnego progu, ale tutaj ta gospoda była ostatnią przystanią przed gąszczem leśnym, ostatnią szansą otrzymania łyżki gorącej strawy i suchego miejsca do spania... „Tutaj też zabiera się w dalszą drogę towarzyszy – pchły i pluskwy" – dokończył w myślach i pchnął drzwi gospody.

W środku było tak ciemno, że wzrok musiał się najpierw przyzwyczaić do półmroku. Ten drugi świat, z całym jego blaskiem i migotaniem, które noc zamieniały w dzień, popsuł mu oczy. Przyzwyczaiły się, że wszystko wokoło widać wyraźnie, że światło jest czymś, co można do woli włączać i wyłączać. A teraz będą sobie znowu musiały radzić w świecie półmroku i cienia, długich nocy, czarnych jak zwęglone drewno, w domach, gdzie nie wpuszcza się słońca, gdyż często świeci zbyt jasno.

Skąpe promienie słońca wpadające przez otwory okienne były jedynym źródłem światła w pomieszczeniu, do którego wszedł Smolipaluch. W słonecznych smugach niby roje wróżek tańczyły drobiny pyłu. Pod poobijanym blaszanym kociołkiem na kominku palił się ogień. Z kociołka wydobywał się zapach mało zachęcający nawet dla człowieka o pustym żołądku, ale Smolipalucha to nie dziwiło. Gospoda nie miała szczęścia do właścicieli, którzy by się znali na gotowaniu. Dziewczynka, może dziesięcioletnia, stała przy ogniu i mieszała patykiem w kociołku, cokolwiek się tam gotowało. W panującym półmroku przy stołach, na surowych drewnianych ławach siedziało ze trzydziestu gości, którzy palili, pili i prowadzili ciche rozmowy.

Smolipaluch znalazł wolne miejsce i usiadł. Niepostrzeżenie jął rozglądać się wokół, czy nie zobaczy gdzieś znajomej twarzy lub kolorowych spodni, jakie nosili tylko waganci. W kącie pod oknem zauważył lutnistę prowadzącego pertraktacje z człowiekiem o wiele lepiej od niego ubranym, pewnie bogatym kupcem. Oczywiście biedny wieśniak nie mógł marzyć o wynajęciu kuglarza. Jeśli chłop chciał mieć muzykę na weselu, musiał sam chwycić za smyczek. Nie mógłby opłacić nawet tych dwu muzykantów dmących w piszczałki, którzy siedzieli pod oknem. Przy stole obok w grupie aktorów wybuchła kłótnia, spierali się pewnie o obsadę najlepszej roli w nowej sztuce. Jeden z nich miał jeszcze na twarzy maskę, w której występował na rynku, wyglądał obco wśród swoich kolegów, niby jakiś dziwny gnom. Ale w masce czy bez, Smolipaluch nie znał żadnego z nich i było mu wszystko jedno, czym się trudnili – tańczyli, przedstawiali niewybredne historie na skleconej z desek scenie czy pokazywali sztuczki z ogniem. Nie znał też innych obecnych, tych, którym kuglarze napędzali klientelę – wędrownych cyrulików, nastawiaczy kości, rytowników, cudotwórców.

Otaczały go twarze młode i stare, szczęśliwe i nieszczęśliwe, majaczyły w zadymionym pomieszczeniu, ale żadna z nich nie wydała się Smolipaluchowi znajoma. Jemu też się przyglądano, czuł to, ale był do tego przyzwyczajony. Naznaczona bliznami twarz wszędzie zwracała uwagę, a szaty, które nosił, dopełniały reszty. Był to strój połykaczy ognia – czarny jak sadza i czerwony jak płomienie, których inni się obawiali, a z którymi on igrał bezkarnie. Przez krótką chwilę poczuł się dziwnie obco w swojej dawnej skórze, jakby wciąż pozostawał na nim osad tamtego świata, tych wszystkich długich lat, które upłynęły od czasu, gdy Czarodziejski Język wyłuskał go z jego historii i skradł mu jego życie. Zrobił to niechcący, jak się przypadkiem rozgniata stopą domek ślimaka.

– Pokaż no się!

Czyjaś dłoń ciężko spoczęła na jego ramieniu, jakiś mężczyzna pochylił się nad nim i zajrzał mu w twarz. Miał siwe włosy, okrągłą twarz bez zarostu i chwiał się na nogach, toteż Smolipaluch przez chwilę myślał, że mężczyzna jest pijany.

– No, niech mnie, jeśli nie znam tej twarzy! – zawołał tamten, ściskając ramię Smolipalucha tak mocno, jakby chciał się przekonać, czy jest człowiekiem z krwi i kości. – Skąd się tu wziąłeś, połykaczu ognia? Wracasz z królestwa umarłych? Co się stało, czyżby wróżki przywróciły ci życie? Zawsze były w tobie zadurzone, te małe błękitne diablice.

Kilku mężczyzn odwróciło głowy, ale w sali panował taki hałas, że niewielu gości zorientowało się w sytuacji.

– Podniebny Tancerz! – Smolipaluch wstał i uściskał przyjaciela. – Co u ciebie słychać?

– A już myślałem, że o mnie zapomniałeś! – Podniebny Tancerz wyszczerzył w uśmiechu duże żółte zęby.

O nie, Smolipaluch nie zapomniał go, podobnie jak innych, za którymi nie przestawał tęsknić. Podniebny Tancerz – najlepszy linoskoczek, jaki kiedykolwiek spacerował pomiędzy dachami. Poznał go od razu, mimo że posiwiał, a lewą nogę dziwnie sztywno odstawiał w bok.

– Chodź, musimy to uczcić. Nie co dzień spotyka się umarłego przyjaciela.

Podniebny Tancerz niecierpliwie pociągnął go za sobą i posadził na jednej z ław pod oknem, z którego wpadało do wnętrza nieco słonecznego światła. Potem skinął na dziewczynkę, która wciąż jeszcze mieszała strawę w kotle, i zamówił dwie czary wina. Mała przez chwilę wpatrywała się jak zaczarowana w blizny Smolipalucha, a potem podskoczyła do bufetu, za którym stał opasły mężczyzna i ponurym wzrokiem lustrował gości.

– Świetnie wyglądasz! – stwierdził Podniebny Tancerz. – Dobrze odżywiony, we włosach ani śladu siwizny, ubranie prawie jak nowe. Pewnie masz nawet wszystkie zęby. Gdzieś ty się podziewał? Może i ja bym się tam udał, bo chyba to niezłe miejsce.

– Daj sobie spokój. Tu jest lepiej.

Smolipaluch odgarnął włosy z twarzy i rozejrzał się.

– No, dosyć o mnie! Lepiej powiedz, jak tobie się powodziło. Możesz sobie pozwolić na wino, ale za to posiwiałeś, a twoja lewa noga...

– No właśnie, noga.

Dziewczynka przyniosła wino. Kiedy Podniebny Tancerz grzebał w sakiewce, szukając stosownej monety, mała znów utkwiła w Smolipaluchu zaciekawiony wzrok. Smolipaluch potarł dwa palce i szepnął parę słów w języku ognia. Wyciągnął wskazujący palec, uśmiechnął się do dziecka i delikatnie dmuchnął na opuszkę. Z paznokcia wystrzelił maleńki płomyk, za słaby, by rozpalić ogień, ale dostatecznie jasny, by odbić się w oczach dziewczynki, i sypnął złotymi skrami na brudny stół. Dziecko stało jak zaczarowane, aż Smolipaluch zdmuchnął płomyk i umoczył palce w winie, które podsunął mu Podniebny Tancerz.

– Aha, wciąż jeszcze bawisz się ogniem – powiedział Podniebny Tancerz. Dziewczynka niespokojnie zerknęła na tłustego karczmarza i szybko wróciła do kotła. – A ja, bracie, skończyłem już dawno swoje zabawy.

– Co się stało?

– Spadłem z liny, już nie jestem Podniebnym Tancerzem. Jakiś handlarz, któremu chyba odebrałem za dużo klientów, rzucił we mnie główką kapusty. Miałem przynajmniej tyle szczęścia, że wylądowałem na straganie sukiennika, więc złamałem tylko nogę i parę żeber, a nie kark.

Smolipaluch przyglądał mu się zamyślony.

– No, a z czego żyjesz, skoro nie możesz tańczyć na linie?

Podniebny Tancerz wzruszył ramionami.

– Może nie uwierzysz, ale wciąż jeszcze jestem silny. Mogę nawet jeździć konno mimo sztywnej nogi, oczywiście, jeśli mam konia. Więc zarabiam na chleb jako posłaniec. Fakt, że nadal lubię przebywać z grajkami, słuchać ich opowieści przy ognisku. Ale żywią mnie litery, chociaż nadal nie umiem czytać. Doręczam listy – z pogróżkami, prośbami o jałmużnę, listy miłosne, umowy, testamenty, ot, wszystko, co może się znaleźć na kawałku pergaminu lub papieru. Noszę nawet słowa mówione, które mi ktoś szepcze poufnie do ucha, i jestem w tym niezawodny.

Nieźle sobie z tego żyję, chociaż zapewniam cię, że nie jestem najszybszym posłańcem, jakiego można mieć za pieniądze. Ale każdy wie, że list, który ja przenoszę, na pewno trafi prosto w ręce tego, dla kogo jest przeznaczony. A to jest rzadkość.

Smolipaluch nie miał co do tego wątpliwości. „Za parę sztuk złota można przeczytać nawet książęcy list" – tak się mówiło już za jego czasów. Trzeba było tylko znać kogoś, kto potrafił fałszować złamane pieczęcie.

– A inni? – Smolipaluch przyglądał się dwóm muzykantom pod oknem. – Co u nich?

Podniebny Tancerz pociągnął łyk wina i skrzywił się.

– Tfu, powinienem był zażądać do tego miodu. Inni, no cóż... – Zaczął masować sztywną nogę. – Niektórzy pomarli, inni po prostu zniknęli, tak jak ty. A tam, widzisz, koło tego chłopka, co się tak ponuro gapi w swój kufel – wskazał głową w kierunku bufetu – tam stoi Kopeć. Ma uśmiech przyklejony do twarzy i jest najgorszym połykaczem ognia, jakiego widział świat. Ale wciąż pilnie cię naśladuje i rozpaczliwie próbuje zgłębić przyczynę, dla której ogień chętniej tańczy dla ciebie niż dla niego.

– Nigdy tego nie odkryje.

Tu Smolipaluch zerknął ukradkiem na drugiego połykacza ognia. Z tego, co pamiętał, Kopeć doskonale żonglował płonącymi pochodniami, ale płomienie nie chciały z nim tańczyć. Był jak zakochany, którego wybranka odpycha. Dawno temu Smolipaluch użyczył mu nieco ognistego miodu, ale nawet z jego pomocą tamten nie rozumiał mowy płomieni.

– Podobno teraz wypróbowuje jakiś proszek alchemików – szepnął Podniebny Tancerz. – Droga zabawa, jeśli chcesz wiedzieć. Ogień gryzie go tak często, że jego ramiona i dłonie są już zupełnie czerwone. Tylko do swojej twarzy go nie dopuszcza. Przed każdym występem smaruje ją czymś, że błyszczy się jak skóra od słoniny.

– Nadal pije po każdym przedstawieniu?

– Po przedstawieniu, przed przedstawieniem, a mimo to wciąż jest przystojny, musisz to przyznać.

O tak, był przystojny, z tą swoją wiecznie roześmianą twarzą. Kopeć należał do tych kuglarzy, którzy karmili się spojrzeniami gapiów, śmiechem i brawami, tym, że ludzie przystawali, żeby na nich popatrzeć. Teraz także bawił wszystkich pijących przy bufecie.

Smolipaluch odwrócił się do niego plecami, nie miał ochoty zobaczyć znów w jego oczach, tak jak dawniej, podziwu i zazdrości. Kopeć nie był jednym z tych, za którymi tęsknił.

– Niech ci się nie wydaje, że dla braci kuglarskiej nastały lepsze czasy – szepnął Podniebny Tancerz. – Od śmierci Cosima Tłusty Książę wpuszcza nas na rynek tylko od święta, a na zamku bywamy jedynie wtedy, kiedy jego wnuk gwałtownie się tego domaga. Niezbyt przyjemny smarkacz, już teraz komenderuje służbą, jak chce, grożąc chłostą i pręgierzem, ale za to uwielbia kuglarską brać.

– Piękny Cosimo nie żyje? – Smolipaluch z wrażenia zachłysnął się kwaśnym winem.

– Tak. – Podniebny Tancerz nachylił się nad stołem, jakby o śmierci i nieszczęściu nie wypadało mówić zbyt głośno. – Nie ma jeszcze roku, jak wyruszył – piękny jak anioł – aby dowieść swego książęcego męstwa i wytępić podpalaczy, którzy mieli w lesie kryjówkę. Może pamiętasz ich wodza, Capricorna?

Smolipaluch uśmiechnął się mimo woli.

– O tak, pamiętam go doskonale – powiedział cicho.

– Zniknął mniej więcej w tym samym czasie co ty, ale jego banda dalej zajmowała się rozbojem. Ich nowym przywódcą został Podpalacz. Żadna wioska i żadna zagroda po tej stronie lasu nie była przed nimi bezpieczna. A więc Cosimo wyruszył, żeby zrobić z tym porządek. Wykurzył całą bandę, puszczając z dymem ich siedzibę, ale sam też nie wrócił z wyprawy. I odtąd jego ojca, który jadał tyle, że jego śniadaniem można by nakarmić trzy wioski, ludzie nazywają smutnym księciem. Bo Tłusty Książę już tylko wzdycha i się smuci.

Smolipaluch zanurzył rękę w kurzu tańczącym w słońcu nad jego głową.

– Smutny książę! – mruknął. – No, no... A co porabia jaśnie oświecony pan i władca na drugim końcu lasu?

– Żmijogłowy? – Podniebny Tancerz rozejrzał się niespokojnie. – Taak... on niestety nie umarł. Nadal uważa się za pana tego świata, każe oślepiać każdego chłopka, którego jego łowczy dopadną w lesie z upolowanym królikiem, i obraca w niewolników tych, którzy nie płacą podatków – muszą kopać srebro pod ziemią, póki nie zaczną pluć krwią. Szubienice pod jego zamkiem nigdy nie stoją puste, a najbardziej się cieszy, kiedy na sznurze zadynda jakiś biedak w kolorowych portkach. Mimo to nikt nie mówi o nim źle, bo ma więcej szpiegów, niż jest pluskiew w tej gospodzie, i dobrze im płaci. Ale śmierci – dodał cicho – nie da się przekupić: Żmijogłowy się starzeje. Chodzą plotki, że ostatnio panicznie boi się białych dam i tego, że umrze, boi się tak bardzo, że nocą rzuca się na kolana i żałośnie wyje, jak obity pies. Podobno kucharze gotują mu co rano zupę z krwi cielęcej, bo to jakoby odmładza, a pod poduszką trzyma palec wisielca, który ma go chronić przed białymi damami. W ciągu ostatnich siedmiu lat ożenił się cztery razy. Bierze sobie coraz młodsze żony, ale do tej pory żadna nie dała mu tego, czego najbardziej pragnie.

– Żmijogłowy wciąż nie ma syna?

Podniebny Tancerz pokręcił głową.

– Nie. Ale jego wnuk i tak będzie nami rządził, bo stary lis wydał jedną ze swoich córek – Brzydką Wiolantę – za Pięknego Cosima. Urodziła mu syna, zanim wyruszył na śmiertelną wyprawę. Mówią, że jej ojciec, by przekonać Tłustego Księcia do panny młodej, dał jej w posagu drogocenny manuskrypt, a na dokładkę swojego najlepszego iluminatora. Tak, tak, dawniej

Tłusty Książę uwielbiał zapisany papier tak samo jak jedzenie, ale teraz jego księgi pleśnieją zapomniane! Nic go już nie interesuje, a najmniej jego poddani. Ludzie gadają po cichu, że to wszystko robota Żmijogłowego. Postarał się o to, by jego zięć nie wrócił z twierdzy Capricorna, a więc po śmierci Tłustego Księcia na tronie w Ombrze zasiądzie jego wnuk.

– Pewnie to prawda.

Smolipaluch obserwował ludzi tłoczących się w zatęchłej sali. Wędrowni handlarze, balwierze, czeladnicy, waganci z połatanymi rękawami. Jeden miał ze sobą gnoma, który z przygnębioną miną przycupnął obok niego na podłodze. Wielu z tych ludzi wyglądało tak, jakby nie wiedzieli, czym zapłacą za wino, które właśnie pili. Niewiele tu było szczęśliwych twarzy, wolnych od trosk, choroby, smutku. A niby czego się spodziewał? Czy miał nadzieję, że nieszczęście wyniosło się cichaczem, kiedy jego tu nie było? Nie. Wrócić – tylko tego jednego pragnął przez te dziesięć lat – nie do raju, po prostu do domu. Ryba też chce wrócić do wody, choć wie, że czekają tam na nią drapieżne okonie.

Jakiś pijany mężczyzna zawadził o stół i o mało nie wylał wina; Smolipaluch prędko złapał puchar.

– A co z ludźmi Capricorna, Podpalaczem i innymi? Wszyscy nie żyją?

– Chciałbyś! – roześmiał się gorzko Podniebny Tancerz. – Każdego, kto uniknął śmierci z rąk Cosima, przyjęto w Mrocznym Zamku z otwartymi ramionami. Podpalacz został heroldem Żmijogłowego, a Piszczałka, dawny grajek Capricorna, śpiewa teraz swoje ponure pieśni na zamku o srebrnych wieżach. Odziewa się w zamsz i jedwab, a kieszenie ma pełne złota.

– Piszczałka też jeszcze żyje? – Smolipaluch przejechał ręką po twarzy. – Czy nie masz mi nic miłego do powiedzenia? Żebym się ucieszył, że wróciłem?

Podniebny Tancerz roześmiał się tak głośno, że Kopeć aż odwrócił głowę.

– Najlepszą nowiną jest to, że wróciłeś! – zawołał. – Brakowało nam ciebie, poskramiaczu ognia! Od kiedy nas tak wiarołomnie opuściłeś, wróżki podobno wzdychają, wiodąc nocne tany, a Czarny Książę codziennie przed snem opowiada o tobie swojemu niedźwiedziowi.

– Czarny Książę żyje? To dobrze.

Smolipaluch z ulgą upił łyk wina, choć smakowało wyjątkowo podle. Nie miał odwagi zapytać o Księcia, żeby nie usłyszeć czegoś takiego, jak usłyszał o Cosimie.

– O tak, i ma się doskonale! – Podniebny Tancerz podniósł głos, bo przy sąsiednim stole wybuchła kłótnia między dwoma handlarzami. – Jest taki jak zawsze, czarny jak sadza, szybki w języku, jeszcze szybszy w rzucaniu nożem, i nigdzie się nie rusza bez swojego niedźwiedzia.

Smolipaluch uśmiechnął się. Tak, to była naprawdę dobra wiadomość. Czarny Książę... pogromca niedźwiedzi, człowiek z nożami... pewnie jak dawniej serce mu krwawi na niesprawiedliwość świata. Smolipaluch znał go od dzieciństwa, obaj byli bezdomnymi sierotami. Kiedy miał jedenaście lat, razem stali pod pręgierzem – po tamtej stronie lasu, gdzie obaj się urodzili – a potem przez dwa dni śmierdzieli zgniłymi warzywami.

Podniebny Tancerz przypatrywał mu się uważnie.

– No? – odezwał się. – Kiedy wreszcie zadasz to pytanie, które masz na końcu języka, od kiedy ci położyłem rękę na ramieniu. Pytaj! Zanim się tak upiję, że nie będę mógł na nie odpowiedzieć.

Smolipaluch nie potrafił ukryć uśmiechu. Podniebny Tancerz posiadł sztukę zaglądania człowiekowi w głąb duszy, chociaż nikt by się tego nie spodziewał, patrząc na jego poczciwą okrągłą gębę.

– No dobrze. Co mi tam. Co u niej słychać?

– No, nareszcie! – Podniebny Tancerz uśmiechnął się z zadowoleniem, ukazując brak dwóch zębów. – No więc, po pierwsze... jest wciąż bardzo piękna. Ma teraz własny dom, już nie śpiewa i nie tańczy, nie nosi kolorowych sukien i upina wysoko włosy, jak chłopka. Ma kawałek pola na wzgórzu za zamkiem i uprawia zioła dla cyrulików. Nawet Pokrzywa kupuje u niej leki. Żyje z tego, raz lepiej, raz gorzej, i wychowuje dzieci.

Smolipaluch starał się zachować obojętność, ale po uśmiechu przyjaciela poznał, że niezbyt mu się to udało.

– A co z tym handlarzem korzennym, który się koło niej kręcił?

– A co ma być? Wyprowadził się parę lat temu, pewnie mieszka w wielkim domu nad morzem i z każdym workiem pieprzu, który przywożą jego statki, staje się bogatszy.

– A więc nie wyszła za niego?

– Nie. Wzięła sobie innego.

– Innego...?

Znów próbował zachować obojętność i znów mu się nie udało.

Podniebny Tancerz przez chwilę napawał się jego niecierpliwością, wreszcie rzekł:

– Tak, innego. Biedaczysko, wkrótce potem zmarł, ale ma z nim syna.

Smolipaluch milczał, wsłuchując się w bicie własnego serca. Głupie serce!

– A co z dziewczynkami?

– Z dziewczynkami? Zaraz, zaraz, kto to był ich ojcem? – Podniebny Tancerz znów się uśmiechnął, jak mały chłopczyk, który spłatał świetnego psikusa. – Brianna jest już tak samo piękna jak jej matka. Ale po tobie odziedziczyła rude włosy.

– A młodsza, Rosanna?

Miała czarne włosy, jak jej matka.

Uśmiech zniknął z twarzy Podniebnego Tancerza, jakby go Smolipaluch starł ręką.

– Mała nie żyje od dawna – rzekł cicho. – Gorączka. Dwie zimy po twoim zniknięciu. Wielu wtedy gorączka zabrała do grobu. Nawet Pokrzywa nie potrafiła im pomóc.

Smolipaluch malował linie na stole palcem lepkim od wina. Coś stracił. W ciągu dziesięciu lat niejedno można stracić. Przez parę chwil rozpaczliwie próbował przypomnieć sobie małą twarzyczkę Rosanny, ale jej obraz się rozpływał. Zbyt dobrze udało mu się wymazać ją z pamięci w tamtym świecie.

Wciąż wodził palcem po ciemnym stole. „Dwie zimy po twoim zniknięciu" – te słowa łomotały mu w głowie, parząc jak pokrzywy.

– A gdzie nasi się rozłożyli?

– Tuż pod murami Ombry. Kochany wnuczek naszego księcia ma wkrótce urodziny. Tego dnia każdy grajek i kuglarz będzie mile widziany na zamku.

Smolipaluch skinął głową, patrząc w stół.

– Zobaczę. Może się tam pokażę.

Raptownie wstał z twardej ławy. Dziewczynka przy kominku spojrzała na niego. Jego młodsza córka byłaby teraz w jej wieku, gdyby nie zabrała jej gorączka. Razem z Podniebnym Tancerzem przepychali się między zatłoczonymi ławami w kierunku wyjścia. Na dworze była wciąż piękna pogoda, słoneczny jesienny dzień odziany w kolorowe liście, barwny jak kuglarz.

– Jedź ze mną do Ombry! – rzekł Podniebny Tancerz, kładąc Smolipaluchowi rękę na ramieniu. – Koń udźwignie nas obu, a w Ombrze zawsze znajdzie się jakaś kwatera.

Ale Smolipaluch potrząsnął głową.

– Później – powiedział, omiatając wzrokiem błotnistą drogę. – Najpierw muszę kogoś odwiedzić.

7

Meggie podejmuje decyzję

Pomysł był jeszcze niesprecyzowany, toteż Lyra wolała nie przyglądać mu się zbyt dokładnie, by nie pękł jak bańka mydlana. Miała duże doświadczenie z takimi pomysłami, pozwoliła mu więc mienić się nierzeczywistymi kształtami, odwracała od niego głowę i myślała o czym innym.

Philip Pullman, *Złoty kompas*

Siedzieli właśnie przy śniadaniu, kiedy przyjechał Mo, i Resa pocałowała go tak, jakby nie było go bardzo długo. Meggie również uściskała ojca mocniej niż zwykle, zadowolona, że wrócił szczęśliwie do domu, ale starała się nie patrzeć mu w oczy. Mo za dobrze ją znał. Zaraz by się zorientował, że ma nieczyste sumienie. A miała bardzo nieczyste sumienie.

Powodem była kartka papieru tkwiąca na górze w jej pokoju między szkolnymi rzeczami, zapisana jej ręką, ale słowami kogoś innego. Meggie straciła wiele godzin na przepisanie słów Orfeusza. Za każdym razem, gdy się pomyliła, zaczynała od nowa, obawiając się, że nawet jeden mały błąd może wszystko zepsuć. Dodała tylko dwa wyrazy – tam gdzie była mowa o chłopcu, we fragmencie, którego Orfeusz nie przeczytał, dodała: *i dziewczynka*. Dwa niepozorne, zwykłe słówka, które prawie na pewno występowały gdzieś na kartach *Atramentowego serca*. Sprawdzić tego nie mogła, bo jedyny istniejący egzemplarz książki znajdował się obecnie w rękach Basty. Basta... już samo imię przypomniało jej czarne od strachu dni i noce.

Mo przywiózł jej prezent na przeprosiny – osobiście przez niego zrobiony mały, swobodnie mieszczący się w kieszeni kurtki notatnik w twardej marmurkowej okładce. Mo wiedział, jak bardzo Meggie lubi okładki oklejone takim papierem. Kiedy miała dziewięć lat, nauczył ją, jak się je koloruje. Kiedy położył notatnik na jej talerzu, poczuła ukłucie w sercu, przez moment miała ochotę o wszystkim mu powiedzieć, jak to zawsze czyniła. Ale jedno spojrzenie Farida powstrzymało ją od zwierzeń. „Nie, Meggie! – mówiło to spojrzenie. – On cię nie puści, nigdy w życiu". Pocałowała więc Mo w policzek, szepnęła tylko: „dziękuję" i szybko spuściła głowę, a niewypowiedziane słowa ołowiem zaległy jej na języku.

Na szczęście nikt nie zauważył jej przygnębienia. Wszyscy byli wciąż pod wrażeniem niewesołych nowin na temat Basty. Elinor poszła na policję, jak doradził Mo, ale po tej wizycie nastrój jej się wcale nie poprawił.

– Dokładnie tak, jak przewidywałam – złościła się, krojąc ser z taką gwałtownością, jakby to on był wszystkiemu winien. – Nie uwierzyli w ani jedno moje słowo, kapuściane łby! Owce ubrane w mundur miałyby więcej rozumu. Wiecie, że nie lubię psów, ale może powinnam sobie zafundować parę takich wielkich czarnych bestii, żeby pożarły Bastę, jak tylko przekroczy bramę mojego ogrodu. Dobstermany, tak? To chyba te psy, co zagryzają ludzi?

– Masz na myśli dobermany? – Mo mrugnął porozumiewawczo do Meggie.

Meggie serce pękało z bólu. Mo mrugał do niej – do swojej podstępnej córeczki, która zamierzała odejść tam, dokąd on nie będzie mógł za nią podążyć. Może matka by ją zrozumiała, ale Mo? Nie. Na pewno nie. Nigdy.

Meggie zagryzła wargi do bólu, a Elinor ze wzburzeniem mówiła dalej:

– Mogłabym też wynająć ochroniarza. Są tacy, prawda? Z pistoletem... nie, uzbrojonego po zęby, z nożem, karabinem, i takiego wielkiego, żeby Baście na sam jego widok pękło to czarne serce! Co o tym sądzicie?

Meggie widziała, że Mo z trudem hamuje wybuch śmiechu.

– Co sądzimy? Sądzimy, że naczytałaś się za dużo kryminałów, Elinor.

– Owszem, przeczytałam w życiu trochę kryminałów – przyznała Elinor, nieco urażona. – Są bardzo pouczające, bo w życiu nieczęsto mamy do czynienia z przestępcami. A poza tym nie mogę zapomnieć noża Basty na twoim gardle.

– Wierz mi, ja też nie – powiedział Mo, machinalnie przykładając dłoń do gardła, jakby przez moment znów poczuł zimne ostrze na skórze. – Mimo wszystko myślę, że niepotrzebnie się martwicie. W drodze powrotnej miałem dużo czasu i przemyślałem sobie wszystko dokładnie. Nie wierzę, żeby Basta odbył taką długą drogę tylko po to, by się zemścić. Zemścić za co? Za to, że go uratowaliśmy przed Cieniem? Nie, z pewnością już dawno dał się wczytać do *Atramentowego serca*. Basta nawet w połowie nie był tak zachwycony naszym światem jak Capricorn. Niektórych rzeczy nie mógł ścierpieć.

To mówiąc, Mo posmarował dżemem kanapkę z żółtym serem. Elinor jak zawsze patrzyła na to ze wstrętem, a on jak zawsze ignorował jej oburzenie.

– A co z tymi pogróżkami, które wykrzykiwał?

– Po prostu był wściekły, że chłopiec mu zwiał, cóż by innego? Nie muszę ci chyba mówić, jakie rzeczy potrafi wygadywać Basta, kiedy jest wściekły. Dziwię się, że miał na tyle rozumu, by się połapać, że Smolipaluch ma książkę. Ciekawe, skąd on wytrzasnął tego Orfeusza. Ale nie ulega wątpliwości, że Orfeusz zna się na czytaniu o wiele lepiej niż ja.

– Bzdura! – W głosie Elinor słychać było gniew, ale i ulgę. – Jedyna osoba, która się na tym zna tak samo dobrze jak ty, to twoja córka.

Mo uśmiechnął się do Meggie, przykrywając dżem jeszcze jednym plastrem sera.

– Dziękuję, pochlebiasz mi. Tak czy owak nasz zakochany w nożach przyjaciel zniknął. I mam nadzieję, że zabrał ze sobą tę przeklętą książkę, by ta historia raz na zawsze się skończyła. Elinor nie musi już trząść się ze strachu, kiedy nocą usłyszy szelest w ogrodzie, a Dariuszowi przestaną się śnić noże Basty. Co oznacza, że Farid przyniósł wam właściwie dobrą wiadomość, i mam nadzieję, że wyraziłyście mu swoją wdzięczność.

Farid uśmiechnął się zakłopotany, kiedy Mo przepił do niego filiżanką kawy, ale Meggie dostrzegła troskę w jego czarnych oczach. Bo jeśli Mo miał rację, to oznaczało, że Basta był teraz tam, gdzie Smolipaluch. A oni bardzo chcieli wierzyć, że Mo ma rację. Na twarzach Elinor i Dariusza malowała się ulga, a Resa objęła Mo za szyję, uśmiechając się tak, jakby już było po wszystkim.

Elinor zaczęła wypytywać Mo o książki, które tak haniebnie porzucił po telefonie Meggie. A Dariusz próbował wytłumaczyć Resie nowy system, według jakiego postanowił uporządkować bibliotekę Elinor. Tylko Farid wbił wzrok w pusty talerz. Pewnie na białej porcelanie widział już obraz Basty przystawiającego Smolipaluchowi nóż do gardła.

Basta. Meggie miała wrażenie, jakby to imię dławiło ją w gardle. Nie mogła się opędzić od myśli, że jeśli Mo miał rację, to Basta był teraz tam, dokąd i ona się wybierała. W Atramentowym Świecie.

Tej nocy zamierzała podjąć próbę. Za pomocą własnego głosu i słów Orfeusza miała utorować sobie drogę przez gąszcz liter wprost w gąszcz Nieprzebytego Lasu. Farid naciskał na nią, by już dłużej nie zwlekała. Drżał ze strachu o Smolipalucha.

A przypuszczenie Mo tylko pogorszyło jego nastrój. „Proszę, Meggie! – nie dawał jej spokoju. – Proszę, czytaj!”.

Meggie spojrzała na Mo. Szeptał coś do Resy, a ona się śmiała. Tylko wtedy można było usłyszeć jej głos. Mo objął ją ramieniem i poszukał wzroku Meggie. Kiedy jutro zastanie jej łóżko puste, nie będzie już taki beztroski jak teraz. Będzie wściekły czy tylko smutny? W tej chwili próbował naśladować przerażenie bibliofila, którego książki tak bezlitośnie porzucił. Resa się zaśmiewała i nawet Meggie nie mogła powstrzymać się od śmiechu, kiedy zaczął udawać głos tego biedaka, astmatycznego grubasa.

Tylko Elinor zachowała powagę.

– Nie uważam, żeby to było śmieszne, Mortimerze – powiedziała kwaśno. – Ja bym cię na pewno zastrzeliła, gdybyś się zmył, zostawiając moje książki chore i poplamione.

– Pewnie tak – zgodził się Mo.

Spojrzał porozumiewawczo na Meggie, jak zawsze gdy Elinor prawiła im kazania na temat właściwego obchodzenia się z książkami lub reguł, jakimi mają się kierować, korzystając z jej biblioteki.

„Ach, Mo, gdybyś ty wiedział – myślała Meggie – gdybyś ty wiedział!”. Wydawało jej się, że ojciec zaraz się wszystkiego domyśli. Gwałtownym ruchem odsunęła krzesło i mruknąwszy: „Nie jestem głodna”, pobiegła do biblioteki. No, bo gdzieżby indziej? Zawsze gdy chciała uciec przed natrętnymi myślami, szukała pomocy w książkach. Na pewno znajdzie coś, co jej pozwoli zapomnieć o całym świecie, a potem będzie wieczór i wszyscy pójdą spać, niczego nie przeczuwając...

Patrząc na bibliotekę Elinor, trudno było uwierzyć, że zaledwie rok temu wisiał tam tylko martwy czerwony kogut na tle pustych regałów, a w ogrodzie na trawniku płonęły jej najpiękniejsze książki. Na nocnym stoliku Elinor wciąż trzymała słoik z resztkami popiołu po spalonych skarbach.

Meggie przesunęła palcem po grzbietach książek. Zapełniały regały niby klawisze pianina. Niektóre półki nadal świeciły pustkami, ale Elinor i Dariusz niezmordowanie podróżowali po świecie, starając się zastąpić utracone skarby nowymi, równie wspaniałymi książkami.

Orfeusz, gdzie są te opowieści o Orfeuszu?

Meggie podeszła do regału, na którym opowiadali szeptem swoje historie Grecy i Rzymianie, kiedy otworzyły się drzwi i do biblioteki wszedł Mo.

– Resa mi powiedziała, że masz tę kartkę, którą przyniósł Farid. Pokażesz mi ją?

Na próżno starał się nadać swojemu głosowi obojętne brzmienie, jakby rozmawiał o pogodzie. Mo nie potrafił udawać, tak samo jak kłamać.

– Po co?

Meggie oparła się plecami o regał, jakby szukała w książkach pomocy.

– Po co? Bo mnie to interesuje, dziwisz się? A poza tym – oglądał grzbiety książek, jakby spodziewał się znaleźć tam właściwe słowa – poza tym myślę, że byłoby lepiej spalić tę kartkę.

– Spalić? – Meggie spojrzała na niego z niedowierzaniem. – Niby dlaczego?

– Tak, wiem, to brzmi tak, jakbym widział duchy... – Wyjął z regału jakąś książkę i zaczął ją machinalnie wertować. – Ale ta kartka, Meggie... to jest coś jak otwarte drzwi, drzwi, które lepiej zatrzasnąć na zawsze. Zanim Farid także spróbuje zniknąć w tej przeklętej historii.

– A gdyby nawet? – Meggie nie mogła nic na to poradzić, że jej głos zabrzmiał chłodno, jakby rozmawiała z kimś obcym. – Dlaczego tego nie rozumiesz? Przecież on chce odnaleźć Smolipalucha! Żeby go ostrzec przed Bastą.

Mo zamknął książkę i odstawił ją na półkę.

– Tak mówi. Ale przypuśćmy, że Smolipaluch wcale nie chciał go zabrać ze sobą, że celowo go tu zostawił. Zdziwiłoby cię to?

Nie. Nie zdziwiłoby jej. Meggie milczała. Niesamowita cisza panowała między tymi wszystkimi książkami, tymi wszystkimi wyrazami.

– Ja wiem, Meggie – podjął wreszcie Mo cichym głosem – wiem, że świat opisany w tej książce wydaje ci się o wiele ciekawszy niż nasz. Wierz mi, bardzo dobrze znam to uczucie. Sam nieraz wyobrażałem sobie siebie w roli bohatera którejś z moich ulubionych książek. Ale oboje wiemy, że wszystko wygląda inaczej, kiedy wyobrażenia zamieniają się w rzeczywistość. Ty myślisz, że ten Atramentowy Świat to świat zaczarowany, pełen cudów, ale wierz mi, dowiedziałem się od twojej matki wielu rzeczy, które by ci się wcale nie spodobały. To świat okrutny i niebezpieczny, świat, którym rządzi siła, a nie prawo, Meggie.

Patrzył jej w oczy, szukając w nich zrozumienia. Do tej pory zawsze je znajdował, ale tym razem – nie.

– Farid pochodzi z takiego właśnie świata – powiedziała Meggie. – I wcale nie chciał tkwić w naszej historii. To ty go tutaj ściągnąłeś.

Natychmiast pożałowała tych słów. Mo odwrócił się, jakby go uderzyła w twarz.

– No, dobrze. Masz oczywiście rację – rzekł, idąc ku drzwiom. – I nie chcę się z tobą znowu kłócić. Ale nie chcę też, żeby ta kartka leżała w twoim pokoju. Oddaj ją Faridowi. Nigdy nic nie wiadomo. Może jutro, kiedy się obudzisz, zobaczysz olbrzyma siedzącego na twoim łóżku.

Wiedziała, że chciał ją rozśmieszyć. Nie mógł znieść, że znowu rozmawiają ze sobą jak wrogowie. Biedny Mo. Był taki przybity. I taki zmęczony.

– Wiesz dobrze, że nic takiego nie może się stać – odparła. – Przestań się zamartwiać. Nic nie może wyjść z liter, dopóki się tego nie wezwie. Sam o tym wiesz najlepiej!

Mo położył rękę na klamce.

– No tak – powiedział – pewnie masz rację. Ale wiesz co? Od pewnego czasu zastanawiam się, czy nie powinno się zamknąć na klucz wszystkich książek świata. A jeśli chodzi o tę jedną... to żałuję, że Capricorn nie spalił wtedy ostatniego egzemplarza. Ta książka przynosi nieszczęście, nic, tylko nieszczęście. Chociaż ty w to nie wierzysz.

I zamknął za sobą drzwi biblioteki.

Meggie stała nieruchomo, dopóki nie umilkły kroki ojca. Podeszła do okna wychodzącego na ogród, ale Mo nie patrzył w kierunku domu, idąc do szopy, w której miał pracownię. Była z nim Resa. Obejmowała go ramieniem, a drugą ręką malowała znaki w powietrzu. Meggie nie mogła rozpoznać słów. Czy rozmawiali o niej?

Czasami doznawała dziwnego uczucia na myśl o tym, że ma teraz nie tylko ojca, ale dwoje rodziców, którzy ze sobą rozmawiają, kiedy jej przy tym nie ma. Mo wszedł do pracowni sam, a Resa zawróciła ku domowi. Idąc przez trawnik, pomachała do Meggie, a Meggie też pokiwała do niej ręką.

Dziwne uczucie...

Meggie spędziła jeszcze jakiś czas pośród książek Elinor, przeglądając jedną po drugiej i szukając zdań, które mogłyby zagłuszyć jej myśli. Ale litery pozostały martwe, nie chciały tworzyć obrazów ani słów. Wreszcie Meggie wyszła na dwór, położyła się w trawie i patrzyła na szopę, za której oknami widziała pracującego Mo.

„Nie wolno mi tego robić – myślała. Wiatr porywał liście z drzew i ciskał nimi o ziemię jak kolorowymi zabawkami. – Nie, po prostu nie wolno! Wszyscy będą się zamartwiać, a Mo już nigdy się do mnie nie odezwie, nigdy".

Tak właśnie myślała Meggie. Myślała o tym w kółko. Ale w głębi duszy wiedziała, że już dawno podjęła decyzję.

8

Wagantka

Wędrować musi grajek,
zwyczaj go stary skłania,
dlatego z jego bajek
tchnie smutek pożegnania.
Czy wrócę ku twej bramie?
Miła, ta myśl mnie nęka.
Niejeden pączek łamie
bezbożna śmierci ręka.

Elimar von Monsterberg, *Wędrowny grajek*

Świtało już, gdy Smolipaluch dotarł do zagrody, którą opisał mu Podniebny Tancerz. Leżała na południowym zboczu, otoczona drzewami oliwnymi. „Ziemia jest tam nieurodzajna i kamienista – mówił Podniebny Tancerz – ale zioła to lubią". Dom stał na odludziu, w pobliżu nie było wioski, która by dawała oparcie; otaczał go sięgający ledwie do piersi murek z drewnianą bramą. W dali widniały dachy Ombry, wieże zamkowe sterczące wysoko ponad domami i droga, która wiła się wśród wzgórz, prowadząc do bram miasta. Było blisko, ale i tak za daleko, by się w nim schronić, gdyby kłusownicy lub żołnierze wracający z wyprawy wojennej wpadli na pomysł splądrowania zagrody, w której mieszkała samotna kobieta z dwójką dzieci.

„Może ma chociaż parobka” – pomyślał Smolipaluch ukryty za krzakami janowca. Gałęzie zasłaniały go, ale mógł bez przeszkód obserwować dom.

Był mały, jak większość chłopskich chałup, może nie tak nędzny jak inne, ale też niewiele bardziej okazały. Z dziesięć takich domów zmieściłoby się w każdej z tych sal, w których Roksana dawniej śpiewała i tańczyła. Nawet Żmijogłowy zaprosił ją do swego zamku, bo wtedy każdy chciał ją podziwiać. Bogaci kupcy, młynarz znad rzeki po drugiej stronie lasu, kupiec korzenny, który przez cały rok posyłał jej podarki... Tylu chciało ją pojąć za żonę, zasypywało klejnotami i pięknymi sukniami, ofiarowywało jej w swych domach izby większe od domu, w którym teraz mieszkała. Ale Roksana dotrzymała wierności kuglarskiej braci. Nie należała do tych wagantek, co to sprzedają wielkim panom głos i ciało za odrobinę bezpieczeństwa i dach nad głową...

Ale któregoś dnia jej też znudziło się wędrowne życie, zapragnęła mieć dom dla siebie i swoich dzieci, gdyż prawo nie chroniło tych, którzy mieszkali na ulicy. Kuglarska brać była tak samo wyjęta spod prawa jak żebracy i rozbójnicy. Za obrabowanie waganta nie groziła żadna kara. Ten, kto zadał gwałt wagantce, mógł spokojnie wrócić do domu, a kto zabił kuglarza, nie musiał obawiać się kata. Wdowie przysługiwał tylko jeden rodzaj zemsty: mogła wychłostać cień zabójcy – tylko jego cień, który słońce rzucało na mury miasta. A za pochówek sama musiała zapłacić. Zaiste, kuglarska brać była zwierzyną łowną. Nazywano ich diablą przynętą, chętnie śmiano się z ich wyczynów, słuchano pieśni, oglądano przedstawienia i magiczne sztuczki. Ale wieczorem zamykano przed nimi drzwi i bramy. Musieli pozostawać poza obrębem miast i wsi, poza murami dającymi schronienie, skazani na ciągłą wędrówkę; zazdroszczono im wolności i pogardzano nimi za to, że dla kawałka chleba służyli wielu panom.

Tylko nielicznym dane było uniknąć losu wiecznego tułacza. Roksanie to się najwidoczniej udało.

Zagroda składała się z domu mieszkalnego, obory, stodoły, piekarni, a pośrodku podwórka znajdowała się studnia; był tam też ogródek warzywny otoczony płotem, by kury i kozy nie wyskubywały młodych roślin. A na zboczu za domem ciągnęło się kilkanaście zagonów upraw. Na niektórych plony były już zebrane, na innych pleniły się jeszcze zioła, wysokie i ciężkie od dojrzałych ziaren. Poranny wietrzyk roznosił wokoło ich słodko-gorzką woń.

Roksana pracowała na najdalszym zagonie, klęcząc pośród lnu, żywokostu i dzikich malw. Chyba pracowała już długo, choć między drzewami wciąż jeszcze wisiała poranna mgła. Obok niej stał chłopiec, siedmio-, może ośmioletni. Roksana śmiała się, rozmawiając z nim. Ileż to razy Smolipaluch próbował przypomnieć sobie jej twarz – usta, oczy, wysoko sklepione czoło. Z każdym rokiem przychodziło mu to trudniej, z każdym rokiem obraz stawał się coraz bardziej rozmyty. Czas zacierał rysy, pokrywał je kurzem.

Smolipaluch zrobił krok do przodu i zaraz cofnął się o dwa kroki. Już dwa razy chciał się odwrócić, odejść po cichutku, tak jak przyszedł, ale jednak zostawał. Podmuch wiatru przeleciał przez janowce i uderzył go w plecy, jakby chciał mu dodać odwagi. Smolipaluch zebrał się w sobie, rozsunął gałęzie krzaka i ruszył ku domowi.

Pierwszy zobaczył go chłopczyk, a z wysokiej trawy pod oborą zerwała się gęś i rzuciła na niego, gęgając i wściekle bijąc skrzydłami. Chłopom nie wolno było trzymać psów, ale gęś była równie dobrym i groźnym strażnikiem. Smolipaluch zręcznie uchylił się przed rozwartym dziobem i począł głaskać gęś po białej szyi, póki nie złożyła potulnie skrzydeł, niczym świeżo wyprasowanej sukienki, i nie wróciła, kołysząc się, na swoje miejsce w trawie.

Roksana wstała z klęczek. Wytarła o suknię powalane ziemią ręce i patrzyła na niego, nic, tylko patrzyła. Włosy miała rzeczywiście upięte wysoko jak chłopka, ale widać było, że są tak samo długie i czarne jak niegdyś, choć tu i ówdzie przeświecały siwe pasemka. Miała na sobie suknię w kolorze brązu, jak ziemia, na której klęczała, inną niż kolorowe suknie, jakie nosiła dawniej. Ale jej twarz pozostała taka sama. Znał ją tak dobrze jak widok nieba, lepiej niż własne odbicie w wodzie.

Chłopiec schwycił widły leżące obok na ziemi. Dzierżył je w ręku z tak ponurą i stanowczą miną, jakby przywykł bronić matki przed intruzami. „Mądry chłopczyk – pomyślał Smolipaluch – nikomu nie dowierza, zwłaszcza obwiesiom z bliznami na twarzy, którzy nagle wyłażą z krzaków".

I co on jej powie, kiedy go zapyta, gdzie był przez tyle czasu?

Roksana szepnęła coś do chłopca i mały opuścił widły, ale w jego oczach pozostał wyraz nieufności.

Dziesięć lat.

Dawniej też często znikał, wędrował po lesie, odwiedzał miejscowości na wybrzeżu, wioski położone samotnie między wzgórzami – jak lis, którego tylko głód sprowadza do zagród ludzkich. „Twoje serce to włóczęga" – mawiała do niego Roksana. Czasami musiał jej szukać, jeśli tymczasem pociągnęła dalej z braćmi wagantami. Przez jakiś czas mieszkali razem w chacie smolarza, potem w namiocie pośród innych wagantów. Przez jedną zimę wytrzymali nawet w Ombrze. To zawsze on chciał ruszać w świat, a kiedy urodziła im się pierwsza córka i Roksana coraz częściej wolała zostawać w domu – w jako tako znanym już miejscu, z innymi wagantkami, w cieniu murów dających ochronę – odchodził sam. Ale zawsze wracał, do niej i do dzieci, wywołując gniew tych wszystkich bogaczy, którzy się wokół niej kręcili, pragnąc uczynić z niej cnotliwą żonę.

Ciekawe, co sobie myślała, kiedy zniknął na długie dziesięć lat. Czy myślała, tak jak Podniebny Tancerz, że on umarł? Czy raczej doszła do wniosku, że po prostu ją opuścił, bez słowa pożegnania?

Na twarzy Roksany nie znalazł odpowiedzi na to pytanie. Malowało się na niej bezbrzeżne zdumienie, gniew, może także miłość. Może. Szepnęła coś do chłopca, wzięła go za rękę i pociągnęła za sobą. Szła wolno, jakby celowo wstrzymywała stopy, by nie ruszyły galopem. Miał ochotę podbiec do niej, z każdym krokiem zostawiając za sobą jeden feralny rok, ale nie starczyło mu odwagi. Nogi wrosły mu w ziemię i tylko patrzył na nią, kiedy się zbliżała, po tych wszystkich latach, dla których nie miał wytłumaczenia – prócz jednego, w które ona i tak nie uwierzy.

Dzieliło ich już tylko kilka kroków. Roksana zatrzymała się. Położyła dłoń na ramieniu chłopca, ale on strząsnął ją niecierpliwie. Oczywiście. Nie chciał, by ręka matki przypominała mu o tym, że jest jeszcze dzieckiem.

Z jaką dumą wysuwała podbródek! To było pierwsze, co mu się w niej spodobało – jej duma. Uśmiechnął się, schylając głowę, by tego nie zauważyła.

– Widzę, że nadal żadne zwierzę nie potrafi ci się oprzeć. Do tej pory moja gęś wszystkich przepędzała.

Kiedy Roksana mówiła, jej głos brzmiał zwyczajnie, nie zdradzając tej siły i piękna, jakie miał, gdy zaczynała śpiewać.

– Tak, to się nie zmieniło – odparł. – Przez te wszystkie lata.

I nagle, patrząc na nią, wreszcie poczuł naprawdę, że wrócił do domu. To uczucie było tak przemożne, że kolana ugięły się pod nim. Był taki szczęśliwy, że znów ją widzi, tak ogromnie, przerażająco szczęśliwy. „Spytaj mnie! – myślał. – Spytaj mnie, gdzie byłem". Chociaż nie wiedział, co jej odpowie.

Ale Roksana powiedziała tylko:

– Widać, że ci się dobrze powodziło tam, gdzie byłeś.

– To złudzenie – odparł. – Nie przebywałem tam dobrowolnie.

Roksana przyglądała się jego twarzy, jakby zapomniała, jak wygląda. Gładziła machinalnie włosy synka, tak samo kruczczarne jak jej. Tylko oczy chłopca były oczami kogoś innego. I patrzyły na Smolipalucha z rezerwą.

Smolipaluch potarł dłonie, szepcząc niezrozumiałe słowa w języku ognia, aż spomiędzy palców sypnął deszcz iskier. A gdzie padła skra na kamienistą ziemię, tam natychmiast wystrzelał purpurowy kwiat, a każdy płatek był językiem ognia.

Chłopczyk patrzył na kwiaty z lękiem i zachwytem. Wreszcie przykucnął i wyciągnął rękę.

– Ostrożnie! – ostrzegł go Smolipaluch.

Ale było już za późno. Stropiony chłopiec cofnął rączkę i wsadził do ust poparzone koniuszki palców.

– Ogień też cię jeszcze słucha – zauważyła Roksana i po raz pierwszy dostrzegł na jej twarzy cień uśmiechu. – Pewnie jesteś głodny. Chodź.

I bez słowa ruszyła w kierunku domu. A chłopczyk jak zauroczony wciąż przyglądał się płonącym kwiatom.

– Słyszałem, że uprawiasz zioła dla zielarzy – odezwał się Smolipaluch, z wahaniem zatrzymując się w progu chaty.

– To prawda, nawet Pokrzywa się u mnie zaopatruje.

Pokrzywa. Wzrostem niewiele większa od mszanki, cierpka, milkliwa jak żebrak, któremu ucięto język. Ale nie było lepszej zielarki na świecie.

– Dalej mieszka w tej niedźwiedziej jaskini na skraju lasu?

Smolipaluch niepewnie wszedł do środka. Drzwi były tak niskie, że wchodząc, musiał schylić głowę. Poczuł zapach świeżo upieczonego chleba.

Roksana położyła na stole rumiany bochenek, przyniosła ser, oliwę, oliwki.

– Owszem, ale rzadko można ją tam zastać. Coraz większa z niej dziwaczka, biega po lesie, gada z drzewami i sama ze sobą, szuka ziół, których żaden człowiek dotąd nie widział. Czasem znika na kilka tygodni, więc ludzie coraz częściej przychodzą do mnie. Pokrzywa nauczyła mnie różnych rzeczy przez te wszystkie lata. – Mówiąc to, nie patrzyła na niego. – Pokazała mi, jak uprawiać na polu zioła, które rosną dziko w lesie: bobrek trójlistkowy, dzwonek jednostronny... A także czerwone zawilce; z ich kwiatów świetliki robią miód.

– Nie wiedziałem, że używa się ich do leczenia.

– Wcale się nie używa. Zasadziłam je, bo mi kogoś przypominały...

Tym razem spojrzała na niego.

Smolipaluch sięgnął do jednego z pęków ziół wiszących pod sufitem i roztarł między palcami kilka zasuszonych pączków. Kwiaty lawendy, schowek dla żmij, a zarazem środek przeciwko ich ukąszeniom.

– Pewnie te zioła rosną tu tylko dlatego, że im śpiewasz – powiedział. – Jak to ludzie dawniej mówili? Kiedy Roksana śpiewa, zakwitają kamienie.

Roksana ukroiła chleba, napełniła miskę oliwą.

– Teraz już tylko dla nich śpiewam – odparła. – I dla mojego syna. – Podsunęła mu chleb i miskę z oliwą. – Jedz. Dopiero wczoraj upiekłam.

Odwróciła się i podeszła do paleniska.

Smolipaluch rozglądał się ukradkiem, maczając chleb w oliwie. Chata była uboga. Dwa sienniki i kilka koców na łóżku, ława, krzesło, stół, dzbany, kosze, butelki i misy, pęki ziół zawieszone pod sufitem, jeden przy drugim, zupełnie jak w jaskini Pokrzywy – i wspaniała skrzynia, zupełnie niepasująca do pozostałych sprzętów. Smolipaluch dobrze pamiętał tę skrzynię: podarował ją Roksanie handlarz suknem. Jego słudzy nieźle się napocili; była po brzegi wypełniona obszywanymi perłami sukniami z jedwabiu, z koronkowymi mankietami. Ciekawe, czy nadal leżą w tej skrzyni, nienoszone, nieprzydatne w pracy na polu.

– Po raz pierwszy poszłam do Pokrzywy, kiedy zachorowała Rosanna. – Roksana mówiła odwrócona do niego plecami. – Wtedy nie miałam jeszcze o niczym pojęcia, nie wiedziałam nawet, jak spędzać gorączkę. Pokrzywa pokazała mi, jak się to robi. Ale naszej córce nic nie pomagało. Poszłam z nią do Puszczyka, a gorączka rosła i rosła. Zaniosłam ją do lasu, do wróżek, ale mi nie pomogły. Może tobie by pomogły, ale ciebie nie było.

Smolipaluch widział, jak ociera oczy wierzchem dłoni.

– Podniebny Tancerz mi powiedział.

Zdał sobie sprawę, że to nie były właściwe słowa, ale inne nie przyszły mu na myśl.

Roksana w milczeniu skinęła głową i znów otarła oczy.

– Mówią, że jak się kogoś kocha, to można go i po śmierci zobaczyć – ciągnęła cicho. – Że zmarły przychodzi w nocy lub przynajmniej we śnie, choćby na krótko, bo nasza tęsknota go przywołuje... Ale Rosanna nigdy do mnie nie przyszła. Chodziłam do kobiet, które rzekomo potrafią rozmawiać z umarłymi. Paliłam zioła, których zapach ma ich zwabiać, czuwałam w nocy, w nadziei że choć raz ją zobaczę... Ale to wszystko kłamstwo. Stamtąd nie ma powrotu. A może ty tam byłeś i znalazłeś drogę powrotną?

– W krainie zmarłych? Nie. – Smolipaluch ze smutkiem pokręcił głową. – Nie, nie byłem tak daleko. Ale możesz mi wierzyć, że nawet tam szukałbym drogi powrotnej do ciebie...

Rzuciła mu długie, bardzo długie spojrzenie. Nikt nigdy tak na niego nie patrzył. I znów zaczął szukać słów, które by jej wyjaśniły, gdzie był, i znów ich nie znalazł.

– Kiedy Rosanna umarła... – Roksana wypowiedziała to słowo z takim lękiem, jakby mogło po raz drugi zabić jej córkę. – Kiedy umarła, a ja trzymałam ją martwą w ramionach, poprzysięgłam sobie, że już nigdy, przenigdy nie będę taka bezradna, kiedy śmierć zechce znów zabrać kogoś, kogo kocham. Od tego czasu wiele się nauczyłam. Może dzisiaj mogłabym ją wyleczyć. A może nie.

Znów spojrzała na niego, ale tym razem nie odwrócił wzroku i nie ukrywał bólu, jak to zwykle czynił.

– Gdzie ją pochowałaś?

Roksana wskazała głową na drzwi.

– Za domem. Tam gdzie się zawsze bawiła.

Smolipaluch odwrócił się, jakby chciał wyjść, by zobaczyć ziemię, w której leżała jego córka, ale Roksana go zatrzymała.

– Gdzie byłeś? – szepnęła, opierając głowę na jego piersi.

Głaskał ją po włosach, kruczoczarnych, choć przetykanych srebrnymi nitkami, ukrył w nich twarz. Myjąc je, nadal dolewała do wody soku z gorzkich pomarańczy. Ten zapach przyniósł tyle wspomnień, że aż mu się zakręciło w głowie.

– Byłem daleko – powiedział. – Strasznie daleko.

Trzymał ją w objęciach i nie mógł uwierzyć, że znowu jest z nim, nie jako wyblakłe, niewyraźne wspomnienie, lecz kobieta z krwi i kości... i że go nie przepędziła.

Nie wiedział, jak długo tak stali.

– A co z naszą starszą córką? – spytał wreszcie. – Co dzieje się z Brianną?

– Mieszka na zamku. Już od wielu lat. Usługuje Wiolancie, synowej księcia, którą ludzie nazywają Brzydką Wiolantą. – Uwolniła się z jego ramion, przesunęła dłonią po ciasno upiętych włosach i mówiła dalej: – Brianna śpiewa dla Wiolanty, opiekuje się jej rozpuszczonym synkiem i czyta jej książki. Wiolanta uwielbia książki, ale ma kiepski wzrok, dlatego nie może czytać sama. Poza tym musi się z tym kryć, bo książę nie lubi kobiet, które potrafią czytać.

– Ale Brianna potrafi?

– Owszem. Synka też nauczyłam.

– Jak mu na imię?

– Jehan. Po ojcu.

Roksana podeszła do stołu i musnęła palcami kwiaty stojące w wazonie.

– Znałem go?

– Nie. Zostawił mi to gospodarstwo. I syna. Pewnego razu ci bandyci podpalili nam stodołę, wbiegł do środka, żeby ratować zwierzęta, i ogień go pochłonął. Czy to nie dziwne? Kochałam w życiu dwóch mężczyzn: jednego ogień chroni, a drugiego zgubił. – Milczała dłuższą chwilę, zanim znów podjęła: – Bandzie przewodził wtedy Podpalacz. Byli chyba jeszcze gorsi niż pod wodzą Capricorna. Basta i Capricorn zniknęli w tym samym czasie co ty. Wiedziałeś o tym?

– Owszem, coś słyszałem – mruknął.

Nie mógł oderwać od niej wzroku. Jakaż ona była piękna. Tak piękna, że serce ściskało mu się z bólu. Kiedy znów podeszła do niego, każdy jej ruch przypominał mu chwilę, gdy po raz pierwszy ujrzał ją tańczącą.

– Wróżki rzeczywiście dobrze wykonały swoją robotę – powiedziała cicho, przesuwając dłonią po jego twarzy. – Gdybym nie znała prawdy, pomyślałabym, że ktoś namalował ci te blizny srebrną kredką.

– To bardzo miłe kłamstwo – odparł również szeptem.

Nikt lepiej od niej nie wiedział, skąd pochodzą te blizny. Żadne z nich nie zapomni tego dnia, kiedy to Żmijogłowy kazał jej tańczyć i śpiewać. Na zamku był też Capricorn, razem z Bastą i całą resztą podpalaczy, i Basta gapił się na Roksanę łakomym wzrokiem, jak kocur na ptaszka. Umizgał się do niej dzień w dzień, przysyłał jej złoto i klejnoty, groził jej i schlebiał, ale za każdym razem dawała mu kosza – na osobności i przy ludziach. Basta wywiedział się, kogo Roksana woli od niego, i pewnego dnia, gdy Smolipaluch szedł do niej, Basta z pomocą dwóch innych osiłków pokiereszował mu twarz nożem.

– Nie związałaś się z nikim, kiedy twój mąż umarł?

„Głupiec – skarcił się w myślach. – Jesteś zazdrosny o umarłego?”.

– Nie. Jedynym mężczyzną w tej zagrodzie jest Jehan.

Chłopiec pojawił się w otwartych drzwiach tak nagle, jakby tylko czekał, kiedy padnie jego imię. Bez słowa przeszedł obok Smolipalucha i usiadł na ławie.

– Kwiaty jeszcze urosły – powiedział.

– Poparzyłeś sobie palce?

– Tylko troszeczkę.

Roksana podsunęła mu dzban z zimną wodą.

– Masz, włóż tu palce. A jeśli nie pomoże, rozbiję jajko. Na poparzoną skórę najlepsze jest białko kurze.

Jehan posłusznie włożył palce do wody, nie odrywając wzroku od Smolipalucha.

– A on się nigdy nie oparzy? – spytał matkę.

Roksana nie mogła powstrzymać uśmiechu.

– Nie, nigdy. Ogień go uwielbia. Liże i całuje jego palce.

Jehan spojrzał na Smolipalucha takim wzrokiem, jakby właśnie się dowiedział, że w jego żyłach płynie krew wróżek, nie ludzka.

– Uważaj, ona cię nabiera! – ostrzegł Smolipaluch. – Jasne, że ogień mnie parzy.

– Ale te blizny... to nie od ognia?

– Nie – powiedział Smolipaluch, sięgając po kawałek chleba. – A ta Wiolanta... – zwrócił się znów do Roksany. – Podniebny Tancerz powiedział mi, że jej ojcem jest Żmijogłowy. Ona też nienawidzi kuglarzy tak jak ojciec?

– Nie – odparła Roksana, mierzwiąc czarną czupurynę Jehana. – Jeśli Wiolanta kogoś nienawidzi, to swojego ojca. Kiedy miała dwanaście lat, została żoną Cosima, a po sześciu latach już była wdową. A teraz siedzi na zamku teścia, próbując robić to, o czym on w swej żałobie po synu już dawno zapomniał: troszczy się o jego poddanych. Wiolanta lituje się nad słabymi. Żebracy, kaleki, wdowy z głodnymi dziećmi, chłopi, którzy nie mogą zapłacić podatku – wszyscy przychodzą do niej. Ale Wiolanta jest kobietą. Jeśli ma odrobinę władzy, to tylko dlatego, że wszyscy boją się jej ojca, nawet po tej stronie lasu.

– Briannie podoba się na zamku – wtrącił Jehan, podnosząc do oczu zaczerwienione palce i z uwagą je oglądając.

Roksana wepchnęła mu dłonie z powrotem do zimnej wody.

– Niestety, to prawda – powiedziała. – Naszej córce podoba się noszenie sukien po Wiolancie, spanie w łożu z baldachimem, wysłuchiwanie komplementów dworaków. Ale mnie się to nie podoba i ona o tym wie.

– Po mnie Brzydka Wiolanta też czasem posyła – stwierdził z dumą Jehan. – Chce, żebym się bawił z jej synkiem. Jacopo przeszkadza Briannie w czytaniu, a poza tym nikt nie chce się z nim bawić, bo zawsze krzyczy, kiedy się bijemy. A jak przegrywa, to wrzeszczy, że każe ci obciąć głowę.

– Pozwalasz mu się bawić z książęcym bachorem? – Smolipaluch rzucił Roksanie spojrzenie pełne niepokoju. – Książęta nie nadają się na przyjaciół, wszystko jedno, w jakim są wieku. Zapomniałaś o tym? To samo dotyczy ich córek, zwłaszcza jeśli mają za ojca Żmijogłowego.

Roksana przeszła obok niego bez słowa.

– Mnie nie musisz przypominać, jacy są książęta – powiedziała. – Ale twoja córka ma piętnaście lat i gwiżdże na moje rady. Kto wie, może ojca posłucha, chociaż nie widziała go dziesięć lat. W przyszłą niedzielę Tłusty Książę urządza urodziny swojego wnuka. Idź, jeśli chcesz. Dobry połykacz ognia będzie mile widziany, szczególnie że przez te wszystkie lata mogli tylko oglądać popisy Kopcia. – Odwróciła się w drzwiach. – Chodź, Jehan! – krzyknęła. – Twoje palce nie wyglądają tak źle, a mamy jeszcze dużo roboty.

Chłopiec posłusznie ruszył za nią. W progu jeszcze raz rzucił Smolipaluchowi zaciekawione spojrzenie i zniknął za drzwiami. Smolipaluch został sam w ciasnej izbie. Obok paleniska stały gliniane garnki i drewniane misy, w kącie izby kołowrotek i skrzynia – świadek przeszłości Roksany. Był to rzeczywiście bardzo skromny dom, nie większy od chaty smolarza, ale zawsze dom. Tego właśnie Roksana zawsze pragnęła. Nigdy nie lubiła nocować pod gołym niebem, nawet jeśli nad ich snem czuwały wyczarowane przez niego kwiaty z ognia.

Meggie czyta

Każda znajdująca się tu książka, każdy tom, posiadają własną duszę. I to zarówno duszę tego, kto daną książkę napisał, jak i dusze tych, którzy tę książkę przeczytali i tak mocno ją przeżyli, że zawładnęła ich wyobraźnią.

Carlos Ruiz Zafón, *Cień wiatru*

Gdy w domu Elinor zapadła całkowita cisza, a światło księżyca zalało ogród, Meggie włożyła suknię, którą uszyła jej Resa. Kilka miesięcy temu zagadnęła matkę, jakie suknie noszą kobiety w Atramentowym Świecie.

– Ale jakie kobiety? – spytała Resa. – Chłopki? Wagantki? Książęce córki? Służące?

– Co ty nosiłaś?

Wtedy Resa pojechała z Dariuszem do najbliższego miasteczka i kupiła materiał – grubo tkany len w kolorze ciemnoczerwonym. A potem poprosiła Elinor, by pozwoliła im przynieść z piwnicy starą maszynę do szycia.

– Taką suknię nosiłam, kiedy byłam służącą w twierdzy Capricorna – powiedziała, wciągając Meggie przez głowę gotową sukienkę. – Dla chłopki byłaby zbyt wyszukana, ale dla służącej bogatego człowieka – w sam raz. A Mortoli bardzo zależało na tym, byśmy były ubrane niewiele gorzej od pokojówek dworskich, chociaż służyłyśmy tylko bandzie podpalaczy.

Meggie podeszła do szafy i przyjrzała się swemu odbiciu w zmatowiałym lustrze. Wydała się sobie obca. W Atramentowym Świecie także będzie obca, sukienka niewiele tu zmieni. „Tak samo obca jak Smolipaluch w naszym świecie – pomyślała, przypominając sobie nieszczęśliwy wyraz jego oczu. – Bzdura! – żachnęła się, zła na siebie, odgarniając gładko uczesane włosy. – Nie zamierzam tam siedzieć dziesięć lat!”.

Sukienka już miała za krótkie rękawy i była przyciasna w biuście. „Boże drogi, Meggie! – zawołała Elinor, kiedy po raz pierwszy zauważyła, że Meggie nie jest już płaska jak deska. – Czasy Pippi Langstrumpf mamy za sobą, co?”.

Dla Farida nie znaleźli nic odpowiedniego, ani na strychu, ani w piwnicy w skrzyniach z ubraniem, które pachniało naftaliną i dymem papierosowym. Ale Farid niewiele sobie z tego robił.

– Nie szkodzi. Jeśli wszystko dobrze pójdzie, wylądujemy w lesie – powiedział. – Tam moje spodnie nikomu nie będą przeszkadzać. A w pierwszej napotkanej miejscowości po prostu ukradnę coś odpowiedniego.

Dla niego zawsze wszystko było proste. Jej wyrzutów sumienia z powodu Mo i Resy nie rozumiał tak samo jak troski o odpowiednie ubranie.

– Jak to? – zdziwił się, kiedy mu wyznała, że nie ma odwagi spojrzeć w oczy Mo i matce, od kiedy się zdecydowała odejść razem z nim. – Masz trzynaście lat! Przecież i tak wkrótce by cię wydali za mąż, no nie?

– Za mąż?

Meggie poczuła, że się rumieni. Co za głupota rozmawiać o takich rzeczach z chłopcem pochodzącym z *Baśni z 1001 nocy*, gdzie kobiety były służącymi lub niewolnicami albo mieszkały w haremie.

– A zresztą – dodał Farid, grzecznie udając, że nie zauważa jej zakłopotania – nie masz przecież zamiaru długo tam zostać, prawda?

Oczywiście nie miała takiego zamiaru. Chciała tylko posmakować Atramentowego Świata, poczuć jego zapach, dotknąć go, ujrzeć wróżki, księcia, a potem wrócić do domu, do Mo i Resy, do Elinor i Dariusza. Był tylko jeden problem: możliwe, że słowa Orfeusza przeniosą ją do Atramentowego Świata, ale na pewno nie sprowadzą jej do domu. Drogę powrotną mogą jej otworzyć tylko słowa napisane przez Fenoglia, twórcę świata, do którego zamierzała się wśliznąć, twórcę szklanych ludzików i błękitnoskórych wróżek, Smolipalucha... i Basty. Tak, tylko Fenoglio mógł sprawić, żeby wróciła. Za każdym razem, kiedy o tym myślała, opuszczała ją odwaga i chciała wszystko odwołać, wykreślić dwa słowa, które dodała do tekstu Orfeusza: „i dziewczynka..."

A jeśli nie znajdzie Fenoglia, jeśli nie ma go już w jego własnej historii? „Och, nie! Musi tam być!" – powtarzała sobie za każdym razem, kiedy myśl o tym przyprawiała ją o szybsze bicie serca. Nie mógł przecież wrócić bez lektora, do tego same słowa nie wystarczą! A jeśli Fenoglio znalazł innego lektora, kogoś takiego jak Orfeusz czy Dariusz? Ten dar nie był jednak tak rzadki, jak sądzili początkowo Mo i Meggie.

„Nie, on tam jeszcze jest! Na pewno!" – pomyślała z przekonaniem Meggie i po raz setny przeczytała list pożegnalny do rodziców. Sama nie wiedziała, dlaczego napisała go na papierze czerpanym, który robili razem z Mo. Co jak co, ale to go raczej nie udobrucha.

Najdroższy Mo! Kochana Reso! (Meggie znała już na pamięć te słowa). *Nie martwcie się o mnie, bardzo Was proszę. Farid musi znaleźć Smolipalucha, aby go ostrzec przed Bastą, a ja chcę mu towarzyszyć. Nie zamierzam tam długo zostać, chcę tylko zobaczyć Nieprzebyty Las i Tłustego Księcia, Pięknego Cosima i może jesz-*

cze Czarnego Księcia i jego niedźwiedzia. Chcę jeszcze raz zobaczyć wróżki i szklane ludziki, a także Fenoglia. On mnie wyśle z powrotem. Wiecie, że to potrafi. O nic się nie martwcie. Przecież nie ma tam już Capricorna. Do zobaczenia wkrótce.

Całuję Was tysiąckrotnie
Meggie

PS Przywiozę Ci książkę, Mo. Tam są podobno przepiękne księgi, pisane ręcznie, z cudownymi ilustracjami, takie, jakie Elinor trzyma w gablotach za szkłem, tylko jeszcze piękniejsze. Proszę Cię, nie gniewaj się na mnie!

Trzy razy darła list i pisała go na nowo. Ale na nic się to nie zdało, bo nie było słów zdolnych sprawić, by Mo nie wpadł w gniew, a Resa nie płakała ze zgryzoty. Tak jak wtedy, kiedy wróciła ze szkoły dwie godziny później niż zwykle. Położyła list na poduszce – tu go na pewno znajdą – i jeszcze raz podeszła do lustra. „Co ty robisz, Meggie? – pomyślała. – Co ty robisz?". Ale jej odbicie w lustrze milczało.

Krótko po północy przyszedł do niej Farid. Nie mógł nadziwić się jej sukni.

– Nie mam do niej odpowiednich butów – narzekała Meggie. – Na szczęście jest taka długa, że chyba nie widać moich kozaków, co?

Farid potrząsnął głową.

– Wygląda pięknie – mruknął zakłopotany.

Wpuściwszy Farida, Meggie przekręciła klucz w zamku i wyjęła go, żeby można było otworzyć drzwi z zewnątrz. Elinor miała zapasowy klucz. Nie będzie go mogła oczywiście znaleźć, ale Dariusz na pewno wie, gdzie go szukać. Raz jeszcze spojrzała na list leżący na poduszce...

Farid miał przewieszony przez ramię plecak, który znalazła na strychu. „Może go sobie wziąć – powiedziała Elinor, gdy

Meggie ją o to spytała. – Należał do mojego wuja, którego nie cierpiałam. Chłopak może sobie wsadzać do niego tę śmierdzącą kunę. W sam raz odpowiedni dla niej schowek!".

Kuna! Meggie serce podeszło do gardła.

Farid nie wiedział, dlaczego Smolipaluch nie zabrał kuny, a Meggie nie zdradziła mu powodu, chociaż go doskonale znała. W końcu to ona powiedziała Smolipaluchowi, jaką rolę kuna odegra w jego historii. Że zginie za sprawą Gwina, jeśli spełni się to, co napisał Fenoglio.

Ale kiedy go spytała o Gwina, Farid przecząco pokręcił głową.

– Zniknął! – powiedział przybity. – Uwiązałem go w ogrodzie, bo pożeraczka książek trzęsła się ciągle o te swoje ptaki, ale przegryzł sznurek i uciekł. Szukałem wszędzie, ale zniknął bez śladu!

Mądry Gwin.

– Chyba lepiej, żeby został – powiedziała Meggie. – Orfeusz nic o nim nie napisał. Nie martw się, Resa się nim zajmie. Lubi go.

Farid skinął głową. Spojrzał niespokojnie w okno, ale nie zaprotestował.

Nieprzebyty Las – oto dokąd zawiodą ich słowa napisane przez Orfeusza. Farid wiedział, dokąd Smolipaluch skieruje kroki: do Ombry, gdzie stał zamek Tłustego Księcia. Właśnie tam Meggie miała nadzieję znaleźć Fenoglia. Wiele jej opowiadał na temat Ombry, kiedy jeszcze oboje byli więźniami Capricorna.

„Gdybym mógł wybrać miejsce pobytu w Atramentowym Świecie – powiedział pewnej nocy, kiedy nie mogli zasnąć, bo ludzie Capricorna znów strzelali do wałęsających się kotów – wybrałbym właśnie Ombrę. W końcu Tłusty Książę jest wielkim miłośnikiem książek, nie to co jego wróg Żmijogłowy. Och, dla pisarza Ombra byłaby idealnym miejscem do życia! Wyobrażam to sobie: pokoik na poddaszu, na przykład w uliczce szewców i siodlarzy, bo tam najmniej cuchnie, szklanego ludzika, który by mi temperował pióra, kilka wróżek nad łóżkiem, a przez okno wychodzące na ulicę mógłbym oglądać cały ten bajeczny ruch...".

– Co zabierasz ze sobą? – wyrwał ją z zamyślenia głos Farida. – Wiesz, że nie powinniśmy mieć za dużo rzeczy.

– Oczywiście, że wiem!

Co on sobie wyobrażał? Że zapakowała dziesięć sukienek, bo jest dziewczyną? Bierze tylko skórzaną torbę na ramię, tę samą, którą Mo dawniej zawsze zabierał, gdy wspólnie podróżowali. Będzie jej przypominała o Mo. I nie zwróci za bardzo niczyjej uwagi w Atramentowym Świecie, podobnie jak sukienka. Czego nie można było powiedzieć o zawartości torby: szczotka do włosów ze zdradzieckiego plastiku, tak jak guziki u wełnianego kubraka, który także zapakowała, kilka ołówków, scyzoryk, zdjęcie rodziców i drugie – Elinor. Najdłużej zastanawiała się nad tym, jaką wziąć książkę. Wybrać się bez książki to tak, jakby pojechać bez ubrania. Ale musiała być lekka, a więc wydanie kieszonkowe. „Książki w stroju kąpielowym – żartował zawsze Mo – źle ubrane na większość okazji, ale na urlopie bardzo praktyczne".

W bibliotece Elinor nie było oczywiście wydań kieszonkowych, ale Meggie miała kilka takich książeczek. Zdecydowała się ostatecznie na zbiór opowiadań, których akcja rozgrywała się nad jeziorem, gdzie stał dom Elinor. W ten sposób zabierze ze sobą odrobinę domu. Bo właśnie tym była dla niej teraz posiadłość Elinor: domem. Bardziej niż jakiekolwiek inne miejsce w przeszłości. I kto wie, może Fenoglio będzie mógł użyć tych słów, by ją wysłać z powrotem do jej historii...

Farid podszedł do okna. Było otwarte i do pokoju wionął chłód. Wiatr poruszał zasłonami, które uszyła Resa. Meggie zadrżała z zimna w swojej lekkiej sukience. Na razie noce były jeszcze dość ciepłe, ale kto wie, jaka pora roku panuje w Atramentowym Świecie. Może tam jest akurat zima?

– Powinienem się chociaż z nim pożegnać – mruknął Farid. – Gwin! – krzyknął i cmoknął, wpatrując się w ciemność.

Meggie gwałtownie odciągnęła go od okna.

– Zwariowałeś?! – ofuknęła go. – Chcesz wszystkich pobudzić? Powtarzam ci jeszcze raz: Gwinowi będzie tu dobrze. Pewnie znalazł sobie towarzyszkę, tutaj kręci się mnóstwo kun. Elinor umiera ze strachu, że pożrą słowika, który zawsze śpiewa pod jej oknem.

Farid zrobił nieszczęśliwą minę, ale posłusznie odszedł od okna.

– Dlaczego zostawiłaś je otwarte? Co będzie, jeśli Basta... – Nie dokończył zdania.

– System alarmowy działa równie dobrze przy otwartym oknie – wyjaśniła Meggie, chowając książkę do torby.

Miała specjalny powód, by nie zamykać okna. Pewnej nocy w hotelu nad morzem, niedaleko wioski Capricorna, namówiła Mo, żeby przeczytał jej wiersz. Była w nim mowa o księżycowym ptaku, który spał w tchnieniu wiatru pachnącego miętą. Wtedy po raz pierwszy sama spróbowała tej sztuki... Kiedy się obudziła nazajutrz, w pokoju furkotał księżycowy ptak i obijał się o zamknięte okno. Meggie na zawsze zapamiętała, jak rozpaczliwie tłukł łebkiem w szybę. Nie, okno musi pozostać otwarte.

– Najlepiej usiądźmy razem na kanapie. I załóż plecak.

Farid wykonał polecenie, siadając tak samo ostrożnie jak przedtem na krześle. Była to stara, zniszczona kanapa obita bladozielonym pluszem, z frędzlami i guzami. „Żebyś miała wygodne miejsce do czytania” – wyjaśniła Elinor, kiedy Dariusz przytaszczył mebel do pokoju. Ciekawe, co powie Elinor, kiedy się okaże, że Meggie zniknęła? „Czy ona to zrozumie? Pewnie swoim zwyczajem rzuci pod moim adresem kilka soczystych przekleństw – pomyślała Meggie, klękając obok torby szkolnej. – A potem powie: »Do licha, dlaczego ta głupia dziewczyna nie zabrała mnie ze sobą?«. Tak, na pewno tak powie”. Meggie już teraz tęskniła do Elinor, ale próbowała o niej nie myśleć. Ani

10
Atramentowy Świat

Tak to szybko nasza przerażona trójka dowiedziała się, jaka jest różnica pomiędzy wyspą Na-Niby a tą samą wyspą rzeczywistą.

James M. Barrie, *Piotruś Pan*

Był dzień. Światło słoneczne sączyło się przez korony drzew. Cienie tańczyły na pobliskiej sadzawce, nad ciemną taflą wody unosił się rój czerwonych elfów.

„Potrafię to!". Taka była pierwsza myśl Meggie, gdy zrozumiała, że słowa naprawdę wpuściły ją do tego świata, że nie przebywa już w domu Elinor, lecz w zupełnie innym miejscu. „Potrafię to. Potrafię wczytać sama siebie!".

Tak, naprawdę zdołała prześliznąć się między słowami, jak tyle razy czyniła to w myślach. I wcale nie musiała wchodzić w skórę któregoś z bohaterów; nie, to ona sama będzie tu występowała – Meggie! Nawet Orfeuszowi nie udało się tego dokonać. Wysłał do domu Smolipalucha, ale siebie nie potrafił przenieść. Oprócz niej nikomu się to dotąd nie udało. Ani Orfeuszowi, ani Dariuszowi, ani Mo.

Mo.

Meggie odwróciła głowę, jakby spodziewała się ujrzeć go za sobą, tak jak zawsze do tej pory, gdy znalazła się w nieznanym miejscu. Ale za nią stał tylko Farid i rozglądał się z takim samym niedowierzaniem jak ona. Dom Elinor był daleko. Rodzice – daleko. I żadna droga nie prowadziła z powrotem.

Nagle w jej duszy rozlał się lęk, jak czarna słona woda. Poczuła się zagubiona, straszliwie zagubiona, jej ciało było jak sparaliżowane. Nie należała do tego świata! Co ona zrobiła? Wpatrywała się w kartkę papieru, którą trzymała w dłoni, teraz tak bezużyteczną, tę przynętę, którą połknęła, dając się wciągnąć w świat Fenoglia. Uczucie triumfu znikło bez śladu. Wymazał je doszczętnie strach. Strach na myśl, że popełniła potworny, niewybaczalny błąd. Rozpaczliwie próbowała odnaleźć w swym sercu inne uczucia, ale pozostał tylko lęk, nie była nawet ciekawa tego świata, który ją otaczał. Wracać, wracać! Tylko o tym mogła myśleć.

Ale na twarzy Farida malował się niekłamany zachwyt.

– Spójrz tylko na te drzewa, Meggie! – wykrzyknął, nie posiadając się ze szczęścia. – Naprawdę sięgają aż do nieba. Przyjrzyj się im!

Przejechał ręką po twarzy, pomacał nos, usta, spojrzał po sobie, a przekonawszy się, że nie doznał żadnego uszczerbku, zaczął skakać jak pasikonik. Balansował na wystających korzeniach drzew, przeskakiwał z jednego na drugi, wreszcie, śmiejąc się jak szalony, rozpostarł ramiona i zaczął wirować w kółko, aż mu się zakręciło w głowie i wyczerpany oparł się o drzewo. Wciąż się śmiejąc, przywarł plecami do pnia, który z trudem objęłoby pięciu dorosłych mężczyzn, i spojrzał w górę na plątaninę konarów i gałęzi.

– Zrobiłaś to, Meggie! – wykrzyknął. – Zrobiłaś to! Słyszysz, Świecąca Gębo! – wołał, a jego głos ginął wśród drzew. – Ona to zrobiła! Twoimi słowami. Ty próbowałeś tysiąc razy i nic! A ona to potrafi!

I znów się zaśmiał swawolnie, jak małe dziecko. W końcu dotarło do niego, że Meggie wcale się nie cieszy.

– Co ci jest? – spytał zdumiony i z przerażeniem wskazał na jej usta. – Chyba nie...

„...straciłam głosu, jak moja mama? A może straciłam?”. Z trudem poruszyła językiem i wreszcie słowa wydobyły się z jej ust:

– Nie, nie, wszystko w porządku.

Farid uśmiechnął się z ulgą. Niefrasobliwość chłopaka stłumiła jej lęk i Meggie po raz pierwszy rozejrzała się dokoła. Znajdowali się w rozległej zalesionej dolinie ciągnącej się wśród wzgórz, których zbocza tak gęsto porośnięte były drzewami, że ich korony tworzyły zwarty baldachim. Wyżej rosły kasztanowce i dęby, niżej – jesiony i topole, których liście mieszały się ze srebrnymi włosami wierzb. Nieprzebyty Las zaiste zasługiwał na swoją nazwę. Zdawał się nie mieć początku ani końca, niby zielone morze czy ocean, w którym łatwo utonąć.

– To po prostu nie do wiary! Jak tu pięknie!

Farid śmiał się do rozpuku. Jakieś zwierzątko ukryte wysoko w koronach drzew fuknęło gniewnie.

– Smolipaluch mi o tym wszystkim opowiadał, ale nie myślałem, że tu jest aż tak pięknie! Jak może być tyle rodzajów liści? A spójrz tylko na te kwiaty, na te jagody, te jeżyny! Na pewno nie umrzemy z głodu!

Farid zerwał jagodę, okrągłą, granatowoczarną, powąchał i wsunął do ust.

– Znałem kiedyś starca – mówił, ocierając usta z soku – który nocą przy ognisku opowiadał o raju. Właśnie tak go opisywał: dywany z mchu, chłodne stawy, wszędzie kwiaty i słodkie jagody, drzewa sięgające nieba, a w górze liście rozmawiają z wiatrem. Słyszysz je?

Tak, Meggie słyszała, jak liście szepczą między sobą. I widziała elfy, całe ich chmary, drobne, czerwone istotki. Ogniste elfy. Resa opowiadała jej o nich. Niby rój komarów unosiły się nieopodal nad sadzawką, w której odbijały się korony drzew.

Otaczał ją wieniec krwistoczerwonych kwiatów, tafla wody pokryta była zwiędłymi płatkami.

Meggie nigdzie nie zauważyła błękitnych wróżek, za to widziała zatrzęsienie motyli, pszczół, ptaków, sieci pajęczych skrzących się od rosy, choć słońce stało już wysoko, jaszczurki, króliki... A wszystko to szeleściło i furkotało, pohukiwało, skrobało i stukało wokół niej, syczało, gruchało, ćwierkało. Ten świat zdawał się pękać od nadmiaru życia, a zarazem wydawał się cichy, tak cudownie cichy, jakby czas tu nie istniał, jakby żadna chwila nie miała początku ani końca.

– Myślisz, że on też tu był? – Farid rozglądał się dokoła z taką tęsknotą, jakby miał nadzieję, że za chwilę Smolipaluch ukaże się między drzewami. – Oczywiście – odpowiedział sam sobie. – Orfeusz musiał wczytać go w to samo miejsce. O tej sadzawce też mi opowiadał i o czerwonych elfach, i o tym drzewie tam w głębi, z jasną korą, gdzie są ich gniazda. „Trzeba iść wzdłuż strumienia – tak mi powiedział – na północ, bo na południu rządzi Żmijogłowy, tam zawiśniesz na szubienicy, zanim zdążysz wypowiedzieć swoje imię". Najlepiej będzie, jak obejrzę sobie to wszystko z góry!

Zwinnie jak wiewiórka wdrapał się na młode drzewko i w mgnieniu oka podciągnął się na zdrewniałych pędach aż hen ku koronie drzewa olbrzyma.

– Czego tam szukasz? – zawołała do niego z dołu zaniepokojona Meggie.

– Z góry zawsze więcej widać! – odkrzyknął.

Po chwili zniknął między gałęziami. Meggie złożyła kartkę z tekstem Orfeusza i wsunęła ją do skórzanej torby. Nie chciała już oglądać tych liter, przypominały jej jakieś jadowite owady albo to ciasteczko z *Alicji w krainie czarów* z napisem „Zjedz mnie!". Natrafiła ręką na notatnik w marmurkowej oprawie i łzy stanęły jej w oczach. Z góry dobiegł ją głos Farida niby wołanie egzotycznego ptaka:

– „Kiedy zobaczysz chatę smolarza – tak mówił Smolipaluch – to wiedz, że wkrótce będziesz miał Nieprzebyty Las za sobą”. Zapamiętałem każde słowo, które mi powiedział. Jeśli chcę, słowa przyklejają mi się w pamięci jak komary do żywicy. Nie potrzebuję papieru, żeby je zachować, ot co! „Musisz tylko znaleźć smolarzy i czarne dziury, które wypalają w płaszczu lasu, a wtedy będziesz wiedział, że świat ludzi jest niedaleko. – Tak właśnie mówił. – I idź ciągle wzdłuż strumienia, który poprowadzi cię na północ. Musisz przez cały czas posuwać się na północ, aż wysoko na wzórzu zobaczysz zamek Tłustego Księcia – szary jak gniazdo os – i miasto rozłożone wokół zamku. Tam na rynku możesz wypluwać ogień pod samo niebo...”.

Meggie usiadła wśród kwiatów – fiołków i liliowych dzwonków; większość z nich już więdła, ale wciąż pachniały tak mocno, aż jej się w głowie kręciło. Między kwiatami krążyła osa, a może tylko wyglądała jak osa? Ile rzeczy Fenoglio przeniósł z rzeczywistego świata, a ile wymyślił? Wszystko tu było niby dobrze znane, a przecież całkowicie obce.

– Czy to nie szczęście, że kazałem sobie to wszystko tak dokładnie opisać? – usłyszała znów głos Farida i gdy zadarła głowę, zobaczyła jego gołe stopy dyndające na zawrotnej wysokości pomiędzy listowiem. – Smolipaluch często w nocy nie mógł spać, bo miewał złe sny. Wtedy budziłem go i siadaliśmy przy ognisku, a ja go podpytywałem. Jestem w tym mistrzem, o tak!

Meggie uśmiechnęła się, słysząc, z jaką dumą to mówi. Znów spojrzała w górę na liściasty baldachim. Przybywało kolorowych liści, podobnie jak w ogrodzie Elinor. Tak jakby oba światy oddychały w tym samym rytmie. Czy było tak zawsze, czy też obie historie splotły się ze sobą dopiero w dniu, w którym Mo przeniósł Capricorna, Bastę i Smolipalucha z jednej do drugiej? Nigdy się tego nie dowie, bo kto może znać odpowiedź na to pytanie?

W jednym z krzaków, ciernistym i ciężkim od ciemnych jagód, coś zaszeleściło. Resa opowiadała jej o niedźwiedziach i wilkach, i wielkich cętkowanych kotach. Meggie cofnęła się odruchowo, zaczepiając sukienką o wysokie osty obsypane białym puchem.

– Farid! – zawołała. Była zła na siebie, że nie potrafiła ukryć lęku. – Farid!

Ale on zdawał się jej nie słyszeć. Siedział tam wysoko w gałęziach i plótł trzy po trzy, beztroski jak ptak, a ona stała tu sama między ciernistymi krzakami, które ruszały się, miały oczy, warczały... A tam, czy to wąż? Gwałtownym szarpnięciem uwolniła sukienkę, rozdzierając ją, i cofnęła się przerażona, aż dotknęła plecami pnia ogromnego dębu. Wąż zniknął nagle, jakby i jemu widok Meggie napędził śmiertelnego strachu. Ale w krzakach nadal coś się ruszało, aż wreszcie spomiędzy kolczastych gałęzi wysunął się łebek, kosmaty, z okrągłym noskiem i różkami na głowie.

– Nie! – szepnęła Meggie. – Tylko nie to!

Gwin patrzył na nią prawie z wyrzutem, jakby obwiniał ją o to, że jego futerko było najeżone kolcami.

Głos Farida w górze stał się wyraźniejszy. Chyba wreszcie opuścił swój punkt obserwacyjny.

– Ani chaty, ani zamku, zupełnie nic! – wołał. – Jeszcze ładnych parę dni potrwa, zanim wydostaniemy się z tego lasu. Smolipaluchowi właśnie o to chodziło. Nie chciał się spieszyć. Chyba bardziej tęsknił do drzew i wróżek niż do ludzi. No, nie wiem, co ty o tym sądzisz, drzewa są oczywiście piękne, bardzo piękne, ale chciałbym też zobaczyć zamek, kuglarzy i pancernych...

Zeskoczył na trawę i podskakując na jednej nodze, przemierzał wspaniały dywan błękitnych kwiatów. Na widok kuny wydał okrzyk radości.

– Gwin! Ach, wiedziałem, że mnie usłyszałeś. Chodź tu, ty pomiocie szatana i węża! Ale Smolipaluch zrobi oczy, jak zobaczy swojego starego przyjaciela, nie uważasz?

„O tak, na pewno! – pomyślała Meggie. – Nogi się pod nim ugną ze strachu!”.

Farid przykucnął, a kuna wskoczyła mu na kolana i delikatnie polizała go w brodę. Wszystkich innych gryzła, nawet Smolipalucha, ale przy Faridzie zachowywała się jak potulny kotek.

– Wypędź go, Faridzie! – zawołała Meggie ostrzej, niż zamierzała.

– Wypędzić go? – roześmiał się chłopak. – Co ty opowiadasz? Słyszałeś, Gwin? Coś ty jej zrobił? Położyłeś zdechłą mysz na jej ukochanych książkach?

– Powiedziałam, wypędź go! Sam sobie da radę. Proszę cię! – dodała, widząc, że nie rozumie.

Farid wyprostował się, a kuna wspięła się po jego ręce. Chłopak miał tak zacięty wyraz twarzy, jakiego Meggie jeszcze nigdy u niego nie widziała. Gwin wskoczył mu na ramię i świdrował dziewczynkę czarnymi oczkami, jakby zrozumiał każde jej słowo. Wobec tego będzie musiała Faridowi wszystko opowiedzieć. Tylko jak?

– Smolipaluch nic ci nie mówił?

– Niby o czym? – warknął, patrząc na nią takim wzrokiem, jakby chciał ją uderzyć.

Ponad nimi wiatr ze złowrogim szeptem przelatywał w baldachimie liści.

– Jeśli nie wypędzisz Gwina – powiedziała Meggie dobitnie, choć słowa z trudem przechodziły jej przez gardło – zrobi to Smolipaluch. A ciebie przepędzi razem z nim.

Kuna przyglądała jej się uważnie.

– Dlaczego miałby to zrobić? Po prostu go nie lubisz i tyle! Nigdy nie lubiłaś Smolipalucha, nie mówiąc o Gwinie!

– To nieprawda! Ty nic nie rozumiesz! – krzyknęła Meggie piskliwym głosem. – On umrze z powodu Gwina! Smolipaluch umrze, tak napisał Fenoglio! Może ta historia się zmieniła, może to już inna historia, a wszystko, co jest napisane w książce, to jedynie zbiór martwych liter, ale...

Meggie nie mogła mówić dalej. A Farid tylko stał i kręcił głową, jakby każde jej słowo było igłą wbijającą się boleśnie w skórę.

– Umrze? – spytał ledwie słyszalnym szeptem. – On umiera w książce?

Meggie ścisnęło się serce, kiedy Farid tak stał nieruchomo z kuną na ramieniu i przerażonym wzrokiem omiatał pobliskie drzewa, jakby każde z nich myślało tylko o tym, by zgładzić Smolipalucha.

– Ale... gdybym to wiedział... – wyjąkał – podarłbym tę przeklętą kartkę, nie dopuściłbym do tego, żeby Orfeusz wysłał go do domu!

Meggie patrzyła na niego bez słowa. Co mogła mu powiedzieć?

– Kto go zabije? Basta?

Nad nimi śmignęły dwie wiewiórki z jasnymi plamkami na futerkach, jakby je ktoś spryskał białą farbą. Kuna spięła się do skoku, by rzucić się za nimi w pogoń, ale Farid złapał ją za ogon i przytrzymał.

– Jeden z ludzi Capricorna, tyle napisał Fenoglio!

– Ale przecież oni nie żyją!

– Tego nie możemy być pewni. – Meggie chciała go pocieszyć, ale nie wiedziała jak. – Może w tym świecie wszyscy jeszcze żyją. A jeśli nawet nie, to przecież Mo i Dariusz nie sprowadzili wszystkich, paru na pewno tu zostało. Smolipaluch weźmie w obronę Gwina i za to go zabiją. Tak jest napisane w książce i Smolipaluch o tym wie. Dlatego zostawił kunę.

– No tak, nie chciał zabrać Gwina...

Farid rozejrzał się, jakby szukał sposobu, by odesłać kunę z powrotem do tamtego świata. Gwin trącił go nosem w policzek, a w oczach chłopca stanęły łzy.

– Zaczekaj tu! – powiedział, odwrócił się gwałtownie i odszedł, trzymając kunę na ramieniu.

Po chwili las połknął go, jak żaba połyka muchę czy sowa mysz. Meggie została sama wśród kwiatów. Niektóre z nich rosły także w ogrodzie Elinor, ale to nie był ogród Elinor. To nie był nawet ten sam świat. I tym razem nie mogła po prostu zamknąć książki, aby wrócić, znaleźć się znów w swoim pokoju, na kanapie. Świat ukryty za literami był ogromny – dlaczego o tym zapomniała? – tak wielki, że można było się w nim zagubić na zawsze... I tylko jeden człowiek mógł słowami wytyczyć jej drogę powrotną, a ona nie miała pojęcia, gdzie go szukać w tym świecie, który stworzył. Nie wiedziała nawet, czy w ogóle jeszcze żyje. Ale czy ten świat trwałby nadal, gdyby jego twórca umarł? Dlaczego nie? Czy jakaś książka przestaje istnieć tylko dlatego, że umiera jej autor?

„Co ja zrobiłam? – myślała Meggie, czekając na powrót Farida. – Mo, co ja, głupia, zrobiłam? Czy możesz zabrać mnie z powrotem?".

11
Zniknięcie Meggie

– Obudziłem się i wiedziałem, że odszedł. Wiedziałem to od razu. Kiedy się kogoś kocha, wie się takie rzeczy.

David Almond, *Czas księżyca*

Mo domyślił się od razu, że Meggie zniknęła. Wiedział to już w chwili, gdy zapukał do jej drzwi i odpowiedziała mu głucha cisza. Na dole w kuchni Resa i Elinor nakrywały do śniadania. Brzęk talerzy dochodził aż tutaj, ale on go nie słyszał; stał w korytarzu i nasłuchiwał bicia własnego serca. Biło zbyt głośno, zbyt szybko.

– Meggie?

Nacisnął klamkę, drzwi były zamknięte. Meggie nigdy się nie zamykała, nigdy.

Serce podeszło mu do gardła, czuł, że się dusi. Jak dobrze znał tę ciszę za drzwiami! Już raz to przeżył. Wtedy po całym domu szukał Resy, wciąż na nowo powtarzając jej imię... Dziesięć lat musiał czekać na odpowiedź.

„Tylko nie to. Boże, proszę, nie. Tylko nie Meggie".

Wydawało mu się, że słyszy za drzwiami szept książki, tej przeklętej historii Fenoglia. Słyszał szelest stron poruszających się żarłocznie jak białe zęby.

– Mortimer? – rozległ się z tyłu głos Elinor. – Jajecznica stygnie. Gdzie wy się podziewacie?

Z niepokojem zajrzała mu w twarz, chwyciła jego dłoń.

– Co ci jest? Jesteś blady jak śmierć.

– Masz zapasowy klucz do pokoju Meggie, Elinor?

Od razu zrozumiała. Odgadła tak samo jak on, co się wydarzyło za zamkniętymi drzwiami tej nocy, gdy oni wszyscy spali. Ścisnęła go za rękę, po czym bez słowa odwróciła się i zbiegła na dół. Mo stał bez ruchu oparty o drzwi. Słyszał, jak Elinor woła Dariusza, jak przeklinając, szuka klucza, patrzył na rzędy regałów ciągnące się wzdłuż całego holu. Resa z pobladłą twarzą wbiegła po schodach, jej ręce trzepotały jak spłoszone ptaki, gdy pytała go, co się stało. Co miał odpowiedzieć? „Nie domyślasz się? Ile razy jej o tym opowiadałaś?".

Jeszcze raz nacisnął klamkę, jakby to mogło coś zmienić. Meggie pokryła całe drzwi cytatami. I teraz te słowa, wymalowane dziecinną dłonią na białym lakierze, były jak magiczne zaklęcia. Zdawały się mówić: „Przenieście mnie do innego świata! No, jazda! Wiem, że to potraficie. Mój tata pokazał mi, jak się to robi". Jakie to dziwne, że serce nie przestaje bić w piersiach, kiedy człowiek odczuwa tak straszliwy ból. Ale dziesięć lat temu jego serce też nie przestało bić, kiedy litery pochłonęły Resę.

Elinor niecierpliwie odsunęła go od drzwi i włożyła klucz do zamka. Ze złością zawołała Meggie po imieniu. Ale oboje wiedzieli, że po drugiej stronie czeka na nich tylko cisza, jak przed laty, kiedy Mortimer zaczął się bać własnego głosu.

Wszedł do pokoju ostatni, z ociąganiem. Na poduszce Meggie leżał list. *Najdroższy Mo...* Nie czytał dalej, nie chciał znać słów, które rozdarłyby mu tylko serce. Resa chwyciła kartkę, a on tymczasem rozglądał się za inną kartką, tą, którą przyniósł chłopiec. Ale nigdzie jej nie znalazł. „To jasne, idioto! – rzekł do siebie w duchu. – Zabrała kartkę ze sobą, przecież czytając, musiała ją trzymać w ręce".

Dopiero po latach Meggie zdradziła mu, że kartka Orfeusza została w jej pokoju, w książce, bo gdzieżby indziej. W podręczniku do geografii. Co by było, gdyby ją wtedy znalazł? Czy mógłby udać się w ślad za Meggie? Chyba nie, dla niego ta historia przygotowała inną drogę, o wiele bardziej mroczną i trudniejszą.

– Może uciekła z tym chłopakiem! Dziewczęta w jej wieku robią takie rzeczy. Dla mnie to abstrakcja, ale... – dobiegł go jakby z oddali głos Elinor.

Zamiast odpowiedzi Resa podsunęła jej pod nos list Meggie.

Zniknęła. Meggie zniknęła.

Mortimer nie miał już córki.

Czy kiedyś powróci, jak jej matka? Czy inny głos wyłowi ją z powrotem z morza liter? I kiedy? Po dziesięciu latach, jak Resę? Ale wtedy będzie już dorosła i może jej nawet nie pozna. Widział wszystko jak przez mgłę: rzeczy Meggie na biurku pod oknem, jej ubrania starannie powieszone na krześle, jakby naprawdę zamierzała zaraz wrócić, obok łóżka pluszaki powycierane od ciągłego przytulania i całowania, choć już od dawna nie musiały pomagać Meggie w zasypianiu. Resa łkała, przyciskając rękę do ust. Mo chciał ją pocieszyć, ale nie wiedział jak, rozpacz ściskała go za gardło.

Odwrócił się, odsunął Dariusza stojącego w otwartych drzwiach ze smutnym, sowim spojrzeniem i poszedł do swego pokoju, gdzie na biurku między rachunkami wciąż jeszcze piętrzyły się feralne notatniki. Jednym ruchem zrzucił je na podłogę, jakby w ten sposób mógł zmusić do milczenia te wszystkie słowa, które zaczarowały jego dziecko i zwabiły – niczym ten szczurołap z bajki – w odległe miejsce, dokąd już raz nie był w stanie pójść – za Resą. Wydawało mu się, że ponownie śni ten sam zły sen, tylko że tym razem nie miał nawet książki, na której stronicach mógłby szukać Meggie.

Kiedy się później zastanawiał, jak spędził resztę tego dnia i nie zwariował z rozpaczy, pamiętał tylko tyle, że godzinami krążył po ogrodzie Elinor, jakby miał nadzieję spotkać tam Meggie, pod którymś z tych starych drzew, gdzie tak chętnie siadywała z książką. Kiedy zapadł zmierzch, udał się na poszukiwanie Resy. Znalazł ją w pokoju Meggie. Siedziała na pustym łóżku i patrzyła na trzy maleńkie stworzonka krążące pod sufitem, jakby szukały drzwi, przez które się tu dostały. Meggie zostawiła okno otwarte, ale one nie wyfrunęły, może dlatego, że bały się ciemnej, obcej nocy.

– Ogniste elfy – powiedziały ręce Resy. – Musisz je odpędzić, kiedy usiądą ci na ręce, bo cię poparzą.

Ogniste elfy. Mo czytał o nich. W tej książce. Było tak, jakby na świecie istniała tylko ta jedna jedyna książka.

– Dlaczego są trzy? – spytał. – Jeden za Meggie, jeden za chłopca...

– Zdaje się, że kuna też zniknęła – powiedziały palce Resy.

Mo omal nie wybuchnął śmiechem. Biedny Smolipaluch, wyglądało na to, że nie ucieknie przed swoim losem. Ale teraz już nawet mu nie współczuł. Bez niego nie byłoby słów na kartce, a gdyby nie było słów, Meggie by nie zniknęła.

– Myślisz, że jej się chociaż tam podoba? – spytał, kładąc głowę na kolanach Resy. – Tobie się przecież podobało. W każdym razie w kółko jej o tym opowiadałaś.

– Przykro mi – powiedziały jej ręce. – Tak strasznie mi przykro!

Mo chwycił jej dłonie.

– O czym ty mówisz? – rzekł cicho. – Zapomniałaś, że to ja przyniosłem do domu tę przeklętą książkę?

Zamilkli. Patrzyli na biedne, zagubione elfy i milczeli. Po jakimś czasie elfy zdecydowały się wyfrunąć w obcą noc. Kiedy ich drobne czerwone ciałka znikły w ciemności jak gasnące iskierki, Mo zadał sobie pytanie, czy w tej chwili Meggie także błąka się gdzieś w ciemnościach nocy. Ta myśl prześladowała go jeszcze we śnie.

12

Nieproszeni goście

– Wy, ludzie z sercem – mawiał – macie czym się kierować, więc możecie uniknąć różnych błędów. Ja jednak, ponieważ nie mam serca, muszę bardzo uważać.

Lyman Frank Baum, *Czarnoksiężnik z krainy Oz*

Tego dnia, w którym zniknęła Meggie, do domu Elinor powróciła cisza. Ale zupełnie inna niż wtedy, gdy jedynymi towarzyszami Elinor były książki. Cisza, która teraz wypełniła korytarze i pokoje, smakowała smutkiem. Resa popłakiwała, a Mortimer milczał, jakby papier i atrament zabrały mu nie tylko córkę, ale wraz z nią wszystkie słowa świata. Spędzał wiele czasu w swojej pracowni, jadł mało, prawie nie spał. A trzeciego dnia Dariusz przybiegł do Elinor z wiadomością, że Mortimer pakuje narzędzia.

Kiedy zdyszana wpadła do szopy, wrzucał właśnie do skrzyni stemple do wydruków w złocie. Ciskał je niedbale do środka, on, który zawsze brał je do ręki z nabożną czcią.

– Co ty wyprawiasz, do diabła? – zgromiła go Elinor.

– Nie widać? – odburknął, chowajac zszywarkę. – Poszukam sobie innego zawodu. Nie dotknę już żadnej książki, niech wszystkie będą przeklęte. Niech inni wysłuchują ich historii i łatają ich szaty. Ja nie chcę więcej o nich słyszeć.

Kiedy Elinor poprosiła o pomoc Resę, ta tylko smutno pokręciła głową.

– No cóż, trudno się dziwić, że oboje upadli na duchu! – powiedziała Elinor do Dariusza, gdy znów we dwójkę siedli do śniadania. – Jak Meggie mogła im zrobić coś takiego? Chciała złamać serce rodzicom czy udowodnić raz na zawsze, że książki są niebezpieczne?

Dariusz odpowiedział jej milczeniem, jak przez wszystkie te smutne dni.

– Na miłość boską, wszyscy milczą jak ryby! – wybuchnęła Elinor. – Musimy coś zrobić, żeby sprowadzić z powrotem tę głupią dziewczynę! Cokolwiek! Boże, przecież to nie może być takie trudne. W końcu pod tym dachem mieszkają aż dwa czarodziejskie języki!

Dariusz zachłysnął się herbatą, patrząc na nią przerażony. Już tak dawno nie robił użytku ze swojego daru, że pewnie wydawał mu się tylko złym snem, o którym chciał jak najszybciej zapomnieć.

– W porządku! – uspokoiła go szorstko. – Nie musisz czytać, jak nie chcesz. – Ten wystraszony wzrok sowy. Miała ochotę nim mocno potrząsnąć. – Może to zrobić Mortimer! Tylko co powinien przeczytać? Jak myślisz, Dariuszu? Czy to musi być coś o Atramentowym Świecie, czy raczej o naszym świecie, skoro chcemy ją tu sprowadzić? Mam zupełny mętlik w głowie. Może powinniśmy coś napisać. Na przykład coś takiego: „Była sobie raz ponura kobieta w średnim wieku imieniem Elinor, która nie kochała nic i nikogo prócz swoich książek. Aż któregoś dnia zamieszkała u niej siostrzenica z mężem i córką. Elinor bardzo się do nich przywiązała, ale pewnego razu dziewczynka wyruszyła w bardzo głupią podróż, a wtedy Elinor poprzysięgła, że odda wszystkie swoje książki, jeśli tylko dziecko wróci. Zapakowała je do wielkich skrzyń, a kiedy wkładała do skrzyni ostatnią książkę, zjawiła się Meggie...”. Na Boga, nie patrz na mnie z takim politowaniem! – ofuknęła Dariusza. – Ja przynajmniej próbuję coś zrobić. Sam zawsze powtarzasz, że Mortimer to mistrz nad mistrze i że potrzebuje tylko paru zdań!

Dariusz poprawił okulary i odpowiedział miękkim, niepewnym głosem:

– Tak, Elinor, tylko paru zdań, ale to muszą być zdania, w których pulsuje cały świat. Z tych słów musi płynąć muzyka. I muszą być tak ciasno ze sobą splecione, żeby głos nie mógł się przez nie wydostać.

– Też coś! – żachnęła się Elinor, choć dobrze wiedziała, że Dariusz ma rację.

Mortimer prawie w takich samych słowach wyjaśnił jej kiedyś tę wielką zagadkę: dlaczego nie wszystkie historie ożywają. Ale nie chciała teraz o tym słyszeć. „Niech cię licho, Elinor! – wymyślała sobie w duchu. – Niech cię licho za wszystkie te wieczory, kiedy razem z tym głupim dzieckiem wyobrażałaś sobie, jak by to było pięknie żyć w tamtym świecie, pośród wróżek, skrzatów i szklanych ludzików". Takich wieczorów było wiele i dobrze pamiętała, jak kpiła z Mortimera, gdy ten zaglądał do pokoju i pytał, czy nie mogłyby w drodze wyjątku porozmawiać o czymś innym zamiast o nieprzebytych lasach i błękitnych wróżkach.

„No, ale przynajmniej Meggie wie teraz o tamtym świecie wszystko, co potrzeba – pocieszała się w myślach, ocierając łzy. – Wie, że ma się wystrzegać Żmijogłowego i jego pancernych, że nie powinna zapuszczać się zbyt głęboko w leśne ostępy, jeśli nie chce zostać pożarta, rozerwana na strzępy lub stratowana. Wie, że musi dygnąć, kiedy obok niej przejeżdża książę, i że może nosić rozpuszczone włosy, bo jest jeszcze dziewczynką...". Do licha, znowu te łzy! Elinor otarła oczy rąbkiem bluzki. I w tej samej chwili rozległ się dzwonek u drzwi.

Jeszcze wiele lat później wyrzucała sobie własną głupotę. Mogła chociaż zerknąć przez judasza, zanim otworzyła. Myślała oczywiście, że to Resa lub Mortimer. Oczywiście. Głupia Elinor. Jakże była głupia! Zrozumiała swój błąd dopiero wtedy, gdy ujrzała w drzwiach obcego mężczyznę.

Był średniego wzrostu, raczej zażywny, blada karnacja harmonizowała z bardzo jasnymi włosami. Zdziwione oczy za okularami w cienkiej metalowej oprawie patrzyły niewinnie, jak oczy dziecka. Mężczyzna otworzył usta, gdy tylko Elinor wysunęła głowę za drzwi, ale ona nie dopuściła go do słowa.

– Jak pan się tu dostał? – wybuchnęła. – To jest teren prywatny. Nie widział pan tabliczki na dole przy drodze?

Przyjechał samochodem. Bezczelny głupiec, wjechał na teren jej posiadłości, jakby to był teren publiczny. Na podjeździe obok kombi Elinor stał jakiś zakurzony ciemnoniebieski grat. Zdawało jej się, że z przodu na fotelu pasażera siedzi ogromny pies. Jeszcze i to.

– A jakże, widziałem! – Niewinny uśmiech bardzo pasował do jego twarzy. – Bóg mi świadkiem, tabliczka była dobrze widoczna i muszę panią przeprosić, pani Loredan, za to niespodziewane najście.

Elinor zaniemówiła z wrażenia. Ten pucołowaty osobnik, ni to dziecko, ni to mężczyzna, miał prawie tak piękny głos jak Mortimer, niski i miękki jak jedwabna poduszka. Zupełnie nie pasował do jego pulchnej twarzy. Można było pomyśleć, że połknął właściciela głosu, który teraz mówi z jego wnętrza.

– Może pan sobie darować te przeprosiny! – fuknęła, otrząsnąwszy się z wrażenia. – Lepiej niech się pan stąd wynosi!

I chciała zamknąć drzwi, ale obcy znów się uśmiechnął (tym razem już mniej niewinnie) i wsadził but w szparę. Zakurzony brązowy but.

– Przepraszam panią – powiedział łagodnie – ale przyjechałem z powodu książki. Naprawdę niezwykłej książki. Słyszałem, rzecz jasna, o pani wspaniałej bibliotece, ale tej książki z całą pewnością nie ma pani w swoich zbiorach.

Elinor od razu poznała tom, który mężczyzna wyciągnął spod wymiętej jasnej płóciennej kurtki. Była to jedyna książka, na której widok czuła przyspieszone bicie serca nie z powodu jej treści czy dlatego, że była szczególnie piękna lub cenna. Nie, serce biło jej z innego powodu: bała się tej książki jak wściekłego psa.

– Skąd pan to ma?

Sama odpowiedziała sobie na to pytanie, lecz niestety, odrobinę za późno. Nagle przypomniała sobie, co mówił Farid.

– Orfeusz! – szepnęła.

Chciała krzyknąć, zawołać tak głośno, żeby Mortimer usłyszał ją w szopie, ale zanim jakikolwiek dźwięk wydobył się z jej ust, zza krzaka rododendronu obok drzwi wejściowych zwinnie jak jaszczurka wyśliznął się inny mężczyzna i zatkał jej usta dłonią.

– No, pożeraczko książek? – syknął jej do ucha.

Ileż to razy Elinor słyszała ten głos we śnie i za każdym razem ze strachu oblewał ją zimny pot! Lęki te dopadały ją nawet w dzień.

Basta brutalnie wepchnął ją do środka. W ręce trzymał oczywiście nóż. Elinor prędzej by się spodziewała ujrzeć Bastę bez nosa niż bez noża. Orfeusz odwrócił się i dał znak ręką. Z samochodu wysiadł mężczyzna zwalisty jak szafa, niespiesznie obszedł go dokoła i otworzył tylne drzwi. Jakaś stara kobieta wysunęła na zewnątrz nogi i chwyciła się jego ramienia.

Mortola. Sroka.

Drugi stały gość w nocnych koszmarach Elinor. Nogi starej pod ciemnymi pończochami były grubo obandażowane; podtrzymywana przez mężczyznę szła ku drzwiom domu, podpierając się laską. Wkuśtykała do holu z ponurą i pewną siebie miną, jakby obejmowała cały dom w posiadanie. Jej spojrzenie było tak wrogie, że pod Elinor ugięły się nogi i na próżno próbowała ukryć lęk. W jednej chwili odżyły w niej tysiące potwornych wspomnień: klatka cuchnąca surowym mięsem, plac oświetlony jaskrawym światłem reflektorów i strach, przerażający strach...

Basta zamknął drzwi za Mortolą. Nic a nic się nie zmienił: ta sama wąska twarz, te same przymrużone oczy. Na szyi miał oczywiście amulet mający chronić go przed nieszczęściem, które Basta wietrzył na każdym kroku.

– Gdzie są pozostali? – warknęła Mortola.

Człowiek-szafa z głupkowatą miną rozglądał się dokoła. Widok tylu książek wprawił go w bezgraniczne zdumienie. Zapewne zastanawiał się, jaki może być z nich pożytek.

– Pozostali? Nie wiem, o czym pani mówi! – Elinor uznała, że jej głos brzmi zdumiewająco pewnie jak na kobietę półżywą ze strachu.

– Owszem, wiesz doskonale! – syknęła Mortola, wojowniczo wysuwając podbródek. – Mówię o Czarodziejskim Języku, jego córce czarownicy i służącej, którą nazywa swoją żoną. Czy Basta ma podpalić kilka tych pięknych książek, czy dobrowolnie ich zawołasz?

„Basta? Basta boi się ognia!" – chciała odpowiedzieć Elinor, ale ugryzła się w język. To żadna sztuka przytknąć do książki płonącą zapałkę. Nawet Basta mimo panicznego lęku przed ogniem zdobyłby się na taką drobnostkę, a zwalisty mężczyzna zapewne nie miał dość rozumu, by się bać czegokolwiek. „Muszę zyskać na czasie! – pomyślała Elinor. – Oni nie wiedzą nic o pracowni w ogrodzie za domem ani o Dariuszu".

I właśnie w tej chwili usłyszała głos swojego bibliotekarza:

– Elinor!

Zanim zdążyła odpowiedzieć, znów poczuła na ustach rękę Basty. Słyszała w holu znajome pospieszne kroki. Jeszcze raz zawołał:

– Elinor!

A potem kroki urwały się równie nagle jak głos.

– Niespodzianka! – zawołał słodko Basta. – Cieszysz się, jąkało? Paru starych przyjaciół przyszło do ciebie z wizytą.

Lewa ręka Basty była zabandażowana. Elinor zauważyła to, kiedy odjął dłoń od jej twarzy. Przypomniała sobie to coś prychającego, co zgodnie z relacją Farida wypełzło z tamtej historii. „Jaka szkoda, że nie zjadło większego kawałka naszego nożownika!" – pomyślała.

Z ust Dariusza wydobył się zduszony szept:

– Basta!

– A tak, Basta. Byłbym przyszedł wcześniej, możesz mi wierzyć, ale te dranie wsadziły mnie na pewien czas za kratki z powodu jakiegoś głupstwa sprzed lat. Kiedy tylko zabrakło Capricorna, wszyscy zrobili się nagle odważni, ci sami, którzy przedtem nie śmieli otworzyć ust. Cóż zrobić? Na koniec oddali mi przysługę, wsadzając do mojej celi – kogo? Do dziś nie mogę go zmusić, by wyjawił swoje prawdziwe imię, więc wołamy na niego tak, jak się sam przezwał: Orfeusz! – Basta klepnął Orfeusza w plecy, aż ten o mało nie upadł. – Tak, kochanego Orfeusza! – wykrzyknął, kładąc mu rękę na ramieniu. – Diabeł wiedział, co robi, każąc mu dzielić ze mną celę. A może to nasza historia tak tęskni za nami, że posłała właśnie jego? Tak czy owak, fajnie nam było we dwójkę, nie?

Orfeusz unikał jego wzroku. Zakłopotany obciągał nerwowo kurtkę, oglądając regały pełne książek.

– Do diabła, popatrzcie na niego! – Basta brutalnie trącił go łokciem w bok. – Tyle razy mu klarowałem, że więzienia nie ma się co wstydzić, zwłaszcza jeśli jest tu o tyle wygodniej niż w naszych kazamatach. Opowiedz im, jak się dowiedziałem o twoich nieocenionych zdolnościach. Jak to przyłapałem cię w nocy, kiedy sprowadziłeś z książki tego durnego psa! Sprowadzać psa! Niech mnie diabli, jeśli nie przyszłoby mi coś lepszego do głowy.

Basta zaśmiał się prostacko. Orfeusz nerwowym ruchem poprawił krawat.

– Cerber jest wciąż w samochodzie – powiedział do Mortoli. – Bardzo tego nie lubi. Trzeba go wypuścić!

Olbrzym odwrócił się do wyjścia, ale Mortola zatrzymała go niecierpliwym skinieniem ręki.

– Pies zostanie tam, gdzie jest. Nie mogę znieść tej bestii! – Ze zmarszczonym czołem rozejrzała się po holu. – Wyobrażałam sobie, że masz większy dom – rzekła z udanym rozczarowaniem. – Myślałam, że jesteś bogata.

– Bo jest! – Basta tak ciężko położył rękę na karku Orfeusza, że prawie strząsnął mu okulary. – Tylko że wydaje wszystko na książki. Ciekawe, ile by nam zapłaciła za książkę, którą zabraliśmy Smolipaluchowi? Jak myślisz? – Uszczypnął Orfeusza w pucołowaty policzek. – Nasz przyjaciel był słodką, tłustą przynętą dla połykacza ognia. Wygląda jak żaba, ale nawet Czarodziejskiemu Językowi litery nie są tak posłuszne jak jemu, nie mówiąc już o Dariuszu. Spytajcie Smolipalucha! Orfeusz wysłał go do domu, jakby to była najprostsza rzecz pod słońcem! Nie, żeby połykacz ognia...

– Zamknij się, Basta! – przerwała mu ostro Mortola. – Za bardzo lubisz słuchać własnego głosu. No więc? – Uderzyła niecierpliwie laską w marmurową posadzkę, z której Elinor była taka dumna. – Gdzie oni są? Gdzie są pozostali? Pytam po raz ostatni!

„Jazda, pani Loredan! – myślała gorączkowo Elinor. – Szybko wymyśl jakieś kłamstwo!".

Nie zdążyła jednak otworzyć ust, kiedy usłyszała zgrzyt klucza w zamku. „Nie! Mortimer, nie! – błagała w myślach. – Nie wchodź tutaj! Idźcie z Resą do pracowni! Zamknijcie się tam, róbcie, co chcecie, tylko nie wchodźcie teraz do domu!".

Ale jej niema prośba oczywiście na nic się nie zdała. Mortimer otworzył drzwi i wszedł do holu, obejmując Resę ramieniem. Na widok Orfeusza stanął jak wryty. Zanim zrozumiał, co się święci, człowiek-szafa na dany przez Mortolę znak zatrzasnął za nimi drzwi.

– Witaj, Czarodziejski Języku – powiedział słodziutko Basta, otwierając nóż pod nosem Mortimera. – A to jest chyba nasza piękna niemowa Resa. Wspaniale! Dwie pieczenie przy jednym ogniu. Brakuje tylko tej małej czarownicy.

Mortimer zamknął oczy. „Pewnie ma nadzieję, że gdy je otworzy, Basty i Mortoli nie będzie w pokoju" – pomyślała Elinor. Ale oczywiście byli.

– Zawołaj ją! – rozkazała Mortola, patrząc na niego tak nienawistnym wzrokiem, że Elinor zdrętwiała ze strachu.

– Kogo? – zapytał Mortimer, nie spuszczając oczu z Basty.

– Nie udawaj głupszego, niż jesteś! – warknęła Mortola. – A może wolisz, żeby Basta ozdobił twojej żonie twarz, tak jak połykaczowi ognia?

Basta pieszczotliwie przejechał kciukiem po błyszczącym ostrzu noża.

– Jeśli masz na myśli moją córkę – Mortimer z trudem poruszał językiem – to nie ma jej tutaj.

– Ach tak? – Mortola, utykając, podeszła do niego. – Uważaj na to, co mówisz. Piekielnie bolą mnie nogi od długiej jazdy, więc nie wystawiaj mojej cierpliwości na próbę.

– Nie ma jej tutaj! – powtórzył Mortimer. – Meggie zniknęła razem z chłopcem, któremu zabraliście książkę. Poprosił ją, aby go odesłała do Smolipalucha, i ona to zrobiła. I odeszła razem z nim.

Mortola z niedowierzaniem zmrużyła oczy.

– Bzdura! – zawołała zduszonym głosem. – Jak mogła to zrobić bez książki?

Elinor wyczuła zwątpienie w jej głosie. Mortimer wzruszył ramionami.

– Chłopak miał kartkę papieru z odręcznym pismem, tę samą, która podobno przeniosła Smolipalucha do jego świata.

– Ależ to niemożliwe! – wykrzyknął zdumiony Orfeusz. – Utrzymuje pan, że pańska córka sama siebie wysłała do tej historii, używając moich słów?

– Aha, to pan jest tym Orfeuszem? – Mortimer zmierzył go nieprzyjaznym spojrzeniem. – A więc to panu zawdzięczam, że nie mam już córki.

Orfeusz poprawił okulary, odwzajemniając spojrzenie. Potem odwrócił się do Mortoli.

– Więc to jest ten Czarodziejski Język? – zawołał. – On kłamie! Jestem tego pewien! Kłamie! Nikt nie może sam siebie wczytać do żadnej historii. Ani on, ani jego córka, ani nikt na świecie. Próbowałem tego setki razy. To niemożliwe!

– Tak – powiedział Mortimer zmęczonym głosem. – Ja też tak myślałem jeszcze cztery dni temu.

Mortola bacznie popatrzyła na niego, po czym dała znak Baście.

– Zamknijcie ich wszystkich w piwnicy! – rozkazała. – A potem znajdźcie dziewczynkę. Przeszukajcie cały dom.

13

Fenoglio

– Ćwiczę się we wspominaniu, Nainie – powiedziałem. – W pisaniu i czytaniu, i wspominaniu.

– To dobrze! – powiedział ostro Nain. – Czy wiesz, co się dzieje za każdym razem, gdy coś opisujesz? Kiedy dajesz czemuś imię? Odbierasz mu jego siłę.

Kevin Crossley-Holland, *Artus. Magiczne lustro*

Po zapadnięciu zmroku niełatwo było się dostać za bramę Ombry. Ale Fenoglio znał wszystkich strażników. Dla tego nieokrzesanego gbura, który dziś wieczór zagrodził mu drogę kopią, napisał kiedyś wiersz miłosny. Podobno przyniósł mu szczęście. Z jego wyglądem jeszcze nieraz będzie potrzebował takiej usługi.

– Tylko wróć przed północą, pisarczyku! – mruknął brzydal, przepuszczając go. – O północy przejmuje wartę Fretka, a on nie potrzebuje twoich wierszy, chociaż ta jego damulka potrafi czytać.

– Dziękuję za ostrzeżenie! – wykrzyknął Fenoglio i posłał strażnikowi wymuszony uśmiech.

Dobrze wiedział, że z Fretką nie ma żartów! Jeszcze teraz czuł skurcz żołądka na wspomnienie wieczoru, kiedy ten długonosy drab rąbnął go w brzuch drzewcem kopii, bo próbował prześliznąć się obok niego, rzucając kilka wyszukanych zwrotów. Nie, Fretki nie można było przekupić ani wierszami, ani innymi pisanymi dobrami. Fretka chciał złota, którego Fenoglio nie miał za dużo, w każdym razie nie tyle, by je lekkomyślnie tracić na przekupywanie strażników.

– Przed północą! – mruczał oburzony. – Wtedy dopiero waganci na dobre się rozkręcają!

Syn jego gospodyni Iwo niósł przed nim płonącą pochodnię. Miał dziewięć lat i odznaczał się nienasyconą ciekawością cudów tego świata. Za każdym razem, kiedy Fenoglio udawał się do kuglarzy, Iwo rywalizował ze swoją siostrą o zaszczyt oświetlania pisarzowi drogi. Fenoglio płacił matce Iwa parę miedziaków miesięcznie za pokoik na poddaszu. Minerwa również gotowała mu, prała i cerowała ubranie. Fenoglio odwdzięczał się opowiadaniem jej dzieciom bajek na dobranoc i cierpliwym wysłuchiwaniem jej narzekań na męża, który potrafił być czasem takim upartym gburem!

Chłopiec parł coraz niecierpliwiej do przodu. Nie mógł się doczekać, kiedy wreszcie ujrzy kolorowe namioty między drzewami, usłyszy muzykę i zobaczy blask ognisk. Co chwila oglądał się z wyrzutem, jakby Fenoglio celowo opóźniał marsz. Co on sobie wyobrażał? Że stary człowiek będzie skakał jak konik polny?

Kuglarska brać rozbiła swoje kolorowe namioty na kamienistym, nieurodzajnym gruncie, za chatami chłopów uprawiających ziemię Tłustego Księcia. Kuglarze przyjeżdżali teraz rzadziej, od kiedy książę Ombry nie chciał już słuchać ich żartów i pieśni. Na szczęście książęcy wnuk nie wyobrażał sobie urodzin bez ich popisów, toteż w niedzielę nareszcie znów będą mogli przekroczyć bramy miasta: połykacze ognia i linoskoczkowie, pogromcy zwierząt i rzucający nożami, aktorzy, klowni i grajkowie, z których niejeden zaśpiewa pieśń ułożoną przez Fenoglia.

Fenoglio chętnie pisał dla kuglarskiej braci: pamflety, ponure pieśni, historie do śmiechu i do płaczu, na co akurat miał ochotę. Zarobić się na tym wiele nie dało, ot, parę miedziaków: kuglarze mieli na ogół puste kieszenie. Jeśli chciał swoje słowa pozłocić, pisał dla księcia lub dla jakiegoś bogatego kupca. Ale gdy zapragnął, by jego słowa tańczyły i stroiły miny, opowiadały o wieśniakach i rycerzach, o prostych ludziach, którzy nie mieszkali w zamkach i nie jadali na złotych półmiskach – wtedy pisał dla grajków.

Nie od razu dopuścili go do swojego towarzystwa. Przestali go przepędzać dopiero wtedy, gdy coraz więcej wędrownych pieśniarzy śpiewało jego utwory, a ich dzieci zamęczały go prośbami, by opowiadał im bajki. W końcu ich przywódca zaczął zapraszać go do swojego ogniska. Tak jak dzisiaj.

Nazywali go Czarnym Księciem, choć w jego żyłach nie płynęła ani jedna kropla książęcej krwi. Książę dbał o swoich pstrokato odzianych poddanych; już dwukrotnie obierali go na przywódcę. Skąd brał złoto, które tak hojnie rozdzielał między chorych i chromych, lepiej było nie pytać. Fenoglio wiedział tylko jedno: że to on go wymyślił.

„Tak! To ja ich wszystkich stworzyłem!" – myślał z dumą. Muzyka rozlegała się coraz bliżej. Stworzył Czarnego Księcia i oswojonego niedźwiedzia, który chodził za nim krok w krok jak pies, i Podniebnego Tancerza, który niestety spadł z liny. Jego dziełem byli nawet obaj władcy, którym wydawało się, że wyznaczają reguły tego świata. Do tej pory nie spotkał jeszcze wszystkich swoich tworów, lecz za każdym razem serce biło mu szybciej, gdy któraś z jego postaci stawała przed nim jako istota z krwi i kości. Co prawda nie zawsze był pewien, czy napotkana osoba wyszła spod jego pióra, czy wzięła się nie wiadomo skąd...

Nareszcie! Pomiędzy drzewami ujrzeli kolorowe namioty, rozrzucone wokoło jak bukiet kwiatów. Iwo biegł co sił w nogach, potykając się co chwila. Jakiś brudny wyrostek z włosami skudlonymi niby sierść bezpańskiego kota wybiegł im naprzeciw, skacząc na jednej nodze. Uśmiechnął się do Iwa wyzywająco i zawrócił – na rękach. Na Boga, te kuglarskie dzieciaki wyprawiały takie łamańce, jakby w ogóle nie miały kości.

– No, jesteś wolny! – mruknął Fenoglio, gdy Iwo spojrzał na niego błagalnie.

Nie potrzebował już pochodni. W obozowisku płonęło kilka ognisk. Niektóre namioty nie były niczym więcej niż paroma brudnymi szmatami przywiązanymi sznurkiem do drzewa. Chłopiec zniknął w ciemnościach, a Fenoglio z westchnieniem zadowolenia rozejrzał się wokoło. Właśnie tak wyobrażał sobie Atramentowy Świat, kiedy pisał książkę: pstrokaty, hałaśliwy, pełen życia. W powietrzu rozchodził się zapach dymu, pieczonego mięsa, tymianku i rozmarynu, koni, psów i brudnych ubrań, żywicznych igieł pinii i płonącego chrustu. Och, jak on to uwielbiał! Kochał ten bałagan, nawet ten brud, lubił, kiedy życie działo się na jego oczach, a nie za zamkniętymi drzwiami. W tym świecie wszystkiego można było się nauczyć – jak kowal formuje w ogniu sierp, farbiarz miesza farby, garbarz oczyszcza z sierści skórę, którą następnie szewc przykrawa na buty. Tutaj nic nie działo się za zamkniętymi drzwiami. Wszystko rodziło się na drodze, w uliczkach, na rynku lub, jak teraz, między namiotami, a on, Fenoglio, wciąż żądny wrażeń, jak mały chłopczyk, mógł się temu przyglądać do woli, choć czasem smród zaprawy do garbowania skóry lub kubłów farbiarskich przyprawiał go o mdłości. Tak, podobał mu się ten jego świat. Bardzo mu się podobał. Chociaż musiał stwierdzić, że nie wszystko przebiegało tak, jak zaplanował.

„Sam jestem sobie winien, powinienem był napisać dalszy ciąg! – myślał Fenoglio, torując sobie drogę w tłumie. – Mógłbym jeszcze napisać – tu i teraz. I wszystko zmienić. Gdybym tylko miał lektora!". Rozglądał się oczywiście za jakimś nowym Czarodziejskim Językiem, ale na próżno. Nie było tu Meggie, nie było Mortimera ani nawet tego partacza Dariusza.

Toteż Fenogliowi pozostała tylko rola poety piszącego piękne słowa, co pozwalało mu żyć raczej skromnie, podczas gdy dwaj stworzeni przez niego książęta rządzili tym światem – raz lepiej, raz gorzej, ale najczęściej gorzej. To było przykre, bardzo przykre!

Zwłaszcza jeden z nich – Żmijogłowy – przysparzał mu zmartwień.

Zasiadał na srebrnym tronie Mrocznego Zamku po południowej stronie lasu, wysoko nad morzem. Całkiem udana postać, bez dwóch zdań. Krwawa bestia, oprawca. W końcu złoczyńcy są solą każdej dobrej historii. O ile trzyma się ich w ryzach. Fenoglio dla równowagi wprowadził więc postać Tłustego Księcia, który wolał się śmiać z niewyszukanych żartów kuglarzy, niż prowadzić wojny, oraz jego syna, Pięknego Cosima. Kto mógł przewidzieć, że ten ostatni po prostu umrze, a po jego śmierci ojciec zapadnie się w sobie, jak ciasto za wcześnie wyjęte z pieca?

„Nie moja wina! – powtarzał sobie w kółko Fenoglio. – Nie moje pomysły, nie moja wina!". Marna pociecha! Od tego nie odstanie się to, co się stało. Tak jakby jakiś diabelski pisarczyk przejął jego historię i pisał dalszy ciąg, pozostawiając jemu, Fenogliowi, twórcy tego świata, rolę biednego poety!

„Dajże spokój! – pomyślał, zatrzymując się obok grajka, który siedział między namiotami i śpiewał jedną z jego pieśni. – Nie jesteś znowu taki biedny, Fenoglio!". Bo rzeczywiście nie był biedny. Tłusty Książę nie chciał już słuchać niczego prócz jego żałobnych pieśni o śmierci Cosima, a historie, które Fenoglio tworzył dla Jacopa, książęcego wnuka, Balbulus – najsłynniejszy iluminator w Atramentowym Świecie – musiał osobiście uwieczniać na najdroższym pergaminie. Nie, nie było tak źle.

A poza tym doszedł do wniosku, że jego słowa lepiej się mają na języku grajka niż wciśnięte między okładki książki pokrywającej się kurzem. Jego słowa były wolne jak ptaki, a tego właśnie chciał! Były zbyt potężne, by je w drukowanej formie oddawać do dyspozycji lada głupcowi, który Bóg wie, co z nimi uczyni. Jeśli tak na to spojrzeć, to uspokajała myśl, że w tym świecie nie znano drukowanych książek. Pisało się je ręcznie, dlatego były takie drogie, że tylko książęta mogli sobie na nie pozwolić. Inni musieli gromadzić słowa w pamięci albo słuchać ich śpiewanych przez wagantów.

Jakiś mały chłopczyk tarmosił go za rękaw. Miał dziurawą koszulę i zasmarkany nos.

– Atramentowy Tkaczu!

Malec wydobył zza pleców maskę, jakiej używają aktorzy, i szybko nasunął ją na oczy. Był to zaledwie sfatygowany kawałek skóry, do którego przyklejono kilka beżowych i błękitnych piór.

– Powiedz, kim jestem?

Fenoglio zmarszczył czoło, udając, że się zastanawia.

– Hm!

Usta malca ułożyły się w wyraz rozczarowania.

– Sójką! Oczywiście Sójką!

– Oczywiście! – zgodził się Fenoglio i uszczypnął malca w czerwony nosek.

– Opowiesz nam dzisiaj o nim nową historię? Bardzo proszę!

– Może... Wiesz co, wydaje mi się, że jego maska powinna być nieco okazalsza. Może byś nakleił więcej piór.

Chłopiec ściągnął maskę i przyjrzał jej się niechętnie.

– Wcale niełatwo je zdobyć.

– Poszukaj nad rzeką. Przed kotami, które tam polują, nawet sójki się nie uchronią.

Chciał iść dalej, ale malec go nie puszczał. Dzieci wagantów mają szczupłe, ale silne ręce.

– Tylko jedną historię. Proszę, Atramentowy Tkaczu!

W tej chwili zjawiły się jeszcze dwa pędraki – chłopczyk i dziewczynka. Wszyscy troje w napięciu patrzyli na Fenoglia. No tak, opowieści o Sójce... Historie o zbójcach zawsze były jego mocną stroną, wnuki też się nimi zachwycały – w tamtym innym świecie. Ale historie o zbójcach, które tutaj wymyślał, były bez porównania lepsze. Stały się bardzo popularne: *Niezwykłe czyny najmężniejszego ze zbójców, szlachetnego i nieustraszonego Sójki*. Fenoglio przypominał sobie dokładnie tę noc, kiedy go wymyślił. Był tak wściekły, że ręce mu drżały, gdy pisał. „Żmijogłowy znowu złapał grajka – powiedział mu tamtej nocy Czarny Książę. – Tym razem padło na Krzywego. Zawisł na szubienicy wczoraj w południe".

Padło na Krzywego. Była to jedna z jego postaci, poczciwiec, który potrafił dłużej od innych stać na głowie. „Na co ten książę sobie pozwala?! – krzyczał tamtej nocy Fenoglio, jakby Żmijogłowy mógł go usłyszeć. – Ja jestem panem życia i śmierci w tym świecie, tylko ja, Fenoglio!". – I na papier spływały słowa gniewne i dzikie, jak zbójca, którego tamtej nocy stworzył. Sójka miał w sobie wszystkie te cechy, jakie Fenoglio zawsze chciał mieć w swoim świecie: był wolny jak ptak, nie służył żadnemu panu, nie znał trwogi, był szlachetny (miał też poczucie humoru), zabierał bogatym i dawał biednym, chronił słabych przed samowolą silnych w świecie, gdzie nie było prawa, które by w ten sposób działało...

Fenoglio znów poczuł szarpnięcie za rękaw.

– Proszę, Atramentowy Tkaczu! Tylko jedną historię!

Malec był naprawdę uparty, namiętnie łaknął historii. Będzie z niego kiedyś słynny grajek.

– Mówią, że Sójka ukradł Żmijogłowemu talizman! – szepnął chłopczyk. – Palec wisielca chroniący przed białymi damami. Mówią, że Sójka teraz sam nosi go na szyi.

– Naprawdę? – Fenoglio uniósł brwi. Robiło to zawsze wrażenie, bo były gęste i krzaczaste. – A wiesz, słyszałem, że dokonał czegoś, co wymagało jeszcze większej odwagi. Ale najpierw muszę porozmawiać z Czarnym Księciem.

– Ale proszę, Atramentowy Tkaczu!

Dzieciaki uwiesiły się u jego rękawów, aż zaczęło się pruć drogie lamowanie, którym kazał sobie obszyć surowe sukno, żeby nie wyglądać na takiego samego obszarpańca jak ci pisarze, którzy na rynku sporządzali testamenty i listy.

– Nie! – powiedział surowo, uwalniając rękawy. – Może później. A teraz zmykajcie!

Ten z siąkającym nosem spojrzał na niego takimi smutnymi oczami, że przypomniały mu się wnuki. Zwłaszcza Pippo patrzył błagalnie, kładąc mu na kolanach książkę.

„Ach, te dzieci! – pomyślał Fenoglio, kierując się ku ognisku, przy którym dostrzegł Czarnego Księcia. – Wszędzie są takie same. Nienasycone pijawki, a zarazem najlepsi słuchacze. W każdym świecie”.

14

Czarny Książę

– A więc niedźwiedzie mogą stworzyć sobie własną duszę... – powiedziała Lyra.

Tyle było rzeczy w świecie, o których nie miała pojęcia.

Philip Pullman, *Złoty kompas*

Czarny Książę nie był sam. To oczywiste. Jak zawsze towarzyszył mu niedźwiedź. Siedział przy ognisku za plecami swego pana, jak wielki czarny cień. Fenoglio przypominał sobie dokładnie zdanie, którym wprowadzał Czarnego Księcia do pisanej właśnie opowieści. Znajdowało się zaraz na początku *Atramentowego serca*. Kierując się do ogniska, Fenoglio recytował cicho:

– *Chłopiec sierota, o skórze prawie tak samo czarnej jak jego kręcone włosy, równie szybki w rzucaniu nożem co w języku, w każdej chwili gotów bronić tych, których kochał, czy to chodziło o dwie młodsze siostry, maltretowanego niedźwiedzia, czy Smolipalucha, jego najlepszego przyjaciela...* Który mimo to umarłby śmiercią tragiczną, gdyby wszystko poszło tak, jak zaplanowałem – dodał, zbliżając się do Księcia. – Na szczęście mój czarny przyjaciel nie wie o tym, inaczej nie byłbym mile widziany przy jego ognisku.

Czarny Książę uprzejmie odpowiedział na powitanie. Pewnie myślał, że ludzie nazywają go Czarnym Księciem z powodu jego ciemnej skóry, ale Fenoglio znał prawdę. Imię dla niego skradł z podręcznika historii w swoim świecie. Nosił je słynny rycerz, królewski syn i wielki rozbójnik. Ciekawe, czyby mu się spodobało, że jego imiennikiem jest człowiek rzucający nożami, król wagantów. „Jeśli nawet nie, to i tak nic nie może na to poradzić – pomyślał Fenoglio – bo jego historia już dawno dobiegła końca”.

Po lewej stronie Czarnego Księcia siedział balwierz partacz, ten sam, który o mało nie złamał Fenogliowi szczęki, gdy usuwał mu ząb, po prawej zaś przycupnął Kopeć, marny połykacz ognia, który równie słabo znał się na swoim rzemiośle jak balwierz na wyrywaniu zębów. Co do cyrulika, Fenoglio nie dałby głowy, ale Kopeć na pewno nie był jego wymysłem. Licho wie, skąd się przybłąkał! Każdy, kto widział, jak bojaźliwie i nieporadnie obchodzi się z ogniem, przypominał sobie od razu inną postać i inne imię: Smolipaluch, poskramiacz ognia...

Niedźwiedź wydał pomruk, kiedy Fenoglio przysiadł się do jego pana, i przyglądał mu się małymi żółtymi oczkami, jakby chciał ocenić, ile też mięsa pozostało do ogryzienia na takich starych kościach. „Sam jesteś temu winien – rzekł do siebie w duchu Fenoglio. – Musiałeś stworzyć niedźwiedzia? Pies by w zupełności wystarczył”. Handlarze na rynku opowiadali każdemu, kto chciał słuchać, że ten niedźwiedź to zaczarowany człowiek, że został zaklęty przez wróżki czy gnomy (co do tego nie byli zgodni), ale Fenoglio oczywiście wiedział lepiej. Niedźwiedź nie był zaczarowany; kochał Czarnego Księcia za to, że przed laty uwolnił go od pierścienia w nosie i jego ówczesnego pana, który okładając go kolczastym kijem, kazał mu tańczyć przed publicznością.

Prócz Czarnego Księcia przy ognisku siedziało jeszcze sześciu innych mężczyzn. Fenoglio znał tylko dwóch z nich. Jednym był aktor, ale Fenoglio bez przerwy zapominał, jak ma na imię, a drugim Siłacz zarabiający na chleb rozrywaniem łańcuchów, podnoszeniem kilku dorosłych mężczyzn naraz i zginaniem żelaznych sztab. Wszyscy umilkli, kiedy Fenoglio się przysiadł. Tolerowali go wprawdzie przy ognisku, ale nie należał do nich. Tylko Czarny Książę uśmiechnął się do niego.

– A, otóż i Atramentowy Tkacz! – powiedział. – Przyniosłeś nam nową pieśń o Sójce?

Fenoglio wziął puchar z gorącym miodem pitnym, który na rozkaz Czarnego Księcia podał mu jeden z mężczyzn, i usiadł na kamienistej ziemi. Jego stare kości nie przepadały za siedzeniem na ziemi, nawet jeśli noc była tak ciepła jak dzisiaj, ale waganci gardzili krzesłami czy innymi sprzętami, które zapewniały wygodę.

– Właściwie przyszedłem, żeby ci przynieść ten list – rzekł Fenoglio, sięgając pod płaszcz.

Rozejrzał się szybko, zanim podał księciu zapieczętowany papier, ale w tym tłumie trudno było się zorientować, czy obserwuje ich ktoś spoza kuglarskiej braci. Czarny Książę wziął list i ukrył go za pasem.

– Dziękuję ci – powiedział.

– Nie ma za co! – odparł Fenoglio, starając się unikać cuchnącego oddechu niedźwiedzia.

Czarny Książę nie umiał pisać, podobnie jak większość jego poddanych, ale Fenoglio chętnie służył im pomocą, zwłaszcza gdy chodziło o takie pismo jak to, które właśnie doręczył. List był przeznaczony dla jednego z gajowych Tłustego Księcia. Już trzykrotnie jego ludzie napadali na drodze na wagantki z dziećmi. Nikogo to nie obchodziło, ani pogrążonego w smutku księcia, ani też ludzi, którzy w jego imieniu sprawowali sądy. Chodziło wszak o kuglarzy! Wobec tego ich przywódca postanowił sam zająć się tą sprawą. Jeszcze tej nocy gajowy znajdzie list Fenoglia na progu domu. Treść listu nie da mu odtąd spać spokojnie i sprawi, że będzie się trzymał z daleka od kolorowych spódnic. Fenoglio był bardzo dumny ze swoich listów z pogróżkami, prawie tak bardzo jak ze zbójnickich pieśni.

– Słyszałeś najnowszą wiadomość, Atramentowy Tkaczu? – spytał Czarny Książę, gładząc czarny pysk niedźwiedzia. – Żmijogłowy wyznaczył nagrodę za głowę... Sójki.

– Sójki? – Fenoglio zachłysnął się miodem, a balwierz tak mocno klepnął go w plecy, że gorący trunek poparzył mu ręce. – To mi się podoba! – wykrztusił, kiedy wreszcie udało mu się złapać oddech. – No i niech jeszcze ktoś powie, że słowa to pusty dźwięk i dym! Tego zbójcy Żmijogłowy na próżno będzie szukał!

Mężczyźni znacząco spojrzeli po sobie. „Co oni knują?" – zastanawiał się Fenoglio.

– To ty o niczym nie wiesz, Atramentowy Tkaczu? – powiedział cicho Kopeć. – Twoje pieśni się sprawdzają! Już dwa razy poborcy podatkowi Żmijogłowego zostali obrabowani przez mężczyznę w ptasiej masce. A jednego z jego łowczych, który lubował się w okrucieństwach wszelkiego rodzaju, znaleziono podobno w lesie martwego. Zabójca wetknął mu pióro w usta. Domyślasz się, jakiego ptaka to pióro?

Fenoglio z niedowierzaniem spojrzał na Czarnego Księcia, ale ten wpatrywał się w płomienie, grzebiąc kijem w żarze ogniska.

– Ależ... ależ to wspaniale! – wykrzyknął Fenoglio i natychmiast zniżył głos, widząc, jak tamci oglądają się niespokojnie. – To wspaniałe nowiny – ciągnął przytłumionym głosem. – Cokolwiek się zdarzy, zaraz napiszę nową pieśń! Nuże, podsuńcie mi jakiś pomysł. Co ma teraz uczynić Sójka?

Czarny Książę uśmiechnął się z przymusem, ale balwierz spojrzał z pogardą na Fenoglia.

– Mówisz tak, jakby to wszystko była zabawa, Atramentowy Tkaczu! – powiedział z wyrzutem. – Siedzisz zamknięty w swojej izbie na poddaszu i umieszczasz słowa na papierze, ale ten, kto gra rolę twojego zbójcy, ryzykuje głowę, bo nie jest zrobiony ze słów, tylko jest człowiekiem z krwi i kości!

– Ale przynajmniej nikt nie zna jego twarzy, bo Sójka nosi maskę. Sprytnie to wymyśliłeś, Atramentowy Tkaczu. Skąd Żmijogłowy ma wiedzieć, kogo szukać? Taka maska to praktyczna rzecz. Każdy może ją założyć.

To mówił ten aktor. Baptysta. Oczywiście, tak właśnie miał na imię! „Czy to ja go wymyśliłem? – zastanawiał się Fenoglio. – Wszystko jedno!". Nikt nie znał się na maskach lepiej od Baptysty, może dlatego, że jego twarz szpeciły ślady po ospie. Wielu aktorów nosiło skórzane maski jego roboty, obrazujące śmiech lub płacz.

– Tak, ale w pieśniach ten zbójca jest dokładnie opisany – wtrącił Kopeć, przyglądając się badawczo Fenogliowi.

– Słusznie! – Baptysta zerwał się na równe nogi, położył prawą dłoń na podniszczonym pasie, jakby miał miecz u boku, i rozejrzał się, udając, że szuka przeciwnika. – Podobno jest bardzo wysoki. No, to akurat nic dziwnego. Bohaterowie z reguły są słusznego wzrostu. – Stanął na palcach, spacerując tam i z powrotem. – Jego włosy – przejechał ręką po głowie – są czarne jak futerko kreta. Jeśli wierzyć pieśniom. Ten szczegół jest nietypowy, bo większość bohaterów ma złote włosy, cokolwiek by to miało znaczyć. W pieśniach nie ma mowy o jego pochodzeniu, ale z pewnością – tu Baptysta zrobił wyniosłą minę – w jego żyłach płynie najczystsza książęca krew. Inaczej nie mógłby przecież być tak szlachetny i odważny.

– To nieprawda! – przerwał mu Fenoglio. – Sójka jest człowiekiem z ludu. Co by z niego był za zbójca, gdyby urodził się na zamku!

– Poeta przemówił! – Baptysta zrobił gest, jakby ścierał z twarzy wielkopańską minę. Reszta mężczyzn się roześmiała. – Przejdźmy do jego twarzy ukrytej pod maską. – Baptysta przejechał dłonią po ospowatej twarzy. – Jego twarz jest oczywiście piękna i szlachetna, i biała jak kość słoniowa! Pieśni nic na ten temat nie mówią, ale wszyscy dobrze wiemy, że prawdziwy bohater musi mieć taki właśnie kolor skóry. Wybacz, Wasza Wysokość! – skłonił się drwiąco przed Czarnym Księciem.

– Ależ proszę, proszę, nie gniewam się! – rzucił ten dobrodusznie.

– Nie zapomnij o bliźnie! – wtrącił Kopeć. – O bliźnie na lewym przedramieniu, tam gdzie go psy pokąsały. W każdej pieśni jest o tym mowa. Dalej, podciągać rękawy! Zobaczymy, czy Sójka nie siedzi przypadkiem pośród nas!

Rozejrzał się po zebranych, ale tylko Siłacz z uśmiechem podciągnął rękaw do góry. Inni milczeli.

Książę odgarnął z twarzy długie czarne włosy. Za jego pasem tkwiły trzy noże. Wagantom nie wolno było posiadać broni, nawet temu, którego nazywali swoim królem, ale dlaczego mieliby troszczyć się o prawo, skoro prawo nie troszczyło się o nich? „Trafia ważkę w oko" – mówiono o jego umiejętności rzucania nożem. Dokładnie tymi samymi słowami, jak napisał to Fenoglio.

– Jakkolwiek wygląda ten, który przemienia moje pieśni w czyn, piję jego zdrowie. Niech sobie Żmijogłowy szuka mężczyzny, którego opisałem. Nigdy go nie znajdzie!

Fenoglio uniósł puchar. Czuł się wspaniale, szumiało mu w głowie, i to z pewnością nie od tego nędznego miodu. „No proszę, i kto to się skarżył, Fenoglio? – pomyślał. – Piszesz i twoje słowa stają się rzeczywistością! Nawet bez lektora...".

Ale Siłacz popsuł mu humor.

– Szczerze mówiąc, Atramentowy Tkaczu, nie bardzo jest co świętować – mruknął. – Mówią, że Żmijogłowy płaci srebrem za język każdego waganta, który śpiewa o nim niepochlebne pieśni. Podobno ma już całą kolekcję.

– Język? – Fenoglio odruchowo dotknął własnego języka. – Czy moje pieśni też pod to podpadają?

Nikt mu nie odpowiedział. Mężczyźni milczeli, gdzieś z tyłu z namiotu doszedł ich kobiecy śpiew. Była to kołysanka, tak słodka, jakby pochodziła z innego świata, świata, o którym można tylko marzyć.

– Zawsze powtarzam moim ludziom: nie występujcie w pobliżu Mrocznego Zamku! – Książę wetknął niedźwiedziowi do paszczy ociekający tłuszczem kawałek mięsa, otarł nóż o spodnie i wetknął go za pas. – Mówię im, że w oczach Żmijogłowego jesteśmy tylko pokarmem dla wron i kruków! Ale od kiedy Tłusty Książę woli płakać, niż się śmiać, kuglarze mają puste kieszenie i puste brzuchy. Dlatego ciągnie ich na południe. Po tamtej stronie lasu jest wielu bogatych kupców.

Do diabła! Fenoglio roztarł bolące kolana. Gdzie się podział jego dobry nastrój? Rozpłynął się jak zapach kwiatu rozdeptanego nieuważną stopą. Z odrazą pociągnął łyk miodu. Znów pojawiły się dzieci, błagając go o opowieść, ale odesłał je z niczym. Kiedy był w złym humorze, nic nie przychodziło mu do głowy.

– Jest jeszcze coś – powiedział Czarny Książę. – Siłacz znalazł dzisiaj w lesie dziewczynkę i chłopca. Opowiedzieli mu zadziwiającą historię: że Basta, ten nożownik Capricorna, powrócił lub wkrótce powróci i że oni zjawili się tutaj, żeby ostrzec mojego starego przyjaciela – Smolipalucha. Na pewno o nim słyszałeś.

– Uhm! – Fenoglio zachłysnął się miodem. – Smolipaluch? No oczywiście, połykacz ognia.

– Najlepszy, jaki kiedykolwiek istniał – przytaknął Czarny Książę, rzucając Kopciowi niespokojne spojrzenie, ale ten zajęty był pokazywaniem balwierzowi bolącego zęba. – Uznano go za zmarłego – ciągnął Czarny Książę przytłumionym głosem. – Od ponad dziesięciu lat nikt go nie widział. Opowiadano tysiące historii o tym, gdzie i jak umarł. Na szczęście te wszystkie opowieści okazały się fałszywe. Ale oni szukają nie tylko Smolipalucha. Dziewczynka pytała o starego człowieka, pisarza, o twarzy pomarszczonej jak skóra żółwia. Czy to przypadkiem nie chodzi o ciebie?

Fenoglio na próżno usiłował znaleźć właściwą odpowiedź. Czarny Książkę chwycił go za ramię i postawił na nogi.

– Chodź ze mną! – powiedział. Niedźwiedź z pomrukiem wstał i ruszył za nim. – Dzieciaki były wycieńczone z głodu, opowiadają, że przyszły z Nieprzebytego Lasu. Kobiety właśnie je karmią.

Dziewczynka i chłopiec... Smolipaluch... Fenoglio próbował zebrać myśli, ale jego głowa po dwóch pucharach miodu nie należała do najtrzeźwiejszych.

Na skraju obozu pod wielką lipą rozsiadło się w trawie kilkanaścioro dzieci. Dwie kobiety nalewały zupę do drewnianych miseczek i wciskały je do brudnych rączek dzieciaków, które chciwie chłeptały cienką lurę.

– Spójrz tylko, ile ich znowu nazbierały! – szepnął Czarny Książę do Fenoglia. – Któregoś dnia pomrzemy z głodu z powodu miękkich serc naszych kobiet.

Fenoglio w milczeniu skinął głową, przypatrując się wymizerowanym twarzyczkom. Dobrze wiedział, ile razy sam książę sprowadzał do obozu na wpół zagłodzone dzieci. Jeśli tylko nauczyły się jako tako żonglować, stawać na głowie czy robić inne sztuczki, które wywoływały uśmiech na twarzach gapiów i wyciągały parę miedziaków z ich kieszeni, kuglarze pozwalali im przyłączyć się do wędrującego z miejsca na miejsce taboru.

– Oto one. – Czarny Książę wskazał dwoje dzieci łapczywiej niż inne zajadające zupę.

Kiedy Fenoglio podszedł bliżej, dziewczynka podniosła głowę, jakby wymówił jej imię. Patrzyła na niego zaskoczona, opuszczając łyżkę do miseczki.

Meggie.

Fenoglio miał tak zaskoczoną minę, że Meggie nie mogła powstrzymać uśmiechu. Tak, to była ona! Przypominał sobie doskonale ten uśmiech, chociaż wtedy, w domu Capricorna, rzadko pojawiał się na jej twarzy.

Meggie błyskawicznie zerwała się z miejsca, przecisnęła się między dzieciakami i zarzuciła mu ręce na szyję.

– Ach, wiedziałam, że jeszcze tu jesteś! – zawołała, płacząc i śmiejąc się jednocześnie. – Ale czy musiałeś koniecznie w swojej historii umieścić wilki? I nocne strachy, i czerwonogłowych? Obrzuciły Farida kamieniami i próbowały nam rozorać twarze pazurami. Na szczęście Faridowi udało się rozpalić ogień, ale...

Fenoglio nie mógł wydobyć z siebie głosu. Tysiące pytań cisnęło mu się na usta. Jak się tu dostała? Co ze Smolipaluchem? Gdzie był jej ojciec? Co z Capricornem? Czy zginął? Czy ich plan się powiódł? A jeśli tak, to dlaczego Basta nadal żyje? Pytania krążyły i brzęczały jak pszczoły w jego głowie, a on nie wiedział, które z nich zadać najpierw. Tymczasem Czarny Książę nie spuszczał z niego oka.

– Widzę, że ich znasz – stwierdził w końcu.

Fenoglio w milczeniu skinął głową. Gdzie on już widział tego chłopca, który siedział w trawie obok Meggie? Czy przypadkiem nie ze Smolipaluchem tego dnia, kiedy po raz pierwszy spotkał jedną ze swych postaci?

– Ehm, to są... moi krewni – wyjąkał.

Bardzo żałosne kłamstwo jak na poetę!

W oczach Czarnego Księcia zapaliły się szydercze ogniki.

– Krewni... rozumiem! Trzeba przyznać, że nie są do ciebie zbyt podobni.

Meggie odsunęła się od Fenoglia, wlepiając wzrok w Czarnego Księcia.

– Pozwól, że ci przedstawię, Meggie – odezwał się Fenoglio. – To jest Czarny Książę.

Książę skłonił się z uśmiechem.

– Czarny Książę! No tak! – Meggie niemal z nabożeństwem wypowiedziała imię waganta. – A to jego niedźwiedź! Farid, chodź tutaj. Popatrz tylko!

Oczywiście, Farid! Fenoglio nareszcie sobie przypomniał. Chłopiec pospiesznie dokończył zupę, po czym podszedł i stanął za Meggie, w bezpiecznej odległości od niedźwiedzia.

– Ona chciała koniecznie iść ze mną! – tłumaczył się, ocierając usta. – Naprawdę! Nie zgadzałem się, ale jest uparta jak osioł.

Meggie już zamierzała ostro odpowiedzieć, ale Fenoglio objął ją łagodnie ramieniem i rzekł do Farida:

– Mój drogi chłopcze, nawet nie wiesz, jak się cieszę, że Meggie jest tutaj. Można powiedzieć, że tylko jej brakowało mi w tym świecie do pełnego szczęścia.

Pospiesznie pożegnał się z Czarnym Księciem i pociągnął Meggie i Farida za sobą.

– Chodźcie! – szepnął, kiedy przeciskali się między namiotami. – Mamy mnóstwo spraw do omówienia, ale lepiej będzie, jak zrobimy to w mojej izbie, z dala od ciekawskich uszu. Poza tym jest już późno, a strażnik nie wpuści nas do miasta po północy.

Meggie skinęła nieprzytomnie głową, szeroko otwartymi oczami chłonąc niezwykłe widoki. Ale Farid wyrwał rękę z uścisku Fenoglia i powiedział:

– Nie, nie mogę iść z wami. Muszę poszukać Smolipalucha!

Fenoglio spojrzał na niego z niedowierzaniem. A więc to była prawda? Smolipaluch naprawdę wrócił?

– Tak, wrócił – powiedziała Meggie, jakby czytała w jego myślach. – Kobiety mówiły, że Farid może znaleźć go u wagantki, która mieszka w chacie na wzgórzu.

– U wagantki?

Fenoglio powędrował wzrokiem za jej palcem. Wzgórze, które wskazywała, było teraz tylko czarnym konturem na tle księżycowej nocy. Naturalnie! Roksana. Przypomniał sobie. Czy była naprawdę tak piękna, jak ją opisał?

Chłopiec niecierpliwie kołysał się na palcach.

– Muszę już iść – rzekł do Meggie. – Gdzie mogę cię znaleźć?

– W uliczce szewców i siodlarzy – odparł zamiast Meggie Fenoglio. – Pytaj o dom Minerwy.

Farid skinął głową, ale nie odchodził, tylko wciąż patrzył na Meggie.

– To nie jest dobry pomysł wybierać się nocą w drogę – powiedział Fenoglio, choć czuł, że chłopiec nie jest zainteresowany jego radami. – Tutejsze drogi nigdy nie są bezpieczne. Szczególnie nocą. Rozbójnicy, włóczędzy...

– Potrafię się obronić! – zawołał Farid, wyciągając nóż zza pasa. Po czym zwrócił się do Meggie: – Uważaj na siebie.

Uścisnął jej rękę, odwrócił się na pięcie i znikł w tłumie wagantów. Nie uszło uwagi Fenoglia, że Meggie obejrzała się za nim kilka razy.

– O nieba, biedny chłopak! – mruknął Fenoglio, odpędzając dzieci, które znów męczyły go o bajkę. – Jest w tobie zakochany, co?

– Przestań! – zawołała Meggie, wyrywając rękę, ale na jej twarzy zakwitł uśmiech.

– W porządku, już nic nie mówię! Czy twój ojciec wie, gdzie jesteś?

Nie powinien był o to pytać. Miała wypisane na twarzy wyrzuty sumienia.

– Ojej! Dobrze, później mi wszystko opowiesz. Jak się tu dostałaś, co ma znaczyć to gadanie o Smolipaluchu i Baście, no, po prostu wszystko! Jak ty urosłaś! Czy to może ja się skurczyłem? Boże, Meggie, ależ się cieszę, że tu jesteś! Teraz znów ujmiemy w cugle tę całą historię. Moimi słowami i twoim głosem...

– Ujmiemy w cugle? Co masz na myśli?

Meggie przyglądała mu się nieufnie. Zupełnie tak samo patrzyła na niego wtedy, kiedy byli więźniami Capricorna: ze zmarszczonymi brwiami i spojrzeniem tak przenikliwym, jakby przejrzała go na wylot. Ale to nie było miejsce na wyjaśnienia.

– Później! – szepnął i pociągnął ją za sobą. – Później, Meggie. Tutaj jest za dużo uszu. Do licha, gdzie się podziewa ten mój chłopak z pochodnią?

15

Obce odgłosy w obcej nocy

Zmierzch, cichy, łagodny
I nastrój pogodny,
Gdy zmrok jak pokoik
Znajomy się ściele,
Przywróci wesele,
Snem zmysły ukoi.

Matthias Claudius, *Pieśń wieczorna*

Kiedy Meggie próbowała sobie potem przypomnieć, jak trafili do izby Fenoglia, odnajdywała w pamięci tylko oderwane obrazy. Jakiś ponury strażnik, który ich zatrzymał, zagradzając drogę kopią, a potem przepuścił, gdy poznał Fenoglia, ciemne uliczki, którymi szli za chłopcem niosącym zapaloną pochodnię, a potem strome schody przylepione do szarej ściany domu i skrzypiące pod ich stopami. Wchodząc, słaniała się ze zmęczenia, aż Fenoglio kilka razy musiał ją podtrzymać.

– Myślę, że lepiej opowiemy sobie jutro, co oboje przeżyliśmy od tego czasu, gdy widzieliśmy się po raz ostatni – powiedział, wprowadzając ją do izby. – Poproszę Minerwę, żeby ci przyniosła siennik, ale dzisiaj będziesz spała w moim łóżku. Trzy dni i trzy noce w Nieprzebytym Lesie. Atramentowe piekło! Ja bym po prostu umarł ze strachu!

– Farid miał nóż – wymamrotała Meggie.

Ten nóż rzeczywiście ją uspokajał, kiedy nocą spali wysoko w koronach drzew, a z dołu dochodziło ich grzebanie racic i głuche warczenie. Farid zawsze trzymał go w pogotowiu.

– A jak zobaczył duchy – opowiadała sennym głosem – to rozpalał ognisko.

– Duchy? W tym świecie nie ma duchów, w każdym razie takich, które bym ja sam w nim umieścił. A co jedliście przez te wszystkie dni?

Meggie podeszła do łóżka. Wyglądało bardzo kusząco, choć składało się tylko z siennika i kilku starych koców.

– Jagody – mruczała – mnóstwo jagód, chleb, który zabraliśmy z kuchni Elinor, i króliki złapane przez Farida.

– Boże drogi! – z niedowierzaniem kręcił głową Fenoglio.

Miło było widzieć znów jego pomarszczoną żółwią twarz. Jednak teraz Meggie chciała już tylko spać. Zrzuciła kozaki, wśliznęła się pod szorstkie koce i wyciągnęła obolałe nogi.

– Jak wpadłaś na ten zwariowany pomysł, żeby was przenieść do Nieprzebytego Lasu? Dlaczego nie od razu tutaj? Przecież Smolipaluch na pewno wszystko chłopcu opowiedział o tym świecie.

– Słowa Orfeusza... – Meggie ziewnęła. – Mieliśmy przecież tylko słowa Orfeusza, a Smolipaluch kazał się wysłać do Nieprzebytego Lasu.

– No jasne! To do niego podobne. – Fenoglio podciągnął jej koce pod brodę. – Lepiej nie będę cię pytał, kto to jest ten Orfeusz. Porozmawiamy jutro. Dobranoc. I witam w moim świecie.

Meggie zdołała jeszcze raz otworzyć oczy.

– A gdzie ty będziesz spał?

– Nie martw się. Na dole u Minerwy co noc wpraszają się na nocleg jacyś krewni. Jedna osoba więcej nie zrobi jej różnicy.

Wierz mi, człowiek szybko się przyzwyczaja do niewygody. Mam nadzieję, że jej mąż nie chrapie tak głośno, jak ona opowiada.

I zamknął za sobą drzwi. Meggie słyszała, jak cicho złorzecząc, idzie na dół po drewnianych schodach. Nad jej głową między belkami z surowego drewna buszowały myszy (miała nadzieję, że to są myszy), a przez jedyne okienko dochodziły nawoływania straży spod pobliskich murów miejskich. Meggie zamknęła oczy. Stopy miała obolałe, a w uszach wciąż brzmiała jej muzyka, którą słyszała w obozie wagantów. „Czarny Książę – myślała – widziałam Czarnego Księcia... i bramę miejską Ombry... i słyszałam, jak szepczą drzewa w Nieprzebytym Lesie". Gdyby tylko mogła opowiedzieć o tym wszystkim Resie albo Elinor. Albo Mo. Ale on na pewno nie będzie chciał słyszeć ani słowa o Atramentowym Świecie.

Meggie przetarła zmęczone oczy. Nad jej głową, między belkami sufitu wisiały przyklejone gniazda wróżek, tak jak to sobie wymarzył Fenoglio, ale w głębi ciemnych otworów nic się nie poruszało. Izba Fenoglia była nieco większa od tej, w której więził ich Capricorn. Oprócz łóżka, które Fenoglio jej tak wspaniałomyślnie odstąpił, była tu jeszcze drewniana skrzynia, ława i pulpit do pisania, z ciemnego drewna, połyskujący i rzeźbiony. Nie pasował do reszty mebli, do grubo ciosanej ławy i prostej skrzyni. Wyglądał, jakby się tu zaplątał z innej historii, tak jak Meggie. Na pulpicie stał gliniany dzbanek z gęsimi piórami, dwa kałamarze...

Tak niewiele, a Fenoglio wydawał się naprawdę zadowolony.

Meggie przejechała ręką po zmęczonej twarzy. Sukienka, którą jej uszyła Resa, pachniała wciąż matką. I Nieprzebytym Lasem. Sięgnęła do skórzanej torby, której dwa razy o mało nie zgubiła, i wyciągnęła notatnik, prezent od Mo. Na marmurkowej oprawie mieszał się granat z pawią zielenią – były to ulubione kolory Mo. „Dobrze jest w obcych miejscach mieć ze sobą swoje książki". Ileż razy Mo powtarzał te słowa. Ale czy się odnosiły również do takich miejsc jak to? Drugiego dnia pobytu w lesie próbowała czytać książkę, którą zabrała, podczas gdy Farid polował na króliki. Nie przebrnęła nawet przez pierwsze strony i w końcu zgubiła ją, zostawiła gdzieś nad strumieniem, nad którym unosiły się roje błękitnych wróżek. Czyżby głód opowieści opuszczał człowieka, kiedy samemu tkwiło się w jednej z nich? A może była po prostu za bardzo zmęczona? „Powinnam przynajmniej zapisać, co się wydarzyło" – pomyślała, gładząc okładkę notatnika. Ale zmęczenie ją zmogło. „Jutro – pomyślała. – Jutro powiem też Fenogliowi, żeby mnie wysłał do domu. Widziałam już wróżki, a także ogniste elfy, Nieprzebyty Las i Ombrę. Będzie przecież potrzebował kilku dni, żeby znaleźć właściwe słowa...". Ponad nią w jednym z gniazd coś zaszeleściło, ale w otworze nie pokazała się błękitna buzia.

W izbie panował chłód i wszystko było obce, tak bardzo obce. Meggie przywykła do przebywania w nowych miejscach. W końcu Mo zabierał ją zawsze ze sobą, gdy musiał wyjeżdżać, aby ratować chore książki. Ale w każdym nieznanym miejscu mogła być pewna jednego: że on będzie z nią. Zawsze. Meggie przytuliła policzek do szorstkiego siennika. Tęskniła za matką, za Elinor i Dariuszem, ale najbardziej brakowało jej Mo, to uczucie tkwiło jak cierń w sercu. Miłość i wyrzuty sumienia – fatalna mieszanka. Ach, gdyby przybył tu razem z nią! Pokazał jej tak wiele ze świata, w którym żyli, jakże chętnie ona pokazałaby mu teraz ten świat z baśni. Była pewna, że wszystko by mu się tutaj podobało: ogniste elfy, szepczące drzewa i obóz wagantów...

O tak, bardzo jej brakowało Mo.

Ciekawe, jak sobie z tym radził Fenoglio? Czy on za nikim nie tęsknił? Nie tęsknił za domem, za wioską, za dziećmi, przyjaciółmi, sąsiadami? Ani nawet za wnukami, z którymi Meggie tyle razy uganiała się po jego domu?

„Jutro ci wszystko pokażę! – szepnął, gdy podążali spiesznie za chłopcem niosącym pochodnię, a w jego głosie było tyle dumy, jakby był księciem, który obiecuje gościowi pokazać swój kraj. – Straże nie lubią, kiedy ktoś nocą wałęsa się po mieście" – dodał.

I rzeczywiście, w wąskich uliczkach i pomiędzy ciasno stłoczonymi domami było pusto i cicho. Te domy do złudzenia przypominały Meggie chaty w wiosce Capricorna, nie zdziwiłaby się wcale, gdyby na którymś rogu ujrzała drabów w czarnych kurtkach, opartych plecami o ściany, z fuzjami w dłoniach. Ale spotkali tylko parę świń, które chrząkając i pokwikując, buszowały po stromych uliczkach, i mężczyznę w łachmanach, zgarniającego nieczystości i ładującego je na taczkę. „Z czasem przyzwyczaisz się do smrodu! – pocieszał ją Fenoglio, kiedy Meggie zatkała sobie nos. – Ciesz się, że nie mieszkam u farbiarza albo w uliczce garbarzy. Do tamtych wyziewów nawet ja nie mogę przywyknąć".

Nie, Fenogliowi niczego nie brakowało, Meggie była tego pewna. Dlaczego miałoby być inaczej? Przecież to był jego świat, wyszedł z jego głowy, znał go tak dobrze jak własne myśli.

Meggie zaczęła nasłuchiwać. Prócz chrobotania myszy usłyszała jeszcze jakieś inne odgłosy, coś jakby cichutkie pochrapywanie. Zdawało jej się, że hałas dochodzi z pulpitu. Odrzuciła koc i podkradła się na palcach. Obok dzbanka z piórami, z głową na maleńkim jaśku spał szklany ludzik. Jego przezroczyste ręce powalane były atramentem. Pewnie temperował pióra, maczał je w opasłych kałamarzach, posypywał piaskiem świeżo zapisane strony... dokładnie tak, jak to sobie Fenoglio wymarzył. Ciekawe, czy gniazda wróżek nad jego łóżkiem przynosiły mu szczęście i dobre sny? Na pulpicie zauważyła nieco pyłku wróżek. Przesunęła po nim palcem, przyjrzała się błyszczącym drobinom na opuszce i posmarowała pyłkiem czoło. Zastanawiała się, czy pyłek wróżek pomaga na nostalgię.

Nic nie mogła poradzić na to, że wciąż tęskniła za domem. Otaczało ją tyle piękna, a ona nie mogła się opędzić od myśli o domu Elinor, pracowni Mo... Miała takie głupie serce. Czyż nie biło mocniej, kiedy Resa opowiadała jej o Atramentowym

Świecie? A teraz, kiedy była tu naprawdę, to serce gubiło się w uczuciach. Bo nie ma tu nikogo z nich! – zdawało się bronić serce.

Gdyby chociaż Farid z nią został...

Jakże mu zazdrościła, że potrafi zmieniać światy niczym koszule. Zdawało się, że jedyna tęsknota, jaką znał, to tęsknota za pooraną bliznami twarzą Smolipalucha.

Meggie podeszła do okna. Był to właściwie otwór w murze zasłonięty tylko kawałkiem płótna. Odsunęła zasłonę i wyjrzała na wąską uliczkę. W dole obdarty śmieciarz szarpał taczkę z nieczystościami, która utknęła między ścianami domów. Większość okien naprzeciwko była nieoświetlona, tylko w jednym paliła się świeca, a w ciszy nocnej dochodził płacz niemowlęcia. Dach wyrastał obok dachu, jak łuski szyszki świerkowej, a w górze, na tle rozgwieżdżonego nieba, majaczyły mury i wieże zamczyska.

Zamek Tłustego Księcia. Resa dobrze go opisała. Blady księżyc wisiał ponad szarymi murami i rzucał srebrny blask na blanki i strażników kroczących w tę i z powrotem po murach. Wydawało się, że to ten sam księżyc, który wschodził i zachodził za domem Elinor.

„Jutro książę urządza uroczystość na cześć swojego nieudanego wnuka – opowiadał jej po drodze Fenoglio. – A ja idę na zamek, żeby wręczyć księciu nową pieśń, którą napisałem ku czci jego syna. Wezmę cię ze sobą, musimy tylko postarać się dla ciebie o czystą sukienkę. Minerwa ma trzy córki, więc na pewno znajdzie się coś odpowiedniego".

Meggie rzuciła ostatnie spojrzenie na śpiącego szklanego ludzika i wróciła do łóżka pod baldachimem z gniazd wróżek. „Po uroczystości – pomyślała, ściągając brudną suknię i wsuwając się z powrotem pod szorstki koc – zaraz jak się skończy, poproszę Fenoglia, żeby mnie odesłał do domu". Kiedy zamknęła oczy, widziała znów chmary wróżek, które krążyły nad nią w półmroku Nieprzebytego Lasu, szarpiąc za włosy, dopóki Farid nie odpędził ich szyszkami. Słyszała szept drzew dobiegający, zda się, na poły z ziemi, na poły z powietrza, przypominała sobie twarzyczki pokryte delikatną łuską, które ukazywały się w ciemnych sadzawkach, Czarnego Księcia i jego niedźwiedzia...

Pod łóżkiem rozległ się szelest i coś zaczęło łazić jej po ręce. Meggie w półśnie strąciła intruza. „Mam nadzieję, że Mo nie złości się na mnie za bardzo" – zdążyła jeszcze pomyśleć, zanim zasnęła. Śnił jej się ogród Elinor. A może to był Nieprzebyty Las?

16
Kłamstwo Farida

Mieli koc, ale czuł głównie ciepło obejmującego go chłopca.

Jerry Spinelli, *East End, West End i Magee Maniak*

Farid wkrótce przekonał się, że Fenoglio miał rację. Głupio postąpił, wybierając się nocą w drogę. Wprawdzie nie rzucił się na niego żaden opryszek, nawet lis nie przebiegł przez drogę, gdy w blasku księżyca wspinał się na wzgórze. Ale po czym miał poznać, która z tych niepozornych zagród ukrytych między czarnymi sylwetkami drzew była tą właściwą? Wszystkie wyglądały podobnie – skromne domki z szarego piaskowca, otoczone murkiem i drzewami oliwnymi, studnia na podwórku, czasem obórka dla bydła, parę zagonów ziemi. Nigdzie nie było widać ludzi. Mieszkańcy, zmęczeni całodzienną pracą, spali. Mijał kolejne furtki i coraz bardziej tracił otuchę. I nagle po raz pierwszy poczuł się zagubiony w tym obcym świecie. Już chciał się ułożyć do snu pod którymś z drzew, gdy zobaczył ogień.

Rozbłysnął wysoko na wzgórzu, czerwony jak kwiat hibiskusa, otwierający się i zaraz po rozkwitnięciu więdnący. Farid przyspieszył kroku. Wspinał się na wzgórze, usiłując nie stracić z oczu miejsca, gdzie przed chwilą wytrysnął płomienny kwiat. Smolipaluch! Znów ujrzał błysk między drzewami, tym razem żółty jak siarka i oślepiający jak światło słoneczne. To musiał być on! Któż inny pozwalałby tańczyć płomieniom w ciemnościach nocy?

Biegł coraz szybciej, aż się zadyszał. Trafił na drogę wijącą się po zboczu, pomiędzy pniakami świeżo ściętych drzew. Droga była kamienista i mokra od rosy, ale jego gołe stopy wolały to od stąpania po ciernistych dywanach macierzanki. O, znów czerwony kwiat rozbłysnął w ciemności. W blasku ognia ukazał się dom. Powyżej domu ciągnęło się strome zbocze, a na nim obrzeżone kamieniami poletka wznoszące się tarasowo, niby stopnie schodów. Dom był równie niepozorny i brzydki jak wszystkie inne. Droga prowadziła do prostej bramy w murze ułożonym z płaskich kamieni i sięgającym Faridowi ledwie do piersi. Kiedy zatrzymał się przed furtką, z ciemności wyskoczyła gęś, wściekle bijąc skrzydłami i sycząc, ale Farid nie zważał na nią. Nareszcie znalazł tego, kogo szukał!

Smolipaluch stał na podwórku i wyczarowywał w powietrzu ogniste kwiaty. Otwierały się, gdy tylko strzepnął palcami, rozwijały listki z płomieni, więdły, wypuszczały złote pędy i znów zakwitały. Ogień rodził się z niczego, Smolipaluch przywoływał go gestami rąk lub cichym głosem, rozniecał go swoim oddechem. Nie musiał używać pochodni ani brać żadnego płynu do ust – nie miał przy sobie ani jednego z tych przyborów, których używał w tamtym świecie. Po prostu stał sobie na podwórku i sprawiał, że noc stawała w płomieniach. Wciąż nowe kwiaty wirowały wokół niego w dzikim tańcu, rzucały pod jego nogi snopy iskier, niby złote ziarno, aż cały spowity był płynnym ogniem.

Farid nieraz obserwował, jak spokojna i pogodna stawała się twarz Smolipalucha, kiedy żonglował ogniem, ale nigdy jeszcze nie widział na jego twarzy wyrazu takiego szczęścia. Smolipaluch był szczęśliwy... Gęganie nie ustawało, ale Smolipaluch zdawał się go nie słyszeć. Dopiero gdy Farid otworzył furtkę, gęś narobiła takiego hałasu, że Smolipaluch się odwrócił.

I natychmiast płomienie zgasły, jakby noc zdusiła je czarnymi palcami, i tak samo zgasł wyraz szczęścia na twarzy Smolipalucha.

W drzwiach chaty stanęła kobieta. Prawdopodobnie przedtem siedziała na progu. Obok niej był chłopiec, Farid dopiero teraz go zauważył. Kiedy szedł przez podwórko, mały nie spuszczał z niego oczu. A Smolipaluch nie ruszał się z miejsca i tylko patrzył na niego. U jego stóp gasły ostatnie skry, aż pozostała tylko blada poświata.

Farid szukał w znajomej twarzy oznak radości, cienia uśmiechu, ale dostrzegał tylko niewymowne zdziwienie. Wreszcie opuściła go odwaga i zatrzymał się, a serce zadrżało mu w piersiach, jakby owionął je mroźny powiew.

– Farid?

Smolipaluch wolno zbliżał się do niego. Kobieta szła za nim. Była bardzo piękna, ale Farid nie zwracał na nią uwagi. Smolipaluch ubrany był w strój, który zawsze nosił ze sobą w tamtym świecie, ale którego nigdy nie wkładał. Czerń i czerwień... Farid nie miał odwagi podnieść na niego oczu, gdy Smolipaluch zatrzymał się o krok od niego. Stał z opuszczoną głową i wzrokiem wbitym w ziemię. Może Smolipaluch wcale nie miał zamiaru brać go ze sobą. Może umówił się ze Świecącą Gębą, że ten opuści słowa mówiące o Faridzie, a teraz był po prostu wściekły, że Farid przyszedł za nim – aż z innego świata... Może go uderzy? Nigdy go jeszcze nie uderzył (tylko raz był bliski tego, gdy Farid przez nieuwagę podpalił ogon Gwina).

– Jak mogłem sądzić, że cokolwiek jest w stanie cię zatrzymać, żebyś za mną nie polazł?

Smolipaluch ujął go pod brodę, a Farid podniósł wzrok i wreszcie zobaczył w jego oczach to, na co tak bardzo czekał: radość.

– Gdzieś ty się podziewał? Wołałem cię, szukałem wszędzie, ogniste elfy pewnie pomyślały, że zwariowałem!

Z jaką troską lustrował jego twarz, jakby chciał się przekonać, czy nic się w niej nie zmieniło. Jak dobrze było czuć jego troskę. Farid miał ochotę tańczyć ze szczęścia, tak jak przed chwilą ogień tańczył dla Smolipalucha.

– No, wyglądasz jak zawsze, przynajmniej tak mi się wydaje! – stwierdził wreszcie Smolipaluch. – Chuda brązowa diabelska pieczeń. Ale zaraz, ty nic nie mówisz! Czyżby cię to kosztowało głos?

Farid się uśmiechnął.

– Nie, wszystko w porządku! – powiedział, zerkając na kobietę, która wciąż stała za plecami Smolipalucha. – Ale to nie Świecąca Gęba mnie tu wysłał. Przestał czytać, jak tylko ty zniknąłeś! Wczytała mnie Meggie za pomocą jego słów!

– Meggie? Córka Czarodziejskiego Języka?

– Tak! A co z tobą? Wszystko w porządku?

Smolipaluch skrzywił się ironicznie. Farid dobrze znał ten uśmieszek.

– No, blizny pozostały, jak widzisz. Ale nie powstały inne szkody, jeśli o to ci chodzi.

Odwrócił się i spojrzał na kobietę wzrokiem, który zaniepokoił Farida. Była bardzo piękna, choć stara, no, w każdym razie dużo starsza od niego, ale nie podobała mu się. Poczuł niechęć do niej i do chłopca. W końcu nie po to chciał przybyć tutaj za Smolipaluchem, by teraz go dzielić z innymi.

Kobieta stanęła obok Smolipalucha i położyła mu rękę na ramieniu.

– Kto to jest? – spytała, patrząc na Farida tak samo niechętnie, jak on patrzył na nią. – Jedna z twoich niezliczonych tajemnic? Syn, o którym nie wiem?

Farid czuł, że się rumieni. On synem Smolipalucha? Spodobała mu się ta myśl. Zerknął ukradkiem na obcego chłopca. A czyim on był synem?

– Mój syn? – Smolipaluch pogłaskał ją czule po twarzy. – Co też ci przyszło do głowy? Nie, Farid jest połykaczem ognia.

Praktykował u mnie i od tego czasu uważa, że nie dam sobie rady bez niego. Nie można mu tego wyperswadować, wszędzie mnie znajdzie, choćbym odszedł nie wiem jak daleko.

– Och, daj spokój! – Mimo woli Farid powiedział to ze złością. – Jestem tu, żeby cię ostrzec! Ale mogę sobie iść, jeśli chcesz! – I odwrócił się na pięcie.

– No, już dobrze! – rzekł pojednawczo Smolipaluch, przytrzymując go. – O Boże, zapomniałem, że tak łatwo się obrażasz. Ostrzec? Przed czym?

– Przed Bastą.

Kobieta aż zasłoniła usta dłonią. A Farid zaczął opowiadać o wszystkim, co się wydarzyło, odkąd Smolipaluch zniknął, rozpłynął się na samotnej drodze wśród gór, jakby go nigdy nie było. Kiedy skończył, tamten zadał tylko jedno pytanie:

– A więc Basta ma teraz książkę?

– Tak! – wyszeptał Farid skruszony, grzebiąc w ziemi palcami stóp. – Przystawił mi nóż do gardła, więc co mogłem zrobić?

– To on wciąż żyje? – wykrzyknęła kobieta, chwytając Smolipalucha za rękę.

Smolipaluch w milczeniu skinął głową. Potem znów spojrzał na Farida.

– Myślisz, że już jest tutaj? Że Orfeusz zdążył go już wczytać?

Farid bezradnie wzruszył ramionami.

– Nie wiem! Kiedy mu uciekłem, krzyczał za mną, że się zemści na Czarodziejskim Języku. Ale Czarodziejski Język w to nie wierzy, mówi, że Basta tylko tak sobie gadał, bo był wściekły...

Smolipaluch spojrzał na furtkę, której Farid nie zamknął za sobą.

– To prawda, Basta mówi różne rzeczy, kiedy jest wściekły – mruknął.

Wzdychając, rozdeptał ostatnie iskierki.

– Złe wieści – mruknął. – Same złe wieści. Brakuje tylko, żebyś przyprowadził ze sobą Gwina.

Jak to dobrze, że było ciemno. Po ciemku łatwiej kłamać.

– Gwina? – udał zdziwienie Farid. – Nie, nie zabrałem go. Przecież mówiłeś, że ma tam zostać. A poza tym Meggie mi zabroniła.

– Mądra dziewczynka!

Smolipaluch odetchnął z ulgą, a Farida aż coś ścisnęło w środku.

– Zostawiłeś kunę? – Kobieta zdumiona kręciła głową. – Myślałam, że zależy ci na tym małym potworze bardziej niż na kimkolwiek.

– Znasz moje niewierne serce – odparł Smolipaluch, ale jego pozorna beztroska nie zwiodła nawet Farida. – Pewnie byś coś zjadł? – zwrócił się do chłopca. – Jak długo już tu jesteś?

Farid odchrząknął. Kłamstwo na temat Gwina dławiło go w gardle.

– Cztery dni – wykrztusił wreszcie. – Waganci dali nam jeść, ale nadal jestem głodny...

– Nam? – spytał Smolipaluch podejrzliwie.

– Mnie i Meggie. Córce Czarodziejskiego Języka. Przybyła tu ze mną.

Smolipaluch osłupiał.

– Jest tutaj?! – jęknął, odgarniając włosy z twarzy. – No, to się jej ojciec ucieszy! O matce nawet nie chcę myśleć. Przyprowadziłeś jeszcze kogoś?

Farid przecząco pokręcił głową.

– Gdzie ona jest teraz?

– U starego! – Farid pokazał, skąd przyszedł. – Mieszka w mieście. Spotkaliśmy go w obozie wagantów, Meggie bardzo się ucieszyła, bo i tak chciała go poszukać, żeby ją odesłał z powrotem. Wydaje mi się, że tęskni za domem...

– Stary? O kim ty znowu mówisz, u diabła?

– No, ten poeta! Ten z twarzą żółwia, no wiesz, ten, przed którym uciekałeś wtedy w...

– Wystarczy! – Smolipaluch zatkał mu usta ręką i zapatrzył się w mrok skrywający mury Ombry. – No, robi się coraz ciekawiej... – mruknął.

– Czy to... też zła wiadomość? – odważył się zapytać Farid.

Smolipaluch odwrócił głowę, ale Farid zdążył dostrzec uśmiech na jego twarzy.

– Żebyś wiedział – rzekł. – Chyba nie było jeszcze na świecie chłopca, który by przyniósł tyle złych wiadomości naraz. I to w środku nocy. Co się robi z takimi posłańcami, Roksano?

Roksana. A więc tak miała na imię. W pierwszej chwili Farid pomyślał, że każe go wypędzić. Ale ona tylko wzruszyła ramionami.

– Po prostu trzeba ich nakarmić – powiedziała. – Chociaż nie wydaje mi się, żeby ten tutaj umierał z głodu.

17
Prezent dla Capricorna

– Jeżeli był wrogiem mojego ojca, jeszcze mniej mi się podoba! – zawołała dziewczyna, tym razem naprawdę zaniepokojona. – Majorze Heyward, czy nie zechciałby pan przemówić do niego, bym usłyszała jego głos? Może się to wydaje głupie, ale nieraz mówiłam panu, że poznaję charakter ludzi po ich głosie.

James Fenimore Cooper, *Ostatni Mohikanin*

Minął wieczór, mijała noc, ale nikt po nich nie przychodził. W milczeniu siedzieli więc w piwnicy Elinor, wśród słoików koncentratu pomidorowego, puszek z ravioli i innych zapasów zgromadzonych na regałach, próbując nie zauważać strachu malującego się na twarzach towarzyszy niedoli. Wreszcie odezwała się Elinor.

– Nie rozumiem, mój dom nie jest znowu taki duży! Nawet ten głupiec Basta zdążył się już chyba zorientować, że Meggie tu nie ma.

Nikt jej nie odpowiedział. Resa przywarła do ramienia Mortimera, jakby w ten sposób chciała go chronić przed nożem Basty, a Dariusz po raz setny pucował lśniące czystością okulary. Kiedy wreszcie usłyszeli kroki, Elinor nagle straciła poczucie czasu i owładnęło nią przemożne wspomnienie ścian bez okien i spleśniałej słomy. W porównaniu z celami w domu Capricorna, nie mówiąc już o „grobowcu” w krypcie kościoła, jej piwnica była komfortowym więzieniem. Ale i teraz – tak jak wtedy – drzwi otworzył ten sam człowiek. A Basta nawet w jej własnym domu napawał ją panicznym lękiem.

Kiedy widzieli się po raz ostatni, on sam był więźniem zamkniętym w psiej budzie przez ukochanego pana. Czyżby o tym nie pamiętał? Ciekawe, jak Mortola zdołała go przekonać, żeby po tym wszystkim nadal jej służył? Elinor nie była na tyle nieroztropna, by go o to spytać. Zresztą znała odpowiedź: pies musi mieć pana.

Basta przyszedł w towarzystwie człowieka-szafy. Nic dziwnego, było ich czworo, a Basta z pewnością dobrze pamiętał dzień, w którym Smolipaluch zdołał mu umknąć.

– No cóż, przykro mi, Czarodziejski Języku, że to tak długo trwało – powiedział swoim przymilnym kocim głosem, popychając Mortimera przez korytarz ku drzwiom biblioteki. – Ale Mortola nie mogła się zdecydować, jaki rodzaj zemsty wybrać, kiedy się okazało, że twoja córeczka rzeczywiście zwinęła żagle.

– No i co wymyśliła? – spytała Elinor, drżąc na samą myśl o tym, co usłyszy.

Basta skwapliwie pospieszył z odpowiedzią:

– Najpierw chciała, byśmy was zastrzelili, a trupy wrzucili do jeziora, chociaż ją przekonywaliśmy, że wystarczy was pogrzebać gdzieś w ogrodzie pod krzakami. Ale potem doszła do wniosku, że nie byłoby dobrze, gdybyście umarli w błogim przeświadczeniu, iż mała czarownica wymknęła jej się z rąk. Ta myśl nie dawała Mortoli spokoju.

– Doprawdy? – rzuciła Elinor półprzytomna ze strachu.

Nogi miała jak z ołowiu. Zatrzymała się, ale olbrzym popchnął ją dalej. Zanim zdążyła spytać, co Mortola zamierza z nimi zrobić, Basta otworzył drzwi biblioteki i kłaniając się z drwiącym uśmiechem, zaprosił ich do środka.

Mortola z władczą miną siedziała w ulubionym fotelu Elinor, a obok na podłodze leżał olbrzymi pies o kaprawych oczach; na jego szerokim łbie można by postawić talerz. Jego przednie łapy były zabandażowane w podobny sposób jak nogi Mortoli, bandaże opasywały mu także brzuch. Elinor zacisnęła wargi. Pies! Pies w jej bibliotece! „To jest teraz chyba twoje najmniejsze zmartwienie – uspokajała się w myślach. – Nie zwracaj na to uwagi".

Laska Mortoli stała oparta o jedną z witryn, w których Elinor przechowywała najcenniejsze książki. Obok starej stał ten z pucołowatą twarzą: Orfeusz! Co ten głupiec sobie wyobrażał, przybierając takie imię? A może to rodzice wpadli na pomysł, żeby go tak nazwać? W każdym razie – stwierdziła Elinor ze złośliwą satysfakcją – wyglądał tak, jakby i on nie zmrużył oka tej nocy.

– Mój syn zawsze powtarzał, że zemsta jest najsłodsza wtedy, gdy się nią delektujemy bez emocji. – Mortola z zadowoleniem przyglądała się zmęczonym twarzom więźniów. – Przyznaję, że wczoraj nie byłam w odpowiednim nastroju, by pójść za jego radą. Pragnęłam natychmiast waszej śmierci. Ale zniknięcie tej małej czarownicy pokrzyżowało mi plany i dało czas do namysłu. Postanowiłam więc odłożyć nieco chwilę zemsty, by z chłodnym umysłem móc się nią tym bardziej nacieszyć.

– No proszę, proszę! – mruknęła Elinor.

Basta dźgnął ją w plecy lufą strzelby, ale Mortola utkwiła w Mortimerze swoje ptasie spojrzenie i zdawała się nie widzieć nikogo poza nim – ani Resy, ani Elinor, ani Dariusza.

– Czarodziejski Języku! – Z pogardą wypowiedziała jego imię. – Iluż to zabiłeś swoim aksamitnym głosem? Dziesięciu czy więcej? Cockerell, Płaski Nos, a wreszcie mój syn, jako ukoronowanie twojej sztuki. – Mówiła z taką goryczą w głosie, jakby Capricorn umarł tej nocy, choć od jego śmierci minął już ponad rok. – Umrzesz za to, że go zabiłeś. Umrzesz, możesz być tego pewien, a ja będę się przyglądać twojej śmierci, tak jak musiałam patrzeć na śmierć mojego syna. A ponieważ wiem z doświadczenia, że nic tak nie boli – czy to w tym, czy w innym świecie – jak śmierć własnego dziecka, chcę, żebyś patrzył na śmierć swojej córki, zanim sam umrzesz.

Mortimerowi nawet powieka nie drgnęła. Zwykle miał wypisane na twarzy każde uczucie, ale w tej chwili Elinor nie wiedziała, co dzieje się w jego duszy.

– Ona odeszła, Mortolo – powiedział ochrypłym głosem. – Meggie odeszła i sądzę, że nie potrafisz jej przywołać. Inaczej już byś to zrobiła.

– A kto mówi o przywołaniu? – Wąskie wargi Mortoli rozciągnęły się w ponurym uśmiechu. – Wydaje ci się, że teraz, kiedy mam książkę, zostanę w twoim głupim świecie? Po co? O nie, udamy się do mojego świata w ślad za twoją córeczką. A tam już Basta złapie ją jak ptaszka w sidła. Wtedy zrobię z was obojga prezent mojemu synowi. Znów będzie wielkie święto, Czarodziejski Języku, ale tym razem to nie Capricorn rozstanie się z życiem, o nie! Będzie siedział obok mnie, trzymał mnie za rękę i patrzył, jak śmierć zabiera najpierw twoją córkę, a potem ciebie. Tak właśnie się stanie!

Elinor spojrzała na Dariusza i odnalazła w jego twarzy to samo zdumienie i niedowierzanie, jakie i ona odczuwała.

Ale Mortola roześmiała się z wyższością.

– No, co tak na mnie patrzycie? Myślicie, że Capricorn umarł? – wykrzyknęła załamującym się głosem. – Bzdura! Umarł tutaj, ale to nic nie znaczy. Ten świat to tylko głupi żart, jarmarczna sztuczka kuglarzy. W naszym – prawdziwym – świecie Capricorn wciąż żyje. To dlatego zabrałam książkę połykaczowi ognia. Ta mała czarownica sama to powiedziała tamtej nocy, kiedy go zabiliście: będzie zawsze istniał, dopóki istnieje ta książka. Wiem, że mówiła to o połykaczu ognia, ale to, co dotyczy jego, dotyczy w jeszcze większym stopniu mojego syna! Oni wszyscy tam są: Capricorn i Płaski Nos, Cockerell i Cień!

I z triumfującą miną powiodła spojrzeniem po zebranych. Wszyscy milczeli, tylko Mortimer się odezwał.

– To nonsens, Mortolo! Sama wiesz o tym najlepiej. Byłaś wszak w Atramentowym Świecie, kiedy zniknął stamtąd Capricorn wraz z Bastą i Smolipaluchem.

– I co z tego? Może po prostu wyjechał! – zawołała piskliwym głosem. – Wyjechał i długo nie wracał, ale to nic nie znaczy. Mój syn często wyjeżdżał w interesach. Żmijogłowy posyłał po niego nawet w nocy, kiedy potrzebował jego usług, a rankiem już go nie było. Ale do tej pory z pewnością wrócił. Wrócił i czeka, żebym mu przyprowadziła jego mordercę. Czeka w swojej twierdzy w Nieprzebytym Lesie.

Elinor ogarniał pusty śmiech, ale strach ściskał ją za gardło. Nie ma wątpliwości, stwierdziła, stara Sroka zwariowała! Niestety, nie stała się przez to mniej niebezpieczna.

– Orfeusz! – Mortola skinęła na niego niecierpliwie.

Bez pośpiechu, jakby chciał pokazać, że nie biegnie na zawołanie tak jak Basta, Orfeusz podszedł do niej, wyjmując z wewnętrznej kieszeni kurtki złożoną we czworo kartkę. Z ważną miną rozłożył ją i umieścił na szklanym blacie witryny, obok laski Mortoli. Pies, dysząc, wodził za nim wzrokiem.

– To nie będzie takie proste! – stwierdził i schyliwszy się, pogłaskał brzydki łeb psa. – Nigdy jeszcze nie próbowałem tego z tyloma osobami naraz. Może byłoby lepiej po kolei...

– Nie! – przerwała mu szorstko Mortola. – Wszystkich razem, tak jak się umówiliśmy!

Orfeusz wzruszył ramionami.

– No dobrze. Jak już mówiłem, wiąże się z tym pewne ryzyko, gdyż...

– Nie chcę tego słuchać! – Mortola wbiła kościste palce w poręcze fotela. („Nie będę mogła już nigdy w nim usiąść, bo zawsze będzie mi się kojarzył z tą jędzą” – pomyślała Elinor). – Pozwól, że ci przypomnę tę celę, której drzwi otworzyły się tylko dlatego, że za to zapłaciłam. Jedno moje słowo i wrócisz tam – bez książek, bez kawałka papieru. Już ja się o to postaram, jeśli mnie zawiedziesz. Ale z tego, co mówił mi Basta, bez większych trudności udało ci się wysłać do domu połykacza ognia.

– Tak, ale to było bardzo łatwe! Po prostu jakbym odkładał coś na swoje miejsce.

Orfeusz w zadumie patrzył w okno, jak gdyby spodziewał się ujrzeć znikającego Smolipalucha. Marszcząc czoło, odwrócił się do Mortoli.

– Z nim to inna sprawa – wskazał na Mortimera. – On nie jest z tej historii.

– Jego córka też nie! Chcesz powiedzieć, że ona czyta lepiej od ciebie?

– Oczywiście, że nie! – Orfeusz wyprostował się dumnie. – Nikt nie czyta lepiej ode mnie. Czyż tego nie dowiodłem? Sama mówiłaś, że Smolipaluch przez dziesięć lat nie znalazł nikogo, kto by go odesłał do domu.

– Dobrze, dobrze. Przestań już gadać.

Mortola chwyciła laskę i podniosła się z trudem.

– To by było bardzo zabawne – uśmiechnęła się złośliwie, patrząc na Elinor i Dariusza – gdyby w zamian za nas wyskoczył spomiędzy liter taki sam wściekły kot jak wtedy, gdy odesłałeś Smolipalucha. Ręka Basty dotąd się nie zagoiła, a przecież miał nóż i psa do pomocy!

Elinor zbladła i nie zważając na strzelbę Basty, postąpiła krok do przodu.

– Co to ma znaczyć? Przecież ja idę z wami, to jasne!

Mortola uniosła brwi, udając zdziwienie.

– Ty? A jak myślisz, kto o tym decyduje? – powiedziała z udawaną słodyczą. – Na co ty mi jesteś potrzebna? Albo ten pomylony partacz Dariusz? Mój syn nie miałby oczywiście nic przeciwko temu, by i was rzucić Cieniowi na pożarcie, ale nie chcę Orfeuszowi zbytnio utrudniać zadania. – I wskazując laską Mortimera, warknęła: – Bierzemy jego! I tylko jego!

Resa przylgnęła do ramienia Mortimera. Mortola podeszła do niej i rzekła z uśmiechem:

– No cóż, gołąbeczko, ciebie niestety też muszę zostawić! – Uszczypnęła ją w policzek. – Będziesz cierpieć, kiedy ci go teraz zabiorę, prawda? Przecież dopiero co go odzyskałaś, po tylu latach...

Dała znak Baście, a ten brutalnie szarpnął Resę. Uczepiona ramienia Mortimera broniła się z taką rozpaczą w oczach, że Elinor serce się krajało. Chciała rzucić się Resie na pomoc, ale człowiek-szafa zastąpił jej drogę. A Mortimer łagodnie uwolnił się z objęć żony.

– Już dobrze – powiedział. – Bądź co bądź jestem jedynym członkiem rodziny, który jeszcze nie był w Atramentowym Świecie. I obiecuję ci, że nie wrócę bez Meggie.

– Słusznie, bo ty w ogóle nie wrócisz! – zadrwił Basta, popychając Resę ku Elinor.

A Mortola wciąż się uśmiechała. Elinor miała wielką ochotę ją uderzyć. „Zróbże coś, Elinor!" – wołała do siebie w myślach. Ale co mogła zrobić? Siłą zatrzymać Mortimera? Podrzeć kartkę, którą pucołowaty poeta wciąż pieczołowicie wygładzał?

– Czy możemy wreszcie zaczynać? – spytał Orfeusz, oblizując wargi, jakby nie mógł się doczekać, żeby dać popis swoich umiejętności.

– Oczywiście. – Mortola wstała, podpierając się laską, i gestem wezwała do siebie Bastę.

Orfeusz spojrzał na niego spod oka.

– Ale dopilnujesz, żeby zostawił Smolipalucha w spokoju? – zwrócił się do Mortoli. – Obiecałaś mi to!

Basta, mrugając do niego, przesunął palcem po szyi.

– Widziałaś? – zawołał Orfeusz łamiącym się głosem. – Obiecaliście! To był mój jedyny warunek. Albo zostawicie Smolipalucha w spokoju, albo w ogóle nie będę czytał.

– Dobrze, dobrze, tylko przestań się już wydzierać, zrujnujesz sobie głos – powiedziała niecierpliwie Mortola. – Mamy jego – wskazała głową Mortimera. – Co mnie obchodzi jakiś nędzny połykacz ognia. Czytaj wreszcie!

– Hej, zaczekajcie!

To po raz pierwszy odezwał się człowiek-szafa. Miał zdumiewająco piskliwy głosik jak na tak zwalistego mężczyznę. Coś jakby słoń mówiący głosem świerszcza. – A co się stanie z tymi tutaj, gdy odejdziecie?

– Czy ja wiem? – Mortola wzruszyła ramionami. – Niech ich pożre to, co pojawi się zamiast nas. Albo niech gruba zostanie twoją służącą, a Dariusz pucybutem. Wszystko mi jedno. A ty zacznij wreszcie czytać!

Orfeusz posłuchał rozkazu.

Podszedł do witryny, na której leżała zapisana przez niego kartka, odchrząknął, poprawił okulary...

– *Twierdza Capricorna w Nieprzebytym Lesie leżała tam, gdzie zaczynały się ślady olbrzymów...*

Słowa spływały z jego warg jak dźwięki muzyki.

– *Od dawna żaden z nich się nie pokazał, ale nocą pod murami krążyły inne stwory, straszliwsze od olbrzymów – nocne strachy i czerwonogłowi – równie okrutne jak ludzie, którzy wznieśli tę warownię. Zbudowana była z szarego piaskowca, tak szarego jak skaliste zbocze, do którego przywarła...*

„Zrób coś! – myślała Elinor. – Teraz albo nigdy! Wyrwij pucołowatemu kartkę, kopnij laskę Sroki...". Ale nie mogła poruszyć ręką ani nogą.

Cóż to był za głos! I te niezwykłe słowa, które obezwładniały mózg, przenikały ciało zniewalającą rozkoszą. Elinor poczuła zapach kolcorośli i tamaryszku, o których czytał Orfeusz. „On naprawdę czyta tak dobrze jak Mortimer!". Była to jedyna trzeźwa myśl, jaka pojawiła się w jej głowie. Inni czuli to samo. Wszyscy zawiesili spojrzenia na wargach Orfeusza, jakby chcieli mu czym prędzej wydrzeć następne słowo: i Dariusz, i Basta, i człowiek-szafa, nawet Mortimer, nawet Sroka! Zastygli w bezruchu, zasłuchani, osnuci brzmieniem słów jak pajęczyną. Tylko jedna osoba się poruszyła: Resa. Elinor widziała, że walczy z obezwładniającym ją czarem niby z potężnymi falami wody, podchodzi z tyłu do Mortimera i zarzuca mu ręce na szyję.

A potem wszyscy czworo zniknęli: Basta, Sroka, Mortimer i Resa.

18

Zemsta Mortoli

Nie mam odwagi,
nie mam odwagi napisać:
kiedy umrzesz.

Pablo Neruda, *Umarła*

Resa miała wrażenie, jakby jakaś przezroczysta plansza – niby malowidło na szkle – nasuwała się na to, co jeszcze przed chwilą widziała: bibliotekę Elinor, grzbiety książek starannie uporządkowanych przez Dariusza. To wszystko rozpływało się z wolna i pojawiał się nowy obraz. Kamienie zamiast książek, osmalone mury zamiast regałów. Między deskami podłogi zaczęła wyrastać trawa, a biało tynkowany sufit zastąpiło niebo pokryte ciemnymi chmurami.

Resa wciąż jeszcze obejmowała Mo za szyję. Tylko on jeden się nie rozpłynął i Resa nie puszczała go ze strachu, że go znów utraci, jak wtedy przed laty.

– Resa?

Zobaczyła przerażenie w jego oczach, kiedy się odwrócił i zrozumiał, że ona przybyła tu razem z nim. Szybko zasłoniła mu usta dłonią. Na poczerniałych od sadzy murach piął się w górę wiciokrzew. Mo wyciągnął rękę, jakby chciał dotknąć palcami tego, co oglądały jego oczy. Resa przypomniała sobie, że ona wtedy robiła to samo, że też wszystkiego dotykała, nie mogąc uwierzyć, iż świat ukryty za literami jest tak bardzo rzeczywisty.

Gdyby nie słyszała słów Orfeusza, nie poznałaby miejsca, do którego Mortola kazała ich przenieść. Jakże inaczej wyglądała twierdza Capricorna, gdy Resa po raz ostatni stała na tym dziedzińcu. Wtedy wszędzie roiło się od zbrojnych mężczyzn: na schodach, przed bramą, na murach. W miejscu, gdzie obecnie sterczały wypalone belki, była piekarnia, a tam, po drugiej stronie schodów, ona i inne służące trzepały kilimy, którymi Mortola od wielkiego święta zdobiła surowe wnętrza.

A teraz nie było już tych wnętrz. Mury twierdzy, osmalone ogniem, leżały w gruzach. Kamienie pokryte były sadzą, jakby je ktoś pomalował czarną farbą, a na dziedzińcu plenił się krwawnik, roślina, która lubiła rozrastać się na spalonej ziemi. Tam gdzie niegdyś wąskie schody prowadziły na wieżę strażniczą, do kryjówki Capricorna, wdzierał się las. Pośród ruin wystrzeliły w górę młode drzewa, jakby tylko czekały, by odzyskać miejsce, którym bezprawnie zawładnął człowiek. Z pustych otworów okiennych wyzierały osty, mech pokrywał rozpadające się schody, a powój wspiął się wysoko na wypalone belki, które były niegdyś szubienicą. Resa widziała tu niejednego wisielca.

– Co to ma znaczyć? – Głos Mortoli odbił się echem od wymarłych murów. – Co to za żałosne ruiny? To nie jest twierdza mojego syna!

Resa przywarła do męża. Mo był wciąż oszołomiony, jakby czekał, kiedy się obudzi i ujrzy znów książki Elinor zamiast kamieni. Resa dobrze wiedziała, jak musiał się czuć. Ona teraz łatwiej przeżyła tę zmianę. Tym razem nie była sama i wiedziała, co ją czeka. Mo zdawał się nie pamiętać o niczym – o Mortoli, o Baście ani o tym, dlaczego się tu znalazł.

Ale Resa zachowała przytomność umysłu i z bijącym sercem patrzyła, jak Mortola brnie przez krwawniki, podchodzi do zgliszcz i obmacuje kamienie, jakby wodziła dłonią po twarzy zmarłego syna.

– Własnoręcznie obetnę język temu Orfeuszowi i podam mu go na obiad przyprawiony naparstnicą! – wykrzyknęła. – To ma być twierdza mojego syna? Nigdy!

Rozglądając się wokoło, rzucała głową niecierpliwie jak ptak. Basta stał nieruchomo, kierując wylot lufy na Mo i Resę, i milczał.

– No, powiedz coś wreszcie! – wrzasnęła Sroka. – Powiedz coś, durniu!

Basta schylił się i podniósł z ziemi zardzewiały hełm.

– Co mam powiedzieć? – warknął. Z ponurą miną upuścił hełm w trawę i kopnął go ze złością. Hełm zadudnił, uderzając o mur. – Jasne, że to nasz zamek, nie widzisz tego koziorożca tam na ścianie? I diabły wciąż tu są, chociaż mają teraz koronę z powoju, a tam po drugiej stronie widać jeszcze oko na kamieniu. Rozpruwacz uwielbiał je malować.

Mortola spojrzała na czerwone oko wymalowane na kamieniu, które wskazał jej Basta. Po czym pokuśtykała do resztek drewnianej bramy, połamanej i wyrwanej z zawiasów, ledwie widocznej spod zarastających ją jeżyn i pokrzyw wysokości człowieka. W milczeniu rozejrzała się dokoła.

Mo wreszcie się otrząsnął.

– O czym oni mówią? – szepnął do Resy. – Gdzie my jesteśmy? Czy to jest kryjówka Capricorna?

Resa skinęła głową. Na dźwięk głosu Mortimera Mortola odwróciła się gwałtownie i wbiła w niego wzrok. Po czym podeszła do niego, zataczając się, jakby dostała zawrotu głowy.

– Tak, to jest jego zamek, ale Capricorna tu nie ma! – powiedziała złowieszczym szeptem. – Mojego syna tu nie ma. Basta miał więc rację. Mój syn umarł, i tutaj, i w tamtym świecie. A przez co? Przez twój głos, twój przeklęty głos!

Mortola dyszała nienawiścią. Przerażona Resa chciała odciągnąć Mo, ukryć go gdziekolwiek przed jej wzrokiem. Ale za nimi był tylko osmalony mur, na którym wciąż jeszcze pysznił się herb Capricorna: koziorożec z czerwonymi ślepiami i płonącymi rogami.

– Czarodziejski Język! – Mortola wypluła jego imię, jakby to była trucizna. – Morderczy Język lepiej by do ciebie pasowało. Twoja córunia nie mogła się zdobyć na to, by wypowiedzieć słowa, które miały zabić mojego syna, ale ty tak! Nie zawahałeś się ani przez ułamek sekundy! – I mówiła dalej zduszonym szeptem: – Wciąż widzę cię tak dokładnie, jakby to było wczoraj. Wyjąłeś jej kartkę z ręki i odsunąłeś ją na bok. A potem z twoich ust wydobyły się słowa pięknie brzmiące, jak wszystko, co mówisz, a kiedy skończyłeś, mój syn leżał martwy na ziemi.

Przycisnęła dłoń do ust, jakby powstrzymywała łkanie. Kiedy opuściła rękę, wargi jej drżały.

– Jak to możliwe? – ciągnęła drżącym głosem. – Powiedz, jak to możliwe? Przecież on nie należał do tego waszego oszukańczego świata. Jak mógł tam umrzeć? Czy tylko po to zwabiłeś go tam swoim diabelskim głosem?

Odwróciła się, zaciskając pięści i patrząc na wypalone mury.

Basta znów się schylił. Tym razem podniósł grot strzały.

– Bardzo bym chciał wiedzieć, co się właściwie stało! – mruknął. – Zawsze mówiłem, że Capricorna już tu nie ma. Ale gdzie są inni? Gdzie jest Podpalacz, Sadza, Garbaty, Piszczałka i Rozpruwacz? – Rzucił Mortoli niespokojne spojrzenie. – A co zrobimy, jeśli oni wszyscy nie żyją, no, powiedz! – Mówił takim głosem jak dziecko, które boi się ciemności. – Chcesz, żebyśmy zamieszkali w jaskini, jak gnomy, i żeby nas tam znalazły wilki? Zapomniałaś o wilkach? A nocne strachy, a ogniste elfy i wszystkie te pełzające stwory? Ja o nich nie zapomniałem, ale ty chciałaś koniecznie wrócić w to przeklęte miejsce, gdzie za każdym drzewem czyhają złe duchy!

Basta dotknął amuletu zawieszonego na szyi. Ale Mortola nie zaszczyciła go nawet spojrzeniem.

– Cicho bądź! – powiedziała ostro i Basta skulił się ze strachu. – Ile razy mam ci tłumaczyć, że duchów nie trzeba się bać? A co się tyczy wilków, to masz chyba nóż? Jakoś damy sobie radę. Daliśmy sobie radę w ich świecie, to poradzimy sobie i w naszym. A poza tym mamy tu potężnego przyjaciela, zapomniałeś? Złożymy mu wizytę, ot co. Ale najpierw muszę coś załatwić. Już dawno powinnam była to zrobić.

I znów wbiła wzrok w Mo. Widziała tylko jego.

Po czym odwróciła się, pewnym krokiem podeszła do Basty i wyrwała mu strzelbę z ręki.

Resa chwyciła Mo za ramię, chciała go odciągnąć na bok, ale Mortola była szybsza. Miała wprawę w posługiwaniu się strzelbą, bo często strzelała do ptaków wydziobujących jej zasiewy na grządkach – tam, w wiosce Capricorna.

Krew rozlewała się na koszuli Mo jak rozkwitający purpurowy kwiat. Resa usłyszała własny krzyk, kiedy nagle upadł i leżał nieruchomo w trawie, która szybko zabarwiała się na czerwono. Resa rzuciła się na kolana, odwróciła Mo, przycisnęła dłonie do rany, jakby w ten sposób mogła zatrzymać uchodzącą z niej krew, a wraz z krwią – życie. Słyszała, jak Mortola mówi:

– Chodź, Basto! Przed nami daleka droga, najwyższy czas znaleźć jakieś bezpieczne miejsce, zanim się ściemni. Nocą nie jest tu zbyt przyjemnie.

I głos Basty:

– Chcesz ją tu zostawić?

– A dlaczego nie? Wiem, że ci się zawsze podobała, ale teraz wilki się o nią zatroszczą. Zwabi je świeża krew.

Krew... Wciąż gwałtownie buchała z rany, a twarz Mo była biała jak śnieg.

– Nie, błagam, tylko nie umieraj!

To był jej własny głos. Resa przycisnęła palcami drżące wargi.

– No proszę! Gołąbeczka odzyskała mowę! – Drwiący głos Basty docierał do niej słabo przez szum w głowie. – Szkoda tylko, że on cię już nie słyszy, co? Trzymaj się, Reso!

Nie obejrzała się nawet wtedy, gdy ucichły w oddali ich kroki.

– Nie! – Powtarzała to jedno słowo jak litanię. – Nie!

Drżącymi dłońmi oderwała pas materiału ze swojej sukni i przyłożyła do rany. Jej ręce były mokre od krwi i łez. „Resa! – próbowała przywołać się do porządku. – Łzy mu nie pomogą. Lepiej przypomnij sobie, co robili ludzie Capricorna w takiej sytuacji". Wypalali rany, ale o tym nawet myśleć nie chciała. Była też jakaś roślina o włochatych liściach, z drobnymi kwiatami w kształcie dzwoneczków, zawsze pełna buczących trzmieli. Rozejrzała się dokoła przez łzy, jakby spodziewała się cudu...

W gałęziach wiciokrzewu dwie błękitne wróżki gadały coś po swojemu. Gdyby był tu Smolipaluch! Na pewno by wiedział, jak je zwabić. Zawołałby je cichym głosem, przekonał, by użyczyły jej nieco swej śliny lub pyłku.

Szloch wydobył się z jej gardła. Palcami powalanymi krwią odsunęła Mo czarne włosy z czoła, wołając go po imieniu. Nie mógł umrzeć, nie teraz, nie po tylu latach rozłąki...

Nieustannie szeptała jego imię, kładła palce na jego wargach, nasłuchiwała oddechu, który był słaby i nieregularny. Mo oddychał ciężko, jakby ogromny ciężar przygniatał mu piersi. „To śmierć – myślała – śmierć...".

Wzdrygnęła się gwałtownie, słysząc szelest, kroki zbliżające się po miękkim mchu. Czyżby Mortola zmieniła zdanie i posłała Bastę, żeby ją zabił? A może to już skradają się wilki? Gdyby chociaż miała jakąś broń. Mo zawsze nosił ze sobą składany nóż. Wsunęła drżącą rękę do jego kieszeni, wymacała uchwyt...

Coraz wyraźniej słyszała kroki za plecami. Musiały to być kroki człowieka. Wtem wszystko ucichło. Obleciał ją strach. Błyskawicznie wyciągnęła nóż, zwolniła ostrze. Bała się odwrócić, ale w końcu się odważyła.

Ujrzała starą kobietę, która zatrzymała się w miejscu, gdzie niegdyś wznosiła się brama twierdzy Capricorna. Na tle sterczących wciąż wierzei wydawała się mała i niepozorna, jak dziecko. Na ramieniu niosła wór, a jej suknia wyglądała tak, jakby była utkana z pokrzyw. Twarz miała ciemną i pomarszczoną jak kora drzewa. W krótko przyciętych siwych włosach zaplątały się zwiędłe liście.

Zbliżyła się bez słowa. Była boso, ale nic sobie nie robiła z pokrzyw i ostów porastających dziedziniec dawnej twierdzy. Z kamiennym wyrazem twarzy odsunęła Resę i pochyliła się nad Mo. Bez ceremonii usunęła szmatę, którą Resa wciąż przyciskała do rany.

– Nigdy jeszcze nie widziałam takiej rany – stwierdziła głosem tak ochrypłym, jakby rzadko miała okazję go używać. – Co ją spowodowało?

– Strzelba – odparła Resa.

Czuła się dziwnie, używając w rozmowie głosu zamiast rąk.

– Strzelba? – Stara spojrzała na nią, pokręciła głową i znów pochyliła się nad Mo. – Strzelba. Ciekawe, co to znowu takiego? – mruczała, obmacując ranę brunatnymi palcami. – Wynajdują nową broń prędzej, niż pisklę wykluwa się z jaja, a ja mam zszywać to, co oni pokłują i poprują.

Przyłożyła ucho do piersi rannego, przez chwilę wsłuchiwała się uważnie w bicie jego serca, po czym podniosła się z westchnieniem.

– Masz koszulę pod suknią? – spytała szorstko. – Zdejmij ją i podrzyj. Potrzebne mi są długie pasy.

Po czym sięgnęła do skórzanego woreczka przytroczonego u boku, wyjęła flakonik i nasączyła szmatę, którą podsunęła jej Resa.

– Przyłóż to do rany! – rozkazała, podając Resie materiał. – Rana jest niedobra. Może trzeba będzie ją naciąć albo wypalić, ale nie tutaj. We dwie go nie uniesiemy, ale niedaleko stąd jest obóz kuglarzy, gdzie trzymają starców i kaleki. Może tam znajdę pomoc.

Przewiązała ranę tak zręcznie, jakby przez całe życie nie robiła nic innego.

– Okryj go ciepło! – poleciła, wstając i zarzucając worek na plecy. Po czym dodała, wskazując na nóż leżący w trawie: – Miej go przy sobie. Postaram się wrócić, zanim zjawią się wilki. A gdyby pojawiła się jakaś biała dama, pilnuj, żeby na niego nie spojrzała i nie wymówiła jego imienia.

I zniknęła równie nagle, jak się pojawiła. A Resa uklękła, położyła rękę na przesiąkniętym krwią opatrunku i słuchała oddechu Mo.

– Słyszysz mnie? Odzyskałam głos – szepnęła. – Tak jakby czekał tu na ciebie...

Ale Mo się nie poruszył. Twarz miał tak bladą, jakby okoliczne głazy i trawy wyssały z niej krew.

Resa nie wiedziała, ile minęło czasu, gdy usłyszała za plecami szept, niezrozumiały i cichy jak szmer deszczu. Odwróciła się i wtedy ją zobaczyła. Białą damę. Stała na walących się schodach, a jej postać była rozmyta jak odbicie w wodzie. Resa wiedziała aż za dobrze, co oznacza jej zjawienie się. Ileż to razy opowiadała Meggie o białych damach. Tak jak wilki wyczuwały świeżą krew, tak one wyczuwały urywany oddech i coraz słabsze bicie serca...

– Nic nie mów! – krzyknęła do bladej postaci, zasłaniając Mo własnym ciałem. – Wynoś się i nie waż się na niego spojrzeć! On nie idzie z tobą, jeszcze nie!

Pamiętała słowa Smolipalucha: „Kiedy chcą cię zabrać, szepczą twoje imię". „Ale one nie znają imienia Mo! – myślała. – Nie mogą go znać, bo on nie jest z tej historii!". Na wszelki wypadek jednak zatkała mu uszy.

Słońce chyliło się ku zachodowi. Nieubłaganie znikało za drzewami. Między wypalonymi murami twierdzy zapadał mrok, a blada postać na schodach rysowała się coraz wyraźniej. Stała bez ruchu i czekała.

19

Urodzinowy poranek

– Opuszczę to miasto z raną w duszy... Zbyt wiele odprysków ducha rozproszyłem w tych uliczkach, zbyt liczne są dzieci mojej tęsknoty, biegające nago po wzgórzach.

Khalil Gibran, *Prorok*

Meggie obudziła się przerażona. Miała zły sen, ale nie pamiętała, co to było, zostało tylko wrażenie strachu, niby ukłucie w sercu. Do jej uszu dochodziły hałasy, krzyki i głośne śmiechy, dziecięce głosiki, szczekanie psów, pokwikiwanie świń, walenie młotów i piłowanie. Poczuła na twarzy ciepło słonecznych promieni, a w powietrzu rozchodził się zapach gnoju i świeżo upieczonego chleba. Gdzie ona była? Przypomniała sobie dopiero wtedy, gdy zobaczyła Fenoglia siedzącego przy pulpicie: była w Ombrze.

– Dzień dobry! – zawołał pisarz.

Musiał dobrze spać, bo tryskał zadowoleniem z siebie i ze świata. Nic dziwnego, któż miałby być zadowolony z tego świata, jeśli nie jego twórca? Obok niego stał szklany ludzik, którego Meggie widziała w nocy pogrążonego we śnie.

– Kryształek, przywitaj się z gościem! – rozkazał Fenoglio.

Szklany ludzik z powagą złożył Meggie głęboki ukłon, po czym wziął od Fenoglia ociekające pióro, otarł szmatką atrament i włożył je do dzbanka. Następnie pochylił się nad tym, co napisał Fenoglio.

– Aha, tym razem dla odmiany pieśń o tym Sójce! – zauważył uszczypliwie. – Zaniesiesz to dzisiaj do dworu?

– W rzeczy samej! – odparł wyniośle Fenoglio. – A teraz lepiej uważaj, żeby pismo się nie zamazało.

Szklany ludzik prychnął urażony, jakby coś takiego nigdy mu się jeszcze nie przytrafiło, po czym nabrawszy dwie garście piasku z miseczki stojącej obok dzbanka z piórami, wprawnym ruchem posypał świeżo zapisany pergamin.

– Kryształek, ile razy mam ci powtarzać? – ofuknął go Fenoglio. – Nabierasz za dużo piasku i rzucasz go zbyt gwałtownie, wszystko brudzisz.

Szklany ludzik otrzepał dłonie z piasku i skrzyżowawszy ręce na piersi, rzekł z obrażoną miną:

– Więc może zrobisz to sam? – Jego głos brzmiał tak, jakby ktoś stukał paznokciem w szkło. – Zaiste, chciałbym to zobaczyć! – Przyglądał się grubym palcom Fenoglia z tak komiczną pogardą, że Meggie wybuchnęła śmiechem.

– Ja też! – zawołała, wciągając sukienkę.

Kilka zwiędłych kwiatów z Nieprzebytego Lasu upadło na podłogę i przypomniało jej o Faridzie. Ciekawe, czy znalazł Smolipalucha.

– Słyszałeś? – Kryształek popatrzył na Meggie życzliwie. – Wygląda na mądrą dziewczynkę.

– O tak, Meggie jest bardzo mądra – zgodził się Fenoglio. – Wiele razem przeżyliśmy. I tylko jej zawdzięczam to, że siedzę tu w tej chwili i muszę wyjaśniać szklanemu ludzikowi, jak się sypie piasek na świeże pismo.

Kryształek rzucił Meggie zaciekawione spojrzenie, ale nie spytał, co znaczyła zagadkowa uwaga Fenoglia.

Meggie podeszła do pulpitu i zajrzała staremu przez ramię.

– Zacząłeś pisać wyraźniej – stwierdziła.

– O, dziękuję! – mruknął Fenoglio. – Ty się chyba na tym znasz. Ale widzisz, o tutaj, zamazane P?

– Jeśli zamierzasz mnie o to obwiniać – rzekł Kryształek swym szklanym głosem – to oświadczam ci, że dziś po raz ostatni trzymałem twoje pióra. Poszukam sobie skryby, u którego nie będę musiał pracować przed śniadaniem.

– Już dobrze, wcale cię nie obwiniam. Sam zamazałem to P, nikt inny! – uspokajał go Fenoglio, mrugając do Meggie. – Strasznie łatwo się obraża – dodał szeptem. – Jego duma jest równie wrażliwa jak jego członki.

Szklany ludzik odwrócił się do niego plecami, chwycił szmatkę, którą przed chwilą czyścił pióro, i próbował zetrzeć plamę z ramienia. Jego ciało nie było zupełnie bezbarwne, jak u szklanych ludzików, które mieszkały w ogrodzie Elinor. Ten tutaj był w kolorze delikatnego różu przypominającego kwiaty rumianku. Tylko włosy miał nieco ciemniejsze.

– Nic jeszcze nie powiedziałeś na moją nową pieśń – zauważył Fenoglio. – Prawda, że jest cudowna?

– Niezła! – Nie odwracając się, Kryształek zaczął wycierać szmatką stopy.

– Niezła? To arcydzieło, ty poplamiona atramentem, różowa jak glista obsadko! – Fenoglio uderzył z całej siły w pulpit i ludzik przewrócił się na plecy jak żuk. – Jeszcze dzisiaj pójdę na rynek i poszukam nowego pomocnika, który zna się na poezji i potrafi docenić moje pieśni rycerskie! – Otworzył podłużne pudełko i wyjął sztabkę laku do pieczętowania listów. – Tym razem przynajmniej pamiętałeś o ogniu do pieczętowania!

Kryształek wyszarpnął mu z ręki sztabkę i rozgrzawszy jej koniec w płomieniu świecy, z obrażoną miną przytknął go do zwiniętego w rolkę pergaminu. Przez chwilę wachlował rozpuszczony lak, po czym spojrzał na Fenoglia, ten zaś z ważną miną odcisnął pieczęć sygnetem, który nosił na palcu serdecznym prawej dłoni.

– F jak Fenoglio, F jak fantazja, F jak fantastyczny – oznajmił. – No, gotowe!

– Wolałbym Ś jak śniadanie – rzucił Kryształek, ale Fenoglio nie zareagował na zaczepkę, tylko rzekł do Meggie:

– No, jak ci się podoba pieśń dla księcia?

– Ja... nie zdążyłam przeczytać całej z powodu waszej kłótni – odparła wymijająco. Nie chciała jeszcze bardziej popsuć Fenogliowi nastroju uwagą, że wiersze wydają się jej dziwnie znajome. – Dlaczego Tłusty Książę żąda tak smutnej pieśni? – spytała.

– Bo jego syn nie żyje – odparł Fenoglio. – Jeden tren po drugim. Nic innego nie chce słyszeć od śmierci Cosima. Już mi się to znudziło!

Z westchnieniem odłożył pergamin i podszedł do skrzyni stojącej pod oknem.

– Cosimo? Piękny Cosimo nie żyje? – zdumiała się Meggie.

Resa tyle jej opowiadała o synu Tłustego Księcia: że każdy, kto go zobaczył, musiał go pokochać, że nawet Żmijogłowy się go bał, że chłopi przynosili do niego chore dzieci, bo byli przekonani, że ktoś, kto jest piękny jak anioł, na pewno potrafi wyleczyć każdą chorobę...

Fenoglio westchnął.

– Straszne, co? To gorzka lekcja dla mnie! Ta historia nie jest już moją historią! Rozwija się dalej po swojemu!

– Ojejku! Znowu się zaczyna! – jęknął Kryształek. – Jego historia! Nigdy nie zrozumiem tej gadaniny. Może powinieneś się udać do jednego z tych balwierzy, co to kurują głowy?

– Mój drogi Kryształku – odparł chłodno Fenoglio – ta gadanina, jak ją nazywasz, jest po prostu za trudna dla twojej małej, przezroczystej główki. Ale zapewniam cię, że Meggie wie, o czym mówię!

Z kwaśną miną wyjął ze skrzyni długą granatową szatę.

– Powinienem sobie obstalować nowy ubiór – mruknął. – Najwyższy czas! To nie jest odpowiedni strój dla człowieka, którego pieśni śpiewa cały kraj i którego sam książę błaga, aby ubrał w słowa jego ból. Spójrz tylko na ten rękaw! Dziurawy! Dziura na dziurze! Mole się do niego dobrały mimo lawendy, którą mi dała Minerwa.

– W sam raz strój dla biednego poety! – zauważył trzeźwo Kryształek.

Fenoglio odłożył szatę do skrzyni i z trzaskiem opuścił wieko.

– Za którymś razem naprawdę rzucę w ciebie czymś ciężkim! – rzekł ponuro.

Ale Kryształek nie przejął się tą groźbą. Zapominając o gościu, kłócili się w najlepsze; widocznie mieli to w zwyczaju. Meggie podeszła do okna, odsunęła zasłonę i wyjrzała na ulicę. Zapowiadał się słoneczny dzień, choć wzgórza spowijała jeszcze mgła. Na którym z nich mieszkała wagantka, u której Farid miał szukać Smolipalucha? Zapomniała. Czy wróci, jeśli znajdzie Smolipalucha, czy odejdzie z nim, jak ostatnim razem, zapominając o jej istnieniu? Meggie wolała się nie zastanawiać, co czuje na myśl o tym. W jej sercu panował wystarczający zamęt. Korciło ją, żeby poprosić Fenoglia o lustro, chciała zobaczyć swoje odbicie, odnaleźć się w tym obcym świecie, zapanować nad nowymi doznaniami. Ale zamiast tego dalej błądziła wzrokiem po zamglonych zboczach.

Jak daleko rozciągał się świat Fenoglia? Czy tylko tak daleko, jak on go opisał? Przypomniała sobie uwagę Fenoglia, gdy znaleźli się w wiosce Capricorna: *Ciekawe...* „Wiesz, że to miejsce do złudzenia przypomina jedno z tych, które wymyśliłem jako miejsce akcji *Atramentowego serca*?". Pewnie mówił wtedy o Ombrze.

Wzgórza otaczające miasto były bardzo podobne do tych, przez które Meggie uciekała z Mo i Elinor, kiedy to Smolipaluch uwolnił ich z lochów Capricorna. Tyle że te tutaj wydawały się jeszcze bardziej zielone – jeśli to w ogóle możliwe – jeszcze bardziej tajemnicze, jakby każdy liść przypominał o tym, że wśród drzew mieszkają wróżki i ogniste elfy. A domy i uliczki widoczne z okna izdebki Fenoglia mogłyby równie dobrze znajdować się w wiosce Capricorna, gdyby nie to, że panował tu większy ruch.

– Popatrz, jaki ścisk, dzisiaj wszyscy pchają się na zamek – usłyszała za sobą głos Fenoglia. – Wędrowni handlarze, chłopi, rzemieślnicy, bogaci kupcy i żebracy: wszyscy ciągną w tamtą stronę, żeby zarobić albo wydać parę miedziaków, zabawić się, a przede wszystkim pogapić na jaśniepaństwo.

Meggie przyjrzała się zamkowym murom. Groźnie wznosiły się ponad rdzawymi dachami. Na wieżach łopotały czarne chorągwie.

– Jak dawno umarł Cosimo?

– Prawie rok temu. Wtedy właśnie wprowadziłem się do tej izby. Jak się domyślasz, twój głos przeniósł mnie w to samo miejsce, z którego przybył Cień, czyli do twierdzy Capricorna. Na szczęście po zniknięciu tego potwora panowało tam straszliwe zamieszanie, nikt z podpalaczy nie zwrócił więc uwagi na starszego pana, który nagle pojawił się wśród nich i z głupią miną rozglądał się dokoła. Spędziłem kilka przerażających dni w Nieprzebytym Lesie. Nie miałem niestety towarzysza – tak jak ty – który by potrafił posługiwać się nożem, łapać króliki i rozpalać ogień. Ale za to znalazł mnie osobiście Czarny Książę. Możesz sobie wyobrazić moją minę, kiedy niespodziewanie zjawił się przede mną! Z tych, którzy mu towarzyszyli, nie znałem nikogo, ale muszę się przyznać, że z reguły słabo pamiętam drugoplanowe postacie moich historii... No, w każdym razie... jeden z tych ludzi przyprowadził mnie do Ombry. Byłem obdarty i bez środków do życia. Na szczęście miałem pierścień, który udało mi się sprzedać. Jakiś złotnik dał za niego tyle, że mogłem wynająć pokój u Minerwy, i wszystko zaczęło się układać. Naprawdę powodziło mi się znakomicie. Wymyślałem historię za historią, od dawna nie miałem takiej weny, słowa płynęły strumieniem. Zaledwie jednak stałem się znany, pisząc pieśni dla Tłustego Księcia, zaledwie waganci zagustowali w moich wierszach, aż tu Podpalacz puszcza z dymem kilka zagród nad rzeką, a Cosimo wyrusza, by raz na zawsze zrobić porządek z tymi bandytami. „Bardzo dobrze! – myślę sobie. – Dlaczego nie?". Skąd mogłem wiedzieć, że pozwoli się zabić? Wierzyłem w jego świetlaną przyszłość! Miał zostać prawdziwie wielkim księciem, błogosławieństwem dla poddanych i dla mojej historii, zgotować jej szczęśliwe zakończenie, uwolnić od Żmijogłowego. A on tymczasem dał się zabić bandzie podpalaczy!

Fenoglio westchnął.

– W pierwszej chwili Tłusty Książę nie chciał wierzyć w jego śmierć – podjął po chwili. – Twarz Cosima była zupełnie spalona, podobnie jak twarze innych poległych, których przywieziono na zamek. Ogień rozprawił się z nimi do końca. No, ale kiedy minęło kilka miesięcy, a Cosimo nie wracał...

Fenoglio znów westchnął i ponownie otworzył skrzynię, z której przedtem wyjął pogryzioną przez mole szatę. Podał Meggie dwie bladoniebieskie wełniane pończochy, podwiązki i spraną granatową sukienkę.

– Obawiam się, że suknia będzie na ciebie trochę za duża – powiedział. – Należy do starszej córki Minerwy. Ale to, co masz na sobie, trzeba koniecznie uprać. Pończochy przytrzymuje się podwiązkami, trochę to niewygodne, ale się przyzwyczaisz. Boże, ależ ty urosłaś, Meggie – dodał, odwracając się, kiedy Meggie zaczęła się przebierać. – Ty też się odwróć, Kryształku! – rozkazał.

Sukienka rzeczywiście nie leżała najlepiej i teraz Meggie była zadowolona, że Fenoglio nie ma lustra. Ostatnio w domu dość często przeglądała się w lustrze. To takie dziwne uczucie patrzeć, jak twoje ciało się zmienia. Jakby się było poczwarką motyla.

– Gotowa? – spytał Fenoglio i odwrócił się do niej. – No proszę, udało się, chociaż taka ładna dziewczynka zasługuje na ładniejszą sukienkę. – Spojrzał po sobie i westchnął. – Ja chyba lepiej zostanę w tym, w czym jestem, ta szata przynajmniej nie jest dziurawa. Nic nie szkodzi, na zamku będzie dzisiaj tak tłoczno, że nikt nie zwróci uwagi na nas dwoje.

– Dwoje? Co to ma znaczyć? – Kryształek odłożył nożyk, którym właśnie temperował pióro. – Chyba weźmiecie mnie ze sobą?

– Czyś ty zwariował?! Chcesz, żebym cię przyniósł z powrotem w kawałkach? Nie ma mowy! A poza tym musiałbyś wysłuchać tego okropnego wiersza, który niosę księciu – dodał złośliwie Fenoglio.

Kiedy zamykał za nimi drzwi, wciąż słychać było złorzeczenia Kryształka. Zeszli po drewnianych schodach, po których Meggie, padając ze zmęczenia, z takim trudem wdrapała się nocą na górę. Schody prowadziły na wewnętrzne podwórko. Całą wolną przestrzeń zajmowały chlewiki dla świń, drewniane boksy i grządki warzyw. Pomiędzy tym wszystkim wiła się wąziutka strużka. Dwójka dzieci wypędzała z grządek świnię, a kobieta z dzieckiem na ręce karmiła stadko mizernych kur.

– Cudowny poranek, prawda, Minerwo?! – krzyknął Fenoglio do kobiety, zeskakując z ostatniego stopnia.

Kobieta podeszła do schodów. Dziewczynka, może sześcioletnia, czepiając się rąbka jej spódnicy, nieufnie spoglądała na Meggie. Meggie zatrzymała się niepewnie. „Może to widać! – pomyślała. – Może widać, że nie jestem z ich świata...".

– Uważaj! – zawołała dziewczynka.

Ale zanim Meggie zrozumiała, o co chodzi, coś szarpnęło ją za włosy. Dziewczynka rzuciła grudką ziemi i wróżka, złorzecząc, odfrunęła z pustymi rękami.

– Na miłość boską, gdzieś ty się chowała? – zdumiała się Minerwa, pomagając jej zejść ze schodów. – Czy tam, skąd pochodzisz, nie ma wróżek? Nie wiesz, że mają zupełnego bzika na punkcie ludzkich włosów, zwłaszcza tak pięknych jak twoje? Jeśli ich nie upniesz, wkrótce będziesz łysa. A poza tym jesteś za duża, żeby nosić rozpuszczone włosy, nie chcesz chyba, żeby cię wzięto za wagantkę?

Minerwa była przysadzistą, niemłodą już kobietą, niewiele wyższą od Meggie.

– Boże, ależ ty jesteś chuda! – powiedziała. – Sukienka zsuwa ci się z ramion, będę musiała ją zwęzić jeszcze dziś wieczorem. Jadłaś śniadanie? – spytała i pokręciła głową na widok zdumionej twarzy Fenoglia. – Na miłość boską, chyba nie zapomniałeś jej nakarmić?

Fenoglio bezradnie rozłożył ręce.

– Jestem starym człowiekiem, Minerwo! – wykrzyknął. – I zapominam o takich rzeczach. Co to się dzisiaj wyprawia od samego rana? Wstałem w tak świetnym humorze, a tu wszyscy się uparli, żeby mi go popsuć. Zaczęło się od Kryształka, który doprowadził mnie do szału.

W odpowiedzi Minerwa wcisnęła mu na ręce niemowlę i pociągnęła Meggie za sobą.

– Czyje to dziecko? – krzyknął Fenoglio, idąc za nimi. – Czy mało jeszcze dzieciaków tu biega?

Niemowlę oglądało jego twarz z taką powagą, jakby spodziewało się odkryć w niej coś interesującego, a w końcu chwyciło go za nos.

– Mojej starszej córki – odkrzyknęła Minerwa. – Widziałeś je już parę razy. Ale skoro masz taką słabą pamięć, to chyba będę ci musiała ponownie przedstawić moją rodzinę.

Młodsze dzieci Minerwy nosiły imiona Despina i Iwo. Chłopiec – Iwo – który minionej nocy przyświecał Fenogliowi pochodnią, uśmiechnął się do Meggie, gdy matka wprowadziła ją do kuchni.

Minerwa zmusiła Meggie do zjedzenia miski kukurydzianki z dwiema kromkami chleba posmarowanymi pastą o zapachu oliwek. Mleko, które jej podsunęła, było tak tłuste, że po pierwszym łyku Meggie musiała oblizać wargi. W tym czasie Minerwa upinała jej włosy. Meggie nie poznała siebie, kiedy kobieta podsunęła jej miskę z wodą zamiast lustra.

– Skąd masz takie buty? – spytał Iwo. Jego siostra wciąż patrzyła na Meggie jak na egzotyczne zwierzątko, które nie wiadomo skąd się wzięło.

Właśnie, skąd? Meggie nerwowym ruchem próbowała zakryć kozaki, ale suknia była za krótka.

– Meggie przyjechała z daleka – wybawił ją z opresji Fenoglio, który właśnie wszedł do kuchni. – Z bardzo daleka. Mieszkają tam ludzie o trzech nogach oraz tacy, którym nos wyrasta z podbródka.

Dzieci spojrzały najpierw na niego, potem na Meggie.

– Przestań, co ty znowu wygadujesz? – Minerwa pacnęła go dłonią w tył głowy. – Oni wierzą w każde twoje słowo. Jeszcze kiedyś wybiorą się na poszukiwanie tych wszystkich zwariowanych miejsc, o których im naopowiadałeś, i zostanę bez dzieci.

Meggie zakrztusiła się tłustym mlekiem. Raptem powróciła tęsknota za domem, a wraz z nią wyrzuty sumienia. Była już tutaj pięć dni, jeśli dobrze policzyła.

– Ty i te twoje historie! – ciągnęła Minerwa, podsuwając mu kubek mleka. – Nie wystarczy, że codziennie opowiadasz im o zbójcach? Wiesz, co mi Iwo wczoraj powiedział? „Jak będę duży, przystanę do zbójców!". Chce dorównać Sójce. No i coś ty najlepszego narobił? Nie mam nic przeciwko temu, żebyś im opowiadał o Cosimie, olbrzymach albo o Czarnym Księciu i jego niedźwiedziu, ale ani słowa więcej o tym zbójcy, zrozumiano?

– W porządku, ani słowa więcej o Sójce – mruknął Fenoglio. – Ale nie miej do mnie pretensji, jeśli Iwo podchwyci gdzieś jedną z moich piosenek o nim. Wszyscy je śpiewają.

Meggie nie rozumiała ani słowa z ich rozmowy, ale i tak myślami była na zamku. Gniazda ptasie tak gęsto oblepiają mury zamkowe, opowiadała jej Resa, że ćwierkanie ptaków zagłusza śpiew wagantów. Mieszkają tam też wróżki, szare jak kamienne mury, gdyż odżywiają się tym, co jedzą ludzie, a nie jak ich dziko żyjące siostry – kwiatami i owocami. A w ogrodach pałacowych są podobno drzewa, które poza tym spotyka się tylko w Nieprzebytym Lesie. Ich liście mruczą na wietrze jak chór ludzkich głosów, a w księżycowe noce przepowiadają przyszłość, tylko że nikt nie rozumie ich mowy.

Z zamyślenia wyrwało ją pytanie Minerwy:

– Jesteś jeszcze głodna?

– Na wszystkie księgi świata! – zawołał Fenoglio, oddając Minerwie niemowlę. – Będziesz ją teraz tuczyć, żeby sukienka pasowała? Musimy już iść, bo inaczej przegapimy najważniejsze! Książę prosił mnie, bym przyniósł nową pieśń w godzinach przedpołudniowych. Wiesz, że nie lubi, jak ktoś się spóźnia.

– Nie, nie wiem – odburknęła Minerwa, kiedy Fenoglio popychał Meggie ku drzwiom. – Nie jestem za pan brat z księciem, tak jak ty. Co mu tym razem zaniesiesz? Znowu pieśń żałobną?

– A jak myślisz? Mnie także już to nudzi, ale książę dobrze płaci. Wolałabyś, żebym miał puste kieszenie i żebyś musiała szukać nowego lokatora?

– No dobrze, dobrze, przestań się złościć – mruknęła, zabierając ze stołu puste miski. – Wiesz, co ci powiem? Ten twój książę zapłacze się kiedyś na śmierć, a wtedy Żmijogłowy przyśle nam tu swoich pancernych. Zaroją się jak muchy na świeżym gnoju, niby że muszą chronić biednego sierotę, wnuczka swojego pana.

Fenoglio odwrócił się w drzwiach tak gwałtownie, że o mało nie przewrócił Meggie, którą trzymał za rękę.

– Nie, Minerwo! Nie! – powiedział stanowczo. – To się nie stanie. Przynajmniej dopóki ja żyję, a mam nadzieję, że tak szybko nie umrę.

– Ciekawam bardzo! – Minerwa wyjęła palce syna z maselniczki. – Jak masz zamiar tego dokonać? Swoimi pieśniami o zbójcach? Myślisz, że byle głupiec w masce na twarzy zgrywający bohatera, tylko dlatego, że się nasłuchał twoich piosenek, potrafi utrzymać pancernych z dala od miasta? Bohaterowie kończą na szubienicy, Fenoglio – ciągnęła, zniżając głos. Meggie wyczuła lęk wyzierający spoza drwiny. – W twoich pieśniach może jest inaczej, ale w prawdziwym życiu czeka ich stryczek. Nie zmienią tego nawet najpiękniejsze słowa.

Dwójka dzieci z niepokojem patrzyła na matkę. Minerwa przesunęła po ich głowach dłonią, jakby w ten sposób chciała zetrzeć własne słowa.

Ale Fenoglio tylko wzruszył ramionami.

– No wiesz! Widzisz to zbyt czarno! – rzekł. – Nie doceniasz słów. Słowa są potężne, potężniejsze, niż ci się wydaje. Zapytaj Meggie!

I wypchnął Meggie za drzwi, nim Minerwa zdążyła otworzyć usta.

– Iwo, Despina, chcecie iść ze mną? – zawołał jeszcze. – Przyprowadzę je całe i zdrowe, jak zawsze! – krzyknął, gdy Minerwa wyjrzała za nimi z wyrazem troski na twarzy. – Najlepsi kuglarze z całego kraju wystąpią dzisiaj na zamku. Dzieciaki będą miały frajdę!

Gdy tylko znaleźli się na ulicy, tłum pociągnął ich ze sobą. Ludzie wysypywali się ze wszystkich uliczek: biednie odziani chłopi, żebracy, kobiety z dziećmi, mężczyźni, o których bogactwie świadczyły nie tylko lamowane rękawy, ale przede wszystkim służba brutalnie torująca im drogę w tłumie. Jeźdźcy spinali konie i parli do przodu, roztrącając ludzi, których odrzucało aż na mury, lektyki utykały w miejscu mimo przekleństw i złorzeczeń niosących ich tragarzy.

– Diabli nadali, jest gorzej niż w dni jarmarczne! – zawołał Fenoglio do Meggie, przekrzykując gwar.

Iwo zwinnie jak jaszczurka wśliznął się w tłum, ale Despina była tak przerażona, że Fenoglio w końcu wziął ją na plecy, aby nie zgniotły jej kosze i ludzkie brzuchy. Meggie kręciło się w głowie od tego całego ścisku, przepychania, potrącania, od tysiąca zapachów i dzikiego gwaru wypełniającego powietrze.

– Rozejrzyj się, Meggie! Czyż to nie jest wspaniałe? – Fenoglio pękał z dumy.

Miał rację. Było zupełnie tak, jak Meggie to sobie tyle razy wyobrażała, w te wszystkie wieczory, kiedy Resa opowiadała jej o Atramentowym Świecie. Była oszołomiona. Jej oczy i uszy po prostu nie nadążały z chłonięciem tego wszystkiego, co się wokół niej działo. Skądś dochodziły dźwięki muzyki, bębny, dzwonki, trąby... A potem ulica się rozszerzyła i wypluła ich wprost pod mury zamkowe. Wyrosły nagle pomiędzy domami, tak wysokie i potężne, jakby wznieśli je ludzie o wiele wyżsi od tych, którzy teraz parli ku bramie. W błyszczących hełmach strażników odbijało się blade światło poranka. Żołnierze mieli na sobie ciemnozielone opończe i takiego samego koloru kaftany narzucone na kolczugi. Na opończach i kaftanach nosili herb Tłustego Księcia. Resa dokładnie opisała jej ten harb: lew w zielonym polu otoczonym białymi różami. Ale teraz wyglądał on nieco inaczej: lew wylewał srebrne łzy, a róże tworzyły girlandę wokół złamanego serca.

Straże przepuszczały większość tłoczących się ludzi, czasem tylko zawracały tego lub owego drzewcem piki lub pięścią w rękawicy. Nikt się tym nie przejmował, tłum parł niepowstrzymanie naprzód, aż Meggie znalazła się pośród grubych na metr murów. Zwiedzała z Mo niejedno zamczysko, ale tam mijało się w bramie kioski z pamiątkami, a nie uzbrojonych strażników, jak tutaj! O ileż bardziej te mury wydały jej się groźne i niedostępne. „Spójrzcie – zdawały się mówić – jacy jesteście mali i bezbronni!”.

Fenogliowi najwyraźniej obce były te uczucia. Cieszył się jak dziecko. Nie zwracał uwagi na podniesione żelazne kraty nad nimi ani na otwory, przez które na głowy niepowołanych gości mogła się polać roztopiona smoła. Meggie odruchowo spojrzała w górę, zastanawiając się, dlaczego ślady smoły na zwietrzałych kamieniach wyglądają na dość świeże. Wreszcie przeszli dalej i miała znów nad sobą niebo, błękitne i bezchmurne, jakby wymiecione do czysta na książęce urodziny. Znalazła się na zewnętrznym dziedzińcu zamku w Ombrze.

20

Goście z tamtej strony lasu

Mrok zawsze miał do odegrania własną rolę.

Jakże inaczej wiedzielibyśmy, kiedy stąpamy w świetle? I tylko kiedy jego ambicje stają się zbyt wybujałe, trzeba im się przeciwstawić, przywołać go do porządku, a czasem – jeśli nie da się inaczej – na jakiś czas usunąć.

A potem znów się podniesie. I tak już musi być.

Clive Barker, *Abarat*

Meggie najpierw zaczęła się rozglądać za gniazdami, o których tyle opowiadała jej Resa. I rzeczywiście były! Jak wielkie purchle oblepiały mury tuż poniżej blanków. Z gniazd strzelały w górę ptaki o żółtych piersiach, jak złote płatki tańcząc w powietrzu – tak je opisywała Resa i miała rację. Niebo nad głową Meggie zdawało się pokryte wirującym złotem. A wszystko z okazji książęcych urodzin. Przez bramę wciąż wlewały się nowe tłumy, choć na dziedzińcu roiło się już od ludzi. Wszędzie pełno było straganów, wzniesionych pomiędzy stajniami i szopami, w których urzędowali masztalerze, kowale i inni rzemieślnicy pracujący dla dworu. Tego dnia, kiedy to książę zaprosił wszystkich poddanych na urodziny swojego wnuka i następcy tronu, jedzenie i picie było za darmo.

„Cóż za hojność! – ironizowałby pewnie Mo, gdyby tu był. – Toż to jedzenie i picie pochodzące z ich pól, zebrane ich rękami!". Mo nie przepadał za zamkami. Ale tak właśnie był urządzony świat Fenoglia: ziemia, na której chłopi pracowali w pocie czoła, stanowiła własność księcia, do niego więc należała także część zbiorów. Książę ubierał się w zamsz i jedwab, a chłopi nosili połatane zgrzebne kaftany.

Gdy przechodzili przez bramę, Despina mocno trzymała Fenoglia za szyję swymi chudymi rączkami. Kiedy jednak zobaczyła na dziedzińcu pierwszego kuglarza, zsunęła się szybko z jego pleców.

Oto bowiem wysoko między blankami jeden z nich rozpiął linę i spacerował teraz po niej lekko niczym pająk po srebrnej nici. Szaty miał niebieskie jak niebo, jak wszyscy linoskoczkowie, o czym Meggie także wiedziała od matki. Ach, gdyby Resa tu była! Kuglarska brać rozsypała się między straganami: grający na piszczałkach, rzucający nożami, siłacze, pogromcy zwierząt, zaklinacze wężów, aktorzy i klowni. Tuż pod murem zauważyła połykacza ognia: czerwone z czarnym, to był ich strój. W pierwszej chwili Meggie pomyślała, że to Smolipaluch, ale kiedy się odwrócił, ujrzała obcą twarz bez blizn, a jego uśmiech, gdy kłaniał się widzom, był całkiem inny od uśmiechu Smolipalucha.

„Na pewno gdzieś tu jest, jeśli naprawdę wrócił!" – myślała Meggie, rozglądając się niecierpliwie. Dlaczego była taka rozczarowana? Co za pytanie! Po prostu chciała zobaczyć Farida. A jeśli nie było Smolipalucha, to i Farida nie ma co szukać.

– Chodź, Meggie! – Despina wymawiała jej imię, jakby jej język wciąż nie mógł się przyzwyczaić do egzotycznego imienia.

Pociągnęła Meggie do straganu z ciasteczkami ociekającymi miodem. Ciastka nawet dziś nie były za darmo i kramarz pilnie strzegł swoich skarbów. Na szczęście Fenoglio miał w kieszeni parę miedziaków. Rączka Despiny lepiła się, gdy dziewczynka znów wsunęła ją w dłoń Meggie. Despina rozglądała się wkoło okrągłymi ze zdumienia oczami i przystawała co chwila, ale Fenoglio popędzał ją niecierpliwie. Mijali właśnie drewnianą trybunę ozdobioną gałązkami wiecznie zielonych roślin, która wznosiła się z tyłu za kramami. Łopotały tu takie same czarne chorągwie jak na blankach, jedna z prawej i jedna z lewej strony trzech stojących na podwyższeniu foteli, których oparcia ozdobione były herbem z płaczącym lwem.

– Ciekawe, na co im aż trzy fotele – szepnął Fenoglio do Meggie, przynaglając dziewczynki do pośpiechu. – Tłusty Książę na pewno się nie pokaże. Chodźcie, jesteśmy już spóźnieni.

Odwrócił się plecami do tłumu kłębiącego się na zewnętrznym dziedzińcu i zdecydowanym krokiem ruszył w kierunku wewnętrznego pasa murów. Brama, ku której zmierzali, nie była tak wysoka jak ta pierwsza, ale i ona wydawała się niedostępna, podobnie jak strażnicy, którzy skrzyżowali piki, kiedy tylko Fenoglio podszedł bliżej.

– Tak jakby mnie nie znali! – szepnął ze złością. – Za każdym razem ten sam cyrk. – Po czym zawołał donośnie: – Zameldujcie księciu, że przyszedł poeta Fenoglio!

Dziewczynki przysunęły się do niego i patrzyły na piki takim wzrokiem, jakby szukały na nich śladów zaschłej krwi.

– Czy książę cię oczekuje? – spytał jeden ze strażników, który musiał być bardzo młody, sądząc po tym, co z jego twarzy dało się zobaczyć pod hełmem.

– I to niecierpliwie! – odparł Fenoglio zagniewany. – I jeżeli będzie musiał jeszcze dłużej czekać, wina spadnie na ciebie, Anselmo. A gdybyś kiedyś znowu potrzebował ode mnie paru pięknych słówek, tak jak miesiąc temu – w tym momencie strażnik rzucił koledze niespokojne spojrzenie, ale ten udawał głuchego, gapiąc się na linoskoczka – wówczas – dokończył Fenoglio ciszej – każę ci czekać, tak jak ty mnie teraz. Jestem starym człowiekiem i mam lepsze rzeczy do roboty, niż tkwić tutaj, aż nogi mi wrosną w ziemię.

Odrobina twarzy Anselma widoczna pod hełmem zrobiła się purpurowa jak kwaśne wino wagantów. Ale nie cofnął piki.

– Zrozum, Atramentowy Tkaczu, mamy gości – powiedział cicho.

– Gości? O czym ty mówisz?

W tej chwili brama za ich plecami otwarła się z ciężkim stęknięciem, jakby nie mogła udźwignąć własnego ciężaru. Meggie odciągnęła Despinę na bok, Fenoglio chwycił Iwa za rękę. Na zewnętrzny dziedziniec wysypali się jeźdźcy – opancerzeni rycerze na koniach. Ich płaszcze były srebrzystoszare, takie same nagolenniki, a herb, jaki nosili na piersiach, nie był herbem Tłustego Księcia: smukła żmija z podniesionym łbem, atakująca zdobycz. Meggie natychmiast rozpoznała herb Żmijogłowego.

Ludzie na dziedzińcu zamarli w bezruchu. W jednej chwili zapomnieli o kuglarzach, nawet o błękitnym linoskoczku wysoko w górze. Oczy wszystkich zwróciły się ku zbrojnym jeźdźcom. Matki kurczowo trzymały dzieci, mężczyźni kulili się niespokojnie, nawet ci bogato odziani. Resa dokładnie opisała Meggie herb Żmijogłowego, który nieraz miała okazję oglądać z bliska. Posłańcy z Mrocznego Zamku byli mile widzianymi gośćmi w twierdzy Capricorna. Chodziły pogłoski, że niejedna zagroda podpalona przez ludzi Capricorna spłonęła z rozkazu Żmijogłowego.

Meggie mocno przycisnęła do siebie Despinę, gdy pancerni przejeżdżali obok nich. Napierśniki błyszczały w słońcu; podobno nie mógł ich przebić nawet grot z kuszy, nie mówiąc o zwykłych strzałach biedaków. Na czele jechało dwóch rycerzy. Jeden z nich, rudowłosy, był w zbroi tak samo jak jadący za nim żołnierze, a na pancerzu miał płaszcz ozdobiony lisimi kitami. Drugi był w zielonej, przetykanej srebrem szacie, której nie powstydziłby się żaden książę. Ale uwagę przyciągało nie jego ubranie, lecz jego nos, który – przedziwna rzecz – był ze srebra.

– Popatrz, co za para! – szepnął Fenoglio do Meggie, kiedy dwaj jeźdźcy, jadąc ramię w ramię, wolno sunęli przez milczący tłum. – Obu ich wymyśliłem i obaj byli wcześniej ludźmi Capricorna. Mama musiała ci o nich opowiadać. Podpalacz był zastępcą Capricorna, a Piszczałka jego grajkiem. Nawiasem mówiąc, to nie ja wymyśliłem jego srebrny nos. Ani to, że obaj uszli żołnierzom Cosima podczas szturmu na twierdzę Capricorna i że teraz służą Żmijogłowemu.

Na dziedzińcu wciąż jeszcze panowała upiorna cisza. Słychać było tylko stuk kopyt, parskanie koni, brzęk pancerzy, broni i ostróg – wszystkie te dźwięki zawisły w powietrzu jak stado ptaków uwięzionych między wysokimi murami.

Żmijogłowy jechał jako jeden z ostatnich. Nietrudno go było poznać. „Wygląda jak rzeźnik – opowiadała Resa. – Rzeźnik ubrany w książęce szaty, który ma wypisane na swojej prostackiej twarzy, że zabijanie sprawia mu radość". Koń, na którym jechał, biały i równie toporny jak jego pan, ginął niemal pod okrywającą go kapą, gęsto zdobioną motywem herbu ze żmiją. Żmijogłowy odziany był w czarny płaszcz haftowany w srebrne kwiaty. Miał skórę spaloną słońcem, na głowie resztkę siwych włosów, a jego wąskie usta tworzyły zaledwie szparę przecinającą grubo ciosaną ogoloną twarz. Wszystko w jego postaci – ręce i nogi, gruby kark i szeroki nos – wydawało się ciężkie i mięsiste. Nie nosił żadnych ozdób, jak to się widziało u co bogatszych poddanych Tłustego Księcia obecnych na dziedzińcu – ani ciężkich łańcuchów na szyi, ani pierścieni wysadzanych klejnotami na grubych paluchach. Jedynie w jego nozdrzach tkwiły czerwone kamienie jak dwie krople krwi, a na środkowym palcu lewej ręki ukrytej w rękawiczce miał srebrny pierścień, którym pieczętował wyroki śmierci. Jego oczy, wąskie pod fałdzistymi powiekami jak oczy salamandry, niezmordowanie lustrowały dziedziniec. Spojrzenie to zatrzymywało się na mgnienie oka na każdej rzeczy, niby lepki język jaszczurki: na kuglarzach, na linoskoczku wysoko w górze, na bogatych kupcach stojących obok pustej ukwieconej trybuny i uniżenie schylających głowy, kiedy padał na nich jego wzrok. Zdawało się, że nic nie umknie tym oczom: ani dziecko trwożliwie chowające twarz w spódnicy mamy, ani piękna kobieta, ani patrzący hardo mężczyzna. Ale tylko przed jedną osobą Żmijogłowy ściągnął cugle.

– Proszę, proszę, sam król wagantów! Ostatni raz widziałem cię z głową w dybach na dziedzińcu mego zamku. Kiedy znów się do nas wybierzesz?

Głos Żmijogłowego niósł się wyraźnie przez dziedziniec. Był to głos niski, jakby wydobywający się z najczarniejszych głębi jego nieforemnego cielska. Meggie odruchowo przysunęła się do Fenoglia. Tymczasem Czarny Książę ukłonił się nisko, tak nisko, że była to już wyraźna drwina.

– Przykro mi – odparł głośno, żeby wszyscy go usłyszeli – ale mojemu niedźwiedziowi nie spodobała się twoja gościnność. Dyby, jak stwierdził, były nieco za ciasne dla niego.

Meggie zobaczyła, jak usta Żmijogłowego skrzywiły się w złym uśmiechu.

– Nic nie stoi na przeszkodzie, żebyśmy następnym razem przygotowali stosowny stryczek i dębową szubienicę, która udźwignie nawet takiego starego i tłustego niedźwiedzia jak twój – powiedział.

Czarny Książę odwrócił się do niedźwiedzia, udając, że się z nim naradza.

– Przykro mi – rzekł znowu, a niedźwiedź, pomrukując, objął go łapami za szyję. – Powiada, że lubi wprawdzie południe, ale twój cień zasłania mu słońce, jeśli więc przyjdzie, to tylko wówczas, gdy i Sójka zaszczyci cię swoją wizytą.

W tłumie podniosły się szepty, ale ucichły jak nożem uciął, gdy Żmijogłowy odwrócił się i powiódł swoim spojrzeniem salamandry po otaczających go ludziach.

– A poza tym – ciągnął Czarny Książę donośnym głosem – niedźwiedź chciałby wiedzieć, dlaczego Piszczałka nie biegnie za twoim koniem na srebrnym łańcuchu, jak przystoi oswojonemu grajkowi.

Piszczałka gwałtownie zwrócił konia ku mówiącemu, ale Żmijogłowy zatrzymał go ruchem ręki.

– Dam ci znać, kiedy Sójka będzie moim gościem! – rzekł, podczas gdy srebrnonosy niechętnie wrócił na swoje miejsce w szeregu. – Możesz mi wierzyć, że nastąpi to niebawem. Zamówiłem już dla niego szubienicę.

Po czym spiął konia ostrogami i pancerny orszak ruszył naprzód. Trwało całą wieczność, nim ostatni jeździec zniknął za bramą.

– Jedź, jedź! – syknął Fenoglio, gdy tymczasem dziedziniec znów wypełnił się beztroskim gwarem. – Panoszy się, jakby już wszystko tu do niego należało, wydaje mu się, że może się rozpychać łokciami w moim świecie i odgrywać rolę, jakiej mu nie wyznaczyłem...

Drzewce piki przerwało ten potok wymowy.

– W porządku, poeto! – rzekł strażnik Anselmo. – Teraz możesz wejść. No, ruszaj!

– Co to znaczy „no, ruszaj!?" – oburzył się Fenoglio. – Tak się rozmawia z nadwornym poetą? Słuchajcie – zwrócił się do dzieci Minerwy. – Lepiej będzie, jak tu zostaniecie. Tylko nie objadajcie się za bardzo ciastkami. Nie podchodźcie za blisko do połykacza ognia, bo to partacz, i nie drażnijcie się z niedźwiedziem Czarnego Księcia. Zrozumiano?

Despina i Iwo kiwnęli głowami i natychmiast pobiegli do najbliższego straganu z ciastkami. Fenoglio zaś ujął Meggie za rękę i z podniesioną głową minął straże.

– Fenoglio – odezwała się Meggie przytłumionym głosem, gdy brama zamknęła się za nimi, odgradzając ich od gwarnego tłumu. – Kto to jest Sójka?

Za bramą przywitał ich chłód, jakby zima uwiła sobie tutaj gniazdo. Obszerny dziedziniec tonął w cieniu drzew, pachniało różami i innymi kwiatami, których nazw Meggie nie znała, a w okrągłej jak księżyc w pełni kamiennej sadzawce odbijała się ta część zamku, w której mieszkał Tłusty Książę.

– On w ogóle nie istnieje! – odparł krótko Fenoglio, gestem nakazując jej pośpiech. – Wyjaśnię ci to później. A teraz chodź. Najwyższy czas wręczyć księciu moje wiersze, w przeciwnym razie pozostanie mi tylko pociecha, że byłem kiedyś nadwornym poetą.

21 Smutny książę

Nie mógł odpowiedzieć królowi: „Nie wykonam tego". Bo jakże wówczas zarobiłby na życie?

Król w koszu, włoska baśń ludowa

Okna sali, w której Tłusty Książę przyjął Fenoglia, były zasłonięte kirem. W powietrzu unosił się zapach grobowca, zasuszonych kwiatów i płonących świec. Świece palono przed posągami, z których każdy miał tę samą twarz: raz lepiej, raz gorzej utrafioną. „Piękny Cosimo!" – pomyślała Meggie. Spoglądał na nią niezliczonymi marmurowymi oczami, gdy u boku Fenoglia zbliżała się do jego ojca.

Po obu stronach tronu, na którym siedział książę, stały obite ciemnozieloną materią krzesła z wysokimi oparciami. Na krześle po lewej leżał hełm z pawimi piórami, tak wypolerowany, jakby właściciel za chwilę miał go założyć. Po prawej stronie księcia siedział chłopiec wyglądający na pięć, sześć lat, ubrany w kamizelkę z czarnego brokatu, całą naszywaną perłami, jakby łzy kapały na szatę. To musiał być mały jubilat, Jacopo – wnuk Tłustego Księcia, a zarazem wnuk Żmijogłowego.

Chłopiec najwyraźniej się nudził. Niecierpliwie majtał krótkimi nóżkami, jakby z trudem powstrzymywał się, by nie wybiec na dwór, do kuglarzy, słodkich ciasteczek i fotela przygotowanego dla niego na przystrojonej kolcoroślem i różami trybunie. Jego dziadek natomiast wyglądał tak, jakby już nigdy nie miał podnieść się z miejsca. Siedział bezwładnie niczym manekin, jak gdyby oczy syna paraliżowały jego ruchy. Resa opowiadała, że książę gruby za dwóch, zawsze trzymał coś do jedzenia w tłustych palcach i z trudem łapał oddech, bo jego słabowite nogi ledwo mogły udźwignąć cały ten ciężar, ale zawsze był w wyśmienitym humorze.

Jakże inaczej wyglądał książę, którego Meggie ujrzała teraz. W półmroku dostrzegła twarz bladą i pomarszczoną, jakby należała dawniej do kogoś większego. Zgryzota usunęła cały tłuszcz z jego ciała, a twarz była tak nieruchoma, jakby zamarzła tego dnia, kiedy książę dowiedział się o śmierci syna. I tylko w jego oczach widniało wciąż przerażenie i zdumienie tym, co zgotował mu los.

Prócz wnuka i milczącej straży w głębi pokoju przy księciu były jeszcze dwie kobiety. Jedna z nich kornie pochylała głowę, jak przystoi słudze, choć suknia, którą miała na sobie, nie przyniosłaby ujmy księżnej. Jej pani stała między Tłustym Księciem a krzesłem, na którym leżał hełm z pawimi piórami. „Wiolanta! – pomyślała Meggie. – Córka Żmijogłowego i wdowa po Pięknym Cosimie". Tak, to musiała być ona, zwana przez lud Brzydką Wiolantą. Fenoglio opowiadał o niej Meggie, podkreślając, że wprawdzie wyszła spod jego pióra, ale miała być postacią drugoplanową, nieszczęśliwym dzieckiem nieszczęśliwej matki i bardzo złego ojca. „Co za absurdalny pomysł, żeby zrobić z niej żonę Pięknego Cosima – mówił. – Ale to tylko potwierdza moją tezę: ta historia zwariowała".

Wiolanta ubrana była w czerń, tak samo jak jej syn i teść. Suknię również miała ozdobioną łezkami z pereł, ale blask drogich kamieni jakoś do niej nie pasował. Jej twarz robiła wrażenie, jakby została narysowana zbyt bladą kredką na wyblakłym papierze, a ciemny jedwab jeszcze to podkreślał. Tylko jedno w tej twarzy przyciągało wzrok: purpurowe znamię wielkości kwiatu maku szpecące lewy policzek.

Gdy Meggie z Fenogliem szła przez ciemną salę, Wiolanta pochylała się właśnie nad teściem i coś mu tłumaczyła cichym głosem. Twarz Tłustego Księcia pozostała nieruchoma, ale w końcu skinął głową i chłopczyk z ulgą zsunął się z krzesła.

Fenoglio dał Meggie znak, by się zatrzymała. Z szacunkiem pochylony odstąpił na bok, dyskretnie instruując Meggie, by poszła w jego ślady. Wiolanta skinęła Fenogliowi głową, przechodząc wyprostowana obok nich, ale na Meggie nawet nie spojrzała. Nie zwracała także uwagi na kamienne posągi zmarłego męża. Widać było, że Brzydka Wiolanta pragnie jak najszybciej opuścić mroczną komnatę, spiesząc się nie mniej od syna. Idąca za nią dwórka prawie otarła się suknią o Meggie. Wyglądała na niewiele starszą od niej. Miała lśniące rudawo włosy, jakby padł na nie odblask płomieni; nosiła je rozpuszczone, co w tym świecie przysługiwało właściwie tylko wagantkom. Meggie nigdy nie widziała piękniejszych włosów.

– Spóźniłeś się, Fenoglio! – rzekł Tłusty Książę, kiedy tylko drzwi zamknęły się za wnukiem i kobietami. Głos z trudem wydobywał się z jego piersi, jakby wciąż był tak gruby jak dawniej. – Czyżby zabrakło ci słów?

– Zabraknie mi ich dopiero wówczas, gdy serce przestanie bić w mej piersi, książę! – odparł Fenoglio z ukłonem.

Meggie nie wiedziała, czy ma pójść w jego ślady, wreszcie zdecydowała się na nieporadne dygnięcie.

Z bliska książę wyglądał jeszcze mizerniej. Jego skóra przypominała zwiędłe liście, a białka oczu – pożółkły papier.

– Kim jest ta dziewczynka? – spytał, przyglądając się Meggie znużonym wzrokiem. – Twoją służącą? Na kochankę jest chyba za młoda?

Meggie zalała fala gorąca.

– Cóż to za pomysły, Wasza Książęca Mość! – oburzył się Fenoglio, kładąc Meggie rękę na ramieniu. – To moja wnuczka, przyjechała w odwiedziny. Mój syn ma nadzieję, że znajdę jej męża, a gdzież będzie łatwiej o to niż podczas tej wspaniałej uroczystości, którą Wasza Książęca Mość dziś urządza?

Meggie spąsowiała, ale zmusiła się do uśmiechu.

– Ach, ty masz syna!

W słowach Smutnego Księcia było tyle zazdrości, jakby nie mógł się pogodzić z myślą, że ktokolwiek z jego poddanych ma żyjącego syna.

– Nie jest mądrze pozwalać dzieciom na oddalanie się od domu – rzekł, nie spuszczając z Meggie wzroku. – Jakże łatwo mogą nie wrócić!

Meggie nie wiedziała, gdzie oczy podziać.

– Niedługo wracam do domu – powiedziała. – Mój ojciec o tym wie. – „Mam nadzieję" – dodała w myślach.

– Naturalnie, wróci do domu. W stosownym czasie – rzucił niecierpliwie Fenoglio. – Ale przejdźmy do sprawy, która mnie tu sprowadza.

Wyjął zza pasa zwój pergaminu starannie zapieczętowany przez Kryształka i z szacunkiem pochylając głowę, wstąpił na schody prowadzące do książęcego tronu. Tłusty Książę zdawał się zwijać z bólu. Z zaciśniętymi wargami pochylił się, by odebrać pergamin, a na czoło wystąpiły mu krople potu, choć w sali było chłodno. Meggie przypomniała sobie słowa Minerwy: „Ten twój książę zapłacze się kiedyś na śmierć". Fenoglio zdawał się myśleć o tym samym.

– Czy źle się czujesz, książę? – spytał z troską.

– W rzeczy samej! – sapnął książę z rozdrażnieniem. – A najgorsze, że Żmijogłowy też to zauważył.

Wyprostował się z westchnieniem i zapukał w bok tronu, wołając:

– Tulio!

Zza tronu wystrzelił służący ubrany też na czarno, jak jego pan. Na pierwszy rzut oka sprawiał wrażenie karła, a jego twarz i ręce były owłosione i kosmate. Przypominał gnomy w ogrodzie Elinor, które zamieniły się w popiół, ale miał w sobie zdecydowanie więcej z człowieka.

– Jazda, sprowadź mi tu jakiegoś grajka, tylko żeby umiał czytać! – rozkazał książę. – Ma zaśpiewać mi pieśń Fenoglia.

Tulio rzucił się wykonać rozkaz z żywością młodego psiaka.

– Czy wezwałeś, książę, Pokrzywę, jak ci radziłem? – spytał Fenoglio, ale książę niecierpliwie machnął ręką.

– Pokrzywę? A po co? I tak by nie przyszła, a gdyby nawet przyszła, to tylko po to, by mnie otruć, bo ściąłem kilka dębów na trumnę dla mojego syna. Co ja poradzę na to, że ona chętniej rozmawia z drzewami niż z ludźmi? Nikt nie może mi pomóc: ani Pokrzywa, ani ci wszyscy balwierze, szlifierze drogich kamieni i łatacze kości, dość się nałykałem ich śmierdzących mikstur. Jeszcze nie wymyślono lekarstwa na zgryzotę.

Palce mu drżały, gdy łamał pieczęć Fenoglia, a gdy zaczął czytać, w ciemnej sali zapanowała taka cisza, że Meggie słyszała syk knotów trawionych przez płomienie świec.

Książę czytał szeptem, poruszając wargami. Meggie pochwyciła frazę: *Nigdy, nigdy, nigdy już!* Zerknęła na Fenoglia. Zauważywszy jej wzrok, zarumienił się, świadom swej winy. Tak, ukradł te słowa. I to poecie z innego świata.

Tłusty Książę uniósł głowę i otarł łzy z oczu.

– Piękne słowa, Fenoglio – rzekł gorzko. – Trzeba przyznać, że się na tym znasz. Ale kiedy wreszcie któryś z was, poetów, odnajdzie słowa otwierające drzwi, które zatrzaskuje za nami śmierć?

Fenoglio przyglądał się posągom, jakby widział je po raz pierwszy w życiu.

– Przykro mi, Wasza Książęca Mość, ale takie słowa po prostu nie istnieją – odparł. – Śmierć jest wielkim milczeniem. Pod drzwiami, które za nami zatrzaskuje, nawet poetom braknie słów. Za twoim łaskawym pozwoleniem chciałbym tedy odejść. Dzieci mojej gospodyni czekają na dworze, a jeśli ich w porę nie pochwycę, gotowe jeszcze uciec z kuglarzami, bo jak wszystkie dzieciaki marzą tylko o tym, by poskramiać zwierzęta lub tańczyć na linie między niebem a piekłem.

– No, odejdź, odejdź! – Książę ze znużeniem skinął upierścienioną dłonią. – Dam ci znać, gdy znów będę w nastroju do słuchania słów. Są one słodką trucizną, ale tylko dzięki nim ból choć przez parę chwil nie smakuje wyłącznie goryczą.

„*Nigdy, nigdy, nigdy już!* Elinor na pewno by wiedziała, czyje to są słowa" – myślała Meggie, idąc za Fenogliem ku wyjściu. Pod ich stopami chrzęściły wonne zioła, którymi usłana była posadzka. W chłodnym powietrzu unosiła się woń mająca przypominać księciu o świecie, który oczekiwał go na zewnątrz pałacu. A może przypominała mu tylko woń kwiatów, które ozdobiły grób Cosima?

W drzwiach natknęli się na Tulia prowadzącego grajka. Skakał wokół niego swawolnie jak kosmate tresowane zwierzątko. Grajek miał dzwoneczki przytroczone do pasa, a na plecach lutnię. Był to wysoki, chudy mężczyzna o ponuro zaciśniętych ustach i tak pstro odziany, że bladł przy tym ogon pawia.

– Ten człowiek miałby umieć czytać? – szepnął Fenoglio, wypychając Meggie za drzwi. – To kpiny! A poza tym jego śpiew brzmi jak krakanie wron. Zabierajmy się stąd, zanim dobierze się do moich biednych wierszy!

22

Dzisięć lat

Czas to koń galopujący w twoim sercu,
koń bez jeźdźca na ulicy nocą.
A rozum słyszy jego galop milknący w oddali.

Wallace Stevens, *Preludia szczęścia*

Smolipaluch stał oparty o mur za straganami, między którymi kłębił się tłum ludzi. Czuł zapach miodu i jadalnych kasztanów, a wysoko nad jego głową balansował linoskoczek. Z tej odległości błękitna postać do złudzenia przypominała Podniebnego Tancerza. Dzierżył w dłoniach długą tyczkę, na której siadały małe ptaszki wyglądające z daleka jak krople krwi. Za każdym razem, gdy linoskoczek zawracał – z taką gracją, jakby chodzenie po cienkiej linie było najzwyklejszą w świecie rzeczą – ptaki podrywały się z furkotem i krążyły nad nim, głośno świergocąc. Siedząca na ramieniu Smolipalucha kuna patrzyła na ptaki, oblizując okrągłą mordkę. Zwierzątko było jeszcze młode, mniejsze i delikatniejsze od Gwina, nie gryzło, a co najważniejsze, nie bało się ognia. Smolipaluch w zamyśleniu drapał jego łepek ozdobiony różkami. Złowił ją za domem zaraz po przybyciu do zagrody Roksany, kiedy kuna próbowała dobrać się do kur. Nazwał ją Skoczek, bo mała bestia uwielbiała podkradać się cichaczem i znienacka wskakiwać na niego, tak że z trudem zachowywał równowagę. „Zwariowałeś? – strofował sam siebie, wabiąc ją świeżym jajkiem. – To przecież kuna. Skąd możesz mieć pewność, że śmierci nie jest obojętne, jakie nosi imię?". A jednak ją zatrzymał. Może po prostu cały swój lęk zostawił w tamtym świecie – lęk, samotność, nieszczęścia...

Skoczek uczył się szybko; skakał przez płomienie, jakby nigdy nic innego nie robił. Mając jego i chłopca, nietrudno będzie zarobić parę groszy.

Kuna trąciła go nosem w policzek. Przed pustą trybuną wciąż czekającą na małego jubilata paru klownów utworzyło piramidę z ludzkich ciał. Farid namawiał Smolipalucha, by zaprezentował swój kunszt, ale on nie miał ochoty wystawiać się na widok gapiów. Dzisiaj chciał sam się przyglądać, napatrzyć się do syta na to wszystko, czego mu tak długo brakowało. Dlatego włożył ubranie, które Roksana dała mu po swoim mężu. Musieli być mniej więcej takiego samego wzrostu. Biedaczysko! Ani Orfeusz, ani Czarodziejski Język nie mogli sprowadzić go stamtąd, gdzie teraz przebywał.

– A może dzisiaj ty dla odmiany zarobiłbyś trochę pieniędzy? – rzekł do Farida.

Chłopiec mało nie pękł z dumy. Poczerwieniał, zbladł, po czym rzucił się w tłum. Uczył się szybko. Odrobina czarodziejskiego miodu i Farid już rozmawiał z płomieniami, jakby się urodził ze znajomością języka ognia. Kiedy Farid strzelał palcami, ogień wprawdzie nie wyskakiwał z ziemi tak chętnie jak u Smolipalucha, ale gdy go przyzywał cichym głosem, zaczynał w końcu z nim rozmawiać – jakby wyniośle, drwiąco, ale jednak odpowiadał.

„A właśnie, że to twój syn!" – powiedziała Roksana, gdy wczesnym rankiem Farid, klnąc na czym świat stoi, czerpał wodę ze studni, by ochłodzić poparzone palce. „A właśnie, że nie!" – zaprzeczył Smolipaluch, ale widział po jej oczach, że mu nie wierzy.

Zanim wyruszyli na zamek, przećwiczył z Faridem jeszcze kilka sztuczek. Jehan przyglądał się z daleka ich wyczynom, lecz natychmiast uciekł, gdy Smolipaluch skinął na niego, by podszedł bliżej. Farid zaczął głośno kpić z chłopca, ale Smolipaluch zatkał mu usta ręką.

– Zapomniałeś, że ogień pochłonął jego ojca? – szepnął, a Farid ze wstydem spuścił głowę.

Z jaką dumą stał teraz wśród innych kuglarzy. Smolipaluch przepchnął się między straganami, by go lepiej widzieć. Farid zdjął koszulę, jak to on sam czasem czynił: płonący materiał był bardziej niebezpieczny od poparzonej ręki, a gołe ciało nasmarowane tłuszczem skuteczniej chroniło przed ogniem. Chłopiec dobrze sobie radził, tak dobrze, że nawet handlarze gapili się na niego, Smolipaluch skorzystał więc z okazji, by uwolnić kilka wróżek, zanim zostały sprzedane jakiemuś głupcowi jako maskotki przynoszące szczęście. „Nic dziwnego, że Roksana podejrzewa, że jesteś jego ojcem! – myślał. – Po prostu rozpiera cię duma, kiedy na niego patrzysz". Tuż obok Farida paru błaznów popisywało się niewybrednymi żartami, a po prawej stronie Czarny Książę walczył ze swoim niedźwiedziem. Mimo to coraz więcej ludzi przystawało, by obejrzeć wyczyny Farida, który zupełnie zapomniał się w tej zabawie z ogniem. Smolipaluch zauważył, że Kopeć opuszcza pochodnie i z zazdrością patrzy na Farida. Ten nigdy niczego się nie nauczy. Był tak samo kiepskim połykaczem ognia jak dziesięć lat temu.

Farid ukłonił się i deszcz monet spadł do drewnianej miseczki, którą dała mu Roksana. Rad z siebie patrzył na Smolipalucha. Łaknął jego pochwały, jak pies kości, i kiedy Smolipaluch zaklaskał, Farid pokraśniał z zadowolenia. Jakiż to był jeszcze dzieciak, choć kilka miesięcy temu z dumą pokazywał mu pierwsze włosy na brodzie!

Smolipaluch przeszedł obok dwóch chłopów targujących się o parę prosiaków, kiedy znów otworzyła się brama prowadząca na wewnętrzny dziedziniec. Tym razem jednak nie dla Żmijogłowego; wtedy Smolipaluch musiał się szybko schować za najbliższym kramem, by nie dosięgło go spojrzenie Piszczałki. Chyba wreszcie na swoim święcie pojawi się jubilat w towarzystwie matki – i służącej... Jakże mocno biło jego głupie serce! „Ma twoje włosy – powiedziała mu Roksana – i moje oczy".

Książęcy trębacze dali z siebie wszystko; dumni jak koguty podnieśli w niebo fanfary. Wolni grajkowie gardzili tymi, którzy służą tylko jednemu panu. Tamci byli za to lepiej ubrani: występowali nie w pstrych łachmanach, jak ich wędrowni koledzy, lecz w barwach swego pana. Dla muzykantów Tłustego Księcia były to zieleń i złoto.

Synowa księcia przywdziała czerń. Piękny Cosimo dopiero niespełna rok temu pożegnał się z życiem, ale pewnie pojawił się już niejeden konkurent do ręki młodej wdowy, mimo że jej twarz szpeciło ciemne znamię niby oparzelina. Tłum obległ trybunę, gdy tylko Wiolanta z synem zajęli miejsca w przygotowanych dla nich fotelach. Smolipaluch musiał wdrapać się na pustą beczkę, by ponad morzem głów dostrzec służkę księżnej.

Brianna stała za fotelem chłopca. Mimo jasnych włosów była łudząco podobna do matki. W sukni, którą miała na sobie, wyglądała dorosło, ale Smolipaluch odkrył w jej rysach ślady tamtej małej dziewczynki, która wyrywała mu z rąk płonące pochodnie lub ze złością tupała nogami, gdy nie pozwolił jej zgarniać iskier, które jak deszcz spadały z nieba.

Dziesięć lat. Dziesięć lat spędzonych nie w tej historii co trzeba. Dziesięć lat, w trakcie których jedną córkę zabrała śmierć, nie pozostawiając nic prócz bladych wspomnień – tak bladych i niewyraźnych, jakby ona nigdy nie istniała – a druga rosła, śmiała się i płakała, gdy jego przy tym nie było. „Obłudniku! – mówił do siebie w duchu, nie mogąc oderwać oczu od twarzy Brianny. – Nie zamierzasz chyba twierdzić, że byłeś troskliwym ojcem, nim Czarodziejski Język zwabił cię do swojej własnej historii?".

Syn Cosima śmiał się głośno, wskazując krótkimi paluszkami to tego, to innego kuglarza i chwytając kwiaty rzucane mu przez wagantki. Ile mógł mieć lat? Pięć? Sześć?

Tyle lat miała Brianna, gdy głos Czarodziejskiego Języka wyrwał go z jego świata. Sięgała mu do łokcia i była tak lekka, że prawie nie zauważał jej ciężaru, gdy wspinała mu się na plecy. A gdy zatraciwszy poczucie czasu, wracał po wielu tygodniach z miejscowości, których nazwy nawet nie słyszała, biła go swoimi małymi piąstkami i rzucała mu pod nogi prezenty, które jej przywiózł. A potem wstawała w nocy i zbierała je: kolorowe wstążki miękkie jak futerko królicze, kwiaty z materiału do wpinania we włosy i małe piszczałki, za pomocą których można było naśladować głos skowronka lub sowy.

Nigdy mu o tym nie mówiła, bo była dumna, jeszcze dumniejsza od matki, ale on i tak wiedział, gdzie chowa prezenty: w woreczku między swoimi strojami. Ciekawe, czy go jeszcze ma?

Zachowywała prezenty od niego, ale nie były one w stanie wywołać uśmiechu na jej buzi, kiedy wracał po długiej nieobecności. Tylko ogień mógł tego dokonać. Toteż przez ułamek sekundy miał ochotę wystąpić z tłumu, stanąć obok innych kuglarzy prezentujących książęcemu wnukowi swoje umiejętności i wezwać ogień – tylko dla córki. Ale nie ruszył się z miejsca, ukryty pośród gapiów, i patrzył, jak Brianna przesuwa płaską dłonią po włosach – zupełnie jak jej matka – ukradkiem pociera nos i przestępuje z nogi na nogę, jakby wolała tańczyć razem z tłumem, niż stać nieruchomo na trybunie.

– Pożryj go, misiu! Pożryj go natychmiast! Rzeczywiście wrócił, ale ani myśli pokazać się staremu przyjacielowi!

Smolipaluch obejrzał się gwałtownie i o mało nie spadł z beczki. Czarny Książę zadzierał ku niemu głowę, za nim stał niedźwiedź. Smolipaluch miał nadzieję, że go tu spotka, pośród obcych, a nie w obozie wagantów, gdzie zbyt wielu ciekawskich dopytywałoby się, gdzie był... Znali się od niepamiętnych czasów, od kiedy mieli tyle lat co ten książęcy chłopczyk na trybunie. Obaj synowie kuglarzy, kiedy się poznali, byli już sierotami, przedwcześnie dojrzałymi. Przez te dziesięć lat brakowało mu czarnej twarzy przyjaciela niemal tak samo jak twarzy Roksany.

– Naprawdę mnie pożre, jak zlezę z beczki?

Czarny Książę roześmiał się. Jego śmiech brzmiał tak samo beztrosko jak dawniej.

– Kto wie? W końcu doskonale się orientuje, że jestem na ciebie naprawdę zły, że się dotąd nie pokazałeś. A poza tym, jak pamiętasz, przy ostatnim spotkaniu przypaliłeś mu futro.

Skoczek skulił się na ramieniu pana, gdy ten zeskakiwał z pustej beczki, i coś mu zajadle skrzeczał do ucha.

– Nie bój się, czegoś takiego jak ty niedźwiedź na pewno nie ruszy! – szepnął Smolipaluch do kuny, ściskając mocno Czarnego Księcia, jakby tą wylewnością mógł zrównoważyć stracone lata.

– Wciąż pachniesz bardziej niedźwiedziem niż człowiekiem – zauważył.

– A ty ogniem. No, gadaj! Gdzie byłeś? – Czarny Książę odsunął go na odległość ramienia i przyglądał mu się z taką uwagą, jakby Smolipaluch miał wypisane na czole, co robił podczas swojej nieobecności. – A więc podpalacze cię nie powiesili, jak gadali ludzie. Była jeszcze inna wersja: że Żmijogłowy wtrącił cię do najwilgotniejszego lochu w swoim zamczysku. A może – jak mówią niektóre pieśni – na jakiś czas zamieniłeś się w drzewo o płonących liściach w samym sercu Nieprzebytego Lasu?

Smolipaluch uśmiechnął się.

– To by mi się nawet podobało. Ale zapewniam cię, że w prawdziwą historię nawet ty byś nie uwierzył.

Przez tłum przebiegł szmer. Spoglądając ponad głowami ludzi, Smolipaluch dostrzegł Farida: zarumieniony po uszy odbierał należne brawa. Syn Brzydkiej Wiolanty klaskał tak mocno, że omal nie spadł z fotela. Ale Farid szukał wzrokiem twarzy

Smolipalucha. Ten uśmiechnął się do chłopca, czując, że Czarny Książę przygląda mu się w zadumie.

– A więc ten chłopak naprawdę należy do ciebie? – odezwał się. – Nie martw się, nie będę ci zadawał kłopotliwych pytań. Wiem, że lubisz mieć swoje tajemnice. Pod tym względem pewnie nic się nie zmieniło. Ale tę twoją historię chciałbym jednak kiedyś usłyszeć. Poza tym winien nam jesteś przedstawienie. Przyda nam się trochę rozrywki. Czasy nastały ciężkie, nawet po tej stronie lasu, chociaż dzisiaj tego nie widać...

– Tak, słyszałem. A Żmijogłowy, jak zauważyłem, darzy cię wciąż taką samą miłością! Coś ty mu takiego zrobił, że grozi ci szubienicą? Może twój niedźwiedź porwał mu jelenia?

Smolipaluch pogłaskał Skoczka po zjeżonym futerku; kuna nie spuszczała oczu z niedźwiedzia.

– Możesz mi wierzyć, że Żmijogłowy nie domyśla się nawet połowy moich grzeszków, inaczej już dawno bym dyndał na blance Mrocznego Zamku!

– Ach tak?

Wysoko w górze linoskoczek przysiadł na linie pośród chmary ptaków i majtał nogami, jakby między nim a ziemią w dole nie istniał najmniejszy związek.

– Słuchaj, książę, nie podoba mi się wyraz twoich oczu – rzekł po chwili Smolipaluch, przyglądając się kuglarzowi na linie. – Nie drażnij Żmijogłowego ponad miarę, bo każe cię ścigać, tak jak innych. A wtedy nawet po tej stronie lasu nie będziesz bezpieczny!

Wtem ktoś pociągnął go za rękaw. Smolipaluch odwrócił się gwałtownie, aż Farid odskoczył przestraszony.

– Przepraszam! – wyjąkał niepewnie, kiwając głową Czarnemu Księciu. – Meggie tu jest. Z Fenogliem!

Chłopiec był tak przejęty, jakby spotkał osobiście Tłustego Księcia.

– Gdzie? – spytał Smolipaluch, rozglądając się dokoła.

Ale Farid wpatrywał się jak zaczarowany w niedźwiedzia, który oparł pysk na ramieniu swego pana. Czarny Książę z uśmiechem odsunął na bok łeb zwierzęcia.

– Gdzie? – powtórzył niecierpliwie Smolipaluch. Fenoglio był ostatnim człowiekiem, jakiego pragnął spotkać.

– Z tyłu za trybuną! – Farid pokazał palcem.

Smolipaluch spojrzał we wskazanym kierunku. Rzeczywiście, był tam Fenoglio we własnej osobie, z dwojgiem dzieci, jak wtedy gdy Smolipaluch spotkał go po raz pierwszy. Córka Czarodziejskiego Języka stała obok. Urosła... i zrobiła się jeszcze bardziej podobna do matki. Smolipaluch zaklął z cicha. Czego oni szukali w jego historii? Mają z nią tak samo mało wspólnego jak on z ich historią. „Naprawdę? – zakpił jakiś głos w jego duszy. – Stary inaczej patrzy na te sprawy. Zapomniałeś, że twierdzi, jakoby był twórcą tego wszystkiego?".

– Nie chcę się z nim widzieć – powiedział cicho do Farida. – Zapamiętaj sobie: ten stary sprowadza na wszystkich nieszczęście.

– Czy chłopak mówi o Atramentowym Tkaczu? – Czarny Książę podszedł bliżej, kuna fuknęła gniewnie. – Co masz przeciwko niemu? Pisze dobre pieśni.

– Pisze też inne rzeczy! – „Kto wie, co napisał o tobie! – dodał w myślach. – Parę udatnie złożonych słów i jesteś martwy, mój drogi".

Farid nie odrywał oczu od Meggie.

– A Meggie? Jej też nie chcesz widzieć? – Farid był głęboko zawiedziony. – Pytała o ciebie.

– Pozdrów ją ode mnie. Ona to zrozumie. No, idź już! Widzę przecież, że wciąż jesteś w niej zakochany. Jak to powiedziałeś wtedy o jej oczach? Kawałeczki nieba?

Farid spąsowiał.

– Przestań! – rozzłościł się.

Ale Smolipaluch ujął go za ramiona i odwrócił.

– Idź! – rozkazał. – Idź i pozdrów ją ode mnie. Tylko przekaż jej, żeby się nie ważyła wypowiadać mojego imienia swoimi czarodziejskimi ustami, jasne?

Farid spojrzał jeszcze raz na niedźwiedzia, skinął głową i ruszył wolno w kierunku dziewczynki, jakby chciał pokazać, że wcale mu do niej nie spieszno. Ona również starała się nie zerkać na niego zbyt często; w zakłopotaniu szarpała rękawy sukni. Smolipaluch przyjrzał jej się uważniej. Wyglądała jak ktoś z tego świata: służąca z niezbyt bogatego domu albo córka chłopa czy rzemieślnika. W końcu jej ojciec był rzemieślnikiem. Nie licząc jego specjalnych talentów. Tylko spojrzenie miała zbyt śmiałe. Tutaj dziewczęta na ogół stały ze spuszczoną głową, a niektóre były już w jej wieku zamężne. Czy jego córka też myślała o zamęściu? Roksana nic mu na ten temat nie mówiła.

– Chłopak jest dobry. Już teraz jest lepszy od Kopcia – zauważył Czarny Książę, wyciągając rękę do kuny. Ale zaraz ją cofnął, gdy Skoczek obnażył ostre ząbki.

– To żadna sztuka.

Smolipaluch powędrował spojrzeniem ku Fenogliowi. Atramentowy Tkacz – tak go tu nazywają. Człowiek, który przeznaczył mu śmierć, promieniał radością. Ta śmierć to nóż wbity w plecy tak głęboko, że dosięgnął serca. Smolipaluch odruchowo dotknął swoich pleców między łopatkami. Tak, w końcu jednak przeczytał śmiercionośne słowa Fenoglia – pewnej nocy, kiedy znów nie mógł usnąć i na próżno próbował przypomnieć sobie twarz Roksany. „Nie możesz tam wrócić!" – wciąż brzmiał mu w głowie głos Meggie. – „To któryś z ludzi Capricorna, nie wiadomo który, ale on już na ciebie czeka. Chcą zabić Gwina, a ty usiłujesz mu pomóc i za to cię zabijają". Tamtej nocy drżącymi rękami wyjął książkę z plecaka i szukał w niej swojej śmierci. A potem w kółko czytał to, co było tam napisane czarno na białym. Wtedy właśnie postanowił, że zostawi Gwina w tamtym świecie, gdyby kiedykolwiek miał wrócić... Pogłaskał puszysty ogon Skoczka. Nie, to na pewno nie było mądre brać sobie drugą kunę.

– Co się dzieje? Masz taką minę, jakby kat podnosił już topór nad twoją głową. – Czarny Książę położył mu rękę na ramieniu, a niedźwiedź z zainteresowaniem obwąchiwał plecak Smolipalucha. – Chłopiec na pewno ci mówił, że znaleźliśmy go w lesie. Był strasznie przejęty, twierdził, że przyszedł cię ostrzec. Kiedy powiedział przed kim, moi ludzie złapali za noże.

Basta.

Smolipaluch przejechał palcami po bliznach na twarzy.

– Tak, pewnie i on już tu jest.

– Razem ze swoim panem?

– Nie, Capricorn nie żyje. Byłem świadkiem jego śmierci.

Czarny Książę włożył niedźwiedziowi rękę do pyska i drapał go w język.

– To dobra wiadomość. Zresztą nie bardzo miałby do czego wracać; z jego siedziby zostały same zgliszcza. Tylko Pokrzywa tam czasem zagląda, twierdzi, że najlepszy krwawnik rośnie w dawnej twierdzy Capricorna.

Fenoglio patrzył w ich kierunku. Meggie również spojrzała w tę stronę. Smolipaluch szybko się odwrócił.

– Mamy teraz obóz w pobliżu... no wiesz, w tych starych jaskiniach gnomów – mówił tymczasem Czarny Książę przyciszonym głosem. – Od kiedy Cosimo wykurzył podpalaczy z ich siedziby, jaskinie są dobrym schronieniem. Tylko waganci o nich wiedzą. Starzy, słabi, kaleki, kobiety, które mają dość życia ze swymi dziećmi na ulicy – wszyscy mogą tam przez jakiś czas wypocząć. Wiesz co? Tajny obóz byłby świetnym miejscem, by wysłuchać twojej opowieści! Tej, w którą podobno tak trudno uwierzyć. Jestem tam często z niedźwiedziem; robi się ponury, gdy zbyt długo przebywa pośród murów. Roksana może ci pokazać drogę, orientuje się teraz w lesie prawie tak dobrze jak ty.

– Znam te stare jaskinie gnomów – rzekł Smolipaluch.

Często ukrywał się tam przed ludźmi Capricorna. Nie był jednak pewien, czy chce opowiedzieć przyjacielowi historię ostatnich dziesięciu lat.

– Sześć pochodni! – Farid wyrósł jak spod ziemi, ocierając o spodnie powalane sadzą palce. – Żonglowałem sześcioma pochodniami i ani jednej nie upuściłem. Chyba jej się podobało!

Smolipaluch powściągnął uśmiech.

– No myślę.

W tej chwili dwaj kuglarze odciągnęli Czarnego Księcia na bok. Smolipaluch nie był pewien, czy ich zna, na wszelki wypadek odwrócił się, ukrywając twarz.

– Wiesz, że wszyscy o tobie mówią? – Oczy Farida były okrągłe z emocji. Wszyscy opowiadają, że wróciłeś. Wydaje mi się, że niektórzy już cię zauważyli.

– Tak myślisz?

Smolipaluch obejrzał się niespokojnie. Jego córka wciąż stała za fotelem książęcego wnuka. Nie powiedział o niej Faridowi. Wystarczy, że chłopak był zazdrosny o Roksanę.

– Mówią, że nigdy nie było takiego połykacza ognia jak ty! Ten drugi, co to go nazywają Kopciem – Farid wsunął Skoczkowi do mordki kawałeczek chleba – pytał mnie o ciebie, ale nie wiedziałem, czy chcesz się z nim zobaczyć. Mówi, że cię zna. To prawda?

– Tak, ale wolałbym się z nim nie spotkać.

Smolipaluch odwrócił się. Linoskoczek opuścił tymczasem swoją linę i teraz rozmawiał z nim Podniebny Tancerz, pokazując w ich kierunku. Najwyższy czas się ulotnić. Chętnie ich wszystkich znowu zobaczy, ale nie dzisiaj, nie tutaj...

– Mam dość – rzekł do Farida. – Ty możesz zostać i zarobić jeszcze trochę pieniędzy. Szukaj mnie u Roksany.

Tymczasem na trybunie Brzydka Wiolanta podała synkowi złotem haftowany mieszek. Mały wsunął do mieszka swoją pulchną rączkę i cisnął kuglarzom pod nogi garść monet. Chciwie pochylali się i wybierali pieniądze z kurzu. A Smolipaluch rzucił Czarnemu Księciu pożegnalne spojrzenie i odszedł.

Co powie Roksana, jak się dowie, że nie zamienił z córką ani słowa?

Wyśmieje go. Dobrze wiedziała, jakim czasem potrafi być tchórzem.

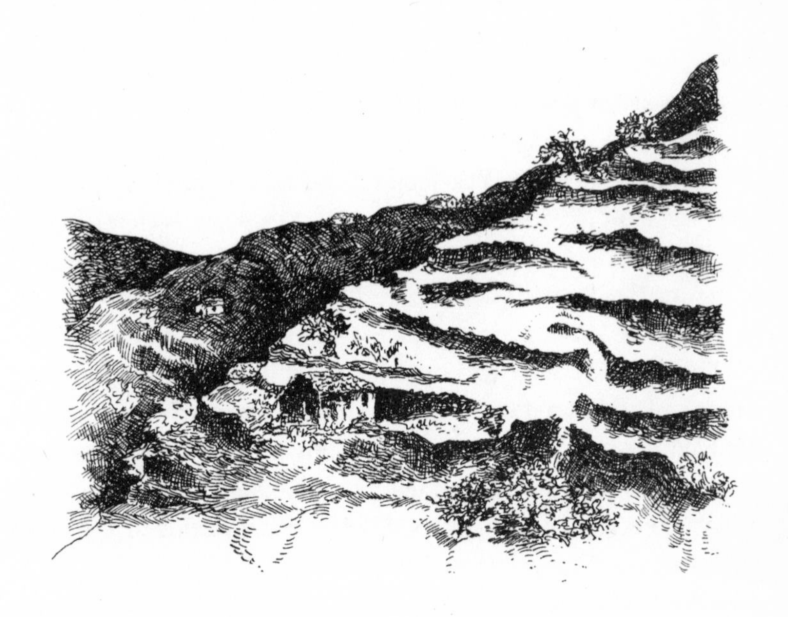

23

Chłód i biel

Jestem jak złotnik pracujący dzień i noc,
Tylko tak mogę przemienić ból
W złoty ornament, delikatny jak skrzydełko cykady.

Xi Murong, *Wartość poezji*

Znowu się zjawiły. Mo czuł, jak się zbliżają, widział je nawet wtedy, gdy zamknął oczy: białe damy, o twarzach przeraźliwie bladych, spojrzeniu bezbarwnym i zimnym. To było wszystko, do czego sprowadzał się teraz jego świat: białe cienie w ciemnościach i ból w piersiach, czerwony ból. Każdy oddech przynosił go na nowo. Oddychanie – jakże było kiedyś łatwe! A teraz przychodziło mu z takim trudem, jakby został pogrzebany za życia, jakby przywalono mu piersi ziemią, a do tego ten palący i pulsujący ból. Nie mógł się poruszyć. Jego ciało było bezużyteczne – płonące więzienie. Chciał unieść powieki, ale tak mu ciążyły, jakby były z kamienia. Wszystko stracone. Pozostały jedynie słowa: ból, strach, śmierć. Białe słowa. Bezbarwne, bez życia. Tylko ból był czerwony.

„Czy to jest właśnie śmierć? – myślał. – Ta nicość wypełniona bladymi cieniami?". Czasami wydawało mu się, że białe damy zatapiają palce w jego piersi, jakby chciały wydrzeć mu serce. Czuł ich oddech na rozpalonej twarzy. Szeptały też jakieś imię, imię, którego nie znał: „Sójka".

Ich głosy zdawały się brzmieć jak zimna tęsknota, sama tylko tęsknota. „To jest bardzo łatwe – szeptały – nawet nie musisz otwierać oczu. I nie będzie już bólu, nie będzie ciemności. Wstań – szeptały – już czas..." – i wsuwały białe palce między jego palce, czuł ich cudowny chłód na rozpalonej skórze.

Ale był też drugi głos, głos, który nie pozwalał mu odejść. Przebijał się przez szept białych dam, niewyraźny, ledwo słyszalny, jakby dochodził z wielkiej oddali. Ten głos brzmiał obco, był dysharmonią w chórze szeptów. „Ucisz się! – chciał powiedzieć temu głosowi językiem z kamienia. – Ucisz się i pozwól mi odejść!". Bo tylko ów głos trzymał go w tym płonącym domu, jakim stało się jego ciało. Jednak głos mówił dalej.

Mo znał ten głos, tylko skąd? Nie mógł sobie przypomnieć. Ostatni raz słyszał go dawno temu, zbyt dawno...

24
W piwnicy Elinor

Sterczące regały uginają się
Pod ciężarem tysiąca śpiących dusz.
Po cichu, z nadzieją –
Za każdym razem, gdy otwieram książkę,
budzi się dusza.

Xi Chuan, *Książki*

„Powinnam była wygodniej urządzić piwnicę!" – myślała Elinor, przyglądając się Dariuszowi pompującemu materac dmuchany, który znalazł za jednym z regałów. Ale jak mogła przewidzieć, że pewnego okropnego dnia będzie musiała spać we własnej piwnicy, gdy tymczasem w jej cudownej bibliotece rozpanoszy się pucołowaty okularnik wraz ze swym śliniącym się psem? Ta bestia o mało nie pożarła błękitnej wróżki, która wyskoczyła ze słów Orfeusza. Błękitna wróżka i skowronek w panicznym lęku rozbijające się o zamknięte okno: tylko tyle się pojawiło – w zamian za czwórkę ludzi!

– No proszę! – triumfował Orfeusz. – Dwoje za czworo! Coraz mniej ich wychodzi. Za którymś razem na pewno uda mi się taka sztuka, że nic już nie wyskoczy na wymianę.

Nadęty łobuz! Jakby kogokolwiek interesowało, kto się pojawił w zamian. Ważne było to, że Resa i Mortimer zniknęli! Razem z Mortolą i Bastą...

„Pomyśl szybko o czymś innym, Elinor!".

Gdyby chociaż mogła mieć nadzieję, że wkrótce ktoś sensowny zapuka do jej domu. Ale taka wizyta była raczej mało prawdopodobna. Nigdy nie należała do osób towarzyskich, a cóż dopiero po tym, jak Dariusz zajął się jej biblioteką, a pod jej dachem zamieszkał Mo z Resą i Meggie. Po co jej było jeszcze inne towarzystwo?

Poczuła podejrzane swędzenie nosa. „To są złe myśli, Elinor! – ostrzegała samą siebie. Tak jakby w ciągu ostatnich kilku godzin mogła myśleć o czymś innym! – Mają się dobrze – mówiła sobie. – Poczułabyś, gdyby coś się im przydarzyło". Tak właśnie działo się we wszystkich historiach, jakie czytała. Kiedy komuś, kogo kochamy, przytrafia się coś złego, czujemy to jak ukłucie w sercu.

Dariusz uśmiechnął się do niej nieśmiało, niezmordowanie naciskając stopą pompkę. Materac wyglądał już jak gąsienica – wielka, rozgnieciona gąsienica. Jak ona będzie na tym spała? Na pewno się stoczy i wyląduje na zimnym cemencie.

– Dariuszu! – zawołała. – Musimy coś zrobić! Nie możemy przecież tu siedzieć zamknięci, podczas gdy Mortola...

O Boże! Jak ta stara czarownica patrzyła na Mortimera! „Nie myśl o tym, Elinor. Po prostu nie myśl o tym. Ani o Baście i jego strzelbie. Ani o Meggie, samotnie błądzącej po Nieprzebytym Lesie. Tak, na pewno jest sama, chłopca pewnie już dawno rozdeptał jakiś olbrzym...". Dobrze, że Dariusz nie wiedział, jakie głupie myśli przychodzą jej do głowy i że nos ją swędzi, bo chce jej się płakać...

– Dariuszu! – szepnęła, przypomniawszy sobie o człowieku-szafie, który pewnie pełnił wartę pod drzwiami. – Jedyna nadzieja w tobie! Musisz ich sprowadzić z powrotem!

Dariusz tak energicznie potrząsnął głową, że aż mu się zsunęły okulary.

– Nie!

Głos mu drżał niczym liść na wietrze, a stopa znów zaczęła naciskać pompkę, jakby nie było nic ważniejszego od tego głupiego materaca. Po chwili przerwał pompowanie i ukrył twarz w dłoniach.

– Wiesz, co się stanie! – zawołał zdławionym głosem. – Wiesz, co się z nimi stanie, jeśli będę się bał.

Elinor westchnęła z rezygnacją.

Tak, wiedziała: wgniecione twarze, sztywne nogi, niemota... A Dariusz się bał, to oczywiste. Pewnie jeszcze bardziej od niej, bo dłużej znał Mortolę i Bastę...

– Dobrze już, dobrze, masz rację – mruknęła, poprawiając machinalnie konserwy na półce.

Sos pomidorowy, ravioli (nie najlepszy gatunek), czerwona fasola... Mortimer lubił czerwoną fasolę. Znów poczuła kręcenie w nosie...

– W porządku! – powiedziała, odwracając się zdecydowanym ruchem. – W takim razie musi to zrobić ten cały Orfeusz!

Jaka była opanowana, jak rozsądnie zabrzmiały jej słowa! O tak, była doskonałą aktorką. Już raz się o tym przekonała, wtedy w kościele Capricorna, kiedy też wszystko wydawało się stracone... A wówczas sprawy miały się jeszcze gorzej...

Dariusz spojrzał na nią, nic nie rozumiejąc.

– Na Boga, nie patrz tak na mnie! – syknęła. – Ja też nie wiem, jak go do tego zmusić. Jeszcze nie.

I zaczęła spacerować tam i z powrotem pomiędzy regałami pełnymi puszek i słoików.

– On jest próżny, Dariuszu! – szepnęła. – Bardzo próżny. Zauważyłeś, jak się zaczerwienił, kiedy zrozumiał, że Meggie zrobiła to, co jemu nie udawało się przez tyle lat? Na pewno miałby ochotę ją zapytać... – Uderzona nagłą myślą, zatrzymała się raptownie przed Dariuszem i dokończyła: – ...jak ona to zrobiła.

Dariusz przestał pompować materac.

– Słusznie! A żeby mógł to zrobić, Meggie musiałaby tu wrócić...

Spojrzeli sobie w oczy.

– To jest pomysł, Dariuszu! – szepnęła Elinor. – Nakłonimy Orfeusza, by sprowadził Meggie, a ona ściągnie Mortimera i Resę za pomocą tych samych słów, których użyje Orfeusz w jej przypadku! Tak to zrobimy! Właśnie tak!

I znów zaczęła krążyć po pomieszczeniu, jak ta pantera w jej ulubionym wierszu... tyle tylko, że w jej wzroku była teraz nadzieja. Musi się do tego sprytnie zabrać. Orfeusz był mądry. „Ty też jesteś mądra, Elinor – rzekła sobie w duchu. – Co ci szkodzi spróbować?”.

Znowu jej się przypomniało, jak Mortola patrzyła na Mortimera. Nie mogła uciec od tych myśli. A jeśli jest już za późno, jeśli ona... Bzdura!

Elinor wysunęła podbródek, wyprostowała ramiona i pewnym krokiem podeszła do drzwi piwnicy. Płaską dłonią uderzyła w biało lakierowany metal.

– Hej tam za drzwiami! – krzyknęła. – Otwórz! Muszę natychmiast porozmawiać z Orfeuszem!

Ale nikt nie odpowiedział. Elinor opuściła rękę. Przez sekundę pomyślała, że tamci dwaj się wynieśli, zostawiając ich w zamknięciu... „A tu nie ma nawet otwieracza do konserw!” – przemknęło jej przez myśl. Co za śmieszna śmierć. Umrzeć z głodu między stosami konserw. Podniosła obie ręce, ale zanim zdążyła zabębnić w drzwi, usłyszała oddalające się kroki na schodach prowadzących z piwnicy do holu.

– Hej! – zawołała tak głośno, że stojący za nią Dariusz aż podskoczył. – Hej, zaczekaj, człowieku! Otwieraj! Muszę pogadać z Orfeuszem!

Za drzwiami panowała cisza. Elinor osunęła się na kolana. Czuła, jak Dariusz podchodzi do niej i kładzie jej rękę na ramieniu.

– On wróci – powiedział cicho. – Przynajmniej wiemy, że jeszcze tu są, prawda?

I znów zabrał się do pompowania materaca.

A Elinor siedziała na cementowej posadzce, oparta plecami o zimny metal drzwi, i wsłuchiwała się w ciszę. Nie dochodziło tu nawet ćwierkanie ptaków, cykanie świerszczy... „Meggie ich sprowadzi – powtarzała w myślach. – Meggie ich sprowadzi!". A jeśli jej rodzice już dawno... „To są złe myśli, Elinor. Złe myśli...".

Zamknęła oczy; słyszała tylko Dariusza pompującego materac.

„Poczułabym to! – myślała. – Na pewno bym poczuła, gdyby coś im się stało. Tak jest we wszystkich historiach, a przecież wszystkie historie nie mogą kłamać".

25

Leśny obóz

W tykaniu słyszę każdego wieczora:
Jestem tak chora, chora, chora,
Niechaj Śmierć przyjdzie skora, skora.

Frances Cornford, *Zegar*

Resa nie wiedziała, jak długo już tak siedzi, nic, tylko siedzi w półmroku jaskini, która służyła wagantom za miejsce noclegowe, i trzyma Mo za rękę. Jedna z wagantek przyniosła jej coś do zjedzenia, a co jakiś czas do środka wpadało dziecko, opierało się o ścianę jaskini i słuchało tego, co Resa szeptem opowiadała Mo: o Meggie i Elinor, o Dariuszu, o bibliotece i książkach, o pracowni, w której Mo je leczył, o chorobach i ranach książek, nie mniej groźnych niż jego własna rana... Jak dziwne musiały się wydawać wagantom te opowieści ze świata, którego nigdy nie widzieli. Jak dziwne musiało być zwłaszcza to, że rozmawia z kimś, kto leży nieruchomo, z zamkniętymi oczami, jakby nigdy nie miał ich już otworzyć.

Gdy na schodach pojawiła się właśnie piąta biała dama, do twierdzy Capricorna wróciła tamta stara kobieta w towarzystwie trzech mężczyzn. Droga do obozu nie była daleka. Między drzewami Resa zauważyła straże. Pilnowały kalek i starców, kobiet z małymi dziećmi, ale także tych, którzy po prostu chcieli tu odpocząć od niespokojnego życia wędrowców.

Kiedy Resa spytała, skąd mają jedzenie i odzież dla tych wszystkich ludzi, jeden z mężczyzn, którzy przetransportowali Mo, odparł: „Od księcia". A gdy chciała się dowiedzieć, jakiego księcia kuglarz ma na myśli, ten zamiast odpowiedzi wcisnął jej do ręki czarny kamyk.

Starą, która wtedy tak niespodziewanie stanęła w bramie twierdzy Capricorna, przezywali Pokrzywą. Wzbudzała szacunek, ale z domieszką lęku. Resa musiała jej pomagać przy wypalaniu rany; na wspomnienie tej operacji wciąż robiło jej się niedobrze. Potem pomogła starej na nowo zabandażować ranę, starając się zapamiętać wszystkie jej wskazówki.

– Jeśli po trzech dniach będzie jeszcze oddychał, to może przeżyje – oznajmiła stara i odeszła, zostawiając Resę samą w jaskini, która chroniła przed dzikimi zwierzętami, słońcem i deszczem, ale nie przed strachem i czarnymi myślami.

Trzy dni. Na dworze zapadł zmrok, a potem rozwidniło się, znów zapadł zmrok, i za każdym razem, gdy Pokrzywa wracała i pochylała się nad Mo, Resa z rozpaczą szukała w jej twarzy odrobiny nadziei, ale twarz starej pozostawała nieprzenikniona. Minęły trzy dni, a Mo wciąż oddychał, ale ani razu nie otworzył oczu.

W jaskini pachniało grzybami – ulubionym pożywieniem gnomów; dawniej musiała tu mieszkać cała ich gromada. Woń grzybów łączyła się z wonią suchych liści, którymi waganci wyścielili zimne podłoże. Liście zmieszane były z silnie pachnącymi ziołami: macierzanką, wiązówką, majownikiem... Resa chłodziła czoło Mo, które teraz nie było już trupio zimne, lecz gorące, strasznie gorące... Roztarła w palcach suche zioła. Woń macierzanki przypomniała jej opowieść o wróżkach, którą Mo czytał jej dawno, dawno temu, gdy jeszcze nie wiedział, że jego głos może wywabić z książki kogoś takiego jak Capricorn. „Nie przynoś do domu macierzanki, bo to sprowadza nieszczęście". Resa wyrzuciła ogołocone szypułki i otarła palce o suknię, chcąc pozbyć się zapachu.

Jedna z kobiet znów przyniosła jej coś do jedzenia i posiedziała przy niej chwilę w milczeniu, jakby swoją obecnością chciała jej dodać otuchy. Niedługo potem zjawiło się trzech mężczyzn, ale nie weszli do środka, tylko z daleka przyglądali się Mo, szepcząc między sobą.

– Czy na pewno jesteśmy tu mile widziani? – spytała Resa Pokrzywę podczas jednej z milczących wizyt zielarki. – Mam wrażenie, że rozmawiają o nas.

– Niech sobie rozmawiają! – ucięła Pokrzywa. – Powiedziałam im, że napadli was rozbójnicy, ale to im oczywiście nie wystarcza. Piękna kobieta, mężczyzna z dziwną raną w piersi... Skąd się tu wzięli? Co się wydarzyło? Są ciekawi. Ale jeśli będziesz mądra, to postarasz się, żeby zbyt wielu nie widziało tej blizny na jego ramieniu.

– Dlaczego? – zdumiała się Resa.

Stara przewierciła ją wzrokiem, jakby chciała jej zajrzeć w głąb duszy.

– Jeśli tego nie wiesz, to może i lepiej – rzekła wreszcie. – A oni niech sobie gadają. Co innego mają tu do roboty? Niektórzy przychodzą tutaj dokończyć żywota, inni po to, by wreszcie zacząć żyć, a jeszcze inni żyją tylko zasłyszanymi opowieściami. Bo to jest tak: linoskoczkowie, połykacze ognia, chłopi czy książęta – wszyscy są równi, są takimi samymi ludźmi z krwi i kości i mają serce, które kiedyś przestaje bić.

Połykacze ognia... Serce podskoczyło jej w piersi, gdy Pokrzywa wypowiedziała te słowa. Dlaczego wcześniej o tym nie pomyślała?

– Przepraszam! – zawołała, gdy stara kobieta ruszyła do wyjścia. – Na pewno znasz wielu kuglarzy. Czy jest wśród nich ktoś, kto nosi imię Smolipaluch?

Pokrzywa odwróciła się tak wolno, jakby zastanawiała się, czy w ogóle odpowiedzieć.

– Smolipaluch? – mruknęła w końcu. – Nie znajdziesz kuglarza, który by o nim nie słyszał, ale od wielu lat nikt go nie widział. Chociaż ludzie gadają, że wrócił...

„Tak, wrócił – myślała Resa – i pomoże mi, tak jak ja mu pomogłam w innym świecie".

– Muszę mu przesłać wiadomość! – W jej głosie brzmiała rozpacz. – Bardzo cię proszę!

Pokrzywa patrzyła na nią, ale ani jeden muskuł nie drgnął w jej brunatnej twarzy.

– Jest tutaj Podniebny Tancerz – rzekła wreszcie. – Noga znowu mu dokucza, ale jak tylko wydobrzeje, wyruszy w dalszą drogę. Spytaj go, czyby się nie wywiedział o niego i nie przekazał mu od ciebie wiadomości.

Wyszła.

Podniebny Tancerz.

Na dworze znowu zapadły ciemności i jaskinia poczęła wypełniać się ludźmi. Układali się do snu na posłaniach z liści – mężczyźni, dzieci, kobiety – z dala od niej, jakby bali się zarazić bezruchem Mo. Jedna z kobiet przyniosła jej pochodnię; drgające cienie tańczyły na skalnych ścianach, stroiły miny, obmacywały czarnymi palcami bladą twarz Mo. Białych dam to nie przepłoszyło; ludzie uważali, że ciągnie je do ognia, chociaż się go boją. Co chwila pojawiały się w jaskini, niby blade odbicia w lustrze; ich twarze zdawały się utkane z mgły. Zbliżały się, po czym na powrót znikały. Pewnie odstraszał je ostry, gorzki zapach ziół, które Pokrzywa rozłożyła wokół posłania Mo.

– To je będzie trzymało z daleka – wyjaśniła stara kobieta. – Ale i tak musisz na nie uważać.

Jedno z dzieci zapłakało przez sen i matka łagodnie pogłaskała je po głowie. Resa pomyślała o Meggie. Była sama czy razem z tym chłopcem? Czy była szczęśliwa, czy smutna, chora czy zdrowa? Tyle razy stawiała sobie te pytania, jakby miała nadzieję, że kiedyś skądś nadejdzie odpowiedź...

Kiedy jedna z kobiet przyniosła jej świeżą wodę, Resa uśmiechnęła się z wdzięcznością, a potem spytała o Podniebnego Tancerza.

– On woli spać na dworze – odparła tamta, wskazując głową w kierunku wyjścia z pieczary.

Od pewnego czasu białe damy się nie pokazywały, ale Resa na wszelki wypadek obudziła jedną z tych kobiet, które zaofiarowały się zastąpić ją w nocy przy Mo. Po czym, przestępując ostrożnie przez ciała śpiących ludzi, wyszła na zewnątrz.

Przez gęste korony drzew księżyc świecił jaśniej niż jakakolwiek pochodnia. Przy ognisku siedziało kilku mężczyzn. Resa z wahaniem podeszła do nich. Miała na sobie sukienkę, która zupełnie nie pasowała do tego miejsca i była o wiele za krótka, nawet jak dla wagantki, nie mówiąc o tym, że była podarta...

Mężczyźni patrzyli na nią nieufnie, a jednocześnie z zaciekawieniem.

– Czy któryś z was nazywa się Podniebny Tancerz?

Jeden z mężczyzn – niewysoki, chudy, bezzębny i zapewne o wiele młodszy, niż na to wyglądał – trącił w bok siedzącego obok kuglarza.

– Dlaczego pytasz? – odezwał się tamten uprzejmie, lecz przyglądał jej się badawczo.

– Pokrzywa mówi, że mógłbyś przekazać komuś wiadomość ode mnie.

– Wiadomość? Komu? – spytał, prostując lewą nogę i rozcierając kolano, jakby go bolało.

– Jest połykaczem ognia. Nazywa się Smolipaluch. Ma na twarzy...

Podniebny Tancerz przesunął palcami po policzku.

– ...trzy blizny, wiem. Dlaczego go szukasz?

– Chciałabym, żebyś mu to zaniósł!

Resa uklękła przy ognisku i sięgnęła do kieszeni. Zawsze miała przy sobie kawałek papieru i ołówek – przez wiele lat zastępowały jej mowę. Teraz odzyskała wprawdzie głos, ale do przesłania wiadomości Smolipaluchowi lepiej nadawał się język pisany. Drżącymi palcami zaczęła stawiać litery, nie zważając na spojrzenia mężczyzn, śledzących jej rękę, jakby robiła coś zakazanego.

– Potrafi pisać – stwierdził bezzębny.

W jego głosie brzmiała dezaprobata. Wiele lat upłynęło od czasu, gdy przebrana za mężczyznę, z włosami krótko obciętymi, zarabiała jako pisarz. W tym świecie kobietom nie wolno było wykonywać tego zawodu. Groziło za to niewolnictwo i w końcu została niewolnicą. Niewolnicą Mortoli; bo to ona odkryła jej przebranie i w nagrodę miała prawo ją zatrzymać; zabrała ją do twierdzy Capricorna.

– Smolipaluch nie będzie umiał tego przeczytać – stwierdził spokojnie Podniebny Tancerz.

– Na pewno będzie umiał. Sama nauczyłam go tej sztuki.

Patrzyli na nią z niedowierzaniem. Litery. Czarodziejskie rzeczy stworzone dla bogaczy, nie dla kuglarzy, a już na pewno nie dla kobiet...

Ale Podniebny Tancerz się uśmiechnął.

– Popatrz, popatrz, Smolipaluch potrafi czytać – rzekł cicho. – No dobrze, ale ja nie potrafię. Lepiej więc powiedz mi, co napisałaś, żebym mógł zanieść słowa, gdyby kartka zginęła. Słowom pisanym łatwo się to może przytrafić, inaczej niż tym, które przechowujemy w głowie.

Resa spojrzała Podniebnemu Tancerzowi prosto w oczy. „Za bardzo ufasz ludziom" – powtarzał jej zawsze Smolipaluch, ale czy miała wybór? Cichym głosem wyrecytowała to, co napisała na kartce.

„Drogi Smolipaluchu, jestem z Mo w obozie wagantów w Nieprzebytym Lesie. Sprowadziła nas tu Mortola z Bastą i Mortola – tu głos jej zadrżał – Mortola strzeliła do Mo. Meggie też tu jest, tylko nie wiem gdzie, ale proszę cię, znajdź ją i przyprowadź do mnie! Opiekuj się nią, tak jak opiekowałeś się mną. Ale strzeż się Basty! Resa".

– Mortola? Chyba tak się nazywała ta stara, która mieszkała razem z podpalaczami?

Mężczyzna, który zadał to pytanie, nie miał prawej ręki. Złodziej. Za kradzież chleba obcinano lewą rękę, a za kradzież kawałka mięsa – prawą.

– Owszem. Powiadają, że otruła więcej ludzi, niż Żmijogłowy ma włosów na głowie. – Podniebny Tancerz wsunął płonącą głownię w żar ogniska. – A Basta to ten, co wtedy pokroił Smolipaluchowi twarz. Smolipaluch nie ucieszy się, gdy usłyszy ich imiona.

– Przecież Basta umarł! – wtrącił bezzębny wagant. – O starej mówili to samo.

– Opowiadają o tym dzieciom, żeby szybciej zasnęły – odezwał się kuglarz siedzący tyłem do Resy. – Tacy ludzie jak Mortola nie umierają, lecz robią wszystko, aby inni umierali.

„Nie pomogą mi! – pomyślała Resa. – Z powodu tych dwóch imion". Tylko jeden z mężczyzn – ubrany w czerń i czerwień, strój połykaczy ognia – patrzył na nią z niejaką życzliwością. A Podniebny Tancerz wciąż przyglądał jej się badawczo, jakby nie wiedział, co ma o niej myśleć. Wreszcie bez słowa wyjął jej z ręki kartkę i wsunął do worka przytroczonego do pasa.

– W porządku, zaniosę Smolipaluchowi twoją wiadomość – rzekł. – Wiem, gdzie go szukać.

Pomoże jej! Resa nie mogła w to uwierzyć.

– Dziękuję ci! – zawołała, wstając. Słaniała się ze zmęczenia. – Jak myślisz, kiedy może otrzymać wiadomość?

Podniebny Tancerz roztarł kolano.

– Najpierw moja noga musi wydobrzeć.

– Oczywiście!

Resa stłumiła w sobie błaganie o pośpiech. Nie wolno zbyt naciskać, bo może się zupełnie rozmyślić i kto wtedy zawiadomi Smolipalucha? Płonące bierwiono pękło z trzaskiem i sypnęło skrami pod jej stopy.

– Nie mam nic, żeby ci zapłacić – powiedziała – ale może weź to.

Zdjęła z palca ślubną obrączkę i chciała podać ją Podniebnemu Tancerzowi. Bezzębny kuglarz patrzył tak zachłannie na złoty krążek, jakby miał zamiar wyciągnąć po niego rękę. Ale Podniebny Tancerz potrząsnął głową.

– Nie, zapomnij o tym – rzekł. – Twój mąż jest chory i pozbycie się obrączki przyniosłoby wam pecha.

– Pecha? – Resa szybko włożyła obrączkę na palec. – No tak – szepnęła – masz rację. Dziękuję ci. Dziękuję stokrotnie!

Odwróciła się i chciała odejść, gdy usłyszała głos jednego z kuglarzy:

– Hej ty! – To mówił ten, który był przedtem odwrócony do niej tyłem; teraz świdrował ją wzrokiem. – Twój mąż... ma ciemne włosy, czarne jak sierść kreta. I jest wysoki, bardzo wysoki...

Resa patrzyła na niego zaskoczona.

– Tak...?

– I jeszcze ta blizna. Dokładnie w tym miejscu, jak opisują to pieśni. Sam widziałem. Wszyscy wiedzą, skąd się wzięła: pogryzły go psy Żmijogłowego, kiedy kłusował w pobliżu Mrocznego Zamku i ustrzelił białego jelenia zarezerwowanego dla księcia.

O czym on mówił? Resa przypomniała sobie słowa Pokrzywy: „Jeśli będziesz mądra, to postarasz się, żeby zbyt wielu nie widziało tej blizny na jego ramieniu".

Bezzębny się roześmiał.

– Słyszeliście, ludzie? Dwupalcy myśli, że to Sójka leży tam w jaskini. Od kiedy to wierzysz w bajki dla dzieci? Może ma także maskę z piór?

– Skąd mam wiedzieć? – burknął tamten. – To nie ja go tu przyniosłem. Ale mówię wam, że to on!

Resa pochwyciła uważne spojrzenie połykacza ognia.

– Nie wiem, o czym mówicie – powiedziała. – Nie znam żadnego Sójki.

– Naprawdę?

Dwupalcy podniósł lutnię leżącą na trawie i cicho zaśpiewał pieśń, której Resa nigdy wcześniej nie słyszała.

Gwiazda nadziei błyszczy w ciemnym lesie;
cóż, gdy książętom samą gorycz niesie.
Jak futro kreta włosy jego czarne,
drżą możni – czasy dla nich marne!
Z piór maskę zawsze nosi –
od sójki piór wyprosi.
Książętom wróży zły los,
ich szpiegów wodzi za nos,
jelenie ściga z ochotą
rabuje książęce złoto.
A gdy go przeklinają,
on znika niosąc trzos –
na próżno go szukają.

Wszyscy dziwnie na nią patrzyli. Resa cofnęła się o krok.

– Muszę wracać do męża – powiedziała. – Ta pieśń... on nie ma z nią nic wspólnego, możecie mi wierzyć.

Gdy wracała do jaskini, czuła na plecach wzrok mężczyzn. „Nie przejmuj się nimi! – mówiła sobie. – Smolipaluch dostanie twoją wiadomość. Tylko to się liczy”.

Kobieta, która zastępowała ją przy chorym, wstała bez słowa i położyła się obok innych wagantów. Słaniając się ze zmęczenia, Resa usiadła na podściółce z liści. W jej oczach znów zakręciły się łzy, otarła je rękawem i ukryła twarz w sukience, która pachniała domem Elinor... starą kanapą, na której siadywała z Meggie, opowiadając jej o tym świecie. Łkanie wstrząsnęło jej piersią, przerażona zatkała dłonią usta, bojąc się, że pobudzi śpiących.

– Resa? – doszedł do jej uszu słaby szept.

Uniosła głowę: Mo patrzył na nią. Patrzył na nią!

– Słyszałem twój głos – szepnął.

Nie wiedziała, co ma robić najpierw, śmiać się czy płakać. Więc pochylając się nad nim i okrywając jego twarz pocałunkami, śmiała się i płakała jednocześnie.

26

Plan Fenoglia

Dajcie mi kawałek papieru i coś do pisania, a ruszę z posad świat.

Fryderyk Nietzsche

Dwa dni minęły od urodzinowego święta na zamku i w tym czasie Fenoglio pokazał Meggie każdy kąt w Ombrze.

– Dzisiaj – rzekł trzeciego dnia po śniadaniu, które zjedli u Minerwy – pokażę ci rzekę. Trzeba zejść po stromym zboczu, to niełatwe dla moich starych kości, ale będziemy tam mogli spokojnie porozmawiać. A przy odrobinie szczęścia zobaczysz rusałki.

Meggie miała wielką ochotę zobaczyć rusałki. Dotychczas tylko raz jej się to udało. Było to w Nieprzebytym Lesie. Ale ledwie w wodzie pojawiło się jej odbicie, rusałka natychmiast zniknęła w wodnej toni. O czym chciał z nią mówić Fenoglio? Odpowiedź nasuwała się sama.

Schodząc nad rzekę, zastanawiała się, kogo też Fenoglio każe jej tym razem sprowadzić i skąd? Może z innej książki jego autorstwa? Droga wiodła w dół serpentynami po stromym zboczu podzielonym na wąskie poletka. W porannym słońcu widać było chłopów pochylonych nad uprawami. Jakże mozolna musiała to być praca, by wydrzeć kamienistej ziemi plon dostateczny na przeżycie zimy. A do tego należało wszak doliczyć potajemnych współbiesiadników: myszy, wołki zbożowe, czerwie. Życie w świecie Fenoglia było o wiele trudniejsze, a mimo to Meggie czuła, jak ta historia z każdym dniem coraz mocniej oplata jej serce swoją magią, jak nici pajęcze, lepkie i urzekająco piękne...

Tymczasem cały ten świat, który ją otaczał, był tak doskonale realny, że zupełnie zapomniała o domu.

– Chodź! – wyrwał ją z zadumy głos Fenoglia.

Przed nimi rozciągała się połyskująca w słońcu rzeka, toczone przez nurt masy zwiędłych liści prąd spychał ku brzegom. Fenoglio pociągnął Meggie za rękę; przy samym brzegu na płyciźnie sterczały ogromne głazy. Meggie z nadzieją pochyliła się nad leniwie płynącą wodą, ale nie dostrzegła ani jednej rusałki.

– No tak, są bardzo płochliwe. Za dużo ludzi! – Fenoglio z niechęcią wskazał kobiety piorące zaledwie kilka kroków od nich.

Oddalili się stamtąd, aż głosy kobiet ucichły i słychać było tylko szum wody. Za nimi na tle błękitnego nieba strzelały w górę wieże i dachy Ombry. Domki ciasno stłoczyły się w obrębie murów, a wysoko, na wieżach zamku, łopotały czarne chorągwie, jakby chciały wypisać na niebie smutek i żal księcia.

Meggie wdrapała się na płaski kamień wysunięty daleko w nurt. Rzeka, choć wąska, wydawała się głęboka: woda była ciemniejsza od cieni na drugim brzegu.

– Zobaczyłaś rusałkę? – Fenoglio poślizgnął się, przeskakując na kamień, na którym stała. Meggie potrząsnęła głową. – Co ci jest? – spytał podejrzliwie. Znał ją dobrze po tych wszystkich dniach i nocach, które spędzili razem w domu Capricorna. – Znowu tęsknisz za domem?

– Nie, nie. – Meggie uklękła i zanurzyła palce w chłodnej wodzie. – Tylko znowu miałam ten sen.

Poprzedniego dnia Fenoglio pokazał jej ulicę piekarzy, domy, w których mieszkali bogaci kupcy sukienni i korzenni, i każdego gargulca, każdy kwiat i fryz, jakimi zręczni kamieniarze ozdobili domy Ombry. Fenoglio zdawał się uważać to za swoje własne dzieło, sądząc z dumy, z jaką pokazywał Meggie wszystkie, choćby najbardziej zakazane miejsca w mieście...

– No, może nie wszystkie – przyznał, gdy Meggie chciała skręcić w uliczkę, której jeszcze nie widziała. – Ale po co masz sobie tym zaprzątać swoją ładną główkę?

Było już ciemno, gdy wrócili do pokoiku na poddaszu i Fenoglio od razu pokłócił się z Kryształkiem, bo ten ochlapał wróżki atramentem. Ale Meggie i tak zasnęła – mimo że spierali się coraz głośniej – na sienniku, który Minerwa ułożyła jej pod oknem. I we śnie ujrzała tę czerwień, ciemną, lepką, połyskującą czerwień, a serce poczęło jej walić w piersi jak młotem; obudziła się przerażona...

– Tam, patrz! – zawołał Fenoglio, chwytając ją za ramię.

Tuż pod powierzchnią wody połyskiwały ciemne łuski. W pierwszej chwili Meggie pomyślała, że to liście, ale wtem dostrzegła wpatrujące się w nią oczy, podobne do ludzkich, a zarazem całkiem inne, pozbawione białek. Rusałka miała drobne, kruche, prawie przezroczyste rączki. Jeszcze jedno spojrzenie – i pokryty łuską ogon uderzył w wodę... zniknęła, widać było tylko wolno sunącą ławicę rybek, przypominającą srebrzysty ślad ślimaka, i rój ognistych elfów nad wodą, takich samych, jakie widywali z Faridem w Nieprzebytym Lesie. Farid... Sprawił, że pod jej stopami rozkwitł ognisty kwiat, tylko dla niej. Smolipaluch nauczył go wielu cudownych rzeczy...

– Wydaje mi się, że to jest ciągle ten sam sen, ale nie mogę sobie przypomnieć treści. Pamiętam tylko lęk... jakby wydarzyło się coś strasznego! – Meggie podniosła oczy na Fenoglia. – Myślisz, że ten sen może coś oznaczać?

– Wykluczone! – Fenoglio odpędził samą myśl o tym niby uprzykrzoną muchę. – To Kryształek jest winien twoich złych snów. Na pewno wróżki usiadły ci nocą na czole, bo Kryształek je zdenerwował. To strasznie mściwe istotki, a niestety jest im najzupełniej obojętne, na kim się mszczą.

– Aha...

Znów zanurzyła palce w wodzie. Była tak zimna, że Meggie aż się wzdrygnęła. Z daleka dobiegł ją śmiech praczek, a na jej ręce usiadł ognisty elf. Z ludzkiej twarzy patrzyły na nią oczy owada. Meggie co prędzej odpędziła drobną istotkę.

– Mądrze zrobiłaś – pochwalił ją Fenoglio. – Trzeba się wystrzegać ognistych elfów. Wypalają dziury w skórze.

– Wiem, Resa mi o tym opowiadała.

Meggie odprowadziła wzrokiem odlatującego elfa. Na ramieniu, w miejscu, gdzie usiadł, skóra ją piekła i pokazała się czerwona plamka.

– To ja je wymyśliłem – powiedział z dumą Fenoglio. – Elfy wytwarzają miód, który daje zdolność rozumienia mowy ognia. Marzą o nim wszyscy połykacze ognia, ale elfy atakują każdego, kto się zbliża do ich gniazd, i tylko niewielu potrafi im podkraść miód, tak by go nie poparzyły. A właściwie tylko jedna osoba – Smolipaluch.

Meggie skinęła głową, nie słuchając.

– O czym chciałeś ze mną porozmawiać? Chcesz, żebym coś przeczytała, tak?

Z nurtem wody płynęło kilka zwiędłych ciemnoczerwonych liści... jak zakrzepła krew... Strach szarpnął ją za serce; przycisnęła rękę do piersi. Co się z nią działo?

Fenoglio rozwiązał woreczek przytroczony do pasa i wyjął płaski czerwony kamyk.

– Prawda, że piękny? – Podsunął jej kamyk na otwartej dłoni. – Dostałem go dzisiaj rano, kiedy jeszcze spałaś. To beryl, używa się go do czytania zamiast okularów.

– Wiem. I co z tego? – Meggie pogłaskała kamień czubkami palców. Mo miał ich kilka; leżały na parapecie w jego pracowni.

– I co z tego? Odrobinę cierpliwości, panienko! Otóż Wiolanta jest ślepa jak kret, a jej synalek zgubił jej stary kamień do czytania. Wystarałem się tedy o nowy (prawdę mówiąc, kosztowało mnie to majątek). Będzie mi za to tak wdzięczna, że może opowie nam coś o swoim zmarłym mężu. Wiem, że to ja wymyśliłem Cosima, ale pisałem to bardzo dawno temu i przyznam, że niewiele już pamiętam... Zresztą, kto wie, czy się nie zmienił, od kiedy ta historia postanowiła sama siebie opowiadać!

Meggie miała złe przeczucie. Nie, nie mógł tego zrobić. Nawet Fenoglio nie mógł wpaść na tak szalony pomysł. A może jednak...?

– Posłuchaj, Meggie! – Fenoglio zniżył głos, jakby praczki z tej odległości mogły ich usłyszeć. – Ty i ja sprowadzimy Cosima z powrotem!

Meggie wyprostowała się tak gwałtownie, że o mało nie wpadła do wody.

– Zwariowałeś! Do reszty zwariowałeś! Przecież Cosimo nie żyje!

– A kto to może udowodnić? – rzekł Fenoglio, a Meggie nie spodobał się jego uśmiech. – Przecież ci mówiłem, że zwłoki były zupełnie spalone i nawet ojciec nie miał pewności, czy to on! Dopiero po upływie pół roku, kiedy Cosimo nie wrócił, kazał pochować ciało w grobowcu przygotowanym dla syna.

– Ale to był Cosimo?

– Kto to może wiedzieć? Tam był straszny pogrom. Powiadają, że ludzie Capricorna przechowywali w twierdzy jakiś proszek alchemików i Podpalacz kazał go zapalić, żeby osłonić ucieczkę. Płomienie otoczyły Cosima i większość jego ludzi, mury zwaliły się na nich i nikt potem nie mógł zidentyfikować trupów.

Meggie wzdrygnęła się. Ale Fenoglio wyglądał tak, jakby mu się to wszystko bardzo podobało. Nie wierzyła własnym oczom, widząc zadowolenie na jego twarzy.

– To był na pewno on, dobrze o tym wiesz! – szepnęła. – Fenoglio, nie wolno nam sprowadzać umarłych!

– Tak, tak, zapewne masz rację – mówił pisarz głosem pełnym żalu. – Choć z drugiej strony... wszyscy umarli powrócili do życia, kiedy przywołałaś Cień...

– Nieprawda! Rozsypali się na powrót w popiół! I to już po kilku dniach. Elinor strasznie płakała, pojechała do wioski Capricorna, chociaż Mo starał się jej to wyperswadować, ale i tam nie było nikogo. Wszyscy odeszli. Na zawsze.

– Hm... – Fenoglio patrzył na swoje ręce: przypominały ręce chłopa albo rzemieślnika, a nie kogoś, kto przez całe życie posługuje się tylko piórem. – Jak nie, to nie... – mruknął niezadowolony. – Może to i lepiej. Co by się stało z historią, w której każdy w każdej chwili może powstać z martwych. Zrobiłby się kompletny chaos, a napięcie by zupełnie osłabło. Masz rację: umarli muszą pozostać umarli. I dlatego... nie sprowadzimy Cosima, tylko kogoś, kto go przypomina!

– Kogoś, kto go przypomina? Fenoglio, jesteś szalony! – szepnęła Meggie.

Ale Fenoglio nie przejął się jej słowami.

– No i co z tego? Wszyscy pisarze to wariaci! Obiecuję jak najstaranniej dobierać słowa. Nasz nowiusieńki Cosimo musi być przekonany, że jest dawnym Cosimem. Rozumiesz, Meggie? Nawet jeśli będzie tylko sobowtórem, nie musi o tym wiedzieć. Nawet nie powinien! Co ty na to?

Meggie z rezygnacją potrząsnęła głową. Nie przyszła tu, żeby zmieniać ten świat. Chciała go tylko zobaczyć.

– Meggie! – Fenoglio położył jej rękę na ramieniu. – Widziałaś Tłustego Księcia, lada dzień może umrzeć i co wtedy? Żmijogłowy wiesza nie tylko wagantów. Każe oślepiać swoich chłopów, gdy któryś upoluje w jego lesie królika. Każe pracować dzieciom w kopalniach srebra, gdzie ślepną i marnieją. A swoim heroldem uczynił Podpalacza – zbója i mordercę!

– Naprawdę? A kto go takim wymyślił? Ty! – Ze złością odepchnęła jego rękę. – Zawsze miałeś upodobanie do czarnych charakterów.

– No cóż, możliwe! – Fenoglio wzruszył ramionami, jakby to była rzecz, na którą nic nie mógł poradzić. – Ale co miałem robić? Kto chciałby czytać historię o dwóch dobrych władcach i ich szczęśliwych poddanych? Przecież to bez sensu!

Meggie pochyliła się i wyłowiła z rzeki jeden z przepływających czerwonych liści.

– Po prostu sprawia ci przyjemność wymyślanie tych wszystkich potworów! – rzekła cicho.

Na to Fenoglio nie znalazł odpowiedzi. Przez chwilę nic nie mówili. Praczki właśnie rozkładały na kamieniach pranie do suszenia. W słońcu było wciąż bardzo ciepło, chociaż liście, które rzeka niezmordowanie wyrzucała na brzeg, świadczyły już o jesieni.

Wreszcie Fenoglio przerwał milczenie.

– Proszę cię, Meggie, jeszcze tylko ten jeden raz. Jeśli mi pomożesz okiełznać tę historię, napiszę ci najpiękniejsze w świecie słowa, które przeniosą cię do domu, kiedy tylko zechcesz. A gdybyś doszła do wniosku, że bardziej ci się podoba mój świat, wówczas sprowadzę ci ojca... matkę... nawet tę miłośniczkę książek, która, sądząc z tego, co opowiadasz, musi być okropną osobą.

Meggie uśmiechnęła się mimo woli. „O tak, Elinor byłaby zachwycona – myślała – a i Resa chętnie jeszcze raz by to wszystko zobaczyła. Ale nie Mo. Na pewno nie!".

Zdecydowanym ruchem podniosła się z klęczek i wygładziła sukienkę. Spojrzała na zamek w oddali i wyobraziła sobie, jak by to było, gdyby na zamku panował Żmijogłowy ze swymi oczami salamandry. Nawet Tłusty Książę nieszczególnie przypadł jej do gustu, a co dopiero tamten!

– Uwierz mi, Meggie – przekonywał Fenoglio – że zrobiłabyś dobry uczynek. Zwrócić ojcu syna, żonie męża, dziecku ojca –

nawet jeśli to niezbyt miłe dziecko – i pokrzyżować plany Żmijogłowemu: nie sądzisz, że to szczytne zadanie? Proszę, Meggie – błagał pisarz. – Przecież to moja historia. Ja wiem najlepiej, co jest dla niej dobre. Użycz mi tylko swego głosu. Ostatni raz!

„Użycz mi swego głosu...". Meggie wciąż patrzyła na zamek, ale zamiast wież widziała Cień i Capricorna leżącego bez życia na ziemi.

– Dobrze, zastanowię się – powiedziała. – Ale teraz muszę iść, Farid na mnie czeka.

Fenoglio spojrzał na nią z takim zdziwieniem, jakby w miejsce rąk wyrosły jej skrzydła albo płetwy.

– Farid na ciebie czeka? – rzekł z nieukrywaną niechęcią. – A ja właśnie chciałem cię zabrać na zamek. Zaniesiemy Brzydkiej Wiolancie kamień i posłuchasz, co ona opowiada o Cosimie...

– Obiecałam!

Umówiła się z Faridem pod murami, żeby nie musiał przechodzić przez bramę.

– Obiecałaś? No i co z tego? Nie byłabyś pierwszą dziewczyną, która każe czekać swojemu wielbicielowi.

– On nie jest moim wielbicielem!

– Tym lepiej! Ponieważ twój ojciec jest nieobecny, ja muszę cię pilnować! – Fenoglio przyglądał jej się z ponurą miną. – Naprawdę urosłaś! Tutaj dziewczęta wychodzą za mąż w twoim wieku. Co tak na mnie patrzysz? Starsza córka Minerwy, choć ledwie czternastoletnia, już od pół roku jest zamężna. Ile ten chłopak ma lat? Piętnaście? Szesnaście?

Meggie nie odpowiedziała. Odwróciła się i ruszyła pod górę.

27

Wiolanta

Następnego dnia babcia zaczęła opowiadać mi bajki, abyśmy oboje zapomnieli o smutku.

Roald Dahl, *Czarownice*

Fenoglio zorganizował to tak, że po prostu zabrał Farida na zamek.

– To się doskonale składa – szepnął do Meggie. – Będzie zabawiał tego rozpuszczonego książęcego synalka, a my tymczasem pociągniemy Wiolantę za język.

Tego dnia dziedziniec zewnętrzny był jak wymarły. Tylko kilka zeschłych gałęzi i rozdeptanych ciastek przypominało o wczorajszym święcie. Parobcy, kowale, stajenni – wszyscy wrócili do swych obowiązków i pomiędzy murami panowała cisza. Straże, poznawszy Fenoglia, przepuściły ich w milczeniu, a na wewnętrznym dziedzińcu pod drzewami minęła ich grupka mężczyzn w szarych strojach.

– Balwierze! – mruknął Fenoglio, odprowadzając ich wzrokiem. – Jest ich tylu, że wystarczy, by wysłać na tamten świat dziesięciu ludzi. To nie wróży nic dobrego.

Służący, którego Fenoglio zaczepił pod drzwiami sali tronowej, był blady i niewyspany. Szeptem poinformował Fenoglia, że Tłusty Książę jeszcze w czasie uroczystości położył się do łóżka i od tej pory nie wstał. Przestał jeść i pić, a do kamieniarza przygotowującego jego sarkofag wysłał posłańca, by się pospieszył z robotą.

Mimo to wpuszczono ich do Wiolanty. Książę nie chciał widzieć ani synowej, ani wnuka. Odesłał nawet cyrulików. Zatrzymał przy sobie tylko Tulia, swego pazia z kosmatą twarzą.

– Ona jest znowu tam, gdzie jej nie wolno przebywać! – oznajmił sługa szeptem, jakby chory książę mógł go usłyszeć w swoich apartamentach.

We wszystkich korytarzach, przez które ich prowadził, spoglądały na nich posągi Cosima. Teraz, gdy Fenoglio zdradził Meggie swoje plany, kamienne oczy wzbudzały w jej sercu jeszcze większą bojaźń.

– Wszystkie postacie mają tę samą twarz – szepnął zdumiony Farid.

Nim jednak Meggie zdążyła mu wyjaśnić, dlaczego tak jest, sługa w milczeniu wskazał kręte schody prowadzące na górę.

– Czy Balbulus wciąż każe sobie tak słono płacić za to, że wpuszcza Wiolantę do biblioteki? – spytał cicho Fenoglio, gdy ich przewodnik zatrzymał się przed drzwiami opatrzonymi mosiężną tabliczką.

– Biedactwo, oddała mu już prawie wszystkie klejnoty! – odparł szeptem sługa. – Ale co w tym dziwnego? Balbulus mieszkał dawniej w Mrocznym Zamku, a każdy wie, że wszyscy, którzy pochodzą z tamtej strony lasu, są chciwi. Z wyjątkiem naszej pani.

– Proszę! – odpowiedział na jego pukanie mrukliwy głos.

W pomieszczeniu, do którego weszli, było tak jasno, że Meggie musiała zmrużyć oczy, gdyż zdążyły już przywyknąć do półmroku korytarzy i schodów, które pokonali. Przez wysokie okna wlewało się światło dnia, ukazując kilkanaście drogocennych rzeźbionych pulpitów. Mężczyzna stojący przy najokazalszym z nich był w nieokreślonym wieku, miał czarne włosy i brązowe oczy spoglądające niezbyt przyjaźnie na przybyłych.

– A, Atramentowy Tkacz! – powiedział, odkładając trzymaną w ręce zajęczą łapkę.

Meggie wiedziała, do czego ona służy, Mo wyjaśniał jej to wielokrotnie. Pergamin pocierany zajęczą łapą nabierał elastyczności. A tam leżały farby, których nazwy Mo musiał jej w kółko powtarzać. „Powiedz to jeszcze raz! – prosiła, nie mogąc się dość nasłuchać ich brzmienia: aurypigment, lapis-lazuli, ultramaryna i zieleń malachitowa. – Jak to możliwe, że one wciąż tak błyszczą, Mo? – pytała. – Są przecież takie stare! Z czego one są zrobione?". A Mo objaśniał jej proces powstawania tych cudownych farb, które nawet po kilkuset latach nie tracą blasku i mają żywość tęczy, gdyż kartki chronią je przed działaniem światła i powietrza. Opowiadał jej, że zieleń malachitową uzyskuje się, rozgniatając kwiaty irysa i ucierając je z żółtym tlenkiem ołowiu, że karmin pochodzi od specjalnych mszyc żyjących w Persji, a purpury użyczają ślimaki zwane szkarłatnikami...

Wiele razy oglądali miniatury w cennych rękopisach, które Mo uwalniał od brudu gromadzącego się przez lata. „Spójrz na te delikatne girlandy! – mówił. – Wyobrażasz sobie, Meggie, jak cienkie musiały być pędzelki i piórka, którymi coś takiego malowano?".

Skarżył się też, że już nikt nie potrafi wytwarzać takich narzędzi. I oto teraz oglądała to wszystko na własne oczy: piórka cieniutkie jak włos i miniaturowe pędzelki, całe wiązki pędzli w glazurowanym dzbanku. Takimi pędzelkami można było wyczarować na pergaminie lub papierze – zwilżonym gumą arabską, by barwniki lepiej przywierały – kwiaty i twarze wielkości łebka od szpilki. Korciło ją, żeby wyciągnąć z dzbanka jeden z tych pędzelków i zabrać ze sobą – dla Mo... „Choćby tylko dlatego powinien tu przybyć! – myślała. – Żeby znaleźć się w tej sali".

Oto była pracownia iluminatora, ilustratora książek... Świat Fenoglia urzekał ją coraz bardziej. „Elinor oddałaby mały palec, żeby to zobaczyć" – pomyślała Meggie. Chciała podejść do jednego z pulpitów, by z bliska obejrzeć te cudeńka, ale Fenoglio ją powstrzymał.

– Witaj, Balbulusie! – zawołał, kłaniając się niedbale. – Jak mistrz się dzisiaj miewa? – W jego głosie zabrzmiała wyraźna kpina.

– Atramentowy Tkacz szuka pani Wiolanty – wyjaśnił cicho sługa.

Balbulus wskazał drzwi za swymi plecami.

– Traficie chyba do biblioteki – rzekł. – Może powinno się ją przemianować na gabinet zapomnianych skarbów. – Iluminator lekko seplenił, jego język uderzał o zęby, jakby nie mógł się pomieścić w ustach. – Wiolanta ogląda właśnie moje najświeższe dzieło, jeśli w ogóle cokolwiek widzi. To kopia historii, które napisałeś dla jej syna. Przyznaję, że wolałbym zużyć pergamin na co innego, ale Wiolanta nalegała.

– Bardzo mi przykro, że musisz marnować swój kunszt na takie błahostki – odparł Fenoglio, nie spojrzawszy nawet na malowidło, nad którym Balbulus właśnie pracował.

Farid również nie zwrócił uwagi na ilustrację; patrzył w okno, za którym niebo błyszczało jaśniej od wszystkich tych farb rozprowadzanych miniaturowymi pędzelkami. Ale Meggie chciała się przekonać, jak biegły jest Balbulus w swojej sztuce i czy jego wysokie mniemanie o sobie jest uzasadnione. Niepostrzeżenie zrobiła krok do przodu i ujrzała miniaturę obramowaną złotą iluminacją. Obraz przedstawiał zamek pośród zielonych wzgórz, w lesie między drzewami widać było wspaniale odzianych jeźdźców, nad którymi unosiły się roje wróżek, i białego jelenia umykającego przed myśliwymi. Malowidło błyszczało jak kolorowe szkło, jak otwarte okno w pergaminie. Meggie nigdy jeszcze czegoś takiego nie widziała! Miała wielką ochotę pochylić się nad miniaturą i obejrzeć każdy szczegół: twarze, uprząż koni, kwiaty i chmury, ale Balbulus zmierzył ją lodowatym wzrokiem i Meggie cofnęła się z rumieńcem na twarzy.

– Wiersz, który wczoraj przyniosłeś – rzekł Balbulus znudzonym głosem, wracając do malowania – był naprawdę dobry. Powinieneś częściej takie rzeczy tworzyć, ale wiem, że wolisz składać bajki dla dzieci albo piosneczki dla kuglarzy. I po co to? Chcesz, żeby wiatr śpiewał twoje pieśni? Słowa mówione nie żyją dłużej, niż trwa życie owada. Tylko słowo pisane jest wieczne.

– Wieczne? – wykrzyknął Fenoglio sarkastycznie. – Nic na świecie nie jest wieczne, Balbulusie, a słowom nie może przydarzyć się nic lepszego, niż kiedy śpiewają je waganci! To prawda, że za każdym razem śpiewane są nieco inaczej, ale to właśnie jest piękne! Czy może być coś wspanialszego od historii, która za każdym razem, gdy jej słuchamy, wkłada inną suknię? Od historii, które rosną i rozkwitają, jak coś żywego? A co można powiedzieć o tych, które się wciska między okładki? Owszem, może i żyją dłużej, ale oddychają tylko wówczas, gdy człowiek otwiera książkę. Są dźwiękiem sprasowanym między kartami i dopiero głos ludzki budzi je do życia! Wtedy dopiero sypią skrami, Balbulusie! Rozwijają skrzydła jak ptaki i wyfruwają w szeroki świat! Cóż, może masz rację, papier czyni słowa nieśmiertelnymi. Ale jakie to ma znaczenie dla mnie? Czy ja też będę żył wiecznie, wciśnięty między kartki jak moje opowieści? Nonsens! Nie jesteśmy nieśmiertelni i nie zmienią tego faktu nawet najpiękniejsze słowa.

Balbulus przysłuchiwał mu się z obojętną twarzą.

– Cóż za oryginalne poglądy, Atramentowy Tkaczu! – rzekł spokojnie. – Jeśli o mnie chodzi, to cenię sobie nieśmiertelność moich prac, za to zupełnie nie cenię wędrownych grajków. Idź już lepiej do Wiolanty. Pewnie zaraz będzie musiała wyjść, by wysłuchać skarg jakiegoś kmiecia albo lamentu kupca, że na drogach pełno zbójców. Trudno teraz doprawdy dostać znośny pergamin, bo kupcy są napadani, a potem towar trafia na rynek po nieprzyzwoicie wysokich cenach. Czy masz wyobrażenie, ile kóz trzeba zaszlachtować, aby zapisać jakąś twoją historię?

– Mniej więcej jedną na dwie strony – wyrwała się Meggie, a Balbulus znów spojrzał na nią zimno.

– Mądra dziewczynka – powiedział tonem znamionującym bardziej naganę niż pochwałę. – A dlaczego? Bo ci głupi pasterze pozwalają stadom łazić po ciernistych krzakach, nie myśląc o tym, że skóra zwierząt będzie potrzebna do pisania!

– Hm, zawsze ci to powtarzam – odparł Fenoglio, popychając Meggie ku drzwiom biobliloteki. – Papier, Balbulusie. Papier ma przed sobą przyszłość.

– Papier! – prychnął pogardliwie iluminator. – Na litość boską, Atramentowy Tkaczu, jesteś jeszcze bardziej szalony, niż myślałem.

Meggie zwiedziła z Mo wiele bibliotek, nie potrafiłaby ich nawet zliczyć. Niektóre z nich były większe, ale żadna nie była piękniejsza od biblioteki Tłustego Księcia. Najwyraźniej jej właściciel przesiadywał tu niegdyś nader chętnie. Stało tutaj tylko jedno popiersie Cosima wykonane z białego kamienia; ktoś położył obok bukiet róż. Kilimy na ścianach były piękniejsze od tych w sali tronowej, kandelabry masywniejsze, barwy cieplejsze, a to, co Meggie widziała w pracowni Balbulusa, dawało wyobrażenie o tym, jakie skarby kryła biblioteka. Księgi były przymocowane łańcuchami do półek i ustawione nie tak jak u Elinor grzbietami na zewnątrz, lecz ozdobnymi brzegami, na których widniały tytuły. Przed regałami znajdowały się pulpity przeznaczone zapewne na najcenniejsze nowości. Księgi leżące na pulpitach były przytwierdzone łańcuchami, podobnie jak te na półkach, i zamknięte, aby ani jeden szkodliwy promień światła nie padł na miniatury Balbulusa. Dodatkowo okna biblioteki zostały zaciemnione ciężkimi zasłonami. Tłusty Książę musiał wiedzieć, jak łatwo promienie słoneczne niszczą księgi. Tylko dwa okna przepuszczały nieco światła dziennego. Pod jednym z nich stała Brzydka Wiolanta pochylona nad książką tak nisko, że prawie wodziła nosem po kartkach.

– Balbulus jest coraz lepszy, Brianno – odezwała się.

– Jest chciwy! Jedna perła za to, że pozwala ci, pani, wejść do biblioteki twego teścia!

Dwórka wyglądała drugim oknem, a syn Wiolanty szarpał ją za rękę, usiłując pociągnąć za sobą.

– Brianna! – dąsał się. – Chodź już. Nudzę się. Wyjdźmy na dwór. Obiecałaś!

– Za te perły Balbulus kupuje farby! Skąd miałby wziąć na to pieniądze? W tym zamku całe złoto idzie na posągi zmarłego.

Wiolanta urwała, wzdrygnąwszy się, gdy Fenoglio zatrzasnął drzwi. Z poczuciem winy schowała książkę za plecami. Dopiero gdy zobaczyła, kto wszedł do biblioteki, twarz jej się rozpogodziła.

– Fenoglio! – zawołała, odsuwając z twarzy kosmyk włosów mysiego koloru. – Ależ mnie przestraszyłeś! – Znamię na policzku wyglądało jak odcisk łapy zwierzęcia.

Fenoglio z uśmiechem sięgnął do mieszka.

– Coś ci, pani, przyniosłem.

Palce Wiolanty chciwie zacisnęły się na czerwonym kamieniu. Jej dłonie były małe i pulchne, jak dłonie dziecka. Szybko otworzyła książkę, którą chowała za plecami, i przyłożyła beryl do oczu.

– Brianna, chodź zaraz albo każę ci obciąć włosy! – Jacopo chwycił służkę za włosy i mocno pociągnął, aż krzyknęła z bólu. – Mój dziadek też tak robi. Goli głowy wagantkom i kobietom, które mieszkają w lesie. Mówi, że one nocą zamieniają się w sowy i krzyczą pod oknami, aż człowieka znajdują martwego w łóżku.

– Nie patrz tak na mnie! – szepnął Fenoglio do Meggie. – To nie ja wymyśliłem ten pomiot szatański. Hej, Jacopo! – Trącił

Farida łokciem w bok, podczas gdy Brianna na próżno próbowała uwolnić włosy z zaciśniętych małych palców. – Kogoś ci przyprowadziłem.

Jacopo puścił włosy Brianny i spojrzał z dezaprobatą na Farida.

– On nie ma miecza – stwierdził.

– A po co mu miecz? – skrzywił się Fenoglio. – On jest połykaczem ognia.

Brianna uniosła głowę i obrzuciła Farida zaciekawionym spojrzeniem. Ale Jacopo miał wciąż niezadowoloną minę.

– Och, ten kamień jest cudowny! – mruczała tymczasem jego matka. – Mój stary nawet w połowie nie był tak dobry. Mogę je wszystkie przeczytać, Brianno, każdziuteńką literkę! Czy opowiadałam ci już, jak moja matka uczyła mnie czytać, wymyślając do każdej litery osobną piosenkę? – I cicho zaśpiewała: – „Borsukowi jeść się chce, więc odgryza brzuszek B...". Już wtedy kiepsko widziałam, ale mama rysowała wielkie litery na podłodze i obkładała je płatkami kwiatów lub kamykami. „G, H, I – grajek w koniczynie śpi...".

– Nie – odparła Brianna – o tym nigdy mi nie opowiadałaś, pani.

Tymczasem Jacopo uważnie przyglądał się Faridowi.

– On był na moim święcie! – przypomniał sobie wreszcie. – Żonglował pochodniami!

– To jeszcze nic, to była dziecinna zabawa – stwierdził Farid, patrząc na niego tak protekcjonalnie, jakby to nie Jacopo, tylko on był książęcym wnukiem. – Potrafię robić też inne rzeczy, ale wydaje mi się, że jesteś na to za mały.

Meggie zauważyła uśmieszek Brianny, która rozpuściła i teraz na nowo upinała swe rude włosy. Robiła to z wielkim wdziękiem. Farid zapatrzył się na nią i Meggie zapragnęła mieć tak samo piękne włosy, choć nie była pewna, czy potrafiłaby je tak ładnie upiąć. Na szczęście Jacopo odwrócił uwagę Farida.

Chrząkając, skrzyżował ręce na piersi (musiał podpatrzyć tę pozę u dziadka) i oświadczył:

– Pokażesz mi to albo każę cię wychłostać.

Te słowa – wypowiedziane cienkim głosikiem – zabrzmiały śmiesznie, a zarazem groźniej, niż gdyby padły z ust dorosłego.

– Naprawdę? – Twarz Farida pozostała nieporuszona. I tego też musiał nauczyć się od Smolipalucha. – A wiesz, co ja wtedy z tobą zrobię?

Jacopa zatkało. Odwrócił się do matki, szukając u niej wsparcia, ale Farid wyciągnął rękę i powiedział:

– No dobrze, chodź.

Jacopo zawahał się i Meggie poczuła chęć, by chwycić wyciągniętą dłoń Farida i wyjść z nim na dwór, zamiast towarzyszyć Fenogliowi w tropieniu śladów zmarłego. Ale Jacopo był szybszy. Jego krótkie, blade palce zacisnęły się zdecydowanie na brunatnej dłoni Farida, a gdy odwrócił się w drzwiach, jego twarz była szczęśliwą twarzą zwykłego chłopca.

– Pokaże mi, słyszałaś? – rzekł z dumą do matki, ale Wiolanta nawet nie podniosła głowy znad książki.

– Och, ten kamień jest cudowny – szeptała. – Gdyby tylko nie był czerwony i gdybym miała osobny na każde oko...

– Pracuję nad pewnym rozwiązaniem, ale nie znalazłem jeszcze odpowiedniego szlifierza szkła.

Mówiąc to, Fenoglio usiadł na jednym z wygodnych z foteli stojących między pulpitami. Na oparciach widniał jeszcze dawny herb – lew nie płakał – a skóra była wytarta, co dobitnie świadczyło o tym, jak wiele czasu spędzał tu Tłusty Książę, zanim zgryzota odebrała mu radość obcowania z książkami.

– Szlifierza szkła? A po co? – Wiolanta spojrzała na Fenoglia przez beryl; wyglądało to, jakby miała jedno oko z ognia.

– Można tak wyszlifować szkło, że twoje oczy, pani, widziałyby o wiele lepiej niż przez ten kamień. Ale żaden szlifierz w Ombrze nie rozumie, o czym mówię.

– Tak, wiem, tutaj tylko kamieniarze znają swój fach! Balbulus twierdzi, że nie ma ani jednego porządnego introligatora na północ od Nieprzebytego Lasu.

„Znam jednego takiego" – przebiegło Meggie przez myśl i przeszył ją ból tęsknoty za Mo.

Ale Brzydka Wiolanta już znów patrzyła w książkę i mówiła, nie podnosząc głowy:

– W państwie mojego ojca są dobrzy szlifierze. Ojciec kazał założyć szklane szyby w kilku oknach na zamku. Musiał sprzedać stu chłopów jako żołnierzy zaciężnych, żeby pokryć ten wydatek.

Ostatnie zdanie powiedziała takim tonem, jakby uważała to za słuszną cenę.

„Chyba jej nie lubię" – pomyślała Meggie, chodząc między pulpitami. Książki, które leżały na nich, były przepiękne. Najchętniej schowałaby jedną pod ubraniem, by potem spokojnie ją obejrzeć w pokoiku Fenoglia na poddaszu, ale łańcuchy były mocno przynitowane do drewnianych okładek.

– Możesz je pooglądać!

Meggie aż podskoczyła, słysząc głos Brzydkiej Wiolanty. Księżna wciąż trzymała beryl przy oku i Meggie mimo woli pomyślała o krwawoczerwonych kamieniach tkwiących w nozdrzach Żmijogłowego. Jego córka pewnie nawet nie zdawała sobie sprawy, jak bardzo jest podobna do ojca.

– Dziękuję – wymamrotała Meggie, otwierając jedną z ksiąg.

Przypomniała sobie ten dzień, kiedy Mo jej wyjaśniał, dlaczego mówi się o „zatrzaskiwaniu" książki. „Otwórz ją, Meggie" – rzekł, podsuwając jej wielką księgę, której drewniane okładziny opatrzone były mosiężnymi okuciami. Meggie spojrzała na niego bezradnie, na co on, mrugając do niej, mocno uderzył w kant książki, tak że mosiężne okucia odskoczyły, umożliwiając jej rozłożenie. Następnie Mo zamknął księgę, przy czym mosiężne klamry zatrzasnęły się z hałasem.

Książka, którą Meggie otworzyła w bibliotece Tłustego Księcia, nie nosiła śladów starości. Pergamin nie był poplamiony ani zżarty przez robaki, jak w księgach rękopiśmiennych, które restaurował Mo. Mijające lata nie obchodziły się łaskawie z pergaminem i papierem, książka miała zbyt wielu wrogów, a czas sprawiał, że jej ciało więdło, tak samo jak ciało człowieka. „Z tego widać, Meggie – powtarzał zawsze Mo – że książka jest żywą istotą!". Ach, jakże chciałaby mu pokazać tę, którą właśnie miała przed sobą.

Bardzo ostrożnie odwracała karty, ale niezbyt mogła się na tym skupić, gdyż wiatr przynosił przez okno głos Farida, jak pozdrowienie z innego świata. Wreszcie zatrzasnęła księgę i jęła nasłuchiwać, co się dzieje na dworze. Fenoglio i Wiolanta wciąż jeszcze rozmawiali o kiepskich introligatorach, nie zwracając na nią najmniejszej uwagi. Meggie podeszła do okna i lekko odsuwając ciężką zasłonę, wyjrzała na dwór. Zobaczyła ogród otoczony murem, rabaty pokryte kwiatami niby kolorową pianą i stojącego wśród nich Farida. Płomienie lizały jego nagie ramiona. Wyglądał tak jak Smolipaluch, kiedy Meggie po raz pierwszy oglądała jego popisy z ogniem, wtedy w ogrodzie Elinor, zanim ich zdradził...

Jacopo śmiał się do rozpuku, klaskając w dłonie, lecz odskoczył przerażony, gdy pochodnie w rękach Farida poczęły wirować jak ogniste koła. Meggie uśmiechnęła się. Tak, Smolipaluch naprawdę wiele go nauczył, choć Farid nie potrafił jeszcze wyrzucać ognia tak wysoko w górę jak jego mistrz.

– Książki? Nie, mówiłam ci przecież, że Cosimo nigdy tu nie przychodził! – Głos Wiolanty zabrzmiał ostrzej i Meggie się odwróciła. – Nie interesował się książkami, kochał psy, dobre buty, szybkie konie... zdarzały się nawet dni, że kochał swojego syna. Ale nie chcę o nim mówić!

Z dworu znów dobiegł śmiech. Teraz i Brianna podeszła do okna.

– Chłopak jest bardzo dobrym połykaczem ognia – zauważyła.

– Naprawdę? – Wiolanta rzuciła jej spojrzenie krótkowidza. – Myślałam, że nie lubisz połykaczy ognia. Zawsze mówiłaś, że są do niczego.

– Ale ten jest dobry. O wiele lepszy od Kopcia – rzekła lekko schrypniętym głosem Brianna. – Zwróciłam na niego uwagę już w czasie wczorajszych uroczystości.

– Wiolanto! – zawołał niecierpliwie Fenoglio. – Czy moglibyśmy na chwilę zapomnieć o tym chłopcu i jego sztuczkach? Cosimo nie lubił książek, w porządku, ale chyba możesz mi o nim powiedzieć coś więcej!

– Po co? – Brzydka Wiolanta znów przyłożyła beryl do oka. – Zostaw wreszcie Cosima w spokoju, on nie żyje! Umarli pragną odejść. Dlaczego nikt tego nie rozumie? A jeśli chciałbyś poznać jakąś jego tajemnicę, to wiedz, że nie miał żadnej. Godzinami mógł rozmawiać na temat broni, lubił połykaczy ognia i rzucających nożami, i konne eskapady po nocach. Płatnerze pokazywali mu, jak się wykuwa miecze, po całych dniach fechtował się na dziedzińcu ze strażnikami, poznając każdą fintę, ale po pierwszej zwrotce pieśni śpiewanej przez grajka zaczynał ziewać. Na pewno nie spodobałyby mu się pieśni, które o nim napisałeś. Może te o zbójcach – tak. Ale on nie rozumiał, że słowa mogą być jak muzyka, sprawiać, że serce szybciej bije w piersi. Nawet egzekucje interesowały go bardziej od słów, chociaż trzeba przyznać, że nie upajał się nimi tak jak mój ojciec.

– Naprawdę? – Fenoglio był zaskoczony, ale bynajmniej nie rozczarowany. – Konne eskapady po nocach – mruczał – szybkie konie... Dlaczego nie?

Brzydka Wiolanta nie słuchała go jednak.

– Brianno! – zawołała. – Zabierz tę księgę. Jeśli pochwalę Balbulusa za nowe miniatury, to może pozwoli nam ją zatrzymać przez parę dni.

Służka z nieobecną miną wzięła książkę i znów podeszła do okna.

– Ale lud go miłował, prawda? – rzekł Fenoglio, podnosząc się z krzesła. – Cosimo był dobry dla prostych ludzi, chłopów, biedaków... wagantów...

Wiolanta przesunęła palcami po znamieniu na twarzy.

– Tak, wszyscy go kochali. Był tak piękny, że po prostu nie można go było nie kochać. – W znużeniu tarła krótkowzroczne oczy. – Ale wiesz, co o nich mawiał? „Dlaczego oni są tacy brzydcy? Brzydkie ubrania, brzydkie twarze...". Kiedy przychodzili do niego w spornych sprawach, starał się sądzić sprawiedliwie, to prawda, ale straszliwie go to nudziło. I nie mógł się już doczekać, kiedy wróci do żołnierzy, do konia i psów...

Fenoglio milczał. Na jego twarzy malował się wyraz takiej bezradności, że Meggie zrobiło się go żal. „Może jednak nie każe mi czytać?" – pomyślała i odczuła coś na kształt rozczarowania.

– Idziemy, Brianno! – rozkazała Brzydka Wiolanta.

Ale służąca ani drgnęła. Wyglądała przez okno, jakby nigdy jeszcze nie widziała połykacza ognia.

Wiolanta podeszła do niej, marszcząc brwi.

– Czemu się tak przyglądasz? – spytała, próbując cokolwiek rozpoznać swymi krótkowzrocznymi oczami.

– On... robi kwiaty z ognia – wyjąkała Brianna. – Najpierw są jak złote pąki, a potem rozkwitają jak prawdziwe kwiaty. Coś takiego widziałam tylko raz w życiu... gdy byłam mała...

– To pięknie. Ale teraz już chodź.

Brzydka Wiolanta odwróciła się i ruszyła ku drzwiom. Miała dziwny sposób chodzenia: lekko pochylała głowę, ale poza tym była wyprostowana jak świeca. Brianna rzuciła ostatnie spojrzenie za okno i pospieszyła za swoją panią.

Balbulus mieszał właśnie farby, gdy weszli do jego pracowni: błękit na niebo, czerwonobrunatny i umbrę na ziemię. Wiolanta coś mu szepnęła, pewnie go chwaliła. Pokazywała na książkę, którą niosła Brianna.

– Pozwolę sobie pożegnać Waszą Wysokość! – rzekł Fenoglio.

– Dobrze, odejdź! – odparła. – A kiedy mnie odwiedzisz następnym razem, nie wypytuj o mego zmarłego męża, tylko przynieś mi jedną z tych pieśni, które piszesz dla wagantów. Bardzo je lubię, zwłaszcza te o zbójcy, którego tak nie cierpi mój ojciec. Jak on się nazywa? Aha, Sójka!

Fenoglio zbladł.

– Skąd... skąd wiesz, pani, że to ja pisałem?

Brzydka Wiolanta roześmiała się.

– Zapominasz, że jestem córką mojego ojca. Mam swoich szpiegów! Boisz się, że powiem ojcu, kto jest ich autorem? Nie obawiaj się, rozmawiamy ze sobą tylko o najkonieczniejszych rzeczach. A poza tym ojciec bardziej interesuje się tym, o kim te pieśni opowiadają, niż tym, kto je pisze. Niemniej, gdybym była na twoim miejscu, zostałabym raczej po tej stronie lasu.

Fenoglio ukłonił się z uśmiechem męczennika na twarzy.

– Wezmę sobie do serca twoją radę, pani – rzekł.

Obite blachą drzwi ciężko stuknęły, zamykając się za nimi.

– Do diabła! – mruczał Fenoglio. – Do diabła! Do diabła!

– Co się stało? – zaniepokoiła się Meggie. – Czy chodzi o to, co powiedziała o Cosimie?

– Ależ skąd! Chodzi o to, że jeśli Wiolanta wie, kto jest autorem pieśni o Sójce, to Żmijogłowy tym bardziej, ma przecież o wiele więcej szpiegów niż ona. Co będzie, jeśli wkrótce do nas zawita? Ale dobrze, jeszcze jest czas, żeby temu zapobiec... Posłuchaj, Meggie – podjął Fenoglio szeptem, gdy schodzili po stromych kręconych schodach. – Pamiętasz, jak ci powiedziałem, że miałem wzorzec, kiedy tworzyłem postać Sójki... Ciekawe, czy zgadniesz, kto to taki? – Patrzył na nią wyczekująco. – Trzeba ci wiedzieć, że chętnie biorę sobie żywych ludzi za wzór do moich postaci – szepnął konspiracyjnie. – Nie wszyscy pisarze tak czynią, ale ja przekonałem się, że to przydaje bohaterom życia. Rysy twarzy, gesty, postawa ciała, brzmienie głosu, jakieś znamię czy blizna, tu coś ukradnę, tam podpatrzę, i już postać zaczyna oddychać, a czytelnik czy słuchacz ma wrażenie, że może jej dotknąć! Dla postaci Sójki nie miałem zbyt dużego wyboru. Nie mógł być zbyt stary, ale też nie młodzik, nie mógł być gruby ani niski, bohaterowie nigdy nie są niscy, grubi lub brzydcy, w rzeczywistości może tak, ale nie w poematach... Krótko mówiąc, Sójka musiał być wysoki, postawny, cieszący się miłością ludzi...

Fenoglio urwał: ktoś spiesznie szedł w dół po schodach. Po chwili nad nimi ukazała się postać Brianny zstępującej po grubo ciosanych stopniach.

– Wybaczcie! – rzekła, oglądając się lękliwie, jakby przyszła tu bez wiedzy swej pani. – Ale ten chłopiec... wiesz może, panie, od kogo nauczył się tych sztuczek z ogniem?

Patrzyła na Fenoglia tak, jakby niczego bardziej na świecie nie pragnęła niż odpowiedzi na swoje pytanie, a zarazem niczego bardziej na świecie się nie bała.

– Wiesz, kto to taki? – powtórzyła. – Jak mu na imię?

– Smolipaluch – odpowiedziała Meggie zamiast Fenoglia. – To Smolipaluch go tego nauczył.

I dopiero gdy po raz drugi wypowiedziała to imię, zdała sobie sprawę, kogo przypomina jej twarz Brianny i jej płomiennorude włosy...

28

Niewłaściwe słowa

Gdy rude włosy po mnie weźmiesz
i śmiech ten mój szalony,
a reszta – złe czy dobre – sczeźnie,
jak liść falą niesiony.

François Villon, *Ballada o małym Florestanie*

Smolipaluch właśnie odpędzał Skoczka od kurnika Roksany, gdy Brianna wjechała konno na podwórko. Na jej widok serce zamarło mu w piersi. W sukni, którą miała na sobie, wyglądała jak córka bogatego kupca. Od kiedy to służące nosiły takie suknie? A do tego ten koń, który tak tutaj nie pasował, z tą drogocenną uprzężą, pozłacanym siodłem i czarną sierścią lśniącą, jakby trzech stajennych szczotkowało go przez cały dzień. Towarzyszący jej żołnierz w barwach Tłustego Księcia z nieprzeniknioną miną patrzył na prosty dom i otaczające go zagony. A Brianna patrzyła na Smolipalucha. Wysunęła podbródek, tak jak to czyniła jej matka, poprawiła spinkę we włosach i wpatrywała się w niego.

Gdyby tylko mógł stać się niewidzialny! Jakże wrogie było to spojrzenie – spojrzenie osoby dorosłej, a zarazem skrzywdzonego dziecka. Jak bardzo była podobna do matki. Żołnierz pomógł jej zsiąść, po czym pojąc konia przy studni, udawał głuchego i ślepego.

Z domu wyszła Roksana. Ona też była zaskoczona wizytą córki.

– Dlaczego mi nie powiedziałaś, że on wrócił? – zawołała Brianna.

Roksana otworzyła usta, ale nie znalazła odpowiednich słów.

„Powiedz coś, Smolipaluchu" – nakazał sobie w myślach. Kuna zeskoczyła z jego ramienia i zniknęła za stajnią.

– To ja ją prosiłem, żeby ci nie mówiła. – Jak ochryple brzmiał jego głos! – Myślałem, że sam ci o tym powiem. – „Ale twój ojciec to tchórz, boi się własnej córki" – dodał w myślach.

Z jaką wściekłością patrzyła na niego. Zupełnie jak wtedy, gdy była mała. Tyle tylko że teraz była już za duża, by go uderzyć.

– Widziałam tego chłopca – rzekła Brianna. – Był na uroczystości, a dzisiaj urządził popis z ogniem dla Jacopa. Robił to tak samo jak ty.

Za plecami Roksany pojawił się Farid. Jehan minął ich, spojrzał niespokojnie na żołnierza, po czym podbiegł do siostry.

– Skąd masz konia? – spytał.

– Wiolanta mi go dała. Za to, że zabiorę ją nocą do obozu wagantów.

– A zabierzesz ją? – Roksana była wyraźnie zaniepokojona.

– Dlaczego nie? Ona to uwielbia! A Czarny Książę pozwolił. – Brianna nie patrzyła na matkę.

Farid podszedł do Smolipalucha.

– Czego ta znowu tutaj chce? – szepnął. – To służąca Brzydkiej Wiolanty.

– I moja córka – odparł Smolipaluch.

Farid z niedowierzaniem patrzył na Briannę, ale ona nie zwracała na niego uwagi. Przyjechała tu ze względu na ojca.

– Dziesięć lat! – zawołała oskarżycielskim tonem. – Dziesięć lat cię nie było i tak po prostu sobie wracasz? Wszyscy mówili, że nie żyjesz. Że zgniłeś w lochach Żmijogłowego! Że oddali cię w jego ręce podpalacze, bo nie chciałeś im zdradzić wszystkich sekretów.

– Zdradziłem – powiedział Smolipaluch bezbarwnym głosem. – Prawie wszystkie. – „A oni dzięki tej wiedzy podpalili inny świat, gdzie nie było drzwi, przez które mógłbym wrócić" – pomyślał.

– Śniłeś mi się! – wykrzyknęła Brianna tak głośno, że spłoszony koń stulił uszy. – Śniło mi się, że pancerni przywiązali cię do słupa i podpalili! We śnie czułam swąd dymu, słyszałam, jak próbujesz rozmawiać z ogniem, ale on cię nie słucha i w końcu cię pożera. Prawie co noc miałam ten sen! Aż do dziś. Przez dziesięć lat bałam się zasypiać, a ty teraz się zjawiasz, cały i zdrowy, jak gdyby nigdy nic! Gdzie ty byłeś?!

Smolipaluch spojrzał na Roksanę i w jej oczach wyczytał to samo pytanie.

– Nie mogłem wrócić – powiedział. – Nie mogłem. Próbowałem, wierz mi!

Niewłaściwe słowa. Cóż z tego, że to była prawda? Brzmiała jak kłamstwo. Zawsze to wiedział: słowa nie nadają się do niczego. Czasem pięknie brzmią, ale kiedy się ich naprawdę potrzebuje, zostawiają człowieka na lodzie. Nigdy nie można znaleźć właściwych słów. Bo niby gdzie ich szukać? Serce jest nieme jak ryba, choćby język nie wiadomo jak starał się obdarzyć je głosem.

Brianna odwróciła się do niego plecami i ukryła twarz w grzywie konia. A żołnierz wciąż stał u studni, tak jakby go tu nie było, jakby był powietrzem.

„Właśnie, powietrze, ja też chciałbym być teraz powietrzem" – pomyślał Smolipaluch.

– To wszystko prawda! Nie mógł wrócić! – zawołał Farid, występując przed Smolipalucha, jak gdyby chciał go osłonić. – Nie było drogi powrotnej! Powiedział szczerą prawdę! Był w całkiem innym świecie, tak samo rzeczywistym jak ten tutaj. Jest bardzo wiele światów, a każdy inny, i wszystkie są opisane w książkach!

Brianna spojrzała na niego.

– Czy ja wyglądam na małą dziewczynkę, która wierzy w bajki? – rzuciła pogardliwie. – Dawniej, kiedy znikał na tak długo, że mama miała rano oczy czerwone od płaczu, inni waganci też opowiadali mi takie historie. Że rozmawia z wróżkami, że poszedł do olbrzymów, że na dnie morskim szuka ognia, którego nawet woda nie ugasi. Już wtedy nie wierzyłam w te opowiastki, ale lubiłam ich słuchać. A teraz nie lubię. Nie jestem już dzieckiem. Pomóż mi wsiąść na konia! – zawołała do żołnierza.

Żołnierz natychmiast wykonał polecenie. Jehan gapił się na miecz wiszący u jego pasa.

– Zostań na obiad! – zawołała Roksana.

Ale Brianna tylko potrząsnęła głową i bez słowa zawróciła konia. Żołnierz mrugnął do Jehana, który nie mógł oderwać wzroku od miecza. Odjechali na koniach, które zdawały się za duże na wąskiej ścieżce prowadzącej do zagrody Roksany.

Roksana pociągnęła Jehana do domu, a Smolipaluch został na dworze, dopóki jeźdźcy nie zniknęli za wzgórzami.

Wreszcie Farid głosem drżącym z oburzenia przerwał milczenie.

– Naprawdę nie mogłeś wrócić!

– Nie... Ale musisz przyznać, że twoja opowieść nie brzmiała zbyt wiarygodnie.

– No to co? Ale to była prawda!

Smolipaluch wzruszył ramionami, patrząc w stronę Ombry.

– Czasem sam już myślę, że mi się to wszystko śniło – mruknął.

Za ich plecami rozpaczliwie zagdakała kura.

– Do diabła, gdzie jest Skoczek?

Gwałtownie otworzył drzwi stajni. Biała kura, trzepocząc skrzydłami, wypadła na podwórko, na słomie leżała druga z okrwawionymi piórami. Obok siedziała kuna.

– Skoczek! – wrzasnął Smolipaluch. – Do diabła, czy ci nie mówiłem, że masz zostawić kury w spokoju?

Kuna spojrzała na niego.

Pióra sterczały z jej zakrwawionego pyszczka. Przeciągnęła się, wyprostowała puszysty ogon i podeszła do Smolipalucha, ocierając się o jego nogi jak kot.

– No proszę! – szepnął Smolipaluch. – Witaj, Gwin!

Wróciła jego śmierć.

29

Nowi panowie

Tyran kona uśmiechnięty,
Bo wie, skończą się lamenty,
Przejmie ktoś gwałtu narzędzie
I niewola dalej będzie.

Heinrich Heine, *Król David,* [w:] *Poezje wybrane*

Tłusty Książę umarł nazajutrz po wizycie Meggie i Fenoglia na zamku. Zmarł o brzasku, a trzy dni później w Ombrze zjawili się pancerni. Meggie była właśnie z Minerwą na rynku, gdy nadciągnęli rycerze. Po śmierci teścia Wiolanta podwoiła straże przy bramach, ale żołnierzy Żmijogłowego było tak wielu, że strażnicy wpuścili ich do miasta, nie stawiając żadnego oporu. Na czele oddziału jechał Piszczałka, srebrny nos sterczał jak dziób, błyszcząc się tak, jakby jego właściciel specjalnie na tę okazję go wypolerował. Z wąskich uliczek dobiegało parskanie koni, a gdy między domami ukazali się pancerni jeźdźcy, na rynku zapadła cisza. Wszystko ucichło: krzyki handlarzy, głosy kobiet tłoczących się przy straganach. Piszczałka ściągnął wodze i z dezaprobatą przyglądał się tłumowi.

– Przejście! – zawołał dziwnie zduszonym głosem. Nie mógł brzmieć inaczej głos człowieka, który nie miał nosa. – Przejście dla poselstwa Żmijogłowego! Przybyliśmy, aby oddać ostatni hołd waszemu zmarłemu księciu i pokłonić się następcy tronu – jego wnukowi.

Przedłużające się milczenie przerwał wreszcie pojedynczy głos:

– Czwartki to dni targowe w Ombrze, tak było zawsze, ale jeśli jaśnie panowie zsiądą z koni, to przejście się znajdzie!

Piszczałka szukał oczami śmiałka pośród gapiących się na niego twarzy, ale ten ukrył się w tłumie. Przez rynek przeszedł pomruk aprobaty.

– Ach, więc to tak! – zawołał Piszczałka, przekrzykując nieskładne głosy. – Myślicie, że po to przemierzyliśmy ten przeklęty las, by teraz zsiąść z koni i przedzierać się przez bandę śmierdzących chłopów?! Myszy tańcują, gdy kota nie czują. Ale coś wam powiem: w waszym nędznym mieście jest nowy kot, który ma ostrzejsze pazury niż ten, co umarł!

I nie tracąc więcej słów, odwrócił się w siodle i podnosząc rękę w czarnej rękawicy, dał znak swoim ludziom. Potem spiął konia ostrogami i wjechał w tłum.

Cisza zalegająca rynek rozdarła się nagle jak cienka tkanina i między domami podniosły się krzyki. Coraz więcej jeźdźców wylewało się z uliczek. Wyglądali jak żelazne jaszczurki, stalowe hełmy odsłaniały tylko usta i oczy między osłoną nosa a brzegiem hełmu. Dźwięczały ostrogi, nagolenniki, napierśniki, tak gładko wypolerowane, że odbijały się w nich przerażone twarze mieszkańców. Minerwa szarpnęła dzieci na bok. Despina potknęła się, Meggie chciała jej pomóc i pośliznąwszy się na dwóch główkach kapusty, runęła jak długa. Jakiś mężczyzna pomógł jej się podnieść, inaczej stratowałby ją koń Piszczałki. Usłyszała jego parskanie, ostroga jeźdźca zahaczyła o jej ramię. Schroniła się za przewróconym straganem garncarza, kalecząc sobie dłonie skorupami. Przycupnąwszy pośród rozbitych garnków, przewróconych beczek i porozrywanych worków z mąką, przyglądała się bezsilnie tej tragedii. Nie wszyscy mieli tyle szczęścia co ona, wielu dostało się pod końskie kopyta. Ten i ów obrywał opancerzonym kolanem lub drzewcem włóczni, spłoszone konie stawały dęba, rozbijając dzbany i głowy ludzkie.

A potem jeźdźcy zniknęli, równie nagle, jak się pojawili, słychać było tylko stukot kopyt w uliczce prowadzącej do zamku. Rynek wyglądał tak, jakby przeszedł tędy huragan miażdżący dzbany i ludzi. Meggie wypełzła z kryjówki. Na placu panowała atmosfera strachu. Chłopi zbierali rozdeptane warzywa, matki ocierały dzieciom łzy z twarzy i krew z kolan, kobiety stały bezradnie obok skorup dzbanów, które zamierzały dziś sprzedać. Było cicho, przeraźliwie cicho. Złorzeczenia pod adresem rycerzy wypowiadano szeptem, nawet płacz i jęki były powściągliwe. Minerwa z Iwem i Despiną podeszła do Meggie i pomogła jej się podnieść.

– Wygląda na to, że mamy nowego pana – zauważyła gorzko. – Możesz odprowadzić dzieci do domu? Ja tu zostanę i spróbuję pomóc. Niejeden ma połamane kości, na szczęście zawsze jest paru balwierzy na rynku.

Meggie w milczeniu skinęła głową. Strach? Gniew? Rozpacz? Nie było słowa zdolnego opisać to, co czuła. W milczeniu wzięła Despinę i Iwa za ręce i ruszyła w drogę do domu. Bolały ją kolana, utykała, ale mimo to szła tak szybko, że dzieci z trudem dotrzymywały jej kroku.

– Teraz!

Tylko to jedno słowo wyrwało się z jej zaciśniętego gardła, gdy wpadła do izdebki Fenoglia.

– Chcę czytać teraz! Natychmiast!

Głos jej drżał; pokaleczone kolana uginały się pod nią, musiała się oprzeć o ścianę. Trzęsła się jak galareta.

– Co się stało? – spytał Fenoglio.

Siedział przy pulpicie, przed sobą miał gęsto zapisany arkusz pergaminu. Obok stał Kryształek z kapiącym piórem w ręce i gapił się zdumiony na Meggie.

– Musimy to zrobić teraz! – zawołała. – Teraz! Wdarli się w sam środek tłumu, po prostu przejechali po ludziach!

– Aha, pancerni już są. Cóż, mówiłem ci, że musimy się pospieszyć. Kto nimi dowodzi? Podpalacz?

– Nie, Piszczałka.

Meggie podeszła do łóżka i usiadła na brzegu. Czuła już tylko strach, jakby znów klęczała między rozbitymi beczkami, jakby gniew się w niej wypalił.

– Jest ich bardzo wielu! – szeptała. – Za późno! Co Cosimo może na to poradzić?

– To już jest moje zmartwienie! – Fenoglio wziął od Kryształka umoczone pióro i wrócił do pisania. – Tłusty Książę też ma wielu żołnierzy, którzy pójdą za Cosimem, kiedy tylko powróci. Byłoby oczywiście lepiej, gdybyś go sprowadziła jeszcze za życia ojca. Tłusty Książę trochę za bardzo się pospieszył z tym umieraniem, ale tego nie da się już odwrócić. Inne rzeczy tak...

Marszcząc czoło, czytał to, co napisał, tu wykreślił słowo, tam dodał, wreszcie skinął na szklanego ludzika:

– Piasek, Kryształek, szybko!

Meggie podciągnęła sukienkę i oglądała rozbite kolana. Jedno z nich było mocno spuchnięte.

– Ale czy jesteś pewien, że z Cosimem będzie lepiej? – spytała cicho. – To, co opowiadała o nim Brzydka Wiolanta, nie brzmiało zbyt zachęcająco.

– Oczywiście, że wszystko będzie lepiej! Nie rozumiem, jak możesz pytać. Cosimo jest pozytywnym bohaterem, wszystko jedno, co Wiolanta o nim opowiada. A poza tym sprowadzisz jego nową wersję. Ulepszoną wersję, można powiedzieć.

– Ale... po co nam w ogóle nowy książę?

Meggie otarła rękawem łzy. Wciąż miała w uszach chrzęst zbroi, parskanie i rżenie koni i krzyki – krzyki ludzi, którzy nie noszą pancerzy.

– A co może być lepszego od księcia, który robi to, co chcemy? – Fenoglio wziął nowy arkusz pergaminu. – Już niewiele brakuje. O, psiakrew, nienawidzę pisać na pergaminie. Mam nadzieję, że zamówiłeś nowy papier, Kryształku?

– Owszem, dawno temu – odparł urażony szklany ludzik. – Ale od dłuższego czasu nie było żadnej dostawy. W końcu Mysi Młyn leży po tamtej stronie lasu.

– Tak, tak, niestety! – skrzywił się Fenoglio. – Zaprawdę, to bardzo niepraktyczne!

– Fenoglio, posłuchaj mnie wreszcie! Może byśmy zamiast Cosima sprowadzili tego zbójcę – powiedziała Meggie, obciągając spódnicę. – No, wiesz, tego z twoich pieśni. Sójkę.

Fenoglio się roześmiał.

– Sójkę? Mój Boże, chciałbym widzieć twoją minę, gdy go zobaczysz... Ale żarty na bok. Nie, nie i jeszcze raz nie! Zbójcy nie nadają się do rządzenia, Meggie! Robin Hood też nie został królem! Są dobrzy do siania zamętu i to wszystko. Nawet Czarnego Księcia nie mógłbym posadzić na tronie. W tym świecie rządzą książęta, nie zbójcy, kuglarze czy chłopi. Tak to urządziłem. Zapewniam cię, że potrzebny nam jest książę.

Kryształek zaostrzył nowe pióro, umoczył je w kałamarzu i Fenoglio począł pisać, mrucząc cicho, na poły do siebie, na poły do Meggie:

– Tak, to będzie cudownie brzmiało, gdy będziesz to czytała! Żmijogłowy się zdziwi. Uważa, że może się panoszyć w mojej historii, jak mu się żywnie podoba, ale się myli. Będzie odgrywał dokładnie taką rolę, jaką ja mu wyznaczę, i kwita!

Meggie podniosła się z łóżka i pokuśtykała do okna. Znów zaczął padać deszcz: niebo płakało równie bezgłośnie jak ludzie na rynku. A na zamku podniesiono proporzec Żmijogłowego.

30

Cosimo

– Nekromantą? – dokończył Abhorsen. – Tylko w pewnym sensie. Kochałem kobietę, która tu leży. Żyłaby nadal, gdyby pokochała kogoś innego. Ale tak się nie stało.

Garth Nix, *Sabriel*

Zapadł już zmrok, gdy Fenoglio odłożył pióro. Na dole na uliczce było cicho. Przez cały dzień panowała tu cisza, jakby wszyscy pochowali się w domach ze strachu.

– Skończyłeś? – spytała Meggie, gdy pisarz odchylił się na krześle, przecierając zmęczone oczy.

Jej głos zabrzmiał słabo i bojaźliwie, nie był to głos mogący przywrócić księcia do świata żywych. Ale w końcu ten głos kiedyś wywołał ze słów Fenoglia straszliwego potwora... Chociaż było to dawno temu, a ostatnie słowa musiał zamiast niej przeczytać Mo.

Mo. Po dzisiejszych wydarzeniach na rynku Meggie jeszcze bardziej go brakowało.

– Tak, skończyłem!

Fenoglio był tak samo zadowolony z siebie jak wtedy w wiosce Capricorna, gdy po raz pierwszy zawarli porozumienie, by zmienić bieg jego historii. Wówczas wszystko dobrze się skończyło, ale teraz... Teraz oni sami tkwili w tej historii. Czy to wzmacniało, czy osłabiało słowa Fenoglia? Meggie opowiedziała mu o regule stosowanej przez Orfeusza, żeby używać tylko wyrazów wziętych z danej opowieści, ale Fenoglio tylko pogardliwie machnął ręką.

– Nonsens! Przypomnij sobie ołowianego żołnierzyka, któremu dopisaliśmy szczęśliwe zakończenie. Wtedy przecież nie sprawdzałem, czy używam tylko słów z jego historii. Może ta reguła stosuje się do ludzi takich jak ten Orfeusz, którzy uzurpują sobie prawo do majstrowania przy cudzych historiach, ale nie do autora, kiedy chce zmienić własny utwór.

Oby tak było!

Fenoglio wiele skreślał, ale jego pismo było teraz o wiele czytelniejsze. Oczy Meggie wędrowały po rządkach liter. Tak, tym razem były to własne słowa Fenoglia, a nie słowa skradzione innemu poecie...

– Dobrze wyszło, nie uważasz?

Fenoglio umoczył kawałek chleba w zupie, którą Minerwa przyniosła im kilka godzin temu, i spojrzał wyczekująco na Meggie. Zupa zdążyła już ostygnąć, bo żadne z nich nie myślało o jedzeniu. Tylko Kryształek zjadł odrobinę, a wtedy jego ciało zaczęło zmieniać kolor, aż w końcu Fenoglio wyrwał mu łyżkę z ręki, pytając, czy życie mu niemiłe.

– Zostaw to, Kryształku! – powiedział surowo, kiedy szklany ludzik znów wyciągnął przezroczyste palce do jego talerza. – Co za dużo, to niezdrowo! Wiesz, że nie wolno ci jeść ludzkich potraw. Chcesz, żebym cię znów zaprowadził do balwierza, który ostatnim razem mało nie oderwał ci nosa?

– To takie okropne, jeść wciąż tylko piasek! – zaprotestował szklany ludzik i obrażony cofnął rękę. – W dodatku ten, który mi przynosisz, nie jest zbyt smaczny.

– Niewdzięczniku! – rozgniewał się Fenoglio. – Specjalnie dla ciebie wydobywam go z dna rzeki. Ostatnio rusałki dla zabawy wciągnęły mnie do wody, o mało się przez ciebie nie utopiłem.

Na szklanym ludziku nie zrobiło to wrażenia. Z obrażoną miną usiadł obok dzbanka z piórami i zamknął oczy, udając, że śpi.

– W ten sposób straciłem już dwóch! – szepnął Fenoglio do Meggie. – Po prostu nie mogą się oprzeć pokusie jedzenia ludzkiej strawy. Głupie stworzenia!

Meggie słuchała jednym uchem. Trzymając pergamin, usiadła na łóżku i zaczęła czytać od początku, słowo po słowie. Wiatr cisnął deszczem w okno, jakby chciał jej przypomnieć o tamtej nocy, kiedy po raz pierwszy usłyszała o książce Fenoglia, a na dworze w deszczu stał Smolipaluch... Ten sam Smolipaluch, który był tak szczęśliwy na dziedzińcu zamkowym! I Fenoglio był szczęśliwy, i Minerwa, i jej dzieci... I tak powinno zostać. „Będę czytała dla nich wszystkich! – pomyślała Meggie. – Dla wagantów, żeby Żmijogłowy przestał ich wieszać za śpiewanie piosenek, dla chłopów na rynku, którym konie stratowały warzywa". A co z Brzydką Wiolantą? Czy będzie szczęśliwa, kiedy odzyska męża? Czy zorientuje się, że to jest inny Cosimo? Dla Tłustego Księcia było już za późno, nigdy się nie dowie o powrocie syna.

– No, powiedz wreszcie coś! – zawołał niespokojnie Fenoglio. – Może ci się nie podoba?

– Nie, nie, jest bardzo piękne!

Na jego twarzy pojawił się wyraz ulgi.

– No, to na co jeszcze czekasz?

– Ta sprawa ze znamieniem na twarzy Wiolanty... nie wiem, ale... to jakaś tania sztuczka...

– Dlaczego? To przecież bardzo romantyczne, w każdym razie nie może zaszkodzić.

– No dobrze, jeśli tak uważasz. W końcu to twoja historia – wzruszyła ramionami Meggie. – Jest jeszcze jedna rzecz. Kto zniknie za niego?

Fenoglio zbladł.

– Na Boga! Zupełnie o tym zapomniałem. Kryształek, ukryj się w swoim gnieździe! – polecił swemu pomocnikowi. – Na szczęście wróżek nie ma w domu.

– Przecież to nic nie pomoże – powiedziała cicho Meggie, gdy szklany ludzik wśliznął się do opuszczonego gniazda wróżki, w którym chował się, kiedy był obrażony, a czasem tam spał. – Nie można się przed tym ukryć.

Z ulicy dobiegł odgłos kopyt końskich, zbliżał się któryś z pancernych Żmijogłowego. Widocznie Piszczałka chciał, żeby mieszkańcy nawet we śnie wiedzieli, kto jest ich nowym panem.

– No, proszę, to jest znak! – szepnął Fenoglio. – Jeśli nawet ten tam zniknie, to żadna szkoda. A zresztą, skąd wiesz, że w ogóle ktoś zniknie? Tak się dzieje chyba tylko wtedy, kiedy sprowadzasz kogoś, kto w swojej historii pozostawia lukę, która musi zostać wypełniona. A nasz nowy Cosimo nie ma własnej historii! Narodzi się tu i teraz – z twoich słów!

Tak, może miał rację.

I odgłos kopyt zmieszał się z głosem Meggie.

– *Noc była cicha w Ombrze, bardzo cicha* – czytała. – *Rany, które pozostawili pancerni, jeszcze się nie zagoiły, a niektóre nigdy nie miały się zagoić.*

I nagle nie czuła już strachu, tak jak rano na targu, tylko gniew, straszny gniew na ludzi zakutych w pancerze, którzy ostrymi stalowymi butami kopali w plecy kobiety i dzieci. Pod wpływem gniewu jej głos nabrał ożywiającej siły i pełni.

– *Drzwi i okna były zaryglowane. W domach cicho popłakiwały dzieci, jakby i im strach zamykał usta, a rodzice wpatrywali się w ciemną noc, zadając sobie lękliwie nieme pytania, jak mroczna będzie ich przyszłość pod rządami nowego władcy. Wtem uliczka szewców i siodlarzy rozbrzmiała echem kopyt końskich...*

Jak łatwo słowa spływały z jej języka, jakby tylko czekały na to, by ożywiła je swym głosem – właśnie tej nocy.

– Ludzie pospieszyli do okien. Z lękiem oczekiwali widoku jednego z pancernych albo i samego Piszczałki ze srebrnym nosem. Ale to ktoś inny zmierzał na zamek, ktoś dobrze im znany, lecz którego widok okrył ich twarze bladością. Ów jeździec miał twarz zmarłego księcia, Pięknego Cosima, który od roku spoczywał w grobie. Jego sobowtór siedział na białym koniu i był tak piękny, jak to pieśni opowiadały o Cosimie. Wjechał przez bramę zamkową, nad którą łopotał proporzec Żmijogłowego, i ściągnął wodze, zatrzymując się na pogrążonym w ciszy nocnej dziedzińcu. Wszystkim, którzy patrzyli na niego, kiedy tak siedział wyprostowany na swym białym rumaku, zdawało się, że Cosimo nigdy nie umarł. I w jednej chwili ucichł płacz i rozwiał się strach. Lud Ombry świętował i nawet z najodleglejszych wiosek przybywali chłopi, by zobaczyć tego, który miał twarz zmarłego, i szeptali: „Cosimo powrócił. Piękny Cosimo. Powrócił, by zająć miejsce swego ojca i bronić Ombry przed Żmijogłowym". I tak się stało. Zbawca wstąpił na tron, a znamię Brzydkiej Wiolanty zbladło i rozpłynęło się. A Piękny Cosimo kazał wezwać nadwornego poetę swego ojca, by poprosić go o radę, doniesiono mu bowiem o jego nadzwyczajnej mądrości. Nastały wspaniałe czasy.

Meggie opuściła rękę, w której trzymała pergamin. „Wspaniałe czasy...".

Fenoglio podbiegł do okna. Meggie także usłyszała hałas – stukanie kopyt końskich – ale nie wstała.

– To musi być on! – szepnął Fenoglio. – Jedzie, Meggie, jedzie! Posłuchaj tylko!

Ale Meggie siedziała nieruchomo na łóżku, wpatrując się w słowa widniejące na pergaminie. Wydawało jej się, że oddychają. Papierowe ciało, atramentowa krew... Nagle poczuła się zmęczona, tak straszliwie zmęczona, że droga do okna wydała jej się nieskończenie daleka. Czuła się jak dziecko, które zeszło samo do piwnicy i teraz się boi. Och, gdyby Mo tu był...

– Zaraz będzie tędy przejeżdżał! – Fenoglio wychylił się przez okno tak bardzo, jakby chciał rzucić się na ulicę głową w dół.

„Dobrze chociaż, że on tu jeszcze jest – pomyślała Meggie – że nie zniknął tak jak wtedy, kiedy sprowadziłam Cień. Ale niby dokąd mógłby odejść?". Miała wrażenie, jakby na świecie była już tylko ta jedna historia, historia Fenoglia, która zdawała się nie mieć początku ani końca.

– Meggie! Chodźże wreszcie! – przyzywał ją Fenoglio, gestykulując z przejęciem. – Cudownie czytałaś, po prostu cudownie! Zresztą sama to wiesz. Niektóre zdania były trochę poniżej mojego poziomu, tu i ówdzie coś zgrzytnęło, wypadło trochę blado, ale co tam! Najważniejsze, że się udało! Jestem pewien, że się udało!

Rozległo się pukanie do drzwi.

Pukanie do drzwi! Kryształek wyjrzał niespokojnie ze swego gniazda, a Fenoglio odwrócił się, przerażony i zły.

– Meggie? – zawołał ktoś szeptem za drzwiami. – Meggie, jesteś tam?

To był głos Farida.

– Czego ten znowu tutaj chce? – zawołał Fenoglio, dorzucając soczyste przekleństwo. – Odeślij go! Potrzebny tu teraz jak dziura w moście. O, tam! Nadjeżdża! Meggie, jesteś naprawdę czarodziejką!

Stukot kopyt stał się głośniejszy. Ale Meggie nie podeszła do okna, tylko podbiegła do drzwi. Farid miał twarz szarą z przerażenia, a w oczach ślady łez.

– Gwin, Meggie... Gwin wrócił – wyjąkał. – Nie rozumiem, jak mógł mnie odnaleźć! Rzucałem w niego kamieniami...

– Meggie! – Fenoglio był na nią wściekły. – Gdzie ty się podziewasz?

Meggie bez słowa wzięła Farida za rękę i pociągnęła go do okna.

Uliczką w dole podążał w stronę zamku jeździec na białym koniu. Włosy miał kruczoczarne, a jego twarz była tak młoda i piękna jak twarz kamiennych posągów na zamku. Tylko oczy nie były kamienne i szare, lecz czarne jak jego włosy i żywe. Rozglądał się zdziwiony, jakby dopiero co zbudził się ze snu, a ów sen zupełnie nie pasował do tego otoczenia.

– Cosimo! – szepnął Farid. – Zmarły Cosimo.

– No, niezupełnie – rzekł również szeptem Fenoglio. – Po pierwsze, nie jest martwy, jak nietrudno zauważyć, a po drugie, to nie ten Cosimo. To nowy Cosimo, całkiem nowiutki, którego stworzyliśmy wspólnie z Meggie. Nikt oczywiście nie zauważy różnicy, nikt oprócz nas.

– Nawet jego żona?

– No, może i zauważy! Ale kogo to obchodzi? Ona prawie nie wychodzi z zamku.

Cosimo ściągnął wodze i zatrzymał się ledwie metr od domu Minerwy. Meggie odruchowo cofnęła się od okna.

– A on sam? – szepnęła. – Za kogo on się uważa?

– Głupie pytanie! Oczywiście za Cosima! – odparł niecierpliwie Fenoglio. – Przestań mi mącić w głowie! Nie zrobiliśmy nic złego! Zadbaliśmy tylko o to, żeby ta historia toczyła się dalej tak, jak ją od początku zaplanowałem. Nic więcej, nic mniej!

Cosimo odwrócił się w siodle, patrząc tam, skąd przyjechał, jakby coś zgubił po drodze i zapomniał, co to było. Ale po chwili cmoknął na konia i ruszył przed siebie, mijając warsztat męża Minerwy i maleńki domek balwierza, o którego sztuce wyrywania zębów Fenoglio miał tak niskie mniemanie.

– To niedobrze – stwierdził Farid, odstępując od okna z taką miną, jakby zobaczył na ulicy samego diabła. – Przywoływanie umarłych przynosi nieszczęście.

– On nigdy nie był umarły, do licha! – wrzasnął na niego Fenoglio. – Ile razy mam ci to tłumaczyć? On się dopiero dzisiaj narodził, z moich słów i z głosu Meggie, więc nie gadaj głupstw. Czego tu w ogóle szukasz? Od kiedy to odwiedza się nocą porządne panienki?

Farid poczerwieniał. Odwrócił się bez słowa i wyszedł.

– Zostaw go w spokoju! Może mnie odwiedzać, kiedy chce! – krzyknęła Meggie.

Schody były śliskie od deszczu i Meggie dogoniła Farida dopiero na samym dole. Był przeraźliwie smutny.

– Co powiedziałeś Smolipaluchowi? Że Gwin pobiegł za nami?

– Nie, nie miałem odwagi. – Chłopiec oparł się o ścianę domu i zamknął oczy. – Gdybyś widziała jego twarz, kiedy spostrzegł kunę. Myślisz, że on teraz umrze, Meggie?

Wyciągnęła dłoń i pogłaskała go po policzku. Naprawdę płakał, wyczuła ślady łez.

– Świecąca Gęba to przepowiedział! – szeptał Farid tak cicho, że z trudem rozumiała jego słowa. – Mówił, że przyniosę mu nieszczęście.

– Co ty pleciesz? Smolipaluch powinien się cieszyć, że tu jesteś.

Farid spojrzał w niebo – nie zanosiło się na to, by w najbliższym czasie przestało padać.

– Muszę wracać – rzekł. – Przyszedłem ci powiedzieć, że na razie z nim zostanę. Chcę na niego uważać, rozumiesz? Po prostu nie będę go odstępował na krok, wtedy nic złego na pewno się nie wydarzy. Ale ty możesz mnie odwiedzić – w zagrodzie Roksany! Spędzamy tam prawie cały czas. Smolipaluch ma bzika na jej punkcie. Roksana to, Roksana tamto... – Przemawiała przez niego zazdrość.

Meggie dobrze wiedziała, co on czuje. Pamiętała swoje pierwsze tygodnie w domu Elinor i zamęt w sercu, kiedy Mo godzinami spacerował z Resą, a jej nawet nie zapytał, czy chce im towarzyszyć. Pamiętała, co czuła, słysząc za zamkniętymi drzwiami śmiech ojca przeznaczony nie dla niej, tylko dla jej matki.

„Czemu tak na niego patrzysz? – spytała pewnego razu Elinor, gdy Meggie przyglądała się rodzicom spacerującym po ogrodzie. – Połowa jego serca wciąż należy do ciebie, czy ci to nie wystarcza?". Ach, jak się wtedy zawstydziła. Farid jest przynajmniej zazdrosny o kogoś obcego, a ona była zazdrosna o własną matkę...

– Naprawdę, Meggie, muszę przy nim zostać. Kto ma go pilnować? Roksana? Ona nie wie nic o kunie, a zresztą...

Meggie odwróciła głowę, by ukryć rozczarowanie. Przeklęty Gwin! Bosą nogą rysowała kółka w miękkiej ziemi.

– Przyjdziesz, tak? – Farid chwycił jej dłonie. – Roksana hoduje najdziwniejsze zioła, ma też gęś, która myśli, że jest psem, i starego konia. Jehan – to jej syn – twierdzi, że w stajni mieszka jakiś dziwny stwór, ale nigdy go nie widziałem. Jehan to jeszcze dziecko, ale myślę, że go polubisz...

– Czy to syn Smolipalucha? – Meggie odgarnęła za ucho kosmyk włosów i spróbowała się uśmiechnąć.

– Nie, ale wiesz co? Roksana uważa, że ja jestem jego synem. Możesz to sobie wyobrazić? Proszę, Meggie, przyjdź do Roksany, dobrze?

Położył jej ręce na ramionach i pocałował ją prosto w usta. Jego skóra była mokra od deszczu. Meggie się nie odsunęła, więc Farid ujął jej twarz w dłonie i znów ją pocałował – w czoło, w nos i jeszcze raz w usta.

– Przyjdziesz, prawda? Obiecujesz? – szepnął.

I uciekł, stawiając stopy lekko i cicho, jak wtedy, gdy Meggie ujrzała go po raz pierwszy.

– Musisz przyjść! – krzyknął jeszcze raz, nim zniknął za domem w wąskim przejściu prowadzącym na ulicę. – Może powinnaś zamieszkać z nami. Ten staruch jest zbzikowany. Nie wolno żartować z umarłych!

Zniknął za rogiem, a Meggie oparła się o ścianę, dokładnie w tym miejscu, gdzie przedtem stał Farid. Przesunęła palcem po wargach, jakby chciała się upewnić, czy się nie zmieniły po pocałunkach Farida.

– Meggie? – Fenoglio ukazał się w drzwiach, trzymając zapaloną lampę. – Co ty robisz tam na dole? Czy chłopak sobie poszedł? Czego tu chciał? Co on tam z tobą robił w ciemności?

Meggie nie odpowiedziała. Nie miała ochoty z nikim rozmawiać. Próbowała się połapać w dziwnych głosach własnego serca.

31

Elinor

A potem weźmiesz księgę wybraną:
Czytaj mi piosnkę swą ukochaną,
I – niby zapach – w rymy poety
Wlej czarodziejstwo głosu kobiety.

Zadrżyj noc, pełna muzyki boskiej;
I dzień czerniące żale i troski,
Jak Arabowie, namioty zwiną
I, tak jak oni, milcząc, odpłyną.

Henry Wordsworth Longfellow, *O zmroku,* [w:] *Wiersze*

Elinor spędziła w piwnicy kilka okropnych dni i nocy. Rano i wieczorem człowiek-szafa przynosił im jedzenie. Przynajmniej tak im się wydawało, że rano i wieczorem, sądząc po zegarku Dariusza, o ile dobrze chodził. Kiedy ten zwalisty typ po raz pierwszy przyniósł im chleb i wodę w plastikowej butelce, Elinor rzuciła w niego tą butelką, ale kolos uchylił się w porę i butelka uderzyła w ścianę.

– Nigdy więcej! – szepnęła rozgorączkowana, gdy strażnik, pomrukując drwiąco, zamknął ich znowu na klucz. – Nigdy więcej nie pozwolę się zamknąć: tak sobie przysięgałam, Dariuszu, wtedy w tej śmierdzącej klatce, kiedy ci podpalacze ze strzelbami podchodzili do kraty i rzucali mi prosto w twarz niedopałkami. A teraz? Teraz znowu siedzę zamknięta, i to we własnej piwnicy!

Pierwszej nocy podniosła się z dmuchanego materaca – wszystkie kości bolały ją niemiłosiernie – i zaczęła rzucać w ścianę konserwami. A Dariusz przycupnął na kocu, który rozłożył na poduszkach z ławki ogrodowej, i tylko patrzył na nią swymi okrągłymi oczami. Po południu drugiego dnia (a może trzeciego?) Elinor rzucała już słoikami, szlochając i kalecząc sobie palce. Dariusz właśnie sprzątał rozbite szkło, gdy człowiek-szafa przyszedł po Elinor.

Dariusz chciał iść z nimi, ale olbrzym pchnął go w cherlawą pierś tak mocno, że biedak upadł między oliwki, marynowane pomidory i co tam jeszcze wylało się ze słoików, które rozbiła Elinor.

– Ty draniu! – wrzasnęła Elinor na mężczyznę.

Ale on tylko się uśmiechnął, szczęśliwy jak dziecko, kiedy przewróci wieżę z klocków, i nucąc, poprowadził Elinor do biblioteki. „No proszę – pomyślała, gdy otworzył drzwi i skinieniem głowy dał znak, by weszła do środka. – I kto mówi, że źli ludzie nie mogą być szczęśliwi?”.

Biblioteka była w opłakanym stanie. Na parapecie, na dywanie, nawet na witrynach, w których Elinor trzymała swoje największe skarby, walały się brudne kubki i talerze. Ale to nie było jeszcze najgorsze. Najgorszy był widok samych książek! Żadna nie pozostała na swoim miejscu. Piętrzyły się na podłodze między brudnymi kubkami po kawie. Niektóre leżały rozłożone grzbietami do góry: Elinor musiała odwracać głowę, by na to nie patrzeć. Czy ten potwór nie rozumiał, że w ten sposób książkom skręca się kark?

Nawet jeśli rozumiał, to wcale się tym nie przejmował. Orfeusz siedział w jej ulubionym fotelu, obok leżał jego okropny pies, trzymając w łapach coś, co do złudzenia przypominało jej but ogrodowy. Jego pan przewiesił swoje tłuste nóżki przez poręcz fotela i niedbale kartkował przepięknie ilustrowany tom o wróżkach, który Elinor zaledwie dwa miesiące temu nabyła za takie pieniądze, że Dariusz z rozpaczą ukrył twarz w dłoniach.

– To jest – odezwała się, usiłując opanować drżenie głosu – bardzo, bardzo cenna książka!

Orfeusz zwrócił ku niej głowę i uśmiechnął się jak niegrzeczne dziecko.

– Wiem! – powiedział swoim aksamitnym głosem. – Ma pani wiele cennych książek, moja droga.

– Owszem – odparła Elinor lodowato. – I dlatego nie układam ich w sterty jak jajek w kratkach lub plastrów sera, tylko każda ma swoje miejsce na półce.

Słysząc tę uwagę, Orfeusz uśmiechnął się jeszcze szerzej. Zamknął książkę, zagiąwszy przedtem róg kartki, na co Elinor ze świstem wciągnęła powietrze.

– Książki to nie szklane wazony, droga pani – wyjaśnił, sadowiąc się wygodniej. – Nie są ani tak kruche, ani tak dekoracyjne. To tylko książki! Liczy się ich treść, która nie wypłynie z nich, kiedy leżą w stertach. – Przejechał dłonią po włosach, jakby chciał sprawdzić, czy mu się przedziałek nie przesunął. – Cukier twierdzi, że chciała pani ze mną rozmawiać.

Elinor omiotła człowieka-szafę zdumionym spojrzeniem.

– Cukier?

Olbrzym odsłonił w uśmiechu tak niezwykłą kolekcję zepsutych zębów, że nie pytała więcej o źródło jego przezwiska.

– To prawda. Od kilku dni chcę z panem mówić. Domagam się, by pan wypuścił z piwnicy mnie i mojego bibliotekarza! Mam dość korzystania z wiadra jako toalety w moim własnym domu i dość tego, że nie wiem nawet, czy to dzień, czy noc. Żądam, aby pan sprowadził z powrotem moją siostrzenicę i jej męża, którzy z pańskiej winy znaleźli się w wielkim niebezpieczeństwie, i żądam, by pan trzymał swoje brudne łapska z daleka od moich książek, do jasnej cholery!

Elinor zamknęła usta, obrzucając się w duchu najgorszymi wyzwiskami. O nie! Co jej zawsze powtarzał Dariusz? Co ona sama powtarzała sobie setki razy, leżąc w piwnicy na tym okropnym materacu? „Panuj nad sobą, Elinor, bądź mądra, powściągaj swój język...". I wszystko na nic. Pękła jak zbyt mocno nadmuchany balon.

A Orfeusz siedział spokojnie, założywszy nogę na nogę, z bezczelnym uśmiechem na twarzy.

– Tak, mógłbym ich sprowadzić, przypuszczam, że mógłbym – mówił, głaszcząc psa. – Pytanie tylko, dlaczego miałbym to robić? – Wodził palcem po okładce książki, w której przed chwilą w tak okropny sposób zagiął róg. – Piękna okładka, prawda? Może trochę kiczowata, poza tym inaczej wyobrażam sobie wróżki, ale mimo wszystko...

– Tak, wiem, że jest piękna, ale w tej chwili nie interesuje mnie okładka! – Elinor starała się nie podnosić głosu, ale nie bardzo jej się to udawało. – Jeśli może pan ich sprowadzić tutaj, niech pan to wreszcie zrobi, do diabła! Zanim będzie za późno. Stara chce go uśmiercić, chyba pan słyszał? Chce zabić Mortimera!

Orfeusz z obojętną miną poprawił krawat.

– No cóż, on zabił jej syna, jeśli dobrze zrozumiałem. Oko za oko, ząb za ząb, jak jest napisane w innej dość znanej książce.

– Jej syn był mordercą! – zawołała Elinor, zaciskając pięści.

Chciała rzucić się na tego pucołowatego potwora, wyrwać książkę z jego rąk, które były tak białe i wypielęgnowane, jakby przez całe życie nie robiły nic innego, tylko odwracały kartki, ale Cukier zastąpił jej drogę.

– Tak, tak, wiem – westchnął Orfeusz. – Wiem wszystko o Capricornie. Czytałem wiele razy książkę, która opowiada o jego przygodach, i muszę powiedzieć, że był znakomitym złoczyńcą, najlepszym, jakiego spotkałem w królestwie liter. I zabić kogoś takiego no, przepraszam panią, ale moim zdaniem... to istna zbrodnia. Chociaż cieszę się z tego ze względu na Smolipalucha.

Ach, gdyby tylko mogła go dosięgnąć, choć jeden raz walnąć w ten mięsisty nos, te uśmiechnięte usta!

– Capricorn porwał Mortimera! Uwięził jego córkę, więził także przez wiele lat jej matkę! – Do oczu napłynęły jej łzy gniewu i bezsilności. – Proszę, panie Orfeuszu, czy jak się pan tam nazywa! – Ze wszystkich sił starała się mówić choć trochę uprzejmiej. – Bardzo pana proszę! Niech pan ich tutaj sprowadzi, a przy okazji też Meggie, zanim rozdepcze ją jakiś olbrzym lub przebije włócznia!

Orfeusz odchylił się w fotelu, mierząc ją uważnym spojrzeniem niby obraz na sztalugach. Z jaką pewnością siebie zawładnął jej fotelem, tym samym, w którym Elinor siadywała obok Meggie, a dużo, dużo wcześniej – z Resą na kolanach, kiedy ta była jeszcze małym szkrabem. Elinor zdławiła w sobie wściekłość. „Musisz się opanować! – napominała się w duchu, wbijając wzrok w bladą twarz za okularami. – Dla Mortimera i Resy, i dla Meggie".

Orfeusz chrząknął.

– Zupełnie nie rozumiem, o co pani chodzi – powiedział, oglądając swoje poobgryzane jak u dziecka paznokcie. – Ja im zazdroszczę!

Elinor osłupiała. Dopiero, kiedy zaczął mówić dalej, pojęła, co miał na myśli.

– Nie rozumiem, skąd pani przyszło do głowy, że oni chcą wrócić? – rzekł cicho. – Gdybym ja się tam znalazł, nigdy bym już nie wrócił! Nie ma na świecie takiego miejsca, do którego tęskniłbym bardziej niż do tego wzgórza, na którym stoi zamek Tłustego Księcia. Ileż razy przemierzałem w myślach rynek w Ombrze, spoglądałem na wieże i łopocące na nich proporce z wizerunkiem lwa. Wyobrażałem sobie, jak by to było wspaniale wędrować przez Nieprzebyty Las i podglądać Smolipalucha kradnącego miód ognistym elfom. Wyobrażałem sobie tę wagantkę, jego ukochaną Roksanę. W wyobraźni stałem na dziedzińcu twierdzy Capricorna i czułem zapach zupy z naparstnicy i szczwołu, którą gotowała Mortola. Zamek Żmijogłowego do dziś ukazuje mi się w snach, czasem tkwię w jego lochach, czasem zakradam się ze Smolipaluchem przez bramę i patrzę na szubienice i wagantów powieszonych przez Żmijogłowego za to, że śpiewali niewłaściwe pieśni... Na wszystkie litery świata! Kiedy Mortola powiedziała mi swoje imię, myślałem, że zwariowała. Zauważyłem oczywiście, że ona i Basta byli podobni do postaci, za które się podawali, ale nie mogłem uwierzyć, że ktoś ich ściągnął z tej książki. Zastanawiałem się, czy to możliwe, by jeszcze ktoś poza mną posiadł taką sztukę czytania. Uwierzyłem dopiero wówczas, gdy Smolipaluch podszedł do mnie w tej obskurnej prowincjonalnej bibliotece. Boże, jak mi waliło serce, gdy zobaczyłem jego twarz naznaczoną trzema bliznami – śladami po nożu Basty! Biło mocniej niż wtedy, kiedy po raz pierwszy pocałowała mnie dziewczyna. To był rzeczywiście on, smutny bohater mojej ulubionej książki. I przeniosłem go tam z powrotem. Ale siebie – nie! Beznadziejna sprawa – roześmiał się gorzko. – Mam nadzieję, że nie umrze w tamtym świecie, tak jak to zaplanował ten kretyn autor. Nie, nie! Na pewno ma się dobrze, w końcu Capricorn nie żyje, a Basta jest tchórzem. Czy pani wie, że mając dwanaście lat, wysłałem list do tego Fenoglia, żeby zmienił zakończenie albo dopisał dalszy ciąg, w którym Smolipaluch powraca? Nigdy mi nie odpowiedział, a *Atramentowe serce* nie ma dalszego ciągu. Tak... – westchnął i umilkł.

Smolipaluch, Smolipaluch... Elinor zacisnęła usta. Kogo interesuje, co się stało z pożeraczem zapałek? „Spokojnie, Elinor, tylko nie wybuchnij znowu, tym razem musisz być mądra i działać w sposób przemyślany...". Ba, łatwo powiedzieć...

– Proszę posłuchać. Jeśli tak bardzo pragnie pan się znaleźć w tej książce... – tym razem udało jej się zachować ton obojętnej konwersacji – to może niech pan sprowadzi Meggie. Ona wie, jak się samemu przenieść do świata książki, bo to zrobiła! Na pewno będzie mogła panu wyjaśnić, jak to się robi, albo nawet pana tam wysłać.

Kiedy okrągła twarz Orfeusza pociemniała jak chmura gradowa, Elinor zdała sobie sprawę, że popełniła fatalny błąd. Jak mogła zapomnieć, że to próżny, nadęty typ?

– Nikt... – zaczął cicho Orfeusz, podnosząc się groźnie z fotela – nikt nie musi mi wyjaśniać sztuki czytania. A już na pewno nie mała dziewczynka!

„Zaraz cię znowu zamknie w piwnicy! – myślała Elinor. – I co teraz? Szybko poszukaj w swojej głupiej głowie dobrej odpowiedzi, Elinor! Pospiesz się! Wymyśl coś!".

– Oczywiście, że nie! – wyjąkała. – Nikt oprócz pana nie potrafił odesłać Smolipalucha. Ale...

– Żadne ale! Proszę uważać!

Wziął z fotela książkę, którą przed chwilą potraktował z takim lekceważeniem, i przybrał pozę, jak gdyby miał zaśpiewać arię na wyimaginowanej scenie. Otworzył w miejscu, gdzie zagięty róg szpecił kremowobiałą kartę, oblizał wargi językiem, jakby chciał je wygładzić, by słowa nie zaczepiły się o nie – i wnętrze biblioteki znów wypełnił ten czarowny, a tak niepasujący do jego wyglądu głos. Orfeusz czytał tak, jakby smakował ulubioną potrawę: rozkoszował się brzmieniem każdego dźwięku, litery stawały się perłami na jego języku, wyrazy – ziarnem, z którego rodziło się życie.

Może naprawdę był największym mistrzem swojej sztuki, uprawiał ją bowiem z najwyższą pasją.

– Oto opowieść o pastuszku imieniem Tudur z Llangollen, który pewnego dnia spotkał gromadę wróżek tańczących w rytm melodii granej przez maleńkiego skrzypka. – W pokoju rozległy się ciche

świergotliwe tony, ale gdy Elinor się obejrzała, nie dostrzegła nikogo poza człowiekiem-szafą wsłuchującym się w osłupieniu w głos Orfeusza. – *Tudur próbował oprzeć się dźwiękowi zaczarowanych skrzypiec, lecz w końcu zerwał z głowy czapkę i wyrzuciwszy ją wysoko w powietrze, przyłączył się do dzikich korowodów z okrzykiem: „No, to jazda, przygrywaj, ty stary diable!”.*

Dźwięki skrzypiec brzmiały coraz donośniej, a kiedy Elinor znów się odwróciła, pośrodku biblioteki ujrzała młodzieńca w wirującym kręgu maleńkich, odzianych w liście stworków, który obracał się w tańcu, wybijając bosymi stopami rytm, niczym tańczący niedźwiedź, a o krok dalej przygrywał na skrzypkach nie większych od żołędzia miniaturowy ludzik w czapce z kwiatu polnego dzwonka.

– *Na głowie skrzypka natychmiast pojawiła się para rogów, spod płaszcza wysunął się ogon!* – Głos Orfeusza nabrał takiej siły i dźwięczności, że prawie przeszedł w śpiew. – *Tańczące duszki zamieniły się w kozły, psy, koty i lisy i wirowały wraz z Tudurem w zawrotnych tanach.*

Elinor przycisnęła rękę do ust. Korowód zwierząt szalał po sali; wskakiwały na regały, tańczyły na pulpitach, depcząc brudnymi kopytami i łapami otwarte książki. Pies Orfeusza zerwał się i zaczął przeraźliwie ujadać.

– Niech pan przestanie! – krzyknęła Elinor. – Niech pan natychmiast przestanie!

Orfeusz z triumfującym uśmiechem zamknął książkę.

– Wypuść je do ogrodu! – rozkazał Cukrowi, który stał jak skamieniały.

Oszołomiony olbrzym otworzył drzwi biblioteki i cały korowód – podrygując w tańcu przy dźwiękach skrzypek, popiskując, poszczekując, pobekując – potoczył się korytarzem ku wyjściu, aż hałas ucichł w oddali.

– Nikt – powtórzył Orfeusz, a na jego twarzy nie było teraz nawet cienia uśmiechu – nikt nie będzie uczył Orfeusza sztuki czytania. Zauważyła pani? Nikt nie zniknął! Może parę moli lub much...

– Może paru kierowców na autostradzie – dorzuciła Elinor ochrypłym głosem, ale była pod wrażeniem umiejętności poety.

– Może! – zgodził się Orfeusz, niedbale wzruszając ramionami. – Ale to w niczym nie umniejsza mojego mistrzostwa. A teraz kolej na panią. Proszę dowieść umiejętności kulinarnych, bo mam serdecznie dosyć tego, co warzy mi Cukier. A jestem głodny. Zawsze jestem głodny po lekturze.

– Umiejętności kulinarnych? – Elinor dławiła się ze złości. – Mam być pana kucharką w moim własnym domu?

– Ależ tak! Musi się pani okazać pożyteczna. A może woli pani, żeby Cukier doszedł do wniosku, że pani i ten jąkała jesteście najzupełniej zbędni? Już i tak się wścieka, że do tej pory nie znalazł w tym domu niczego, co warto by było ukraść. Nie możemy pozwolić, by coś głupiego strzeliło mu do głowy, nie sądzi pani?

Elinor wzięła głęboki oddech i starając się opanować drżenie kolan, wymamrotała:

– Tak, tak, nie możemy na to pozwolić... – Po czym pomaszerowała do kuchni.

32
Niewłaściwy człowiek

Włożyła mu do ust lecznicze zioło i zaraz usnął. Przykryła go troskliwie. Przespał cały dzień...

Dieter Kühn, *Parsifal według Wolframa z Eschenbach*

Resa była sama z Mo w jaskini, gdy zjawili się tamci: dwie kobiety i czterech mężczyzn. Dwóch z nich siedziało wtedy z Podniebnym Tancerzem przy ognisku: Kopeć i Dwupalcy. Twarz tego ostatniego nawet w świetle dnia nie była mniej nieprzyjazna, ale i inni spoglądali tak wrogo, że Resa odruchowo przysunęła się bliżej do Mo.

Tylko Kopeć zdawał się zakłopotany.

Rzucając się w gorączce, Mo spał już któryś dzień z rzędu; zaniepokojona Pokrzywa potrząsała głową.

Szóstka przybyszów zatrzymała się w przejściu, zasłaniając światło wpadające z zewnątrz. Jedna z kobiet wystąpiła naprzód. Nie była wcale stara, ale palce miała powykręcane i pokrzywione, wyglądały jak szpony ptaka.

– On musi odejść! – powiedziała. – Jeszcze dziś. Nie jest jednym z nas, podobnie jak ty.

– Co masz na myśli? – spytała Resa, a głos jej drżał, choć starała się zachować spokój. – Nie może odejść. Jest na to za słaby.

Gdyby tu chociaż była Pokrzywa! Ale akurat musiała wyjść, mruczała coś o jakimś chorym dziecku i ziołach, których korzenie może przepędzą gorączkę. Pokrzywy by się bali, czuliby przed nią respekt, podczas gdy ona, Resa, była dla nich tylko obcą zrozpaczoną kobietą opiekującą się śmiertelnie chorym mężem. Co prawda nikt z wagantów nie podejrzewał nawet, jak bardzo była obca w ich świecie.

– Dzieci... spróbuj nas zrozumieć – odezwała się druga kobieta, młodsza. Była w ciąży, obronnym ruchem położyła rękę na brzuchu. – On naraża nasze dzieci na niebezpieczeństwo, a poza tym wy przecież nie należycie do nas, Marta ma rację. To jedyne miejsce, gdzie nam wolno przebywać. Nikt nas stąd nie wypędza, ale jeśli się dowiedzą, że Sójka tutaj jest, to koniec z tym. Powiedzą, że go ukrywamy.

– Ale on nie jest Sójką! Przecież wam mówiłam. I kto to są „oni"?

Mo szepnął coś przez sen, jego palce wpiły się w ramię Resy. Pogłaskała go uspokajająco po głowie i wlała mu do ust odrobinę wywaru, który jej zostawiła Pokrzywa. Tamci patrzyli na nich w milczeniu.

– Tak jakbyś nie wiedziała! – odezwał się inny z mężczyzn, chudy, wstrząsany suchym kaszlem. – Żmijogłowy go szuka. Przyśle nam tu swoich pancernych. Wszystkich nas powiesi za to, że go ukrywamy.

– Powtarzam wam jeszcze raz. – Resa mocno trzymała Mo za rękę. – On nie jest zbójcą ani nikim z waszych pieśni! Przyjechaliśmy tu dopiero kilka dni temu! Mój mąż oprawia książki, to jego zawód, nic innego.

Tamci patrzyli na nią dziwnym wzrokiem.

– W życiu nie słyszałem gorszego kłamstwa! – skrzywił się Dwupalcy.

Miał nieprzyjemny głos. Sądząc po połatanym ubraniu, musiał być jednym z komediantów odgrywających na rynkach prymitywne facecje, przy których widzowie tarzali się ze śmiechu, zapominając o codziennych troskach.

– Co by robił introligator w samym środku Nieprzebytego Lasu, koło starej twierdzy Capricorna? Nikt tam nie chodzi dobrowolnie ze względu na białe damy i inne szkarady gnieżdżące się w ruinach. A Mortola? Co ona może mieć wspólnego z introligatorem? I po co miałaby do niego strzelać z jakiejś czarodziejskiej broni, o której nikt z nas nawet nie słyszał?

Pozostali przytaknęli. Znów zbliżyli się o krok. Co miała zrobić? Co powiedzieć? Na co się zdało mieć głos, skoro i tak nikt jej nie słuchał? „Nie przejmuj się tym, że jesteś niemową – pocieszał ją zawsze Smolipaluch. – Ludzie i tak nie słuchają!".

Może powinna zawołać o pomoc, ale kto ją usłyszy? Podniebny Tancerz odszedł razem z Pokrzywą o świcie, gdy wilgotne liście lśniły jeszcze czerwienią od wschodzącego słońca, a kobiety, które przynosiły jej jedzenie i picie, a czasem zastępowały ją przy Mo, by mogła się przespać kilka godzin, poszły nad rzekę prać, zabierając ze sobą dzieci. W obozie pozostało paru starców, którzy przyszli tu, bo byli zmęczeni życiem i czekali już tylko na śmierć. Oni na pewno nie mogli jej pomóc.

– Nie wydamy go Żmijogłowemu! – tłumaczył chudy. – Zaniesiemy go tylko z powrotem tam, gdzie was znalazła Pokrzywa. Do przeklętej twierdzy.

Na jego ramieniu siedział czarny kruk. Resa widywała takie kruki w czasach, gdy jeszcze zarabiała jako pisarz na rynkach. Właściciele tresowali je, by kradły monety w czasie ich występów.

– W pieśniach jest mowa o tym – ciągnął właściciel kruka – że Sójka broni kuglarskiej braci. A ci, których zabił, zagrażali naszym kobietom i dzieciom. Potrafimy to docenić i wszyscy śpiewamy sławiące go pieśni, ale nie damy się za niego powiesić.

Widać było, że ich postanowienie jest niezłomne. Na pewno zabiorą Mo. Chciała na nich krzyknąć, ale nie miała siły. Z jej ust wydobył się ledwie szept:

– Nie przeżyje tego...

Z ich oczu wyczytała jednak, że to ich zupełnie nie interesuje. „A dlaczego miałoby ich interesować?" – myślała. Czy ona zachowałaby się inaczej na ich miejscu? Przypomniały jej się odwiedziny Żmijogłowego w twierdzy Capricorna, kiedy przyjechał wziąć udział w egzekucji wspólnego wroga. Od tego czasu wiedziała, jak wygląda człowiek, któremu sprawia przyjemność zadawanie cierpienia innym.

Kobieta o krzywych palcach przykucnęła i zanim Resa zdążyła ją powstrzymać, podciągnęła Mo rękaw koszuli.

– Widzicie! – zawołała triumfalnie. – Ma bliznę, dokładnie taką, jak opisują pieśni, tam gdzie go ukąsiły psy Żmijogłowego.

Resa odtrąciła ją z taką siłą, że kobieta potoczyła się pod stopy swych towarzyszy.

– To nie były psy Żmijogłowego, tylko Basty!

To imię ich zelektryzowało. Ale nie mieli zamiaru odejść. Kopeć pomógł kobiecie wstać, a Dwupalcy zbliżył się do posłania Mo.

– Dalej! – zwrócił się do pozostałych. – Podnieśmy go.

Wszyscy obstąpili posłanie, tylko Kopeć się wahał.

– Błagam, uwierzcie mi! – wołała Resa, odpychając ich ręce. – Jak możecie myśleć, że was okłamuję? Tak bym się odwdzięczała za waszą pomoc?

Ale nikt nie zwracał na nią uwagi. Dwupalcy ściągnął z Mo derkę, którą podarowała im Pokrzywa. Noce w jaskini były chłodne.

– No, proszę! Odwiedzacie naszych gości, to miło.

Waganci odwrócili się gwałtownie, jak dzieci przyłapane na gorącym uczynku. U wejścia do jaskini stał mężczyzna. W pierwszej chwili Resa pomyślała, że to Smolipaluch, i zdziwiła się, jak Podniebny Tancerz mógł mu tak szybko przekazać wiadomość. Ale po chwili uświadomiła sobie, że przybysz, na którego kuglarze patrzyli z takim poczuciem winy, jest czarny. Wszystko w nim było czarne – włosy, skóra, oczy, nawet ubranie. A obok niego, przewyższając swego pana o głowę i prawie równie czarny jak on, stał niedźwiedź.

– To z pewnością ci goście, o których opowiadała mi Pokrzywa – rzekł mężczyzna, a niedźwiedź pochylił łeb do przodu, wchodząc za nim do jaskini. – Mówi, że oni znają mojego starego dobrego przyjaciela Smolipalucha. Sądzę, że wszyscy o nim słyszeliście? I z pewnością wiecie, że jego przyjaciele byli zawsze moimi przyjaciółmi. To samo dotyczy oczywiście jego wrogów.

Odsunęli się spiesznie od posłania, jakby nie chcieli przybyszowi zasłaniać widoku gości. Połykacz ognia zaśmiał się nerwowo.

– Co cię tu sprowadza, książę?

– Różne sprawy. Dlaczego nikt nie trzyma warty? Myślicie, że gnomy przestały się interesować naszymi zapasami?

Postąpił w głąb jaskini, a niedźwiedź, opuściwszy się na cztery łapy, człapał za nim, sapiąc, jakby nie spodobała mu się ciasna pieczara. Nazwał go księciem. No jasne! To Czarny Książę, słyszała jego imię na rynku w Ombrze, od służących Capricorna, ba, nawet od jego ludzi. Ale nigdy nie widziała go na własne oczy. Rzucał nożami, poskramiał niedźwiedzie... przyjaciel Smolipalucha. Zaprzyjaźnili się, gdy byli obaj dwa razy młodsi od Meggie.

Przeszedł między wagantami, nie zwracając na nich uwagi. Patrzył na Resę przycupniętą obok posłania Mo. Za kolorowym haftowanym pasem miał trzy długie, wąskie noże, chociaż grajkom nie wolno było nosić broni „Żeby ich łatwiej było przebić mieczem" – kpił Smolipaluch.

– Witam w tajnym obozie – rzekł Czarny Książę, a jego wzrok powędrował do zakrwawionych opatrunków Mo. – Przyjaciele Smolipalucha są tu mile widziani... nawet jeśli w tej chwili na to nie wygląda. – Obrzucił wagantów drwiącym spojrzeniem. Tylko Dwupalcy hardo popatrzył mu w oczy, ale i on po chwili spuścił głowę. A książę znów zwrócił wzrok na Resę. – Skąd znasz Smolipalucha?

Co miała odpowiedzieć? Że zna go z innego świata? Niedźwiedź obwąchiwał kawałek chleba leżący obok posłania. Wzdrygnęła się, gdy owionął ją gorący oddech drapieżnika. „Powiedz prawdę, Reso – myślała. – Nie musisz przecież mówić, w jakim świecie to się wydarzyło".

– Byłam przez kilka lat służącą u podpalaczy – powiedziała wreszcie. – Uciekłam, ale ukąsił mnie wąż. Smolipaluch mnie znalazł i mi pomógł. Bez niego bym umarła. – „Ukrył mnie – dodała w myślach – ale i tak mnie znaleźli: Basta i reszta, a jego o mało nie zatłukli na śmierć".

– A co z twoim mężem? Podobno nie jest jednym z nas.

Czarne oczy przewiercały jej twarz, nawykłe widać do wykrywania kłamstw.

– Mówi, że jest introligatorem, ale my wiemy lepiej! – Dwupalcy splunął pogardliwie.

– Co wiecie? – Czarny Książę spojrzał na nich pytająco, ale oni milczeli.

– Naprawdę jest introligatorem! Przynieście mu papier, klej, skórę, a dowiedzie tego, kiedy tylko poczuje się lepiej. – „Tylko nie płacz, Reso – myślała. – Dość się napłakałaś w ostatnich dniach".

Chudy znów zakasłał.

– No, dosyć tego dobrego! Słyszeliście, co powiedziała. – Czarny Książę przykucnął obok Resy. – Zostaną tutaj, dopóki nie przyjdzie Smolipaluch, żeby potwierdzić jej wersję. On nam powie, czy to zwykły introligator, czy ten rozbójnik, o którym ciągle bredzicie. Smolipaluch chyba zna twojego męża?

– O tak! – odparła Resa. – Zna go nawet dłużej niż mnie.

Mo odwrócił głowę i wyszeptał imię Meggie.

– Meggie? Czy takie nosisz imię? – Czarny Książę odepchnął pysk niedźwiedzia, który znów próbował dobrać się do chleba.

– To imię naszej córki.

– Macie córkę? Ile ma lat?

Niedźwiedź przewrócił się na grzbiet jak pies, a książę drapał go po kosmatym brzuchu.

– Trzynaście.

– Trzynaście? To prawie w tym samym wieku, co córka Smolipalucha.

Córka Smolipalucha? Nigdy jej nie mówił, że ma córkę.

– Co tak stoicie bezczynnie? – ofuknął tamtych Czarny Książę. – Przynieście świeżej wody, nie widzicie, że ma gorączkę?

Obie kobiety wyszły szybko, zadowolone z pretekstu, by opuścić jaskinię. Mężczyźni stali niezdecydowani.

– A co, jeśli to jednak on, książę? – spytał chudy. – Co, jeśli Żmijogłowy dowie się o nim, zanim przyjdzie Smolipaluch? – Zakasłał gwałtownie, przyciskając rękę do piersi.

– Jeśli to kto? Sójka? Bzdura! On najpewniej w ogóle nie istnieje. A gdyby to nawet był on? Od kiedy to wydajemy tych, którzy są po naszej stronie? A jeśli pieśni mówią prawdę, jeśli on chroni wasze kobiety, wasze dzieci...?

– Pieśni nigdy nie mówią prawdy – rzekł Dwupalcy, spoglądając ponuro spod zrośniętych smolistych brwi. – To pewnie zwykły rozbójnik, chciwy morderca, nic więcej...

– Może tak, a może nie – uciął Czarny Książę. – Na razie widzę tu tylko ciężko rannego i jego żonę, która błaga o pomoc.

Mężczyźni milczeli, ale wciąż mierzyli Mo wrogimi spojrzeniami.

– A teraz zabierajcie się stąd! – krzyknął Czarny Książę. – Jak ma się poczuć lepiej, kiedy tak się na niego gapicie? A może wam się wydaje, że jego żonie zależy na waszym miłym towarzystwie? Weźcie się do czegoś pożytecznego, roboty jest dosyć!

Mężczyźni wyszli, ociągając się, jak ludzie, którzy nie załatwili tego, po co przyszli.

– To nie on! – szepnęła Resa, kiedy zostali sami.

– Tak myślę! – Czarny Książę głaskał niedźwiedzia po okrągłych uszach. – Ale tamci są przekonani, że to on. A Żmijogłowy wyznaczył wysoką nagrodę za głowę Sójki.

– Nagrodę? – Resa spojrzała w otwór jaskini. Dwaj mężczyźni wciąż stali przy wejściu. – Oni tu wrócą – szepnęła – i będą próbowali go zabrać.

Ale Czarny Książę potrząsnął głową.

– Nie zrobią tego, dopóki ja tu jestem, a ja zostanę, dopóki nie przyjdzie Smolipaluch. Pokrzywa twierdzi, że posłałaś mu wiadomość, więc pewnie się tu wkrótce zjawi i powie im, że nie kłamiesz.

Dwie kobiety wróciły, niosąc miskę z wodą. Resa zmoczyła szmatę i zrobiła Mo zimny okład na czoło. Ciężarna wagantka pochyliła się, kładąc jej garść kwiatów na kolanach.

– Proszę! – powiedziała. – Połóż mu to na piersiach, to przynosi szczęście.

Resa pogładziła suche płatki kwiatów.

– Słuchają cię – zauważyła, gdy kobiety wyszły. – Dlaczego?

– Dlatego, że wybrali mnie na swojego króla i dlatego, że dobrze rzucam nożami.

33
Niebezpieczne lekarstwo

I na to wszystko patrzeć tak z oddali:
panie, panowie, panie – chłopcy mali,
co inni są i barwni.

Rainer Maria Rilke, *Dzieciństwo*,
[w:] *Księga obrazów. Wiersze nowe*

W pierwszej chwili Smolipaluch nie uwierzył Faridowi, gdy ten opowiedział mu, co wydarzyło się w izbie Fenoglia. Nie, przecież nawet ten stary nie mógł być na tyle zbzikowany, żeby zadzierać ze śmiercią. Ale jeszcze tego samego dnia kobiety kupujące zioła u Roksany potwierdziły opowieść chłopca: Piękny Cosimo powrócił z krainy umarłych.

– Podobno białe damy tak się w nim zakochały, że w końcu pozwoliły mu odejść – relacjonowała Roksana zasłyszane opowieści. – A mężczyźni twierdzą, że po prostu się ukrywał przed swoją brzydką żoną.

„Zwariowane historie – myślał Smolipaluch – ale prawda jest sto razy bardziej zwariowana".

O Briannie kobiety nic nie umiały powiedzieć. Martwił się, że córka przebywa na zamku, którego los był niepewny. Podobno Piszczałka wciąż jeszcze siedział w Ombrze z kilkunastoma zbrojnymi. Pozostałych Cosimo wypędził za mury miasta. Czekali tam na przybycie swojego pana. Bo takie właśnie chodziły słuchy: że Żmijogłowy wybiera się, by na własne oczy zobaczyć zmartwychwstałego księcia. Na pewno nie pogodzi się tak łatwo z faktem, że Cosimo odebrał tron jego wnukowi.

– Sama pojadę i zobaczę, co u niej słychać – powiedziała Roksana. – Ciebie pewnie nie wpuściliby nawet na zewnętrzny dziedziniec. Ale za to zrobisz coś dla mnie.

Jak się okazało, kobiety przyjechały nie tylko kupić zioła i poplotkować o Cosimie. Przekazały też Roksanie zamówienie od Pokrzywy, która zatrzymała się w Ombrze, gdzie leczyła dwoje chorych dzieci na ulicy farbiarzy. Potrzebowała korzenia zioła zwanego „śmierć wróżek"; było to bardzo niebezpieczne lekarstwo: mogło równie dobrze wyleczyć, jak zabić.

– Stara nie powiedziała, dla jakiego nieszczęśnika jest ono przeznaczone – opowiadała Roksana. – Tyle tylko wiem, że to dla jakiegoś rannego, który przebywa w tajnym obozie. Aha, i jeszcze jedna sprawa – dodała. – Jest tu Podniebny Tancerz, podobno ma dla ciebie wiadomość.

– Wiadomość? Dla mnie?

– Tak. Od kobiety.

Roksana patrzyła przez chwilę na Smolipalucha, po czym weszła do domu, aby przynieść zioła.

– Idziesz do Ombry? – usłyszał nagle za plecami głos Farida, aż wzdrygnął się zaskoczony.

– Tak, a Roksana jedzie na zamek – odparł – wobec tego ty zostaniesz i przypilnujesz Jehana.

– A kto przypilnuje ciebie?

– Mnie?

– Tak. – Jak ten chłopak na niego patrzył, na niego i na kunę. – Żeby to się nie stało – dodał Farid tak cicho, że Smolipaluch nie zrozumiał. – To, co jest napisane w książce.

– Ach, to!

Farid patrzył na niego z takim niepokojem, jakby on za chwilę miał tu paść martwy. Smolipaluch nie mógł powstrzymać uśmiechu, choć szło tu przecież o jego życie.

– Meggie ci o tym powiedziała?

Farid skinął głową.

– No, dobrze. Po prostu zapomnij o tym, rozumiesz? Tak jest rzeczywiście napisane. I te słowa może się spełnią, a może nie.

Ale Farid potrząsnął głową tak gwałtownie, że aż czarna czupryna opadła mu na oczy.

– Nie! – powiedział twardo. – Te słowa się nie spełnią! Przysięgam. Przysięgam na dżiny, które nocą wyją na pustyni, na duchy, które pożerają umarłych, przysięgam na wszystko, czego się boję!

Smolipaluch przyglądał mu się w zadumie.

– Wariat! – rzekł w końcu. – Ale przysięga mi się podoba. W takim razie zostawię tutaj Gwina przywiązanego na smyczy, żebyś był spokojny.

Ale Gwinowi nie w smak była ta perspektywa. Ugryzł Smolipalucha w rękę, gdy ten zakładał mu obrożę na szyję, próbował chwycić zębami jego palce i zaskrzeczał przeraźliwie, gdy Skoczek wepchnął się zamiast niego do plecaka.

– Zabierasz nową kunę, a starą zostawiasz tu na smyczy? – zdziwiła się Roksana, wróciwszy z ziołami.

– Tak. Ktoś mi przepowiedział, że Gwin przyniesie mi nieszczęście.

– Od kiedy to wierzysz w przepowiednie?

Właśnie, od kiedy? „Od czasu, gdy spotkałem starego człowieka, który twierdzi, że wymyślił ciebie i mnie" – pomyślał. Gwin wciąż fukał wściekle, Smolipaluch nigdy jeszcze nie widział go w takim stanie. Bez słowa odpiął smycz, nie zważając na przerażony wzrok Farida.

W drodze do Ombry Gwin przez cały czas siedział na ramieniu Farida, jakby chciał pokazać Smolipaluchowi, że mu jeszcze nie przebaczył. A kiedy tylko Skoczek wysuwał nos z plecaka, Gwin pokazywał kły i warczał tak złowrogo, że Farid musiał mu zatykać mordkę ręką.

Szubienice stojące za bramą miejską były puste, tylko kilka kruków siedziało na poprzeczkach. Jak widać, mimo powrotu Cosima Brzydka Wiolanta nadal sprawowała sądy, jak to czyniła jeszcze za życia Tłustego Księcia. A Wiolanta nie lubiła wieszać, może dlatego, że jako dziecko za dużo napatrzyła się na mężczyzn z pętlą na szyi.

– Posłuchaj – zwrócił się Smolipaluch do Farida, gdy zatrzymali się pod szubienicami. – Ja pójdę zanieść Pokrzywie lekarstwo i zapytam Podniebnego Tancerza, jaką to ma dla mnie wiadomość, a ty tymczasem pójdziesz po Meggie. Muszę z nią porozmawiać.

Farid spiekł raka, ale skinął głową. Smolipaluch obserwował go z kpiącym uśmiechem.

– O co chodzi? Czyżby tego wieczora, kiedy byłeś u niej, wydarzyło się coś więcej niż tylko powrót Cosima?

– To nie twoja sprawa! – mruknął Farid, jeszcze bardziej czerwieniejąc.

Jakiś chłop, klnąc soczyście, próbował wjechać wozem pełnym beczek przez bramę. Woły się znarowiły i strażnicy niecierpliwie chwycili za lejce, ciągnąc wóz do środka. Smolipaluch skorzystał z zamieszania i wśliznął się wraz z Faridem za mury.

– Mimo to przyprowadź Meggie – powiedział na odchodnym. – Tylko nie zabłądź z tej wielkiej miłości.

Odprowadzał chłopca wzrokiem, póki ten nie zniknął między domami. Nic dziwnego, że Roksana uważa go za jego syna. Czasem miał wrażenie, że jego serce jest tego samego zdania.

34

Wiadomość Podniebnego Tancerza

Tak, najdroższa,
Nasz świat krwawi
Z powodu większych cierpień niż cierpienia miłosne.
Faiz Ahmed Faiz, *Miłość, jaką cię kiedyś darzyłem*

Nie było chyba na świecie ohydniejszego zapachu niż ten, jaki wydobywał się z kubłów farbiarzy. Smolipaluch poczuł gryzący odór, już kiedy przepychał się ulicą, gdzie praktykowali swoje rzemiosło kowale: wytwórcy kotłów, rzemieślnicy zajmujący się podkuwaniem koni, a po drugiej stronie – płatnerze, którzy cieszyli się większym mirem niż ich koledzy po fachu i z tego powodu bardzo się wywyższali. Hałas młotów walących w rozpalone żelazo był prawie tak samo nie do zniesienia jak smród bijący z uliczki farbiarzy, których nędzne domki leżały w najdalszej części Ombry. Żadne miasto nie tolerowało ich śmierdzących kubłów w pobliżu lepszych dzielnic. Smolipaluch kierował się właśnie ku bramie oddzielającej tę uliczkę od reszty miasta, gdy zderzył się z mężczyzną, który wychodził z jednego z warsztatów płatnerskich.

Piszczałka. Łatwo go było rozpoznać po srebrnym nosie, chociaż Smolipaluch przypominał sobie czasy, gdy tamten miał jeszcze normalny nos. „Ależ ty masz szczęście, Smolipaluchu!" – pomyślał, odwracając głowę i próbując przemknąć się obok byłego grajka Capricorna. Ze wszystkich mężczyzn na świecie akurat ten siepacz musiał się napatoczyć! Smolipaluch miał nadzieję, że Piszczałka go nie zauważył, chciał go minąć niepostrzeżenie, ale ten chwycił go za ramię i obrócił ku sobie.

– Smolipaluch! – zawołał swoim zduszonym głosem.

Niegdyś jego głos brzmiał zupełnie inaczej. Smolipaluchowi przypominał zawsze przesłodzone ciastka. Ale Capricorn niczyjego głosu i niczyich pieśni nie słuchał chętniej. Piszczałka pisał cudowne pieśni o podpaleniach i mordach, tak cudowne, że prawie można było uwierzyć, iż nie ma szlachetniejszego zajęcia od podrzynania gardeł. Czy dla Żmijogłowego śpiewał te same pieśni, czy też były one może zbyt krwawe dla srebrnych sal Mrocznego Zamku?

– No i proszę! Można by pomyśleć, że w tych dniach wszyscy powstają z martwych – mówił Piszczałka, podczas gdy towarzyszący mu dwaj pancerni tęsknymi spojrzeniami omiatali broń wystawioną przed warsztatami płatnerskimi. – Szczerze mówiąc, byłem przekonany, że Basta już cię dawno pogrzebał, a przedtem jeszcze pociął na plasterki. Wiesz, że on też wrócił? On i Mortola, na pewno ją sobie przypominasz. Żmijogłowy przyjął ją z otwartymi ramionami, zawsze sobie cenił jej trucicielski kunszt.

Smolipaluch pokrył strach uśmiechem.

– Coś takiego, Piszczałka! – udał zdziwienie. – Nowy nos pasuje ci jak ulał, lepiej nawet niż stary. Mówi jasno, kto jest teraz twoim panem, i widać od razu, że należy do grajka, którego można kupić za srebro.

Za to oczy Piszczałki były te same co dawniej, ołowiane jak chmury w deszczowy dzień, i patrzyły na niego nieruchomo, jak oczy ptaka. Smolipaluch wiedział od Roksany, w jaki sposób grajek stracił nos. Otóż pewien mężczyzna obciął mu go za to, że Piszczałka swymi mrocznymi pieśniami uwiódł jego córkę.

– Nadal masz niebezpiecznie ostry język, Smolipaluchu – syknął srebrnonosy. – Czas, by wreszcie ci go obciąć. Raz już ktoś próbował, ale wykręciłeś się sianem, uratował cię Czarny Książę i jego niedźwiedź. Czy oni cię nadal chronią? Jakoś ich nie widzę. – Rozejrzał się dokoła.

Smolipaluch zerknął na towarzyszących Piszczałce żołnierzy. Każdy z nich był co najmniej o głowę wyższy od niego. „Co by powiedział Farid, gdyby mnie teraz zobaczył? – pomyślał. – Powiedziałby, że powinienem był go wziąć ze sobą, żeby mógł dotrzymać przysięgi". Piszczałka miał u pasa miecz, a jego dłoń spoczywała na rękojeści. Podobnie jak Czarny Książę nic sobie nie robił z prawa zakazującego wagantom noszenia broni. Jak to dobrze, że hałas młotów kowalskich zagłuszał szalone bicie serca Smolipalucha.

– Muszę iść – powiedział obojętnie Smolipaluch. – Pozdrów ode mnie Bastę, jeśli go zobaczysz, i przekaż mu, że z tym pogrzebem sprawa jest otwarta.

Odwrócił się na pięcie (warto było przynajmniej spróbować), ale Piszczałka przytrzymał go za rękaw.

– A, jest i kuna! – warknął.

Smolipaluch poczuł za uchem wilgotną mordkę Skoczka. „To nie ta kuna" – próbował uspokoić oszalałe serce. Nie ta kuna. Ale czy Fenoglio w ogóle wymienił imię Gwina, opisując scenę jego śmierci? Mimo najszczerszych chęci nie mógł sobie tego przypomnieć. „Będę musiał poprosić Bastę, by mi oddał książkę, żebym mógł to sprawdzić" – pomyślał z goryczą. Machnął ręką i kuna schowała łepek. Lepiej o tym nie myśleć.

Piszczałka wciąż przytrzymywał go za ramię. Nosił rękawiczki z jasnej skórki, delikatnie stebnowane, całkiem jak damskie.

– Niebawem przybędzie Żmijogłowy – szepnął do Smolipalucha. – Wiadomość o cudownym powrocie do żywych jego zięcia bardzo mu się nie spodobała. Uważa to wszystko za kiepską maskaradę, która ma pozbawić tronu jego bezbronnego wnuka.

W tej chwili na uliczce pojawiło się czterech wartowników w barwach Tłustego Księcia, a teraz barwach Cosima. Nigdy jeszcze pojawienie się zbrojnych nie było Smolipaluchowi tak bardzo na rękę.

Piszczałka puścił jego ramię.

– Jeszcze się spotkamy! – syknął.

– Niewykluczone – bąknął Smolipaluch.

Po czym szybko przepchnął się przez grupkę obdartusów podziwiających okazały miecz na wystawie, minął jakąś kobietę, pokazującą kowalowi dziurawy sagan, i zniknął za bramą.

Nikt go nie ścigał. Nikt nie chwycił go za rękaw. „Masz zbyt wielu wrogów, Smolipaluchu!" – pomyślał. Zwolnił dopiero wtedy, gdy dotarł do kadzi, z których buchały opary farbiarskiego roztworu. Te same wyziewy wisiały też nad strumykiem, który wydostając się pod murami poza miasto, odprowadzał śmierdzącą breję do rzeki. Nic dziwnego, że rusałki spotkać można było już tylko powyżej ujścia ścieków do rzeki.

W drugim domu, do którego zapukał, powiedzieli mu, gdzie może znaleźć Pokrzywę. Kobieta, do której go posłano, miała zapłakane oczy, a na rękach trzymała niemowlę. Bez słowa zaprosiła go do domu, jeśli to w ogóle można było nazwać domem. Pokrzywa pochylała się nad małą dziewczynką z rozpalonymi policzkami i szklanym wzrokiem. Ujrzawszy Smolipalucha, wyprostowała się z ponurą miną.

– Roksana prosiła mnie, żebym ci to dał!

Pokrzywa rzuciła okiem na korzeń zioła, zacisnęła usta i skinęła głową.

– Co jest dziewczynce? – spytał, kiedy matka usiadła przy łóżku dziecka.

Pokrzywa wzruszyła ramionami. Miała na sobie takie samo ubranie w kolorze mchu jak dziesięć lat temu. I tak samo jak dziesięć lat temu nie cierpiała Smolipalucha.

– Złośliwa gorączka, ale wyjdzie z tego – mruknęła. – To nic w porównaniu z tym, na co zmarła twoja córka... podczas gdy jej ojciec wędrował sobie po świecie! – dokończyła zjadliwie.

Patrzyła mu przy tym w twarz, jakby chciała mieć pewność, że jej słowa go zabolą. Ale Smolipaluch potrafił ukrywać ból, znał się na tym prawie tak dobrze jak na żonglowaniu ogniem.

– Ten korzeń jest niebezpieczny – rzekł.

– Komu to mówisz? – Stara zmierzyła go złym spojrzeniem, jakby ją obraził. – Rana, którą ma wyleczyć, też jest niebezpieczna. On jest silny, inaczej dawno by już nie żył.

– Znam go?

– Znasz jego żonę.

O czym ta stara gadała? Smolipaluch spojrzał na chorą dziewczynkę, której drobna twarzyczka była czerwona od gorączki.

– Słyszałam, że Roksana cię przyjęła – odezwała się znów Pokrzywa. – Powiedz jej, że jest głupsza, niż myślałam. A teraz idź za dom. Podniebny Tancerz powie ci więcej o tej kobiecie. Ma dla ciebie wiadomość.

Podniebny Tancerz stał między chatami farbiarzy pod rachitycznym krzakiem oleandra.

– Biedna mała, widziałeś? – powiedział, gdy Smolipaluch podszedł do niego. – Po prostu nie mogę patrzeć, kiedy dzieciaki chorują. Matki wypłakują sobie oczy... Pamiętam, jak Roksana... – Urwał nagle, wsuwając rękę pod brudny kitel. – Przepraszam, zapomniałem, że to było także twoje dziecko. Proszę, to dla ciebie – wyjął spod kitla kartkę cienkiego, śnieżobiałego papieru, jakiego nie spotykało się w tym świecie. – Pewna kobieta dała mi to dla ciebie. Pokrzywa znalazła ją i jej męża w lesie koło dawnej twierdzy Capricorna i przyprowadziła ich do tajnego obozu. Mężczyzna jest ranny, i to paskudnie.

Smolipaluch z wahaniem rozłożył kartkę. Od razu poznał charakter pisma.

– Mówi, że cię zna. Powiedziałem jej, że nie umiesz czytać, ale...

– Umiem czytać. Ona mnie nauczyła.

Jak ona się tu dostała? Tylko o tym mógł myśleć, podczas gdy litery Resy tańczyły mu przed oczami. Papier był tak pognieciony, że słowa z trudem dawały się odcyfrować. Zresztą czytanie nigdy nie przychodziło mu łatwo...

– Ona powiedziała to samo: „Ja go nauczyłam". – Podniebny Tancerz patrzył na niego zaintrygowany. – Skąd znasz tę kobietę?

– To długa historia. – Smolipaluch schował kartkę do plecaka. – Muszę już iść – dodał.

– My z Pokrzywą jeszcze dziś wracamy do obozu – krzyknął za nim Podniebny Tancerz. – Czy mam jej coś przekazać?

– Tak, powiedz, że przyprowadzę jej córkę.

W uliczce kowali wciąż stali żołnierze Cosima. Spierali się na temat miecza wystawionego na sprzedaż, którego kupno leżało poza zasięgiem możliwości prostego żołnierza. Piszczałki nigdzie nie było widać. Z okien zwieszały się kolorowe wstążki: to mieszkańcy Ombry świętowali powrót swego zmarłego księcia. Ale Smolipaluchowi nie w głowie było świętowanie. Słowa ukryte w plecaku ciążyły mu jak ołów. Choć musiał przyznać, że fakt, iż Czarodziejski Język miał tutaj jeszcze mniej szczęścia niż on w jego świecie, napełniał go gorzką satysfakcją. Teraz Czarodziejski Język już wiedział, jak czuje się człowiek w obcej historii. A może nie zdążył niczego poczuć, zanim Mortola do niego strzeliła?

Na ulicy prowadzącej do zamku ścisk był jak w dni jarmarczne. Smolipaluch spojrzał w górę, gdzie na wieżach wciąż łopotały żałobne chorągwie. Zastanawiał się, co jego córka myślała o powrocie męża swojej pani. „Nawet gdybyś ją spytał, i tak ci nie powie" – myślał, kierując się do bramy miejskiej. Najwyższy czas zniknąć, zanim znów natknie się na Piszczałkę albo co gorsza na jego pana...

Meggie czekała już z Faridem pod szubienicami. Farid mówił coś do niej, a ona śmiała się wesoło. „Na wszystkie elfy świata! – pomyślał Smolipaluch. – Popatrz na nich, jacy są szczęśliwi, a ty po raz kolejny przynosisz złe wieści. Dlaczego zawsze ty? – I zaraz sobie odpowiedział: – To proste. Bo złe wiadomości lepiej pasują do twojej twarzy niż dobre".

35 Atramentowe lekarstwo

Pamięć o ojcu zawinięta w biały papier
Jak kromki chleba w dzień pracy.
Niczym magik, co wyjmuje z kapelusza króliki i wieże,
Z drobnego ciała wydobywa – miłość.

Jehuda Amichaj, *Mój ojciec,* [w:] *Koniec sezonu pomarańczy*

Na widok Smolipalucha śmiech zamarł Meggie na ustach. Dlaczego miał taką poważną twarz? Przecież Farid mówił, że jest szczęśliwy. Czy to jej widok wprawił go w tak ponury nastrój? Czy był zły za to, że podążyła za nim do jego historii i swoją osobą przypomina mu o latach, o których pragnął zapomnieć?

– O czym chce ze mną rozmawiać? – spytała Farida, kiedy po nią przyszedł.

– Pewnie o Fenogliu. Może chce wiedzieć, co stary zamierza.

Jakby mogła odpowiedzieć na to pytanie...

Na twarzy Smolipalucha nie było ani cienia tego uśmieszku, który zawsze tak intrygował Meggie.

– Cześć, Meggie – powiedział.

Z plecaka wyjrzała zaspana kuna, ale to nie był Gwin, ten bowiem siedział na ramieniu Farida i zaczął fukać, gdy tylko zobaczył mordkę swego konkurenta.

– Cześć – odparła Meggie zakłopotana. – Co u ciebie słychać?

Dziwnie się czuła, widząc go ponownie. Radość mieszała się z nieufnością.

Za ich plecami nieprzerwany potok ludzki wlewał się w bramę miasta: szli chłopi, straganiarze, kuglarze, żebracy, wszyscy, którzy słyszeli o powrocie Cosima. W tym świecie wiadomości rozchodziły się szybko, choć nie było telefonów ani gazet, a listy pisali tylko bogaci.

– Wszystko dobrze, naprawdę! – powiedział Smolipaluch i uśmiechnął się.

Ale nie był to już ten zagadkowy uśmiech, który tak dobrze znała. Farid nie kłamał, Smolipaluch był naprawdę szczęśliwy. Fakt ten jego samego zdawał się wprawiać w zakłopotanie. Twarz mu odmłodniała, choć blizny pozostały. Nagle znów się zasępił. Ta druga kuna zeskoczyła na ziemię, gdy jej pan zdjął plecak i wyjął z niego pomiętą kartkę.

– Właściwie chciałem z tobą porozmawiać o Cosimie, naszym księciu, który tak niespodziewanie powstał z martwych – rzekł Smolipaluch, rozprostowując papier. – Ale w tej sytuacji muszę ci chyba najpierw to pokazać.

Meggie, nic nie rozumiejąc, wzięła kartkę. Poznała pismo Resy i spojrzała na niego zaskoczona. Skąd on wziął list od jej mamy? Tutaj, w tym świecie?

Ale Smolipaluch powiedział krótko:

– Czytaj.

I Meggie zaczęła czytać. Słowa zaciskały się na jej szyi jak pętla, coraz ciaśniej, aż nie mogła oddychać.

– O co chodzi? – zaniepokoił się Farid. – Co tam jest napisane? – Spojrzał na Smolipalucha, ale ten milczał.

Meggie wciąż wpatrywała się w słowa Resy.

– Mortola strzeliła... do Mo?

Za nimi tłoczyli się ludzie pragnący ujrzeć Cosima, ale co ją to teraz obchodziło? Mogła myśleć tylko o jednym.

– Jak to? – Spojrzała zrozpaczona na Smolipalucha. – Skąd oni się tu wzięli? I jak się czuje Mo? To nic groźnego, prawda?

Smolipaluch unikał jej wzroku.

– Ja też wiem tylko to, co tu jest napisane – powiedział. – Że Mortola strzeliła do twojego ojca, że Resa jest z nim w tajnym obozie, a ja mam cię poszukać. Przyniósł mi tę kartkę przyjaciel. Jeszcze dzisiaj wraca do obozu razem z Pokrzywą, która...

– Pokrzywa? – przerwała mu. – Resa mi o niej opowiadała! Ona jest zielarką, bardzo dobrą zielarką... i na pewno wyleczy mojego tatę!

– Na pewno – odparł Smolipaluch, wciąż nie patrząc na Meggie.

Farid zdezorientowany spoglądał to na nią, to na Smolipalucha.

– Mortola strzeliła do Mo? – wyjąkał. – Więc to lekarstwo jest dla niego! Ale mówiłeś, że jest niebezpieczne!

– Niebezpieczne? – szepnęła Meggie. – Co jest niebezpieczne?

– Nic, zupełnie nic. Po prostu zaprowadzę cię do nich. I to zaraz. – Smolipaluch zarzucił plecak na ramię. – Idź do Fenoglia i powiedz mu, że przez kilka dni cię nie będzie. Powiedz, że będziesz ze mną i z Faridem, chociaż wątpię, żeby go to uspokoiło. Trudno! Nie mów mu, dokąd się udajemy i dlaczego. Nowiny szybko się rozchodzą w tym świecie. Lepiej, żeby Mortola się nie dowiedziała, że twój ojciec żyje – dodał, zniżając głos. – Tylko waganci znają obóz, w którym przebywa, a oni wszyscy przysięgali, że nikomu nie zdradzą jego położenia. Ale przysięgi...

– ...bywają łamane! – dokończyła Meggie.

– Ty to powiedziałaś. – Smolipaluch spojrzał w kierunku bramy. – Idź już. Nie będzie łatwo przedostać się przez ten tłum, ale postaraj się pospieszyć. Powiedz staremu, że na wzgórzu mieszka pewna wagantka...

– On wie, kim jest Roksana – przerwała Meggie.

– No tak! – uśmiechnął się gorzko Smolipaluch. – Ciągle zapominam, że on wie o mnie wszystko. No, więc niech przekaże

Roksanie, że musiałem wyjechać na kilka dni. I niech ma oko na moją córkę. Chyba wie, kto to taki?

Meggie skinęła głową.

– Dobrze – ciągnął Smolipaluch. – W takim razie powiedz staremu jeszcze coś. Jeśli chociaż jedno z tych jego przeklętych słów zaszkodzi Briannie, to gorzko pożałuje, że stworzył kogoś, kto potrafi obchodzić się z ogniem.

– Powiem mu! – zawołała Meggie i ruszyła biegiem.

Przeciskała się przez tłum zdążający do miasta. „Mo – szumiało jej w głowie. – Mortola strzeliła do Mo". Jej sen się spełnił. Czerwony sen.

Fenoglio stał przy oknie, gdy Meggie wpadła do izby.

– Boże, jak ty wyglądasz? – zawołał. – Czy ci nie mówiłem, żebyś nie wychodziła z domu, kiedy na ulicy kłębią się takie tłumy? Ale wystarczy, że ten chłopak zagwiżdże, a ty już lecisz jak tresowana małpka!

– Przestań! – krzyknęła Meggie tak ostro, że Fenoglio zaniemówił. – Musisz mi coś napisać. Szybko!

Pociągnęła go do pulpitu, na którym, pochrapując, drzemał Kryształek.

– Napisać? Co? – zdumiał się Fenoglio, siadając na krześle.

– Mój tata... – wyjąkała Meggie, wyciągając drżącą ręką pióro z dzbanka. – On tu jest, ale Mortola strzeliła do niego. Jest z nim bardzo źle! Smolipaluch nie chciał mi powiedzieć, ale widziałam to po jego minie, więc napisz mi coś, co go wyleczy! On jest w lesie, w tajnym obozie wagantów. Proszę cię, pospiesz się!

Fenoglio patrzył na nią oszołomiony.

– Strzeliła do twojego ojca? To on tu jest? Dlaczego? Nic z tego nie rozumiem!

– Nie musisz nic rozumieć! – zawołała Meggie z rozpaczą. – Masz mu tylko pomóc. Smolipaluch zaprowadzi mnie do niego. Wyczytam mu zdrowie, rozumiesz? On jest teraz w twojej historii, przywracasz umarłych do życia, więc tym bardziej możesz wyleczyć ranę. Proszę cię! – Umoczyła pióro w atramencie i wcisnęła mu je do ręki.

– Na Boga, Meggie – mruczał Fenoglio. – To smutne, ale... naprawdę nie mam pojęcia, co mógłbym napisać. Nawet nie wiem, gdzie on jest. Gdybym choć wiedział, jak wygląda to miejsce...

Meggie patrzyła na niego i nagle z jej oczu popłynęły długo wstrzymywane łzy.

– Proszę cię, Fenoglio – szepnęła jeszcze raz. – Przynajmniej spróbuj! Smolipaluch czeka na mnie za bramą.

Fenoglio rozejrzał się i łagodnie wyjął jej pióro z ręki.

– Dobrze, spróbuję – powiedział ochrypłym głosem. – Masz rację, to jest moja historia. W tamtym świecie nie mógłbym mu pomóc, ale tutaj może się uda... A ty powyglądaj przez okno – nakazał, gdy Meggie przyniosła mu dwa arkusze pergaminu. – Popatrz na ludzi na ulicy albo na ptaki na niebie, zajmij się czymkolwiek, tylko nie patrz na mnie, bo nie będę mógł pisać.

Meggie posłuchała go. Na ulicy zobaczyła Minerwę z dziećmi pośród tłumu i kobietę mieszkającą naprzeciwko, pokwikujące świnie, żołnierzy z herbem Tłustego Księcia na piersiach, ale patrzyła na to wszystko niewidzącymi oczami. Słyszała, jak Fenoglio moczy pióro w kałamarzu, jak skrzypi piórem po pergaminie, zatrzymuje się, znów pisze. „Proszę! – modliła się w myślach. – Niech mu przyjdą właściwe słowa do głowy! Proszę...". Pióro przestało skrzypieć, przeraziła się tej ciszy. Na dole jakiś żebrak odepchnął kulą dziecko stojące mu na drodze. Czas wlókł się niemiłosiernie, był jak wydłużający się cień u schyłku dnia. W zaułkach tłoczyli się ludzie, obszczekiwały się psy, od zamku płynęły dźwięki fanfar.

Meggie nie umiałaby powiedzieć, ile czasu upłynęło, kiedy wreszcie Fenoglio z westchnieniem odłożył pióro. Kryształek wciąż drzemał wyciągnięty jak linijka za miseczką z piaskiem. Fenoglio osuszył atrament.

– Przyszedł ci do głowy jakiś pomysł? – spytała Meggie, wstrzymując oddech.

– Tak, tak, ale nie pytaj mnie, czy to dobry pomysł.

Podał jej pergamin i Meggie przebiegła oczami tekst. Składał się z niewielu słów, ale chyba powinny wystarczyć.

– Ja go nie wymyśliłem, Meggie! – powiedział Fenoglio łagodnie. – Twój tata nie jest jedną z moich postaci, jak Cosimo, Smolipaluch czy Capricorn. On nie należy do tego świata. Dlatego nie rób sobie zbyt wiele nadziei, rozumiesz?

Meggie skinęła głową, zwijając pergamin w rulon.

– Smolipaluch mówi, żebyś uważał na jego córkę, gdy on będzie nieobecny.

– Jego córkę? Smolipaluch ma córkę? Czy ja to napisałem? Ach, prawda, były chyba nawet dwie.

– W każdym razie jedną znasz na pewno. To Brianna, służąca Brzydkiej Wiolanty.

– Brianna? – Fenoglio spojrzał na nią zaskoczony.

– Tak. – Meggie chwyciła skórzaną torbę, którą zabrała z innego świata, i ruszyła ku drzwiom. – Pilnuj jej, bo inaczej pożałujesz, że wymyśliłeś kogoś, kto potrafi obchodzić się z ogniem. Tak powiedział Smolipaluch.

– Tak powiedział? – Fenoglio roześmiał się, odsuwając krzesło. – Wiesz co? On mi się coraz bardziej podoba. Chyba napiszę jeszcze jedną historię, w której Smolipaluch będzie bohaterem, zamiast...

– ...umrzeć? – dokończyła Meggie, otwierając drzwi. – Powiem mu to, ale wydaje mi się, że raz na zawsze odechciało mu się tkwić w którejkolwiek z twoich historii.

– Ale tkwi. Nawet dobrowolnie do niej powrócił! – dobiegł ją na schodach głos Fenoglia. – Wszyscy w niej tkwimy, Meggie, jesteśmy zanurzeni w niej po same uszy. Kiedy wrócisz?

Meggie nie odpowiedziała. Skąd mogła wiedzieć, kiedy wróci?

– To znaczy dla ciebie pospieszyć się? – żachnął się Smolipaluch, gdy nadbiegła bez tchu, chowając do torby zwinięty pergamin. – Co to za pergamin? Czy stary dał ci jedną ze swoich pieśni jako prowiant na drogę?

– Coś w tym rodzaju – rzekła Meggie.

– W porządku, jeśli tylko nie występuje tam moje imię – rzekł Smolipaluch, kierując się w stronę drogi.

– Czy to daleko? – zawołała Meggie, próbując nadążyć za nim i Faridem.

– Wieczorem będziemy na miejscu – odparł przez ramię Smolipaluch.

36

Krzyki

> Pragnienie chcę ujrzeć
> w sylabach,
> dotknąć ognia w ich brzmieniu.
> Mrok chcę odczuć
> w krzyku. Słów
> chcę surowych
> jak nieociosane kamienie.
>
> Pablo Neruda, *Słowo*

Białe damy nie odchodziły. Resa ich już nie widziała, ale Mo wyczuwał ich obecność, jakby cień w słonecznym świetle. Nie mówił jej o tym, była taka zmęczona. Sił dodawała jej tylko nadzieja, że wkrótce zjawi się Smolipaluch – z Meggie.

– Zobaczysz, że ją znajdzie – słyszał zapewnienia Resy, wstrząsany gorączką.

Jak mogła być tego taka pewna? Jakby Smolipaluch nigdy ich nie zawiódł, nie ukradł książki, nie zdradził ich. Meggie... Pragnienie, by ją ujrzeć, było wciąż silniejsze od wabiących szeptów białych dam, silniejsze od bólu w piersiach... Kto wie, może ta przeklęta historia jednak dobrze się skończy? Choć Mo znał upodobanie Fenoglia do nieszczęśliwych zakończeń.

– Opowiedz mi, jak wygląda świat na zewnątrz – szeptał czasem do Resy. – To bez sensu, znaleźć się w innym świecie i nie oglądać nic innego poza wnętrzem jaskini.

Wtedy Resa opisywała mu to wszystko, czego sam nie mógł zobaczyć: drzewa potężniejsze i starsze od wszystkich, które widział w życiu, wróżki rojące się jak chmary komarów wśród gałęzi, szklane ludziki w wysokich paprociach i nocne strachy, które nie miały nazwy. Pewnego razu schwytała wróżkę – Smolipaluch nauczył ją, jak się to robi – i przyniosła do jaskini. Trzymając wróżkę w stulonych dłoniach, przystawiła mu ją do ucha, by posłuchał jej gniewnego ćwierkania.

Wszystko wydawało się takie rzeczywiste, choć powtarzał sobie, że pochodzi to tylko z papieru i atramentu. Twarda posadzka, na której leżał, posłanie z liści, które szeleściło, gdy rzucał się w gorączkowym śnie, gorący oddech niedźwiedzia. I Czarny Książę, którego po raz pierwszy spotkał na kartach książki, a który teraz często siadywał obok, rozmawiając cicho z Resą. A może Mo tylko majaczył o nim w gorączce?

Nawet śmierć była prawdziwa w tym Atramentowym Świecie. Bardzo prawdziwa. Dziwnie było spotkać ją właśnie tutaj, w świecie pochodzącym z jakiejś książki. Możliwe, że to umieranie złożone było tylko ze słów, możliwe, że to była tylko układanka literowa – ale jego ciało odczuwało je naprawdę. Jego serce odczuwało lęk, jego ciało – ból. A białe damy nie odeszły, chociaż Resa ich nie widziała. Mo czuł je przy sobie w każdej sekundzie, minucie, godzinie, dzień po dniu i noc po nocy. Anioły śmierci Fenoglia. Czy dzięki nim śmierć była tu łatwiejsza niż w tamtym świecie? Chyba nie. Nic nie mogło uczynić jej lżejszą. Traciło się to, co się kochało – oto była śmierć, i tutaj, i tam.

Na dworze jeszcze było jasno, gdy Mo usłyszał pierwszy krzyk. Najpierw myślał, że znów go chwyta gorączka. Ale poznał po twarzy Resy, że ona też to słyszy: szczęk mieczy i krzyki przerażenia...

Krzyki agonii. Mo próbował się podnieść, ale ból dopadł go jak zwierz, zatapiając ostre kły w jego piersi. Ujrzał Czarnego Księcia z dobytym mieczem u wejścia do jaskini, widział, jak Resa zrywa się z posłania, lecz jej twarz nagle rozmyła się i Mo w gorączce zobaczył Meggie: siedziała w kuchni z Fenogliem, a on przechwalał się, jaką świetną śmierć wymyślił dla Smolipalucha. O tak, Fenoglio uwielbiał smutne sceny. Może teraz właśnie pisał jedną z nich.

Na chwilę znów wróciła mu świadomość.

– Resa! – Przeklęty język zupełnie go nie słuchał. – Resa, uciekaj do lasu!

Ale Resa została przy nim. Nigdy go jeszcze nie opuściła. Z wyjątkiem tamtego dnia, gdy jego głos przeniósł ją daleko od niego, w inny świat.

37

Plamy krwi na słomie

Gnomy kopały jamy w ziemi, w gałęziach drzew śpiewały elfy: to były namacalne cuda lektury. Ale właściwy cud polegał na tym, że w opowieściach słowa mogły rozkazywać rzeczom, by były.

Francis Spufford, *Dziecko stworzone przez książki*

Wędrując z Faridem po Nieprzebytym Lesie, Meggie nieustannie odczuwała strach, ale ze Smolipaluchem było inaczej. Kiedy przechodził, zdawało się, że drzewa szumią głośniej, a krzaki wyciągają do niego gałęzie. Wróżki siadały na jego plecaku jak motyle, szarpały go za włosy, aż musiał się od nich opędzać, rozmawiały z nim. Pojawiały się i znikały jeszcze inne istoty, których imion Meggie nie znała ani z opowieści Resy, ani z żadnego innego źródła; czasem była to tylko para oczu między drzewami.

Smolipaluch prowadził ich tak pewnie, jakby widział przed sobą drogę niby czerwoną wstęgę. Nie zrobił ani jednego postoju, tylko wiódł ich w górę i w dół po wzgórzach, coraz głębiej w las. Gdy się wreszcie zatrzymali, Meggie kolana drżały ze zmęczenia. Było późne popołudnie. Smolipaluch przejechał ręką po połamanych gałązkach jakiegoś krzaka, schylił się, oglądając mokrą ziemię, podniósł garść zdeptanych jagód.

– Co jest? – zaniepokoił się Farid.

– Za dużo stóp. A przede wszystkim za dużo ciężkich butów.

Smolipaluch zaklął z cicha i przyspieszył kroku. Za dużo butów... Meggie zrozumiała, co miał na myśli, gdy między drzewami ukazał się obóz wagantów. Zobaczyła pozrywane namioty, rozdeptane ogniska...

– Zostańcie tu! – rozkazał Smolipaluch.

Posłuchali go bez słowa. Przerażeni patrzyli, jak ostrożnie wychodzi na otwartą przestrzeń, rozgląda się dokoła, sprawdza pod leżącymi na ziemi płachtami namiotowymi, wsadza rękę w wyziębły popiół ogniska, odwraca dwa trupy leżące obok. Na ten widok Meggie chciała pobiec do ogniska, ale Farid trzymał ją mocno. Gdy Smolipaluch zniknął w jaskini, a po chwili wyszedł z pobladłą twarzą, Meggie wyrwała się Faridowi i podbiegła do niego.

– Gdzie są moi rodzice? Są tam w środku? – Odskoczyła w tył, potrąciwszy nogą kolejnego trupa.

– Nie, nikogo tam nie ma. Ale znalazłem to. – Podał jej kawałek materiału.

Resa miała suknię z takiego materiału. Szmata była zakrwawiona.

– Poznajesz to?

Meggie skinęła głową.

– A więc twoi rodzice rzeczywiście tu byli. To zapewne krew twojego ojca. – Smolipaluch przejechał ręką po twarzy. – Może ktoś przeżył i będzie mógł nam opowiedzieć, co się tu wydarzyło. Rozejrzę się. Farid!

Farid w jednej chwili znalazł się u jego boku. Meggie chciała przejść obok nich, ale Smolipaluch ją zatrzymał.

– Meggie, posłuchaj! – rzekł, kładąc jej ręce na ramionach. – To dobrze, że rodziców tu nie ma. Bo to może oznaczać, że żyją. W jaskini znalazłem posłanie, na którym Resa prawdopodobnie pielęgnowała twojego ojca. Znalazłem też ślady bytności niedźwiedzia, co oznacza, że był tu Czarny Książę. Być może chodziło o niego, ale w takim razie po co zabrali wszystkich innych...? Czegoś tu nie rozumiem.

Kazał Meggie zaczekać w jaskini, a sam z Faridem poszedł szukać świadków zdarzenia. Wejście do jaskini było tak szerokie i wysokie, że swobodnie mógł w nim stanąć wyprostowany dorosły mężczyzna. Wielka jaskinia ciągnęła się daleko w głąb góry. Ziemię pokrywała ściółka z liści, na której widniały posłania z koców i wiązek słomy rozłożone rzędami, niektóre małe, jak dla dzieci.

Nietrudno było poznać, gdzie leżał Mo – tam gdzie słoma na posłaniu była cała zakrwawiona, podobnie jak leżący obok koc. Miska z wodą, przewrócony drewniany kubek, bukiecik zwiędłych kwiatów... Meggie podniosła kwiaty i przejechała palcami po suchych, szeleszczących płatkach. Uklękła i utkwiła wzrok w zakrwawionej słomie. Rulonik pergaminu uciskał ją w piersi, ale cóż z tego, kiedy nie było Mo. I jak teraz pomogą mu słowa napisane przez Fenoglia?

„Spróbuj! – szeptał jej jakiś głos. – Nawet nie wiesz, jak potężne są jego słowa w tej historii. W końcu ona cała jest z nich zrobiona!".

Usłyszała kroki na zewnątrz. Smolipaluch z Faridem wrócili. Smolipaluch trzymał na rękach małą dziewczynkę, dziecko patrzyło na Meggie szeroko otwartymi oczami, jakby nie mogło się obudzić ze złego snu.

– Ze mną nie chciała rozmawiać, na szczęście Farid wzbudza więcej zaufania – powiedział, ostrożnie stawiając dziewczynkę na ziemi. – Powiedziała nam, że nazywa się Lianna i ma pięć lat. I że było tu wielu mężczyzn, srebrnych mężczyzn z mieczami i wężami na piersiach. Można się było tego spodziewać. Wygląda na to, że zabili wartowników i jeszcze paru innych, którzy się bronili, a resztę zabrali ze sobą, nawet kobiety i dzieci. Rannych – tu rzucił Meggie krótkie spojrzenie – załadowali na taczki, nie mieli ze sobą koni. Dziewczynka została, bo matka kazała jej się ukryć za drzewem.

W tej chwili do jaskini wpadł Gwin ścigany przez Skoczka. Dziewczynka skuliła się ze strachu, gdy kuny jęły wdrapywać się po nogach Smolipalucha. Jak zahipnotyzowana patrzyła na Farida, który złapał Gwina i posadził go sobie na ramieniu.

– Zapytaj ją, czy było więcej dzieci – rzekł do niego po cichu Smolipaluch.

Farid rozczapierzył palce i podsunął dłoń pod nos dziecka.

– Ile dzieci, Lianno? – spytał wolno i wyraźnie.

Dziewczynka spojrzała na niego, po czym dotknęła jednego, drugiego i trzeciego palca. – Meise. Fabio. Tinka – wyliczała.

– A więc troje – stwierdził Farid. – Pewnie w podobnym wieku co ona.

Lianna ostrożnie wyciągnęła rękę, chcąc pogłaskać puszysty ogon Gwina, ale Smolipaluch ją powstrzymał.

– Nie rób tego – rzekł łagodnie – on gryzie. Pobaw się z tą drugą kuną.

Farid przykucnął obok Meggie.

– Meggie?

Ale Meggie nie odpowiedziała. Siedziała na ziemi, obejmując nogi ramionami, z głową ukrytą w kolanach. Nie chciała widzieć jaskini. Nie chciała widzieć niczego ze świata Fenoglia, nawet Smolipalucha i Farida, i tej dziewczynki, która podobnie jak ona nie wiedziała, gdzie są jej rodzice. Chciała siedzieć w bibliotece Elinor, w wielkim fotelu, w którym ciotka lubiła czytać, i chciała, żeby Mo zajrzał przez drzwi i spytał ją, co czyta. Ale Mo nie było, może odszedł na zawsze... A historia Fenoglia trzymała ją w swoich atramentowych szponach i opowiadała jej szeptem straszne rzeczy o uzbrojonych mężczyznach, którzy uprowadzają dzieci, starców, chorych, matki i ojców.

– Wkrótce przybędzie Pokrzywa z Podniebnym Tancerzem, ona zajmie się dzieckiem.

– A my? – spytał Farid.

– Ja pójdę za nimi – odparł Smolipaluch – żeby zobaczyć, ilu zostało przy życiu i dokąd ich zabierają. Chociaż mogę to sobie wyobrazić.

– Do Mrocznego Zamku – rzekła Meggie, podnosząc głowę.

– Zgadłaś!

Dziewczynka wyciągnęła rękę do Skoczka. Była jeszcze tak mała, że głaskając puszyste zwierzątko, zapomniała o zmartwieniu. Meggie jej zazdrościła.

– Co to znaczy: ty pójdziesz za nimi? – Farid spędził Gwina z kolan i wyprostował się.

– To, co słyszałeś – rzekł twardo Smolipaluch, a jego twarz była nieprzystępna jak zamknięte drzwi. – Ja ruszę za nimi, a wy tu poczekacie na Podniebnego Tancerza i Pokrzywę. Powiecie im, że poszedłem tropem pancernych i że Podniebny Tancerz ma was odprowadzić do Ombry. Ze swoją sztywną nogą i tak nie nadąży za mną. Jak wrócicie, powiedzcie Roksanie, co się stało, żeby nie myślała, że znowu się zmyłem, a Meggie niech zostanie u Fenoglia.

Smolipaluch był opanowany jak zawsze, ale w jego oczach Meggie zobaczyła to wszystko, co sama czuła: strach, zmartwienie, gniew... bezsilny gniew.

– Ale musimy im pomóc! – zawołał Farid drżącym głosem.

– Jak? Może Czarny Książę mógłby ich uratować, ale wygląda na to, że jego też pojmali, a nie znam nikogo innego, kto chciałby nadstawiać głowę dla paru wagantów.

– A co z tym zbójnikiem, o którym wszyscy gadają: tym Sójką?

– Nie istnieje – szepnęła Meggie. – Fenoglio go wymyślił.

– Naprawdę? – Smolipaluch przyglądał jej się w zamyśleniu. – Słyszy się co innego, ale dobrze... Jak tylko znajdziecie się w Ombrze, Podniebny Tancerz ma iść do wagantów i powiedzieć, co się stało. Wiem, że Czarny Książę ma ludzi wiernych i dobrze uzbrojonych, ale nie mam pojęcia, gdzie ich szukać.

Może któryś z wagantów będzie to wiedział. Albo nawet Podniebny Tancerz. Musi im jakoś przekazać wiadomość o tym, co się stało. Po drugiej stronie lasu jest młyn, nazywa się Mysi Młyn, nikt nie wie dlaczego, w każdym razie to jedno z nielicznych miejsc po południowej stronie lasu, gdzie zawsze można się było bezpiecznie spotkać i wymienić wiadomości, tak żeby Żmijogłowy się o tym nie dowiedział. Młynarz jest tak bogaty, że nie boi się nawet pancernych. Jeśli więc ktoś będzie chciał się ze mną spotkać albo ma pomysł, jak uwolnić więźniów, niech mi prześle wiadomość do młyna. Zrozumieliście?

Meggie skinęła głową.

– Mysi Młyn – powtórzyła cicho, nie odrywając oczu od skrwawionej słomy.

– Dobrze, Meggie może to załatwić, ale ja idę z tobą.

W głosie Farida było tyle zawziętości, że dziewczynka klęcząca obok Meggie ze strachem chwyciła ją za rękę.

– Ostrzegam cię: tylko nie zaczynaj znowu o tym, że musisz mnie pilnować! – powiedział Smolipaluch tak ostro, że Farid spuścił wzrok. – Idę sam, nie ma dyskusji. A ty pilnuj Meggie i dziecka, póki nie wróci Pokrzywa. A potem niech Podniebny Tancerz odprowadzi was do Ombry.

– Nie!

W oczach Farida zabłysły łzy, ale Smolipaluch bez słowa skierował się do wyjścia. Gwin pomknął na dwór, wyprzedzając go.

– Jeśli się ściemni, zanim przyjdą – rzucił jeszcze Smolipaluch przez ramię – rozpal ogień. Nie z powodu żołnierzy, tylko z powodu wilków. Wilki i nocne strachy są zawsze głodne: te pierwsze czyhają na nasze ciało, te drugie na zalęknioną duszę.

I odszedł, pozostawiając Farida z oczami szklącymi się od łez.

– Przeklęty drań! – złorzeczył chłopiec. – Po trzykroć przeklęty drań! Ale ja mu jeszcze pokażę. I tak pójdę za nim. Będę go pilnował! Przysięgałem. – Ukląkł obok Meggie i porywczo chwycił jej dłonie. – Ty pójdziesz do Ombry, dobrze? Proszę. Ja muszę iść za nim, chyba to rozumiesz!

Meggie milczała. Co mogła mu powiedzieć? Że ona też nie wróci do Ombry? Wtedy próbowałby jej to wybić z głowy. Skoczek otarł się o nogi Farida i dał susa na dwór. Dziewczynka pobiegła za kuną, ale w wejściu zatrzymała się nagle: drobna zagubiona postać, opuszczona przez wszystkich. „Tak, jak ja" – pomyślała Meggie.

Nie patrząc na Farida, wyjęła pergamin. W półmroku panującym w jaskini z trudem rozróżniała litery.

– Co to jest? – spytał Farid.

– Słowa. Tylko słowa, ale to lepsze niż nic.

– Poczekaj! Poświecę ci!

Mówiąc to, Farid potarł opuszki palców, szepcząc niezrozumiałe słowa, aż na paznokciu kciuka ukazał się maleńki płomyk. Chłopiec ostrożnie rozdmuchał płomyczek, aż wydłużył się jak płomień świecy, i uniósł kciuk nad trzymanym przez Meggie pergaminem. W migotliwym płomieniu słowa rozbłysły tak jasno, jakby Kryształek pociągnął je świeżym atramentem.

„Nieprzydatne! – szeptał jakiś głos w jej duszy. – Okażą się nieprzydatne! Mo odszedł daleko stąd, może już nawet nie żyje". Ale Meggie zaraz uciszyła ów głos. „Cicho bądź! Nie chcę o niczym słyszeć. Tylko to jedno mogę uczynić, tylko to jedno!". Przysunęła poplamiony krwią koc, położyła na nim pergamin, przesunęła palcami po wargach. Przed jaskinią wciąż stała samotna dziewczynka czekająca na powrót matki.

– Czytaj, Meggie! – zachęcił ją Farid.

A Meggie, wpijając palce w koc z zaschniętą krwią Mo, zaczęła czytać:

– *Mortimer czuł ból...* – Zdało jej się, że i ona go czuje, w każdej literce, w każdym słowie spływającym z języka. – *Rana paliła go żywym ogniem. Płonęła tak jak nienawiść w oczach Mortoli, gdy do niego strzelała. Może to jej nienawiść wysysała z niego ży-*

cie, coraz bardziej pozbawiała sił? Czuł na piersiach własną krew, wilgotną i ciepłą. Czuł, że śmierć wyciąga po niego ręce. Lecz w pewnej chwili w jego świadomości pojawiło się coś jeszcze: słowa. Słowa uśmierzające ból, chłodzące czoło, słowa, które mówiły mu o miłości, gorącej miłości. Sprawiły one, że zaczął oddychać swobodniej, a rana, przez którą zakradała się śmierć, jęła się zasklepiać. Czuł brzmienie tych słów na skórze, odbijało się echem w jego sercu. Słowa coraz głośniej i wyraźniej przebijały się przez ciemności, które chciały go pochłonąć. I nagle poznał ten głos: był to głos jego córki. A białe damy cofnęły blade ręce, jakby sparzyły się w ogniu jej miłości.

Meggie zasłoniła twarz rękami. Porzucony pergamin zwinął się posłusznie w rulon, jakby wykonał już swoją powinność. Przez sukienkę czuła twardą słomę, kłuła tak samo jak wtedy w tej klatce, w której Capricorn zamknął ją razem z Mo. Poczuła, że ktoś głaszcze ją po włosach, i przez ułamek sekundy pomyślała, że słowa Fenoglia przywołały do jaskini Mo, całego i zdrowego, i wszystko znów będzie dobrze. Podniosła głowę, ale obok stał tylko Farid.

– To było cudowne – powiedział. – I na pewno pomoże. Zobaczysz!

Ale Meggie potrząsnęła głową.

– Nie! – szepnęła. – Nie, to tylko piękne słowa, ale mój ojciec nie jest postacią zrobioną ze słów Fenoglia, lecz człowiekiem z krwi i kości.

– I co z tego? – zaprotestował Farid, odrywając jej dłonie od zapłakanej twarzy. – Może wszystko jest zrobione ze słów. Popatrz tylko na mnie. Uszczypnij mnie. Czy ja jestem z papieru?

Nie, Farid nie był z papieru. Pocałował ją i Meggie uśmiechnęła się, nie przestając płakać.

Wkrótce po odejściu Smolipalucha usłyszeli kroki. Wcześniej Farid rozpalił ognisko, tak jak mu poradził Smolipaluch. Meggie siedziała obok niego, dziewczynka zasnęła z głową na jej kolanach. Pokrzywa nie rzekła ani słowa na widok zburzonego obozu. W milczeniu szła od jednych zwłok do drugich, szukając śladów życia tam, gdzie go już nie było, a Podniebny Tancerz z nieruchomą twarzą wysłuchał poleceń Smolipalucha. Dopiero gdy Meggie powiedziała, że ma zanieść wiadomość nie tylko Roksanie i wagantom, ale także Fenogliowi, Farid zorientował się, że ona również nie zamierza wracać do Ombry. Ale nie dał poznać po sobie, czy jej decyzja ucieszyła go, czy zezłościła.

– Wiadomość dla Fenoglia napisałam na kartce! – rzekła.

Z ciężkim sercem wyrwała kartkę z notatnika, który dostała od Mo. Ale czy mogła go użyć w lepszym celu niż dla ratowania Mo? O ile w ogóle zdoła go jeszcze uratować...

– Znajdziesz Fenoglia w uliczce szewców, w domu Minerwy. I bardzo ważne, żeby nikt poza nim nie dostał tej wiadomości.

– Znam Atramentowego Tkacza! – zawołał Podniebny Tancerz, przyglądając się, jak Pokrzywa kolejnemu zmarłemu zasłania twarz nędznym płaszczem. Po czym ze zmarszczonym czołem jął wpatrywać się w kartkę Meggie. – Zdarzało się już, że posłańcy dyndali na stryczku za litery, które przekazywali. Mam nadzieję, że ta kartka nie jest tego rodzaju. Nic nie mów! – machnął ręką, gdy Meggie chciała mu odpowiedzieć. – Właściwie zawsze każę sobie powtarzać słowa, które mam przekazać, ale w tym wypadku sądzę, że lepiej, żebym ich nie znał.

– A co ona mogła takiego napisać! – rzekła zgryźliwie Pokrzywa. – Pewnie dziękuje staremu, że jego pieśni zaprowadzą ojca na szubienicę! Może powinien od razu napisać pieśń żałobną, ostatnią pieśń Sójki? Przeczuwałam nieszczęście, jak tylko zobaczyłam tę bliznę na jego ramieniu. Przedtem myślałam, że ten Sójka to tylko czczy wymysł, jak ci wszyscy królewicze i królewny, o których mówią pieśni. „No i myliłaś się – rzekłam sobie wtedy – a w dodatku na pewno nie jesteś pierwszą osobą, która zauważyła jego bliznę". Ale oczywiście Atramentowy

Tkacz musiał ją dokładnie opisać, jakżeby inaczej! Przeklęty głupiec z jego prymitywnymi pieśniami! Już paru dynda, bo ich wzięli za Sójkę, ale zdaje się, że tym razem Żmijogłowy dopadł prawdziwego, i koniec zabawy w bohaterstwo. Chroni słabych, grabi bogaczy... to pięknie brzmi, ale bohaterowie tylko w pieśniach są nieśmiertelni. A i twój ojciec niedługo się przekona, że maska nie chroni przed śmiercią.

Meggie siedziała jak skamieniała, wpatrując się w Pokrzywę. Co ta stara bredziła?

– Co się tak na mnie gapisz? – ofuknęła ją Pokrzywa. – Wydaje ci się, że Żmijogłowy posłał tu swoich ludzi z powodu paru starych grajków i kobiet w ciąży albo choćby Czarnego Księcia? Bzdura. Ten nigdy się przed nim nie krył. Nie, powiadam ci, ktoś musiał cichaczem udać się do Mrocznego Zamku i szepnąć Żmijogłowemu, że w tajnym obozie leży ranny Sójka i można go łatwo zgarnąć wraz z ukrywającymi go kuglarzami. Musiał to zrobić ktoś, kto dokładnie zna obóz, i dobrze musieli mu zapłacić za zdradę. Żmijogłowy zrobi z egzekucji wielkie widowisko, Atramentowy Tkacz napisze o tym wzruszającą pieśń, a wkrótce ktoś inny założy maskę z piór, bo nadal będą śpiewać pieśni o Sójce, kiedy twój ojciec dawno już będzie leżał pogrzebany pod murami Mrocznego Zamku.

Fala krwi uderzyła Meggie do głowy.

– O jakiej bliźnie mówisz? – szepnęła.

– O bliźnie na jego lewym przedramieniu, chyba ją znasz! Pieśni mówią, że pogryzły go psy Żmijogłowego, kiedy ścigał jego białe jelenie...

Fenoglio! Co on najlepszego zrobił?

Meggie przycisnęła rękę do ust. Wyraźnie zabrzmiały jej w uszach słowa, jakie wypowiedział, gdy wyszli z biblioteki Tłustego Księcia: „Trzeba ci wiedzieć, że chętnie biorę sobie żywych ludzi za wzór do moich postaci. Nie wszyscy pisarze tak czynią, ale ja przekonałem się, że to przydaje bohaterom życia. Rysy twarzy, gesty, postawa ciała, brzmienie głosu, jakieś znamię czy blizna, tu coś ukradnę, tam podpatrzę, i już postać zaczyna oddychać, a czytelnik czy słuchacz ma wrażenie, że może jej dotknąć! Dla postaci Sójki nie miałem zbyt dużego wyboru...".

Mo. Fenoglio posłużył się jej ojcem jako wzorem. Meggie spojrzała na dziewczynkę śpiącą na jej kolanach. Ona też tak często spała z głową na kolanach Mo.

– Ojciec Meggie to Sójka? – Siedzący obok niej Farid roześmiał się z niedowierzaniem. – Co za brednie! Czarodziejski Język muchy by nie zabił. Bądź pewna, Meggie, że nawet Żmijogłowy wkrótce to przyzna i puści go wolno. A teraz chodź! – Wstał i podał jej rękę. – Musimy ruszać, bo inaczej nigdy nie dogonimy Smolipalucha.

– Chcecie iść za nim?

Pokrzywa potrząsała głową, nie mogąc się nadziwić takiej głupocie. Tymczasem Meggie ostrożnie ułożyła dziewczynkę na trawie i wstała.

– Kierujcie się na południe, gdybyście zgubili jego ślad – odezwał się Podniebny Tancerz. – Cały czas na południe, a w którymś momencie musicie trafić na drogę. Tylko strzeżcie się wilków, których jest dużo w tych okolicach.

Farid skinął głową.

– Mam ze sobą ogień! – rzekł krótko i wyczarował płomyczek tańczący na jego dłoni.

Podniebny Tancerz skrzywił twarz w uśmiechu.

– Moje uznanie! Może ty naprawdę jesteś synem Smolipalucha, jak przypuszcza Roksana?

– Kto wie? – powiedział Farid i pociągnął Meggie za sobą.

Meggie jak ogłuszona ruszyła za nim w leśny mrok. Zbójca! Ta myśl bez przerwy kołatała jej się w głowie. Zrobił z Mo zbójcę, uczynił go częścią swojej historii! W tej chwili nienawidziła Fenoglia równie mocno jak Smolipaluch.

38
Audiencja dla Fenoglia

– Lady Coro – powiedział – czasem musi się robić rzeczy przykre. Gdy w grę wchodzą rzeczy przykre. Gdy w grę wchodzą wielkie sprawy, nie można igrać z sytuacją w jedwabnych rękawiczkach. Nie. Stwarzamy historię i musimy być mężni.

Melvyn Peake, *Tytus Groan*

Fenoglio krążył niespokojnie po komnacie. Siedem kroków do okna, siedem kroków do drzwi, i tak w kółko. Meggie odeszła, i nie było nikogo, kto by mu powiedział, czy znalazła ojca przy życiu. Co za obrzydliwy bałagan! Za każdym razem, gdy już sądził, że odzyskał panowanie nad sytuacją, wydarzało się coś, co było zupełnie niezgodne z jego planami. Może naprawdę istniał jakiś piekielny narrator, który opowiadał dalej jego historię, ciągle zmieniając jej bieg, podstępnie wymyślał nowe intrygi, przesuwając postacie jak pionki na szachownicy, a nawet wprowadzając nowe figury, które z historią Fenoglia nie miały nic wspólnego.

Na dobitkę Cosimo wciąż nie posyłał po niego! „Cierpliwości! – powtarzał w duchu Fenoglio. – W końcu dopiero co wstąpił na tron i ma masę spraw na głowie. Poddani, którzy chcą go zobaczyć na własne oczy, petenci, wdowy, sieroty, zarządcy, łowczy, syn, żona...”.

– Wszystko to bzdury! Mnie powinien był wezwać pierwszego! – Wykrzyknął te słowa tak gwałtownie, aż przestraszył się własnego głosu. – Mnie, człowieka, który go przywrócił do życia, który go stworzył na nowo!

Podszedł do okna i spojrzał na zamek. Na wieży po lewej stronie łopotała flaga Żmijogłowego. Tak, Żmijogłowy przybył do Ombry; zapewne pędził co koń wyskoczy, żeby na własne oczy obejrzeć zmartwychwstałego zięcia. Tym razem nie zabrał ze sobą Podpalacza, który najpewniej plądrował i mordował w innej okolicy na polecenie swego pana. Za to Piszczałka bezustannie kręcił się po ulicach – zawsze w asyście paru pancernych. Czego oni tu jeszcze szukali? Czyżby Żmijogłowy wciąż miał nadzieję, że uda mu się umieścić wnuka na tronie Ombry?

Nie, Cosimo na pewno do tego nie dopuści.

Na chwilę zapomniał o swoich żalach; uśmiechnął się z satysfakcją. Ach, gdyby tak mógł powiedzieć Żmijogłowemu, kto przekreślił jego piękne plany! Wierszokleta! Ależ by się zezłościł, gdyby wiedział, że to słowa Fenoglia i głos Meggie zrobiły mu psikusa...

Biedna Meggie, biedny Mortimer!

Jak ona błagalnie na niego patrzyła! A on? Odegrał przed nią marny teatrzyk! Ale skąd temu biednemu dziecku przyszło do głowy, że on może pomóc jej ojcu paru słowami, choć nawet go tu nie sprowadził, nie mówiąc już o tym, że przecież go nie stworzył. Ale to jej spojrzenie! Nie mógł pozwolić Meggie odejść, nie dawszy jej choćby odrobiny nadziei!

Tymczasem Kryształek, siedząc ze skrzyżowanymi przezroczystymi nóżkami na pulpicie, rzucał we wróżki okruszynami chleba.

– Natychmiast przestań! – huknął na niego Fenoglio. – Chcesz, żeby cię znowu wzięły za nogi i próbowały wyrzucić przez okno? Tym razem na pewno nie będę cię ratował, możesz mi wierzyć. Nawet nie zmiotę szkła, które po tobie zostanie na ulicy. Niech cię śmieciarz załaduje na wózek z gnojem.

– Tak, tak, wyżywaj się na mnie! – Szklany ludzik odwrócił się do niego plecami. – Ale wątpię, czy dzięki temu Cosimo wezwie cię szybciej na zamek!

Niestety, miał rację. Fenoglio podszedł do okna. W mieście opadło już poruszenie spowodowane powrotem Cosima, a może i obecność Żmijogłowego przyczyniła się do ostudzenia emocji. Ludzie wrócili do swoich zajęć, świnie myszkowały pośród odpadów, dzieci ganiały się w wąskich przejściach między domami, od czasu do czasu żołnierz na koniu torował sobie drogę wśród przechodniów. Żołnierze Cosima częściej teraz patrolowali ulice, może książę nie chciał, by pancerni znów stratowali ludzi tylko dlatego, że nie dość szybko usunęli im się z drogi. „Tak, Cosimo zaprowadzi tu porządek! – myślał Fenoglio. – Będzie dobrym księciem, o ile coś takiego w ogóle jest możliwe. Kto wie, może nawet pozwoli wagantom występować w mieście we wszystkie dni targowe, jak dawniej bywało".

– Właśnie, taka będzie moja pierwsza rada: powiem mu, żeby wpuścił kuglarzy do miasta – mruczał Fenoglio. – A jeśli nie wezwie mnie do wieczora, pójdę na zamek bez zaproszenia. Co ten niewdzięcznik sobie wyobraża? Myśli, że to taka zwykła rzecz przywrócić do życia umarłego?

– Sądziłem, że on wcale nie umarł – zadrwił Kryształek, wdrapując się szybko do gniazda wróżki, gdzie czuł się bezpieczny. – A co z ojcem Meggie? Myślisz, że jeszcze żyje?

– Skąd mam wiedzieć? – warknął Fenoglio. Nie chciał, żeby mu ktokolwiek przypominał o Mortimerze. – Przynajmniej za to nie muszę czuć się odpowiedzialny! – burczał. – Nie moja wina, że wszyscy majstrują przy mojej historii, jakby to było drzewo, które wystarczy przyciąć, żeby zaczęło rodzić owoce.

– Przyciąć? – ironizował Kryształek. – Wręcz przeciwnie, dorabiają do niej różne rzeczy. Twoja historia po prostu zaczyna się plenić jak chwast!

Fenoglio właśnie zastanawiał się, czy nie rzucić w pomocnika kałamarzem, gdy Minerwa wsunęła głowę przez drzwi. Twarz miała czerwoną, jakby biegła.

– Posłaniec, Fenoglio! – zawołała zdyszana. – Posłaniec z zamku! On chce cię widzieć! Cosimo cię wzywa!

Fenoglio pospieszył ku drzwiom, wygładzając po drodze tunikę, którą mu uszyła Minerwa. Nie zdejmował jej od kilku dni, była więc straszliwie wygnieciona, ale teraz nic się już z tym nie dało zrobić. Kiedy chciał za nią zapłacić, gospodyni odrzekła, że już zapłacił bajkami, które opowiada dzieciom co dzień. Tunika była piękna, choć tak niewiele go kosztowała.

Przed domem czekał na niego posłaniec z ważną miną, marszcząc niecierpliwie brwi. Miał na sobie czarny płaszcz, jakby Smutny Książę wciąż jeszcze siedział na tronie.

„Nie szkodzi, teraz wszystko się zmieni! – myślał Fenoglio. – Co do tego, nie mam najmniejszych wątpliwości. Odtąd znów ja będę opowiadał tę historię, a nie moje postacie!". Posłaniec ani razu się nie obejrzał, gdy Fenoglio spieszył za nim uliczkami. „Gbur!" – denerwował się pisarz. Musiał jednak wyjść spod jego pióra, należał do rzeszy bezimiennych figur, którymi Fenoglio zaludnił ten świat, by jego bohaterowie nie czuli się zbyt samotni.

Na zewnętrznym dziedzińcu przed stajniami sterczała grupka pancernych. Zirytowany Fenoglio zastanawiał się, czego oni tu jeszcze szukają. Na murach między blankami przechadzali się żołnierze Cosima, niby sfora psów pilnująca watahy wilków. Pancerni odpowiadali im wrogimi spojrzeniami. „Tak, wyłaźcie ze skóry! – myślał Fenoglio. – Możecie być pewni, że wasz mroczny pan nie odegra głównej roli w tej historii, czeka go co najwyżej efektowne zejście ze sceny, jak przystało na porządnego łotra". Może kiedyś wymyśli nowego złoczyńcę, historie stają się nudne bez czarnych charakterów. Ale Meggie na pewno nie zechce tchnąć w niego życia.

Strażnicy przy bramie na dziedziniec wewnętrzny skrzyżowali piki.

– Co to ma znaczyć? – dobiegł go gniewny głos Żmijogłowego, gdy tylko znalazł się za bramą. – Czy chcesz przez to powiedzieć, że każe mi dalej czekać, ty zawszona kosmata gębo?

Odpowiedział mu głos dużo cichszy, drżący ze strachu. Fenoglio ujrzał Tulia, kosmatego karła Tłustego Księcia, stojącego pokornie przed Żmijogłowym, któremu sięgał zaledwie do nabijanego srebrem pasa. Za karłem stało dwóch strażników Cosima, ale Żmijogłowemu towarzyszyło ze dwudziestu ciężkozbrojnych rycerzy. Był to groźny widok, choć brakowało wśród nich Podpalacza i nawet Piszczałki.

– Córka cię przyjmie, panie. – Głos Tulia drżał jak listek na wietrze.

– Córka? Jeśli zatęsknię za towarzystwem mojej córki, to wezwę ją do siebie na zamek. A teraz chcę wreszcie zobaczyć tego umarłego, co to podobno wrócił do życia! I dlatego zaprowadzisz mnie natychmiast do Cosima, ty śmierdzący bękarcie gnoma!

Biedny Tulio dygotał na całym ciele.

– Książę Ombry – zaczął znów cieniutkim głosikiem – nie przyjmie cię, panie!

Słowa karła uderzyły Fenoglia jak obuchem w głowę. Cofnął się za najbliższy krzak, a ostre ciernie rozdarły mu nowiutką tunikę. Co to znowu miało znaczyć? Nie przyjmie? Czy to było zgodne z jego planem?

Żmijogłowy wysunął wargi, jakby poczuł nieprzyjemny smak na języku. Żyły na skroniach nabrzmiały mu jak ciemne postronki, a na twarz wystąpiły szkarłatne plamy. Popatrzył z góry na Tulia swym jaszczurczym wzrokiem, po czym wyjął kuszę z ręki najbliższemu żołnierzowi (Tulio skulił się jak przerażony królik) i wycelował w stado ptaków krążących nad nimi. Strzał był celny. Trafiony ptak upadł pod stopy Żmijogłowego, żółte pióra miał zbroczone krwią. Drwinniczek złocisty – Fenoglio wymyślił ten gatunek specjalnie dla zamku Tłustego Księcia. Żmijogłowy wyjął bełt z drobnej piersi stworzenia.

– Trzymaj! – Wcisnął karłowi do ręki martwego ptaka. – I powiedz swojemu panu, że musiał zostawić rozum w królestwie umarłych. Tym razem poczytam mu to za usprawiedliwienie, ale jeśli przy kolejnej wizycie znów pośle cię do mnie z taką bezczelną wiadomością, to dostanie nie ptaka, tylko ciebie ze strzałą w piersiach. Przekaż mu moje słowa!

Tulio skinął głową, wpatrując się jak zahipnotyzowany w zakrwawionego ptaka.

Tymczasem Żmijogłowy odwrócił się na pięcie i skinął na swoich ludzi. Przewodnik Fenoglia lękliwie spuścił głowę, gdy mijali ich, wybijając takt ciężkimi buciorami. „Przyjrzyj mu się! – rzekł do siebie w duchu Fenoglio, gdy książę przeszedł tak blisko niego, że uderzył go w nozdrza zapach potu. – Przecież sam go wymyśliłeś!". Ale nie odważył się podnieść głowy; wciągnął ją w ramiona, jak żółw czujący niebezpieczeństwo, i nawet nie drgnął, póki za ostatnim pancernym nie zamknęła się brama.

Tulio wciąż stał bez ruchu, nie odrywając wzroku od ptaka.

– Czy mam go pokazać Cosimowi? – mruknął bezradnie, gdy Fenoglio i jego przewodnik podeszli bliżej.

– Niech kucharz zrobi ci z niego pieczeń! – burknął strażnik. – Nic mnie to nie obchodzi. A teraz zejdź nam z drogi.

Wygląd sali tronowej nie zmienił się od ostatnich odwiedzin Fenoglia. Okna nadal zasłonięte były kirem, mdły blask świec nie rozpraszał mroku, a posągi spoglądały pustymi oczami na każdego, kto zbliżał się do tronu. Ale tym razem na tronie siedział ich żywy pierwowzór, tak bardzo podobny do kamiennych konterfektów, że Fenoglio miał wrażenie, jakby się znalazł w gabinecie luster.

Cosimo siedział sam. Nie było przy nim ani Brzydkiej Wiolanty, ani jego syna. W głębi za tronem trzymało straż sześciu gwardzistów ledwo widocznych w półmroku.

Fenoglio zatrzymał się w stosownej odległości od stopni tronu i złożył ukłon. Uważał wprawdzie, że ani w tym, ani w żadnym innym świecie nikt nie zasługiwał na to, by on, Fenoglio, zginał przed nim kark, a już na pewno nie ci, których powołały do życia jego słowa. Ale musiał stosować się do reguł świata, który sam stworzył, a kłanianie się ludziom odzianym w zamsz i jedwab było tutaj czymś równie oczywistym jak uścisk ręki w jego dawnym świecie.

„Dalejże, zginaj plecy, nie żałuj starych kości! – myślał, jeszcze korniej pochylając głowę. – Sam to tak urządziłeś".

Cosimo przyglądał mu się uważnie, pewnie zastanawiając się, czy już go kiedyś w życiu widział. Ubrany był cały na biało, jak gdyby chciał w ten sposób podkreślić swoje podobieństwo do posągów.

– Ty jesteś Fenoglio, ten poeta, który nosi przezwisko Atramentowy Tkacz, czy tak?

Fenoglio spodziewał się usłyszeć nieco bardziej dźwięczny głos. A Cosimo popatrzył na posągi, wędrując wzrokiem od jednego do drugiego, po czym mówił dalej:

– Ktoś mi doradził, bym cię wezwał, chyba moja żona. Twierdzi, że jesteś najmędrszym człowiekiem między tym zamkiem a twierdzą Żmijogłowego. Ale nie dlatego cię wezwałem...

Wiolanta? Wiolanta go poleciła? Fenoglio starał się ukryć zdziwienie.

– Nie dlatego? – zdziwił się Fenoglio. – Więc jaki jest powód, Wasza Wysokość...?

Cosimo prześliznął się po nim wzrokiem, jakby Fenoglio był powietrzem, po czym spojrzał po sobie, obciągnął swoją wspaniałą tunikę i poprawił pas.

– Ubranie przestało na mnie pasować – stwierdził. – Wszystko jest trochę za długie albo za szerokie, jakby było szyte dla tych posągów, a nie dla mnie.

I nieco bezradnie się uśmiechnął. Był to uśmiech anioła.

– Wasza Książęca Mość... dużo przeszedł – rzekł niepewnie Fenoglio.

– Tak, tak mi mówią. Wiesz, że ja tego nie pamiętam? W ogóle pamiętam bardzo niewiele. Moja głowa jest dziwnie pusta. – Przesunął ręką po czole i znów powiódł spojrzeniem po posągach. – Dlatego właśnie cię wezwałem – rzekł. – Podobno jesteś mistrzem słów, chcę więc, byś mi pomógł przypomnieć sobie... Rozkazuję ci spisać wszystko, co tylko wiadomo o Cosimie. Pytaj żołnierzy, parobków, mojej niańki, mojej... żony... – Zawahał się, nim wypowiedział to ostatnie słowo. – Balbulus przepisze twoje historie i ozdobi ilustracjami, a wówczas każę je sobie czytać, aby pustka w mojej głowie wypełniła się obrazami i słowami. Czy czujesz się na siłach spełnić to, co każę?

Fenoglio skwapliwie skinął głową.

– Ależ tak, mości książę. Spiszę wszystko akuratnie. Opowieści z twojego dzieciństwa, gdy żył jeszcze twój szlachetny ojciec, opowieści o twoich pierwszych wyprawach do Nieprzebytego Lasu, wszystko o tym dniu, gdy twoja małżonka przybyła na zamek, i o dniu, gdy urodził się twój syn, panie.

– Tak, tak. – Cosimo kiwnął głową, a w jego głosie słychać było ulgę. – Widzę, że rozumiesz, o co chodzi. A nie zapomnij tylko o moim zwycięstwie nad podpalaczami i o czasie spędzonym u białych dam.

– W żadnym razie!

Fenoglio dyskretnie obserwował piękną twarz księcia. Jak to się mogło stać? Książę nie tylko powinien wierzyć w to, że jest prawdziwym Cosimem, ale też dzielić ze zmarłym wspomnienia...

Cosimo podniósł się z tronu, na którym tak niedawno jeszcze siedział jego ojciec, i począł spacerować tam i z powrotem po marmurowym podeście.

– Niektóre historie już słyszałem. Od mojej żony.

Brzydka Wiolanta. Znowu ona. Fenoglio się rozejrzał.

– Gdzie jest twoja małżonka, książę?

– Szuka mojego syna. Uciekł, dlatego że nie przyjąłem jego dziadka.

– Pozwól, że spytam, panie: dlaczego nie przyjąłeś teścia?

Ciężkie drzwi za plecami Fenoglia otworzyły się cicho. Tulio wśliznął się do sali i przycupnął na schodkach przed tronem Cosima. Nie miał już w rękach martwego ptaka, ale na jego twarzy wciąż malował się strach.

– Postanowiłem nigdy go już nie przyjmować. – Cosimo zatrzymał się obok tronu i przesunął dłonią po herbie rodowym. – Poleciłem strażom przy bramie, aby nigdy więcej nie wpuszczały na zamek ani mojego teścia, ani nikogo, kto mu służy.

Tulio podniósł głowę i spojrzał na księcia z taką rozpaczą, jakby już czuł w piersiach grot kuszy Żmijogłowego.

Tymczasem Cosimo ciągnął niewzruszenie:

– Kazałem sobie zdać dokładną relację z tego, co działo się w moim państwie, w czasie... – zawahał się, szukając odpowiedniego słowa – ...mojej nieobecności. Dobrze mówię: w czasie mojej nieobecności ...Wysłuchałem sprawozdań zarządców, łowczych, kupców, chłopów, żołnierzy i mojej żony. I wyobraź sobie, poeto, że prawie całe zło, o jakim mi doniesiono, wiązało się z moim teściem! Powiedz mi – bo podobno żyjesz z kuglarską bracią za pan brat – co ten ludek opowiada o Żmijogłowym?

– Kuglarska brać? – Fenoglio chrząknął. – No cóż, książę, to co wszyscy. Że jest bardzo potężny, może za potężny...

Cosimo uśmiechnął się gorzko.

– O tak, jest potężny. I co jeszcze?

Do czego on zmierzał? „Powinieneś to wiedzieć, Fenoglio – myślał pisarz zaniepokojony. – Jeśli ty nie wiesz, co się dzieje w jego głowie, to kto ma wiedzieć?".

– Mówią, że Żmijogłowy sprawuje rządy żelazną ręką – powiedział wolno. – Że w jego państwie nie ma innego prawa prócz jego słowa i pieczęci. Że jest próżny i mściwy, że zabiera chłopom całe mienie, skazując ich na głód, a tych, którzy się buntują – nie wyłączając dzieci – posyła do kopalń srebra, gdzie wkrótce zaczynają pluć krwią. Kłusownicy schwytani w jego części lasu są oślepiani, złodziejom obcina się prawą rękę – który to zwyczaj twój ojciec, panie, na szczęście zniósł jakiś czas temu – a jedyny grajek, który może bezpiecznie zbliżyć się do zamku – o ile akurat nie pali i nie grabi okolicznych wiosek – to Piszczałka.

„Czy ja to wszystko napisałem?" – zdumiał się Fenoglio.

– Tak, o tym wszystkim już słyszałem – rzekł niecierpliwie książę. – Co jeszcze?

Cosimo skrzyżował ręce na piersiach i podjął znów wędrówkę po podeście. Był rzeczywiście piękny jak anioł. „Może powinienem był go uczynić mniej pięknym – myślał Fenoglio. – Wygląda trochę jak nieprawdziwy.

– Co jeszcze? No cóż...? – Fenoglio zmarszczył czoło. – Żmijogłowy zawsze bał się śmierci. Ale z wiekiem lęk przerodził się w obsesję. Podobno nocą klęczy, szlochając i przeklinając, i trzęsąc się ze strachu, że przyjdą po niego białe damy. Myje się kilka razy dziennie w obawie przed chorobą i zakażeniem i wysyła ludzi do obcych krajów ze skrzyniami pełnymi srebra, by mu sprowadzali cudowne środki przeciwko starzeniu się. A ponadto żeni się z coraz młodszymi kobietami, mając nadzieję, że wreszcie doczeka się syna.

Cosimo zatrzymał się.

– Tak! – rzekł cicho. – O tym wszystkim już mi doniesiono. Ale są gorsze rzeczy. Kiedy przejdziesz do nich? A może sam mam to powiedzieć? – I zanim Fenoglio zdążył wyrzec choćby słowo, książę podjął opowieść. – Mówią, że Żmijogłowy wysyła nocą Podpalacza poza granice swego państwa, by dręczył moich chłopów. Podobno rości sobie pretensje do całego Nieprzebytego Lasu, jego ludzie napadają na moich kupców, grabią ich, gdy ci wpływają do jego portów, wymusza na nich myto, gdy korzystają z jego dróg i mostów, i opłaca rozbójników, którzy czynią moje trakty niebezpiecznymi. Powiadają, że wycina drzewa na swoje statki w mojej części lasu i że ma szpicli również w tym zamku i na ulicach Ombry. Podobno opłacał nawet mojego rodzonego syna, by mu donosił, o czym mój ojciec rozmawia w tej sali ze swymi doradcami. A na domiar złego – Cosimo zrobił efektowną pauzę – zapewniono mnie, że człowiek, który ostrzegł podpalaczy przed planowanym atakiem na nich, został wysłany przez mojego teścia. Żeby uczcić moją śmierć, spożywał posrebrzane przepiórki, a do mojego ojca wysłał list kondolencyjny napisany na zatrutym pergaminie, tak że każda literka była niczym jad żmii... Czy teraz już rozumiesz, dlaczego nie chcę go przyjmować?

„Zatruty pergamin? O Boże, kto wpadł na taki pomysł? – myślał Fenoglio. – Na pewno nie ja".

– Czy słowa cię opuściły, poeto? – spytał Cosimo. – Możesz mi wierzyć, że czułem się tak samo, gdy mi opowiedziano o tych wszystkich okropnościach. Co można myśleć o takim sąsiedzie? A co powiesz na pogłoskę, że Żmijogłowy kazał otruć matkę mojej żony, bo lubiła słuchać śpiewu pewnego grajka? Co powiesz na to, że posłał Podpalaczowi swoich pancernych jako wsparcie, żebym tylko nie wrócił żywy z twierdzy Capricorna? Mój teść chciał mnie zniszczyć, poeto! Zapomniałem rok swojego życia, a to, co było przedtem, rysuje się tak niewyraźnie w mej pamięci, jakby to przeżył ktoś inny. Mówią, że umarłem, że zabrały mnie białe damy. Pytają mnie: gdzie byłeś, Cosimo? A ja nie wiem, co na to odpowiedzieć! Ale jedno wiem: wiem, kto pragnął mojej śmierci i kto jest winien tego, że czuję się pusty jak wypatroszona ryba i młodszy od własnego syna. Powiedz, jaka jest odpowiednia kara za tak potworne zbrodnie przeciwko mnie i innym?

Fenoglio patrzył na Cosima, nie mogąc wykrztusić słowa. „Kimże on jest? – pytał sam siebie. – Na miłość boską, Fenoglio, wiesz, jak on wygląda, ale nie wiesz, kim on jest!".

– Ty mi to powiedz, Wasza Książęca Mość! – odparł wreszcie ochrypłym głosem.

A Cosimo znów uśmiechnął się do niego swym anielskim uśmiechem.

– Jest tylko jedna słuszna kara, poeto! – rzekł. – Ruszę na wojnę przeciwko mojemu teściowi i nie spocznę, póki nie obrócę Mrocznego Zamku w perzynę, a imię Żmijogłowego zostanie wymazane z pamięci ludzkiej.

Fenoglio stał osłupiały, krew pulsowała mu w skroniach. „Wojna? Musiałem się przesłyszeć! – myślał. – Nie pisałem nic o wojnie". Ale jakiś wewnętrzny głos począł szeptać: „Wspaniałe czasy, Fenoglio. Czy przypadkiem nie napisałeś, że nastaną wspaniałe czasy?".

– Ma czelność zjawiać się w moim zamku w towarzystwie ludzi, którzy jeszcze za czasów Capricorna palili i mordowali – ciągnął Cosimo. – Zrobił swoim heroldem Podpalacza, przeciwko któremu wyruszyłem w bój, a Piszczałkę przysłał, żeby chronił mojego syna! Wyobraź sobie taką bezczelność! Tak mógł szydzić z mego ojca, ale nie ze mnie. Pokażę mu, że nie ma już do czynienia z księciem, który albo płacze, albo się objada.

Twarz Cosima oblała się delikatnym rumieńcem. Gniew czynił go jeszcze piękniejszym.

„Wojna. Zastanów się, Fenoglio: wojna! Czy o to ci chodziło?". Czuł, jak trzęsą mu się kolana.

Tymczasem Cosimo pieszczotliwym ruchem położył dłoń na rękojeści miecza i wolno wyciągnął go z pochwy.

– To właśnie po to śmierć wypuściła mnie ze swych objęć, poeto – rzekł, przecinając powietrze ostrą klingą. – Abym zaprowadził sprawiedliwość na tym świecie i strącił z tronu wcielenie zła. Dla takiego celu warto podjąć walkę. I umrzeć za to warto.

Jakże pięknie prezentował się z dobytym mieczem! I czyż nie miał racji? Może wojna była rzeczywiście jedynym sposobem przywołania do porządku Żmijogłowego.

– Musisz mi w tym dopomóc, Atramentowy Tkaczu! Tak cię wszak nazywają? Podoba mi się to imię! – Wdzięcznym ruchem wsunął miecz do pochwy, a Tulio przycupnięty na schodkach aż się skulił, gdy usłyszał, jak żelazo trze o skórę. – Napiszesz dla mnie orędzie do ludu. Przedstawisz w nim naszą sprawę, wzbudzisz w sercach zapał do walki i nienawiść do wroga. Będziemy też potrzebować wagantów, a ty żyjesz z nimi w przyjaźni. Napisz dla nich płomienne pieśni, poeto! Pieśni rozpalające pragnienie walki. Ty będziesz wykuwać słowa, a ja każę wykuć miecze, wiele mieczy.

Stał tam jak anioł zemsty, brakowało mu tylko skrzydeł. Po raz pierwszy w Fenogliu zbudziła się czułość dla któregoś z jego atramentowych tworów. „Dam mu skrzydła – pomyślał – skrzydła moich słów".

– Najjaśniejszy książę! – wyrzekł uroczystym tonem.

I tym razem przyszło mu łatwo pochylić głowę. Przez jedną cudowną chwilę poczuł się tak, jakby swoim pisaniem powołał do życia syna, którego nie dane mu było mieć. „Stajesz się sentymentalny na starość!" – zakpił z siebie w duchu, ale jego serce topniało jak wosk i nic nie mógł na to poradzić.

„Powinienem wyruszyć razem z nim na wyprawę! – pomyślał. – Zaiste uczynię tak! Pociągnę wraz z nim przeciwko Żmijogłowemu... choć jestem tylko starym człowiekiem". Fenoglio – bohater w stworzonym przez siebie świecie, poeta i wojownik w jednej osobie! Podobała mu się taka rola. Czuł, że jest do niej stworzony.

Cosimo znów się uśmiechnął. W tym momencie Fenoglio założyłby się o swoje dziesięć palców, że nie ma piękniejszego uśmiechu ani w tym, ani w żadnym innym świecie.

Zdawało się, że i Tulio uległ czarowi Cosima, mimo lęku, jakim jego serce napełnił Żmijogłowy. Zauroczony patrzył na swego odzyskanego pana, złożywszy małe dłonie na kolanach, jakby wciąż jeszcze dzierżył w nich ptaszka z przestrzeloną piersią.

– Już słyszę te wszystkie słowa! – rzekł Cosimo, siadając znów na tronie. – Wiesz, że moja żona kocha słowa pisane, przyklejone do pergaminu lub papieru niby martwe muchy, a i mój ojciec miał podobno to samo upodobanie. Ale ja nie chcę czytać słów, ja chcę je słyszeć! Pamiętaj o tym, kiedy będziesz je dobierać, zwracaj uwagę na to, jak brzmią. Mają być gorzkie od nienawiści, ciemne od smutku, słodkie od miłości! Niechaj poruszy je drgnienie naszego sprawiedliwego gniewu na nieprawość Żmijogłowego, a gniew ten natychmiast odezwie się echem w sercach wszystkich. Napiszesz oskarżenie, płomienne oskarżenie, które ogłosimy na każdym rynku i które będą powtarzać grajkowie: „Strzeż się, Żmijogłowy! Twoje niecne dni są policzone!". Niechaj wieść dotrze aż na drugą stronę lasu. I wkrótce każdy wieśniak zapragnie walczyć pod moimi sztandarami, każdy mężczyzna, młody i stary, i wszyscy, ogarnięci bojowym szałem, ściągną na zamek, a sprawią to twoje słowa! Słyszałem, że Żmijogłowy pali w kominku księgami, których treść mu się nie podoba, ale jakże spali słowa, które każdy recytuje i śpiewa?

„Mógłby spalić człowieka, który je wypowiada – pomyślał Fenoglio. – Lub tego, co je napisał". Ta niepokojąca myśl nieco ostudziła bijące zapałem serce. Cosimo odgadł jego obawy.

– Od tej chwili wezmę cię oczywiście pod swoją opiekę – rzekł. – Zamieszkasz na zamku, w komnatach godnych nadwornego poety.

– Na zamku? – Fenoglio chrząknął zakłopotany. – To... wielka łaska dla mnie, o tak.

Nadeszły nowe czasy, wspaniałe czasy...

– Będziesz dobrym księciem, panie! – wyrzekł uroczyście. – Dobrym i wielkim księciem. A moje pieśni o tobie będą czytane przez stulecia, kiedy imię Żmijogłowego dawno popadnie w niepamięć. Obiecuję ci to.

Usłyszał kroki za plecami. Odwrócił się, zły, że ktoś przerywa mu w tak podniosłej chwili, i ujrzał Wiolantę trzymającą za rękę syna. Za nimi szła służka.

– Cosimo! – zawołała Wiolanta. – Zechciej go wysłuchać. Twój syn pragnie cię przeprosić!

Ale Jacopo nie wyglądał na kogoś, kto chce za cokolwiek przepraszać. Minę miał ponurą, a Wiolanta musiała go siłą ciągnąć za sobą. Nie wydawał się uszczęśliwiony powrotem ojca. Za to jego matka wprost promieniała, Fenoglio nigdy jej jeszcze takiej nie widział. A znamię na twarzy było niewiele ciemniejsze od cienia, jaki słońce rzuca na skórę.

Znamię Brzydkiej Wiolanty zbladło i rozpłynęło się. „O, Meggie, dziękuję ci – myślał. – Jaka szkoda, że nie możesz tego widzieć...".

– Nie przeproszę go! – oznajmił Jacopo, gdy matka popchnęła go ku schodkom tronu. – To on musi przeprosić mojego dziadka!

Fenoglio niepostrzeżenie cofnął się o krok. Czas było odejść.

– Pamiętasz mnie? – spytał Cosimo. – Czy byłem dla ciebie surowym ojcem?

Jacopo wzruszył ramionami.

– O tak, byłeś dla niego surowy – odparła Wiolanta za syna. – Zabrałeś mu psy, kiedy się zachowywał tak jak w tej chwili. I konia.

Była przebiegła, bardziej przebiegła, niż Fenoglio się spodziewał. Po cichu jął wycofywać się ku drzwiom. Jak to dobrze, że wkrótce zamieszka na zamku. Musi mieć Wiolantę na oku, w przeciwnym razie wypełni ona pamięć Cosima według własnego widzimisię. Gdy lokaj otworzył przed nim drzwi, Fenoglio zdążył jeszcze dostrzec nieobecny uśmiech, jaki książę posłał Wiolancie. „Jest jej wdzięczny – pomyślał Fenoglio – że zapełnia jego pustkę słowami. Ale jej nie kocha".

„No tak, znowu coś przeoczyłeś, Fenoglio! – strofował się, idąc przez wewnętrzny dziedziniec. – Dlaczego nie napisałeś ani słowa o tym, że Cosimo kocha swoją żonę? Przecież sam opowiadałeś kiedyś Meggie historię kwiatowej dziewczyny, która pokochała nie tego co trzeba. Po cóż są historie, jeśli nie po to, by się z nich uczyć?". Dobrze chociaż, że Wiolanta kochała Cosima, wystarczyło na nią spojrzeć, by się o tym przekonać. To już było coś...

Chociaż z drugiej strony... Czyż służąca Wiolanty, ta z tymi cudownymi włosami, Brianna, o której Meggie twierdzi, że jest córką Smolipalucha, nie patrzyła na Cosima z takim samym zachwytem? A Cosimo czyż nie spoglądał częściej na służącą niż na panią? „Nieważne! – pomyślał Fenoglio. – Wkrótce będzie chodziło o większe sprawy niż miłość. O dużo większe".

39
Jeszcze jeden posłaniec

Najbledszy atrament jest lepszy od najlepszej pamięci.

Przysłowie chińskie

Gdy Fenoglio wyszedł za bramę wewnętrznego dziedzińca, nigdzie nie było śladu Żmijogłowego ani jego pancernych. „Bardzo dobrze! – stwierdził w duchu. – Będzie się pienił ze złości przez całą drogę do swego zamku". Ta myśl wywołała uśmiech na jego twarzy. Na dziedzińcu zewnętrznym czekała grupka mężczyzn. Czarne od sadzy ręce zdradzały ich zawód, choć widać było, że starali się je wyszorować, idąc do księcia. Wszyscy kowale Ombry stawili się na wezwanie. „Wy będziecie wykuwać słowa, a ja każę wykuć miecze, wiele mieczy". Czyżby Cosimo już rozpoczął przygotowania do wojny? „W takim razie najwyższy czas, bym się zabrał do pracy" – pomyślał Fenoglio.

Kiedy skręcił w ulicę szewców, zdawało mu się, że ktoś za nim idzie, ale gdy się odwrócił, ujrzał tylko żebraka kuternogę, który minął go, podpierając się kijem. Co chwila kostur wyślizgiwał mu się z ręki i padał w nieczystości pokrywające ulicę: odchody świń, zgniłe resztki warzyw, śmierdzące pomyje wylewane przez okna. „Wkrótce przybędzie kalek – stwierdził Fenoglio, kierując się ku domowi Minerwy. – Taka wojna to prawdziwa fabryka kalek...". Co to była za myśl? Czyżby w podniosły nastrój wkradły się wątpliwości co do pięknego planu Cosima? „Gwiżdżę na to...".

„Na wszystkie litery alfabetu! Czego jak czego, ale tej wspinaczki na pewno nie będzie mi brakowało, kiedy zamieszkam na zamku – myślał, mozolnie pokonując schody prowadzące do swojej izdebki. – Muszę tylko poprosić Cosima, by nie zakwaterował mnie w wieży". Dobrze pamiętał kręte schody prowadzące do pracowni Balbulusa! „Aha, trudno ci przejść parę schodków, a wybierasz się na wojnę!" – zakpił cichy głos w jego duszy, który miał zwyczaj odzywać się w najmniej stosownych momentach. Ale Fenoglio nauczył się go ignorować.

Kryształka nie było w pokoju. Prawdopodobnie znów przelazł przez okno, by odwiedzić szklanego ludzika mieszkającego po drugiej stronie ulicy u piekarza. Wróżki pewnie poleciały do lasu i w izbie panowała cisza, do której Fenoglio nie był przyzwyczajony. Usiadł z westchnieniem na łóżku i nie wiedzieć czemu pomyślał o wnukach, które napełniały jego dom hałasem i śmiechem. „No i co? – żachnął się. – Dzieci Minerwy robią taki sam hałas, ale ile to razy wypędzałeś je na podwórko, bo miałeś tego dość!".

Usłyszał kroki na schodach. No proszę. O wilku mowa...! Nie miał najmniejszej ochoty opowiadać im żadnych historii. Musiał się spakować i delikatnie dać do zrozumienia Minerwie, że powinna się rozejrzeć za nowym lokatorem.

– Wynoście się! – zawołał w kierunku drzwi. – Zajmijcie się ganianiem świń albo kur na podwórku. Atramentowy Tkacz nie ma czasu, bo wyprowadza się na zamek!

Mimo tych groźnych słów drzwi się otworzyły, ale zamiast dwóch dziecięcych twarzyczek zobaczył mężczyznę o plamistej twarzy i lekko wyłupiastych oczach. Fenoglio nigdy go jeszcze nie widział, a mimo to wydał mu się dziwnie znajomy. Miał na sobie brudne połatane skórzane spodnie, a kolor jego peleryny przyprawił Fenoglia o szybsze bicie serca: srebrzystoszare barwy Żmijogłowego.

– Co to ma znaczyć? – krzyknął, wstając z miejsca, ale obcy zdążył już wejść do środka.

Stał na szeroko rozstawionych nogach, krzywiąc brzydką twarz w równie brzydkim uśmiechu. Ale dopiero na widok jego towarzysza pod Fenogliem ugięły się nogi. Basta uśmiechał się do niego, jak do dawno niewidzianego przyjaciela. On także nosił odzienie w barwach Żmijogłowego.

– Znowu mamy pecha! – rzekł, rozglądając się po pokoju. – Dziewczynki tu nie ma. To my idziemy za tobą aż od zamku, cicho jak koty, ciesząc się, że złapiemy dwa ptaszki naraz, a to tylko stary kruk lezie w potrzask. Trudno, lepsze to niż nic. Nie można zbyt wiele wymagać od losu. W końcu i tak mieliśmy szczęście, że zjawiłeś się na zamku we właściwym momencie. Zaraz poznałem twoją ohydną żółwią twarz, ale ty mnie oczywiście nie zauważyłeś!

Nie, Fenoglio go nie zauważył. Czy miał przyglądać się po kolei wszystkim ludziom Żmijogłowego? „Tak, gdybyś był mądry, Fenoglio – odpowiedział sobie w duchu – tak byś właśnie postąpił! Jak mogłeś zapomnieć, że Basta wrócił? Czy przygoda Mortimera niczego cię nie nauczyła?".

– O, co za niespodzianka! Basta! Jak udało ci się ujść Cieniowi? – powiedział głośno, cofając się powoli, póki nie poczuł za sobą łóżka. Od czasu gdy sąsiadowi poderżnięto w nocy gardło w jego własnym łóżku, Fenoglio trzymał pod poduszką nóż. Ale nie był pewien, czy teraz jeszcze tam jest.

– Przykro mi, ale najwyraźniej Cień nie zauważył mnie w klatce, w której siedziałem – odrzekł Basta tym swoim fałszywie uprzejmym głosem. – Capricorn miał mniej szczęścia, ale Mortola wciąż żyje i opowiedziała naszemu staremu przyjacielowi Żmijogłowemu o trzech ptaszkach, niebezpiecznych czarnoksiężnikach, którzy zabijają za pomocą liter

– mówił Basta, podchodząc wolno do Fenoglia. – Domyślasz się może, co to za ptaszki?

Jego towarzysz kopniakiem zamknął drzwi.

– Mortola? – Fenoglio uderzył w drwiący i protekcjonalny ton, ale zabrzmiało to raczej jak krakanie umierającego kruka. – Przecież to Mortola osobiście kazała zamknąć cię w klatce, by rzucić cię na pożarcie Cieniowi!

Basta wzruszył ramionami i gwałtownie odchylił połę srebrnego płaszcza. Za pasem błysnął nóż. Nowiusieńki egzemplarz, bardziej okazały niż wszystkie te, którymi posługiwał się w tamtym świecie, i zapewne nie mniej ostry.

– Fakt, to nie było miłe z jej strony – rzekł, gładząc pieszczotliwie rękojeść noża. – Ale teraz tego żałuje. No więc co, wiesz, jakich ptaszków szukamy? Pomogę ci. Jednemu skręciliśmy już kark, temu, co najgłośniej śpiewał.

Fenoglio usiadł na łóżku, mając nadzieję, że jego twarz nie wyraża żadnych uczuć.

– Przypuszczam, że mówisz o Mortimerze – rzekł, wsuwając wolno dłoń pod poduszkę.

– Słusznie! – uśmiechnął się Basta. – Szkoda, że cię przy tym nie było, kiedy Mortola go zastrzeliła. Strzał prosto w serce, tak jak to miała w zwyczaju robić z wronami, które jej wydziobywały zasiewy.

Na wspomnienie tego zdarzenia jego usta wykrzywił jeszcze ohydniejszy uśmiech. Fenoglio dobrze wiedział, co się dzieje w jego sercu. W końcu sam go wymyślił – podobnie jak Cosima z anielskim uśmiechem. Basta uwielbiał opowiadać szczegółowo o własnych i cudzych haniebnych uczynkach.

Jego towarzysz nie był skory do rozmowy. Rozglądał się znudzony po pokoju. Jak dobrze, że nie było szklanego ludzika. Tak łatwo go było uśmiercić.

– Ciebie pewnie nie zastrzelimy – ciągnął Basta, podchodząc jeszcze bliżej, a jego twarz miała wyraz czającego się drapieżnika. – Ciebie prawdopodobnie powiesimy, aż wywalisz jęzor ze swej starej gardzieli.

– Bardzo pomysłowe! – rzekł Fenoglio, macając ręką coraz głębiej pod poduszką. – Ale wiesz, co się wtedy stanie. Ty też umrzesz.

Uśmiech Basty zniknął tak szybko, jak mysz znika w swojej norce.

– Ach, prawda! – syknął złym głosem, a jego dłoń odruchowo powędrowała do amuletu na szyi. – Zupełnie o tym zapomniałem. Ty przecież jesteś przekonany, że mnie stworzyłeś. A co z nim? – Wskazał na towarzysza. – To jest Rozpruwacz. Jego też wymyśliłeś? On przecież także kiedyś pracował dla Capricorna. Wielu z nas służy teraz w barwach Żmijogłowego, chociaż niektórzy uważają, że pod wodzą Capricorna było weselej. To całe wytworne tałatajstwo na zamku... – Splunął pogardliwie. – Pewnie to nie przypadek, że nasz nowy pan ma żmiję w herbie. Trzeba przed nim pełzać na brzuchu, jaśnie pan to uwielbia. Ale co robić? Za to dobrze płaci. Ej, Rozpruwacz! – zwrócił się do milczącego towarzysza. – Jak myślisz, czy ten stary wygląda na takiego, co by cię wymyślił?

Rozpruwacz skrzywił pogardliwie brzydką twarz.

– A gdyby nawet, to sfuszerował sprawę jak diabli, no nie?

– Zgadza się! – roześmiał się Basta. – Właściwie powinien posmakować naszych noży już choćby za twarz, jaką ci zafundował, mam rację?

Rozpruwacz. No jasne, jego też wymyślił. Fenogliowi zrobiło się niedobrze na myśl o tym, dlaczego dał mu takie przezwisko.

– No, gadaj, stary! – Basta pochylił się nad nim tak nisko, że Fenoglio poczuł jego pachnący miętą oddech. – Gdzie jest dziewczynka? Jeśli nam powiesz, może pozwolimy ci jeszcze trochę pożyć i najpierw poślemy małą w ślady ojca. Na pewno bardzo za nim tęskni. Ci dwoje tak się przecież kochali! Gadaj, gdzie ona jest? Wyduś to wreszcie z siebie!

Wolno wyciągnął nóż zza pasa, klinga była długa i lekko zakrzywiona. Fenoglio przełknął ślinę, jakby w ten sposób mógł pokonać strach ściskający go za gardło. Wsunął dłoń jeszcze głębiej pod poduszkę, ale palce natrafiły tylko na kawałek suchego chleba, pewnie ukryty tam przez Kryształka. „Może to i lepiej – pomyślał. – Co by mi pomógł nóż? Zanim zdążyłbym go wyciągnąć, Basta by mnie wypatroszył, nie mówiąc już o Rozpruwaczu". Poczuł, jak oblewa go zimny pot.

– Ej, Basta! Wiem, że lubisz słuchać swojego głosu, ale może byśmy go wreszcie zabrali? – Głos Rozpruwacza przypominał rechot żab nocą na wzgórzach. No, oczywiście, tak go przecież opisał: Rozpruwacz z głosem ropuchy. – Potem go przesłuchamy, a teraz musimy jak najszybciej dogonić naszych – ponaglał Bastę. – Kto wie, co ten umarły książę może jeszcze wymyślić, na przykład zamknie nam bramy przed nosem albo wyśle za nami swoich żołnierzy. Reszta jest już pewnie daleko stąd.

Basta z westchnieniem żalu wsunął nóż za pas.

– Już dobrze, masz rację – mruknął. – Na to potrzeba czasu. Przesłuchiwanie to sztuka, prawdziwa sztuka. – Brutalnie chwycił Fenoglia za ramię, zmusił go do wstania i popchnął ku drzwiom. – Jak w dawnych dobrych czasach, co? – szepnął mu do ucha. – Już raz cię wyciągnąłem z domu, pamiętasz? Zachowuj się tak samo grzecznie jak wtedy, a pożyjesz jeszcze trochę. A kiedy będziemy przechodzić obok tej kobiety, która karmi świnie na podwórzu, powiesz jej, że zabieramy cię do starej przyjaciółki, zrozumiano?

Fenoglio skinął głową. Minerwa na pewno mu nie uwierzy i może wezwie pomoc.

Basta położył dłoń na klamce, lecz w tej samej chwili na schodach znów dały się słyszeć kroki. Stare drewniane stopnie trzeszczały i skrzypiały. Boże, dzieci! Ale za drzwiami odezwał się głos bynajmniej nie dziecinny:

– Atramentowy Tkaczu?

Basta rzucił Rozpruwaczowi niespokojne spojrzenie. Fenoglio od razu rozpoznał głos Podniebnego Tancerza, starego linoskoczka, który niejeden raz przekazywał mu wiadomości od Czarnego Księcia. Wielkiego pożytku z niego nie będzie z tą jego sztywną nogą. Ale ciekawe, jaką wiadomość mu przynosi. Może Czarny Książę słyszał coś o Meggie?

Basta dał znak Rozpruwaczowi, by stanął po lewej stronie drzwi, sam stanął po prawej i wyciągając nóż, skinął na Fenoglia.

Fenoglio otworzył drzwi. Były tak niskie, że za każdym razem, gdy przez nie przechodził, musiał schylać głowę. W progu stał Podniebny Tancerz, rozcierając kolano.

– Przeklęte schody! – złorzeczył. – Stare i zmurszałe. Szczęście, że cię zastałem, inaczej musiałbym drapać się tu powtórnie. Mam coś dla ciebie! – Rozejrzał się, jakby stary dom miał uszy, po czym sięgnął do skórzanej torby, w której już niejeden list wędrował z miejsca na miejsce. – Dziewczynka, która u ciebie mieszka, przysyła ci to...

I podał mu złożoną we czworo kartkę wyrwaną z notatnika Meggie, jak Fenoglio od razu zauważył. Meggie nie cierpiała wyrywać kartek, zwłaszcza z tego notesu, który jej ojciec sporządził własnoręcznie. Wiadomość musiała więc być bardzo ważna... a Basta zaraz ją przechwyci!

– No, bierz! – Podniebny Tancerz niecierpliwie podsunął mu kartkę pod nos. – Nie masz pojęcia, jak się spieszyłem, żeby ci to przekazać.

Fenoglio niechętnie wyciągnął rękę, myśląc tylko o jednym: wiadomość od Meggie pod żadnym pozorem nie może się dostać w ręce Basty. Zmiął kartkę i ukrył w zaciśniętej pięści, tak że nawet koniuszek nie wystawał.

– Posłuchaj! – Podniebny Tancerz ściszył głos. – Ludzie Żmijogłowego napadli na tajny obóz. Smolipaluch...

Fenoglio ledwie zauważalnie potrząsnął głową.

– Pięknie. Dziękuję ci, tylko widzisz, mam gości...

Rozpaczliwie próbował oczami wyrazić to, czego nie mógł powiedzieć. Skierował wzrok w lewo, potem w prawo, tak jakby pokazywał palcem, gdzie stoją Basta i Rozpruwacz.

Podniebny Tancerz cofnął się o krok.

– Uciekaj! – krzyknął Fenoglio.

Tamten zachwiał się, gdy pisarz, mijając go, wyskoczył za drzwi, lecz zaraz ruszył za nim. Fenoglio nie zbiegał, ale raczej zsuwał się po schodach i nie obejrzał się, póki nie stanął na ziemi. Za sobą słyszał przekleństwa Basty i żabi rechot Rozpruwacza. Słyszał przerażony krzyk dzieci na podwórku i dochodzący skądś głos Minerwy. Nie zważając na nic, wpadł między szopy i rozwieszone pranie. Świnia zaplątała mu się pod nogami, runął jak długi w błoto, a kiedy się podniósł, zobaczył, że Podniebny Tancerz miał mniej szczęścia niż on. Nic dziwnego, z jego sztywną nogą! Basta trzymał go za kołnierz, a Rozpruwacz opędzał się od Minerwy, która atakowała go grabiami. Fenoglio chyłkiem przemknął za beczką, za świńskim korytem, po czym na czworakach popełzł ku jednej z szop.

Despina.

Dziewczynka patrzyła na niego przerażonym wzrokiem. Fenoglio położył palec na ustach i pełznąc dalej, przecisnął się między deskami do kryjówki dzieci Minerwy. Ledwie się tam mieścił, schowek nie był przeznaczony dla takiego starego grubasa jak on. Dzieci chowały się tu, gdy nie chciały iść spać albo próbowały się wymigać od obowiązków. Tylko Fenogliowi pokazały skrytkę w dowód zaufania i w zamian za dobrą historię o duchach.

Usłyszał krzyk Podniebnego Tancerza, wrzask Basty (nie zrozumiał słów) i płacz Minerwy. Już chciał opuścić kryjówkę i wrócić, ale strach go paraliżował. A zresztą co by wskórał, jak mógł się przeciwstawić nożowi Basty i mieczowi Rozpruwacza? Oparł się plecami o deski; słyszał pochrząkiwanie świni ryjącej w ziemi koło szopy. Pismo Meggie rozpływało mu się przed oczami, kartka była czarna od błota, ale w końcu zdołał odczytać treść.

– Nie wiem! – usłyszał, jak krzyczy Podniebny Tancerz. – Nie wiem, co napisała! Przecież nie umiem czytać!

Dzielny człowiek! Na pewno to wiedział, z reguły kazał sobie powtarzać treść doręczanych listów.

– Ale z pewnością możesz mi powiedzieć, gdzie ona jest, prawda? – To był głos Basty. – Gadaj! Czy jest razem ze Smolipaluchem? Przecież wspomniałeś o nim staremu!

– Nie wiem!

Minerwa płakała coraz głośniej, wołając o pomoc.

– *Ludzie Żmijogłowego zabrali wszystkich, moich rodziców i wagantów* – czytał Fenoglio. – *Smolipaluch ściga... Mysi Młyn...* – Widział litery jak przez mgłę. Na zewnątrz znów usłyszał krzyki. Zagryzł kostki zaciśniętych pięści tak mocno, że zaczęły krwawić. „Napisz coś, Fenoglio. Ratuj ich! Napisz...". Zdawało mu się, że słyszy głos Meggie. I znowu rozległy się krzyki. Nie, nie może tu zostać. Wypełzł na zewnątrz, wyprostował się.

Basta wciąż trzymał Podniebnego Tancerza, przyciskając go do ściany domu. Kitel starego linoskoczka był zakrwawiony i rozdarty. Obok stał Rozpruwacz z nożem w ręce. Minerwy nigdzie nie było widać, za to Despina i Iwo, ukryci za szopami, przyglądali się, co jeden człowiek może zrobić drugiemu, i to z uśmiechem na ustach.

– Basta! – zawołał Fenoglio głosem nabrzmiałym lękiem i gniewem; zrobił kilka kroków do przodu, podnosząc do góry kartkę od Meggie.

Basta odwrócił się wolno i zawołał, udając zdziwienie:

– Ach, tu jesteś! Wśród świń. Mogłem się tego domyślić. Lepiej przynieś nam ten list, zanim Rozpruwacz pokroi twojego przyjaciela na kawałki.

– Musicie wziąć go sobie sami.

– Po co? – roześmiał się Rozpruwacz. – Przecież możesz nam go przeczytać.

Niestety, miał rację. Fenoglio był bezradny. Gdzie się podziały te wszystkie sprytne kłamstwa, które tak lekko przechodziły mu zawsze przez gardło? Podniebny Tancerz wpatrywał się w niego z twarzą wykrzywioną bólem i strachem. I nagle – jakby nie mógł już dłużej znieść napięcia – wyrwał się z rąk Basty i rzucił się w kierunku Fenoglia. Pędził szybko mimo sztywnej nogi, ale nóż Basty był szybszy, o wiele szybszy od niego. Ostrze przebiło plecy Podniebnego Tancerza, tak jak grot z kuszy Żmijogłowego przebił pierś ptaka. Linoskoczek upadł twarzą w błoto. Fenoglio patrzył na leżącego nieruchomo człowieka i trząsł się ze strachu, kartka wysunęła mu się z palców i upadła na ziemię. Despina, którą Iwo na próżno starał się zatrzymać, wyszła z ukrycia i szeroko otwartymi oczami wpatrywała się w bezwładną postać u stóp Fenoglia. Na podwórku zapanowała przytłaczająca cisza.

– Czytaj, pisarczyku!

Fenoglio podniósł głowę. Przed nim stał Basta. W jednej dłoni miał nóż, który jeszcze przed chwilą tkwił w plecach Podniebnego Tancerza, w drugiej kartkę Meggie. Fenoglio patrzył to na zakrwawioną klingę, to na papier z wiadomością od Meggie, który znalazł się w rękach Basty, i nagle zacisnął pięści i rzucił się na Bastę, nie zważając na jego nóż ani na stojącego obok Rozpruwacza. Basta zachwiał się i cofnął, zdumiony i wściekły, potknął się o wiadro pełne chwastów z oplewionych grządek Minerwy i runął jak długi. Przeklinając, podniósł się z ziemi.

– Nie radzę ci tego więcej robić! – syknął. – Mówię po raz ostatni: czytaj!

Ale Fenoglio chwycił widły wbite w kupę gnoju piętrzącą się pod drzwiami chlewu i krzycząc: – Morderco! – wycelował je w Bastę.

Zdziwiła go nienawiść we własnym głosie.

– Morderco! Morderco! – krzyczał coraz głośniej i pchnął Bastę widłami w pierś, gdzie biło jego czarne serce.

Basta cofnął się z twarzą wykrzywioną wściekłością.

– Rozpruwacz! – wrzasnął. – Chodź tu i zabierz mu te przeklęte widły!

Tymczasem Rozpruwacz, trzymając obnażony miecz w dłoni, poszedł na tyły domu i zaczął nasłuchiwać. Na ulicy rozległ się stukot końskich kopyt.

– Musimy się stąd zabierać, Basta! – krzyknął. – To straże Cosima!

Basta przeszył Fenoglia jadowitym spojrzeniem.

– Jeszcze się spotkamy, stary! – syknął. – A wtedy będziesz leżał przede mną w błocie, tak jak on. – Przestąpił ciało Podniebnego Tancerza, jakby to był kawałek drewna, i dodał, wsuwając za pas kartkę Meggie: – A to mi przeczyta Mortola. Kto by pomyślał, że trzeci ptaszek własnoręcznie nam napisze, gdzie można go znaleźć! A Smolipalucha dostaniemy gratis na dokładkę!

– Basta, chodźże wreszcie! – niecierpliwił się Rozpruwacz.

– Dobrze, dobrze, przestań się denerwować. Co, myślisz, że nas powieszą, bo jest teraz o jednego linoskoczka mniej na świecie? – odparł spokojnie Basta, ale zostawił Fenoglia i tylko pomachał mu ręką, zanim zniknął za rogiem.

Fenogliowi wydawało się, że słyszy głosy i szczęk broni, ale może to było coś innego. Ukląkł obok Podniebnego Tancerza, odwrócił go na plecy i przyłożył ucho do jego piersi, choć linoskoczek miał już śmierć wypisaną na twarzy. Dzieci Minerwy podeszły bliżej. Poczuł drobną, lekką jak piórko dłoń Despiny na swoim ramieniu.

– Czy on nie żyje? – szepnęła dziewczynka.

– Przecież widzisz – powiedział brat.

– Czy teraz zabiorą go białe damy?

Fenoglio potrząsnął głową.

– Nie, on sam poszedł do nich. Widzisz, już go tu nie ma. A one przyjmą go w swoim Białym Zamku. Jest zbudowany z kości, ale wygląda cudownie. Na dziedzińcu zamkowym rosną pachnące kwiaty, a w górze rozpięta jest lina ze światła księżycowego, specjalnie dla Podniebnego Tancerza...

Słowa spływały gładko z jego ust, piękne słowa pocieszenia, ale czy tak było naprawdę? Tego Fenoglio nie wiedział. Nigdy nie interesował się tym, co następuje po śmierci. Pewnie cisza, tylko cisza, i ani jednego słowa pocieszenia.

Spomiędzy zabudowań wyszła Minerwa, z krwawą raną na czole, w towarzystwie balwierza mieszkającego za rogiem i dwu kobiet z twarzami pobladłymi ze strachu. Despina podbiegła do matki, a Iwo został przy Fenogliu.

– Nikt nie chciał przyjść – szlochała Minerwa, klękając obok zabitego linoskoczka. – Bali się.

– Podniebny Tancerz – mruknął balwierz. Ludzie nazywali go łataczem kości, łapignatem, urynowym prorokiem, a czasem – kiedy umarł mu pacjent – aniołem śmierci. – A jeszcze tydzień temu pytał mnie, czy nie mam czegoś na ból kolana.

Fenoglio przypomniał sobie, że widział go przy ognisku razem z Czarnym Księciem. Czy miał mu zdradzić, co Podniebny Tancerz powiedział na temat tajnego obozu? Czy mógł mu ufać? Nie, lepiej nie ufać nikomu. Niczemu i nikomu. Żmijogłowy miał zbyt wielu szpiegów.

Fenoglio podniósł się z klęczek. Nigdy jeszcze nie czuł się tak stary, wydawało mu się, że nie przeżyje następnego dnia. Gdzie, u diabła, był ten młyn, o którym pisała Meggie? Nazwa wydała mu się znajoma... Oczywiście, przecież opisał go w jednym z ostatnich rozdziałów *Atramentowego serca*. Młynarz nie był przyjacielem Żmijogłowego, chociaż jego młyn leżał w pobliżu Mrocznego Zamku, w dolinie w południowej części Nieprzebytego Lasu.

– Minerwo – odezwał się – ile czasu potrzebuje jeździec, by dotrzeć do Mrocznego Zamku?

– Co najmniej dwa dni, jeśli nie chce zajeździć konia na śmierć – odrzekła cicho Minerwa.

Dwa dni, a może mniej upłynie, nim Basta pozna treść kartki Meggie. O ile pojedzie do Mrocznego Zamku. Ale na pewno pojedzie, rozważał Fenoglio. Basta nie umie czytać, pokaże więc list Mortoli, a ona na pewno siedzi na zamku Żmijogłowego. A więc za dwa dni Mortola przeczyta kartkę Meggie i pośle Bastę do Mysiego Młyna, gdzie pewnie już czeka Meggie... Fenoglio westchnął. Dwa dni. Może to wystarczy, by ją ostrzec, ale nie wystarczy, by napisać słowa, których ona od niego oczekuje. Słowa, które mogą uratować jej rodziców.

„Napisz coś, Fenoglio, napisz...".

Gdyby to było takie proste! Meggie, Cosimo – wszyscy żądają od niego słów, ale łatwo im mówić. Potrzeba czasu, by znaleźć właściwe słowa. A czasu miał za mało!

– Minerwo, przekaż Kryształkowi, że musiałem pójść na zamek – rzekł, czując nagle ogromne znużenie. – I że zabiorę go później.

Minerwa skinęła głową, głaszcząc po główce Despinę, która pochlipywała z twarzą ukrytą w jej spódnicy.

– Tak, idź na zamek! – odparła głucho. – Idź i powiedz Cosimowi, żeby posłał żołnierzy za tymi mordercami. Klnę się na Boga, że będę stała w pierwszym szeregu, kiedy zawisną na szubienicy!

– Zawisną na szubienicy? Co ty opowiadasz? – Balwierz przesunął ręką po przerzedzonych włosach, patrząc ponuro na ciało linoskoczka. – Podniebny Tancerz był kuglarzem. Nikogo nie wieszają za to, że przebił nożem kuglarza. Surowsze kary grożą za upolowanie zająca.

Iwo spojrzał na Fenoglia.

– Nie zostaną ukarani? – spytał z niedowierzaniem.

Co miał mu odpowiedzieć? Nie, nikt nie ukarze Basty ani Rozpruwacza. Może kiedyś wyrówna rachunki Czarny Książę albo ten, który zakłada maskę Sójki, ale Cosimo nie pośle ani jednego żołnierza za tymi zabójcami. Wolni jak ptaki: oto los kuglarskiej braci po tej i po tamtej stronie lasu. Nie są niczyimi poddanymi i nikt ich nie chroni. „Ale jezdnego Cosimo da mi zapewne, gdy go o to poproszę – myślał Fenoglio. – Rycerza na rączym koniu, który ostrzeże Meggie przed Bastą i przekaże jej, że pracuję nad odpowiednimi słowami". „Napisz coś, Fenoglio, coś, co ich uwolni i zabije Żmijogłowego...". Na Boga, tak uczyni! Płomienne słowa dla Cosima i potężne słowa dla Meggie. A wtedy jej głos nada wreszcie tej historii szczęśliwy bieg.

40

Beznadziejna sprawa

Słoiczek z musztardą uniósł się wówczas na cienkich srebrnych nóżkach i kolebiąc się na boki, dokładnie tak samo jak przedtem puszczyk, przemaszerował przez stół i ustawił się obok talerza Warta. (...)

– Jaki cudowny musztardniczek! – zachwycił się Wart. – Skąd go pan ma?

T.H. White, *Był sobie raz na zawsze król*, t. 1 *Miecz na króla*

Na szczęście Dariusz umiał gotować, inaczej Orfeusz już po pierwszym posiłku odesłałby Elinor z powrotem do piwnicy, a jedzenie sprowadzałby sobie z jej książek. Dzięki kulinarnym umiejętnościom Dariusza coraz częściej i dłużej mogli oboje przebywać na górze (choć pod nadzorem Cukra), bo Orfeusz był obżartuchem, a potrawy Dariusza bardzo mu smakowały.

Obawiając się, że Orfeusz będzie wypuszczał wyłącznie Dariusza, udawali, że to Elinor tworzy te wszystkie pachnące wspaniałości, a Dariusz odgrywał rolę niezmordowanego pomocnika, który jedynie kroi, miesza i kosztuje. Ale gdy tylko znudzony Cukier opuszczał kuchnię, by gapić się bezmyślnie na regały z książkami, Dariusz przejmował gotowanie, a Elinor krojenie, choć nawet to ostatnie szło jej nie najlepiej.

Od czasu do czasu zaglądała do kuchni jakaś zagubiona istota, a to o ludzkim wyglądzie, a to pokryta futrem lub uskrzydlona, a raz nawet gadający pojemnik na musztardę. Zwykle Elinor poznawała po tym, którą z jej biednych książek Orfeusz akurat trzymał w rękach. Maleńkie ludziki o staromodnych uczesaniach – *Podróże Guliwera*. Pojemnik na musztardę? Pewnie z kuchni Merlina. A czarujący i zakłopotany faun, który wkroczył raptem do kuchni na delikatnych koźlich nóżkach, musiał pochodzić z Narnii.

Elinor ze zgrozą zastanawiała się, czy te wszystkie istoty panoszą się w jej bibliotece, jeśli akurat nie sterczą ze szklanym wzrokiem w kuchni. W końcu nie wytrzymała i posłała Dariusza na przeszpiegi, pod pretekstem, że chce się dowiedzieć, co Orfeusz życzy sobie na obiad. Dariusz wrócił z uspokajającą wiadomością, że w jej sanktuarium wprawdzie dalej jest potworny bałagan, ale oprócz Orfeusza, jego okropnego psa i bladego mężczyzny przypominającego ducha z Canterville, nie ma nikogo, kto by obmacywał, brudził, obwąchiwał czy w inny sposób niepokoił jej książki.

– Bogu niech będą dzięki! – odetchnęła z ulgą Elinor. – To znaczy, że wysyła te wszystkie stwory z powrotem do książek. Ten okropny człowiek jest naprawdę mistrzem w swoim fachu. I chyba potrafi je teraz sprowadzać w taki sposób, że w zamian nikt nie znika.

– Bez wątpienia! – rzekł Dariusz.

Elinor zdawało się, że w jego łagodnym głosie brzmi nutka zazdrości.

– Ale i tak jest potworem – próbowała go nieporadnie pocieszyć. – Szkoda, że w tym domu jest tyle zapasów jedzenia, bo inaczej już dawno musiałby posłać tego osiłka po zakupy i zmierzyć się z nami w pojedynkę.

Mijały więc dni, a oni nic nie mogli zmienić – ani tego, że byli więźniami, ani tego, że Mortimer i Resa prawdopodobnie znajdowali się w śmiertelnym niebezpieczeństwie. A tymczasem

Orfeusz, który zapewne mógłby to wszystko z łatwością zmienić, przesiadywał w jej bibliotece jak tłusty biały pająk, przestawiając książki i postacie z ich kart, jakby to były zabawki wyjmowane z pudła i wkładane z powrotem.

– Zastanawiam się, jak długo to jeszcze potrwa – powtarzała po raz setny, podczas gdy Dariusz nakładał ryż do miski, jak zwykle doskonale ugotowany, miękki, ale nie kleisty. – Czy on zamierza do końca życia trzymać nas tu jako darmowych służących, którzy mu gotują i sprzątają, gdy on tymczasem bawi się moimi książkami? W moim domu?

Na to Dariusz nie znalazł odpowiedzi. Bez słowa nałożył danie na cztery talerze. Takie jedzenie nigdy nie wypędzi Orfeusza z jej domu!

– Dariuszu! – szepnęła, kładąc dłoń na jego chudym ramieniu. – A może byś jednak spróbował? Wprawdzie ma tę książkę zawsze przy sobie, ale może udałoby się do niej dobrać. Mógłbyś mu dosypać coś do jedzenia...

– Wszystko każe najpierw próbować Cukrowi.

– Tak, wiem. W takim razie musimy spróbować innego sposobu, a kiedy już będziemy mieli książkę, wczytasz nas oboje. Po prostu pójdziemy za nimi, skoro ten ohydny typ nie chce ich sprowadzić tutaj!

Ale Dariusz potrząsnął głową, jak zawsze, gdy wracała do tego pomysłu, za każdym razem ubierając go w inne słowa.

– Nie mogę, Elinor! – szepnął, a jego okulary zaszły parą. Elinor wolała się nie zastanawiać, czy to od parującego jedzenia, czy od łez. – Nigdy jeszcze nikogo nie wczytałem do książki, zawsze tylko sprowadzałem postacie, i sama wiesz, czym się to kończyło.

– No, dobrze, wobec tego wyczytaj kogoś, jakiegoś bohatera, który ich obu przepędzi z mojego domu. Nieważne, czy będzie miał płaski nos, czy straci mowę, tak jak Resa, ważne, żeby miał porządne muskuły!

Jak na zawołanie Cukier wsadził głowę przez drzwi. Elinor za każdym razem zdumiewało to, że jego głowa była niewiele szersza od szyi.

– Orfeusz pyta, co z tym jedzeniem?

– Gotowe – odrzekł Dariusz, wciskając mu jeden z talerzy.

– Znowu ryż? – warknął Cukier.

– Bardzo mi przykro – powiedział Dariusz i minął go, niosąc talerz dla Orfeusza.

– A ty zabieraj się do przygotowania deseru! – polecił Cukier, gdy Elinor zamierzała właśnie nabrać pierwszą porcję ryżu na widelec.

Nie, tak dalej być nie mogło. Być kucharką we własnym domu i mieć w bibliotece obrzydliwego faceta, co to rzuca jej książki na podłogę, traktując je jak pudełka z pralinkami, z których można wybierać ulubione czekoladki, nie, tego już za wiele!

„Musi być jakiś sposób! – myślała z ponurą miną, nakładając do dwóch pucharków lody orzechowe. – Musi! Musi!". Ale nie przychodził jej do głowy żaden pomysł.

41

Pochód więźniów

– Więc pan doktor myśli, że on żyje?

Włożył kapelusz.

– No, mogę się mylić oczywiście, ale wydaje mi się, że on nawet bardzo żyje. Świadczą o tym wszelkie symptomy. Idź go zobaczyć. Kiedy tu wrócę, zrobimy konsylium i wspólnie zadecydujemy.

Harper Lee, *Zabić drozda*

Było już ciemno, gdy Meggie i Farid wyruszyli w drogę śladem Smolipalucha. „Kierujcie się na południe, cały czas na południe” – powiedział Podniebny Tancerz, ale skąd mieli wiedzieć, czy idą na południe, skoro nie było słońca, dzięki któremu mogliby określić drogę, a czarny baldachim liści zasłaniał gwiazdy na niebie? Ciemność pochłaniała wszystko, drzewa, a nawet ziemię pod stopami. O twarze obijały im się ćmy zwabione nikłym płomykiem, który Farid hołubił między palcami jak małe zwierzątko. Zdawało im się, że drzewa mają oczy i ręce, a wiatr przynosi ciche głosy, które szepczą im do ucha niezrozumiałe słowa. Każdej innej nocy Meggie po prostu odwróciłaby się i pobiegła z powrotem tam, gdzie przy ognisku siedzieli może jeszcze Podniebny Tancerz i Pokrzywa, ale tej nocy wiedziała tylko jedno: musi odnaleźć Smolipalucha i rodziców. Ani noc, ani las nie napawały jej bowiem takim lękiem, jak widok krwi na posłaniu Mo.

Początkowo Faridowi udawało się z pomocą ognia odnajdywać a to odcisk buta Smolipalucha, a to nadłamaną gałązkę, a to ślad kuny, ale w pewnej chwili zatrzymał się bezradnie, nie wiedząc, w którą stronę iść. W bladym świetle księżyca drzewa stały tak gęsto, że między ich pniami nie sposób było odnaleźć jakiejkolwiek ścieżki. A Meggie wszędzie widziała oczy: nad sobą, za sobą, obok siebie... głodne oczy, gniewne oczy; było ich tyle, że wolałaby, aby księżyc w ogóle nie przeświecał przez liście.

– Farid! – szepnęła. – Wejdźmy na drzewo i poczekajmy do wschodu słońca. Nigdy nie znajdziemy śladów Smolipalucha, jeśli będziemy brnąć dalej po ciemku.

– Też tak uważam! – Smolipaluch bezszelestnie wyszedł zza drzew, jakby od dawna już tam stał. – Od godziny was słyszę, jak orzecie las niczym stado dzików – mówił, a Skoczek pojawił się przy jego nogach. – Co wy sobie myślicie? To jest Nieprzebyty Las, i do tego jeden z najgorszych jego zakątków. Macie szczęście, że udało mi się udobruchać jesionowe elfy. Były na was wściekłe, że połamaliście gałęzie w tamtej kępie jesionów, ale przekonałem je, że nie zrobiliście tego celowo. A co z nocnymi strachami, myślicie, że was nie zwęszyły? Gdybym ich nie przepłoszył, już byście tu leżeli jak dwa drewniane kloce, złapani w sieć złych snów jak muchy w pajęczą sieć.

– Nocne strachy? – szepnął Farid, a iskierki zgasły na jego palcach.

Nocne strachy... Meggie przysunęła się do niego. Przypomniała sobie pewną historię, którą opowiadała jej Resa, na szczęście dopiero teraz...

– A tak, nigdy ci o nich nie mówiłem? – Smolipaluch podszedł do nich, a z przeciwka wystrzelił Gwin i powitał Skoczka radosnym skrzekiem. – Może nie zeżrą cię żywcem, jak duchy pustyni, o których mi tyle opowiadałeś, ale też nie są zbyt miłe.

– Nie wrócę – oświadczyła Meggie, patrząc na niego wyzywająco. – Nie wrócę, choćby nie wiem co!

Smolipaluch spojrzał na nią uważnie.

– Jasne, że nie wrócisz, wiem – rzekł. – Wykapana matka.

Przez całą noc szli szerokim duktem, który pancerni wydeptali, przedzierając się przez las, a potem szli jeszcze cały dzień. Smolipaluch zarządzał krótki postój tylko z rzadka, gdy widział, że Meggie słania się ze zmęczenia. A kiedy słońce znów dotknęło wierzchołków drzew, znaleźli się na szczycie wzniesienia; w dole zieleń lasu przecinała szara wstęga drogi. Na jej skraju dostrzegli grupę zabudowań: podłużny dom, stajnie, obszerne podwórko.

– To jedyna gospoda w pobliżu granicy – szepnął Smolipaluch. – Prawdopodobnie zostawili tam konie, bo w lesie dużo szybciej można poruszać się na piechotę. W tej gospodzie robią postój wszyscy, którzy kierują się na południe i aż do morza: kurierzy, kupcy, a czasem nawet waganci, choć każdy wie, że karczmarz jest szpiegiem Żmijogłowego. Jeśli będziemy mieć szczęście, dotrzemy tam przed tymi, których ścigamy. Z taczkami i wszystkimi więźniami nie mogą zejść po zboczu. Muszą wybrać okrężną drogę, a my pójdziemy prosto do gospody i poczekamy tam na nich.

– A co potem? – spytała Meggie.

W oczach Smolipalucha dostrzegła tę samą troskę, która i ją wpędziła nocą do lasu. Ciekawe tylko, o kogo tak się martwił. O Czarnego Księcia, o innych kuglarzy... czy o jej matkę? Dobrze pamiętała ten dzień w wiosce Capricorna, gdy udało mu się uciec z krypty kościoła, w której byli zamknięci. Błagał wtedy Resę, by uciekła wraz z nim, zostawiając córkę...

Może i Smolipaluch przypomniał sobie tę scenę, bo spytał:

– Co tak na mnie patrzysz?

– Ach, nic... – mruknęła, spuszczając wzrok. – Po prostu się martwię.

– Wcale się nie dziwię! – stwierdził Smolipaluch i odwrócił się, ruszając dalej.

– Ale co zrobimy potem, gdy już ich dogonimy? – dopytywał się Farid, depcząc mu po piętach.

– Nie wiem – odrzekł Smolipaluch i kryjąc się między drzewami, począł szukać dogodnej drogi w dół po zboczu. – Myślałem, że któreś z was ma pomysł, skoro uparliście się iść ze mną.

Zejście, które wybrał, było tak strome, że Meggie z trudnością dawała sobie radę. W końcu zobaczyła drogę – kamienistą i porytą koleinami przez potoki wody, które spływały ze wzgórza w czasie ulewnych deszczów. Smolipaluch skinął na nich. Ukryli się na skraju drogi za gęstymi krzakami zasłaniającymi ich przed wzrokiem ciekawskich.

– Chyba rzeczywiście ich jeszcze nie ma, ale niedługo nadejdą! – powiedział cicho Smolipaluch. – Może nawet przenocują, nażrą się i spiją, by zapomnieć o koszmarnych przeżyciach w lesie. Ja z moją twarzą nie mogę się tam pokazać. Przy moim pechu na pewno natknąłbym się zaraz na kogoś z bandy Podpalacza, który teraz pracuje dla Żmijogłowego. Ale ty – położył dłoń na ramieniu Farida – możesz się tam wśliznąć. Jeśli cię ktoś spyta, skąd jesteś, powiesz, że twój pan siedzi w gospodzie i pije. A kiedy tamci nadejdą, policz, ilu jest żołnierzy, ilu jeńców i ile dzieci. Zrozumiałeś? A ja tymczasem rozejrzę się tutaj. Mam pewien plan.

Farid skinął głową i cicho zagwizdał na Gwina.

– Idę z nim!

Meggie była przekonana, że Smolipaluch się rozzłości i zabroni jej iść z Faridem, ale on jedynie wzruszył ramionami i rzekł:

– Jak chcesz. Nie sądzę, żebym zdołał cię powstrzymać. Ale mam nadzieję, że twoja matka się nie zdradzi, kiedy cię rozpozna! – I chwyciwszy Meggie za ramię, dodał: – Tylko nie wyobrażaj sobie, że możemy coś zrobić dla twoich rodziców. Może uda nam się uwolnić dzieci i paru innych, jeśli będą biegli dostatecznie szybko. Ale twojego ojca nie zdołamy uratować, a matka na pewno go nie opuści. Nie zostawi go, tak jak wtedy nie zostawiła ciebie, oboje dobrze to pamiętamy.

Meggie skinęła głową i odwróciła się, by nie dostrzegł, że płacze. Ale Smolipaluch chwycił ją łagodnie za ramiona i otarł jej łzy z twarzy.

– Jesteś bardzo podobna do matki – rzekł cicho. – Ona też zawsze starała się ukryć łzy, nawet jeśli miała słuszny powód do płaczu.

Jeszcze raz przyjrzał im się krytycznie.

– No, to do roboty. Jesteście dostatecznie brudni – stwierdził – i możecie spokojnie udawać parobka stajennego i posługaczkę w kuchni. Spotkamy się za stajniami, jak tylko się ściemni. A teraz idźcie.

Nie czekali długo.

Farid i Meggie pokręcili się między stajniami, a po jakiejś godzinie ujrzeli sznur więźniów schodzący w dół kamienistą drogą: kobiety, dzieci, starcy z rękami związanymi z tyłu posuwali się wolno, pilnowani przez żołnierzy idących po bokach. Żołnierze byli bez pancerzy, a hełmy nie okrywały ich ponurych twarzy, ale wszyscy mieli na piersiach wizerunek węża – symbol Żmijogłowego – srebrzystoszare opończe i miecze u pasa. Meggie od razu rozpoznała ich przywódcę. Był to Podpalacz. Po jego minie poznała, że źle się czuje, idąc piechotą.

– Nie gap się tak na nich! – szepnął Farid, bo Meggie patrzyła jak zahipnotyzowana, i pociągnął za jedną z taczek stojących na podwórzu. – Twoja matka nie jest ranna, widziałaś?

Meggie skinęła głową. Resa szła między dwiema kobietami, z których jedna była w ciąży. Ale gdzie był Mo?

– Hej tam! – ryknął Podpalacz, kiedy jego ludzie zaczęli wpędzać więźniów na podwórko. – Czyje to taczki? Potrzebujemy więcej miejsca!

Żołnierze natychmiast usunęli taczki z drogi, jedna z nich przewróciła się i ułożone na niej worki pospadały w błoto. Właściciel dobytku wyskoczył z gospody i już otwierał usta, by głośno zaprotestować, lecz zobaczywszy żołnierzy, spokorniał i wrzasnął na parobków, którzy spiesznie postawili taczkę i zaczęli zbierać worki. Ze stajni i budynku wysypywało się na podwórko coraz więcej ludzi zwabionych hałasem – handlarze, chłopi, parobcy. Przez tłum przepchnął się zażywny spocony jegomość, stanął wyzywająco przed Podpalaczem i zalał go potokiem złorzeczeń. Meggie nadstawiła uszu.

– Już dobrze! – warknął Podpalacz. – Ale potrzebujemy więcej miejsca. Nie widzisz, że mamy więźniów? A może wolisz, żebyśmy ich wpędzili do twoich stajni?

– Tak, tak, zajmijcie jedną ze stajni – wykrzyknął skwapliwie tłuścioch.

Skinął na parobków, którzy przyglądali się jeńcom. Niektórzy z nich osunęli się na kolana tam, gdzie stali, twarze mieli blade z wyczerpania.

– Chodź! – szepnął Farid do Meggie.

Przepchnęli się między złorzeczącymi chłopami i kupcami, między parobkami zajętymi usuwaniem z podwórka popękanych worów i żołnierzami rzucającymi tęskne spojrzenia na budynek gospody. Więźniów nikt właściwie nie pilnował, ale też nie było takiej potrzeby, żaden z nich bowiem nie miał dość siły, by próbować ucieczki. Dzieci, których nóżki może okazałyby się dość rącze, z pustym spojrzeniem czepiały się matczynych spódnic lub patrzyły przerażone na uzbrojonych mężczyzn, którzy je tu przyprowadzili. Resa podtrzymywała ciężarną wagantkę. Rzeczywiście, była zdrowa, tyle Meggie zdążyła zauważyć, choć starała się nie zbliżać do niej ze strachu, że matka mogłaby się zdradzić. Resa rozpaczliwie rozglądała się dokoła, wreszcie chwyciła za ramię jednego z żołnierzy o młodziutkiej twarzy bez zarostu i...

– Farid! – szepnęła Meggie zdumiona.

Nie mogła w to uwierzyć. Resa mówiła! Nie posługiwała się rękami, lecz głosem. Ledwie ją było słychać w tym hałasie, ale z całą pewnością mówiła. Jak to możliwe? Żołnierz odepchnął ją brutalnie. Resa się odwróciła. Na podwórko wjechały taczki ciągnięte przez Czarnego Księcia i jego niedźwiedzia. Zaprzęgnięto ich jak dwa woły; łańcuch oplatał niedźwiedziowi pysk, szyję i pierś. Ale Resy nie interesował Czarny Książę ani niedźwiedź; z napięciem wpatrywała się w wózek. Meggie od razu zrozumiała dlaczego.

Bez słowa puściła się biegiem.

– Meggie! – krzyknął Farid, ale ona nie słuchała.

Nikt jej nie zatrzymał. Na drewnianych taczkach ujrzała najpierw grajka ze skaleczoną nogą, trzymającego na kolanach dziecko. A potem zobaczyła Mo.

Serce zamarło jej w piersi. Leżał z zamkniętymi oczami, przykryty brudną derką, ale Meggie i tak zauważyła krew. Koszula, którą tak chętnie nosił, choć rękawy całkiem się już przetarły, była cała we krwi. Meggie zapomniała o wszystkim: o Faridzie, o żołnierzach, o ostrzeżeniu Smolipalucha, o tym, gdzie jest i po co... Patrzyła tylko na ojca i jego cichą twarz. Świat był jedną wielką pustką, a jej serce zimnym kamieniem w piersi.

– Meggie! – Farid szarpnął ją za ramię i odciągnął od taczek, choć się opierała, a gdy zaczęła szlochać, przytulił ją do siebie.

– On nie żyje, Faridzie! Widziałeś go? Mo... nie żyje!

Wciąż powtarzała to straszne słowo: nie żyje. Odszedł. Na zawsze.

Odepchnęła ręce Farida.

– Muszę do niego iść!

„Ta książka przynosi nieszczęście, tylko nieszczęście. Chociaż ty w to nie wierzysz". Tak jej powiedział wtedy w bibliotece Elinor. Każde jego słowo paliło ją żywym ogniem. W tej książce czekała śmierć. Czekała na niego.

– Meggie! – Farid trzymał ją mocno. Potrząsał nią, jakby chciał ją obudzić ze snu. – Meggie, posłuchaj, on nie umarł! Przecież nie wieźliby umarłego!

Nie wieźliby? Nic już nie wiedziała.

– Chodź ze mną. No, chodźże!

Farid pociągnął ją za sobą, przeciskając się przez tłum bez pośpiechu, jakby nie obchodziło go zupełnie to, co się działo na podwórku. Wreszcie zatrzymał się ze znudzoną miną obok stajni, do której żołnierze wpędzali więźniów. Meggie otarła łzy, próbując przybrać równie obojętną minę jak Farid, ale jak mogła pozostać obojętna, gdy serce bolało ją tak, jakby ktoś przekroił je na dwie części.

– Masz dosyć jedzenia? – usłyszała głos Podpalacza. – Jesteśmy głodni jak diabli po przejściu przez ten przeklęty las.

Meggie widziała, jak żołnierze wpędzają Resę do ciemnej stajni, a dwaj z nich odwiązują od taczek Czarnego Księcia i niedźwiedzia.

– Oczywiście, że dosyć! – odparł z urazą tłusty karczmarz. – Koni też nie poznacie, tak się będą błyszczeć.

– Mam nadzieję – mruknął Podpalacz. – Bo inaczej jutro przestaniesz być właścicielem tych baraków. O świcie ruszamy dalej. Moi ludzie i więźniowie przenocują w stajni, ale ja chcę mieć łóżko. Osobne łóżko, rozumiesz?

– Oczywiście, oczywiście – skwapliwie kiwał głową gospodarz. – Ale co z tym potworem? – wskazał z niepokojem na niedźwiedzia. – Spłoszy mi konie. Dlaczego go nie zabiliście i nie zostawiliście w lesie?

– Bo Żmijogłowy chce go powiesić razem z jego panem. Poza tym moi ludzie wbili sobie do głowy, że to jest nocny strach, który przybrał postać niedźwiedzia, i żaden nie odważy się wypuścić do niego strzały.

– Nocny strach? – Gospodarz zachichotał nerwowo, jakby wcale nie uważał tego za niemożliwe. – Wszystko jedno, czym jest, nie wpuszczę go do stajni. Przywiążcie go z tyłu za piekarnią, tam może go konie nie wyczują.

Niedźwiedź warczał głucho, gdy jeden z żołnierzy ciągnął go na łańcuchu, ale Czarny Książę przemawiał do niego uspokajająco jak do dziecka, gdy ich obu popędzono za główny budynek.

Taczki z Mo i drugim więźniem wciąż stały na podwórku. Parobcy obchodzili je wkoło, szeptali między sobą, zastanawiając się pewnie, kogo to Żmijogłowy tym razem dostał w swoje ręce. Czyżby rozeszła się już pogłoska, że mężczyzna leżący nieruchomo na wozie to Sójka? Żołnierz o chłopięcej twarzy odpędził ich, zsadził dziecko i popchnął je w kierunku stajni.

– A co z rannymi? – zawołał do Podpalacza. – Zostawiamy tych dwóch na taczkach?

– Żeby umarli do rana albo prysnęli w nocy? Co ty gadasz, durniu? – krzyknął Podpalacz. – Przecież tylko po to leźliśmy do tego przeklętego lasu, żeby dostać jednego z nich. – I zwracając się do karczmarza, spytał: – Jest może jakiś balwierz w gospodzie? Mam tu więźnia, który musi pozostać przy życiu, bo Żmijogłowy zaplanował dla niego specjalną egzekucję. Z umarłym to żadna zabawa, jeśli wiesz, o czym myślę.

Musi pozostać przy życiu... Farid spojrzał triumfująco na Meggie, ściskając ją za rękę.

– Oczywiście, oczywiście – przyznał usłużnie karczmarz, zerkając zaciekawiony na taczki. – To żadna frajda, gdy skazańcy umierają przed egzekucją. Słyszałem, że tego roku zdarzyło się to już dwa razy. Ale balwierza nie ma wśród gości. Mam tylko leśną kobietę, mszankę, która pomaga w kuchni. Niejednego już wykurowała.

– Dobrze, każ ją zawołać!

Gospodarz niecierpliwie skinął na chłopca stojącego przy drzwiach stajni. Tymczasem Podpalacz wezwał dwóch żołnierzy i Meggie usłyszała, jak mówi:

– Zanieście rannych do stajni! Podwójne straże pod drzwiami, czterech ma pilnować Sójki. Żadnego wina, żadnego miodu, i biada wam, jeśli zaśniecie!

– Sójka? – Karczmarz zrobił wielkie oczy. – Macie Sójkę na taczkach?

Podpalacz rzucił mu ostrzegawcze spojrzenie, a karczmarz przyłożył tłuste palce do warg.

– Nie pisnę ani słówka! – wykrztusił. – Ode mnie nikt się niczego nie dowie!

– Szczerze bym ci to doradzał! – warknął Podpalacz i obejrzał się, jakby chciał się upewnić, czy nikt inny nie słyszał jego słów.

Kiedy żołnierze zdejmowali Mo z taczek, Meggie zrobiła krok do przodu, ale Farid chwycił ją za ramię.

– Co się z tobą dzieje, Meggie? – syknął jej do ucha. – Jeśli się nie uspokoisz, zamkną cię razem z nimi. Myślisz, że im to pomoże?

Meggie potrząsnęła głową i szepnęła:

– On naprawdę jeszcze żyje, Faridzie?! – Wciąż bała się w to uwierzyć.

– Oczywiście. Przecież ci mówiłem. Nie rób takiej smutnej miny, wszystko będzie dobrze, zobaczysz! – powiedział Farid, odgarniając jej włosy z czoła i scałowując łzy z jej rzęs.

– Hej, gołąbeczki, odsuńcie się od koni!

Przed nimi stał Piszczałka. Meggie spuściła głowę, choć była pewna, że jej nie rozpozna. Nie mógł przecież pamiętać dziewczynki w brudnej sukience, której mało nie stratował na rynku w Ombrze. Dzisiaj także ubrany był wspanialej od grajków, których Meggie dotychczas spotkała. Jedwabne szaty błyszczały jak ogon pawia, a na palcach nosił pierścienie ze srebra, jak jego nos. Żmijogłowy musiał dobrze płacić za pieśni, które mu się podobały.

Piszczałka mrugnął do nich, po czym ruszył w stronę Podpalacza.

– Widzę, że cało wróciłeś z lasu – wołał już z daleka. – I to z sutą zdobyczą. Widocznie twój szpicel tym razem wyjątkowo mówił prawdę. Nareszcie dobra wiadomość dla Żmijogłowego.

Podpalacz coś mu odpowiedział, czego Meggie nie usłyszała. Chłopiec posłany przez karczmarza wrócił z mszanką, maleńką staruszką sięgającą mu zaledwie do ramienia. Jej skóra była szara jak kora buka, a twarz tak pomarszczona jak pieczone jabłko. Mszanki, zielarki... Meggie wyrwała się Faridowi, nim zdążył pojąć, o co chodzi. Mszanka będzie wiedziała, w jakim stanie jest Mo... Szybko przysunęła się do niej, dzielił je już tylko chłopiec, który ją przyprowadził. Fartuch staruszki był cały w tłustych plamach, nogi bose, ale jej oczy spoglądały śmiało na otaczających ją mężczyzn.

– Rzeczywiście, prawdziwa mszanka! – mruknął Podpalacz; pozostali żołnierze cofnęli się, jakby była niebezpieczna niczym niedźwiedź Czarnego Księcia. – Myślałem, że one nigdy nie wychodzą z lasu. Ale podobno znają się na kurowaniu. Czy ta stara czarownica Pokrzywa nie miała przypadkiem matki mszanki?

– Owszem, ale jej ojciec był do niczego – odparła spokojnie mszanka, wpatrując się w niego z taką uwagą, jakby chciała wybadać, jaka krew płynie w jego żyłach. – Za dużo pijesz! – stwierdziła w końcu. – Zobacz swoją twarz. Jeśli będziesz tak dalej postępował, twoja wątroba pęknie jak przejrzała dynia.

Otaczający ich ludzie wybuchnęli śmiechem, ale Podpalacz zgromił ich wzrokiem.

– Posłuchaj, nie jesteś tu po to, żeby mi udzielać rad, karlico! – wrzasnął na nią. – Chcę, żebyś obejrzała jednego z moich więźniów, bo musi żywy dotrzeć na zamek Żmijogłowego.

– Tak, tak, już o tym słyszałam – odparła mszanka, wciąż patrząc nań ponuro. – Żeby twój pan mógł go zgładzić zgodnie z regułami sztuki. Przynieście mi ciepłej wody i czyste szmaty. I ktoś musi mi pomóc.

Podpalacz dał znak chłopcu.

– Jeśli ci potrzebny pomocnik, to go sobie wybierz – mruknął i nieznacznie pomacał brzuch, gdzie, jak się domyślał, musiała być wątroba.

– Kogoś z twoich ludzi? Nie, dziękuję – prychnęła pogardliwie mszanka i rozejrzała się; jej wzrok spoczął na Meggie. – Niech będzie ta – wskazała – wygląda na dość rozgarniętą.

Zanim Meggie zdążyła się zorientować, jeden z żołnierzy chwycił ją brutalnie za ramię i popchnął w kierunku stajni. Wchodząc do środka w ślad za mszanką, pochwyciła jeszcze przerażone spojrzenie Farida.

42
Znajoma twarz

Uwierzcie mi. Czasami, kiedy życie wygląda najbardziej ponuro, pojawia się światło ukryte w sercu każdej rzeczy.

Clive Barker, *Abarat*

Mo był przytomny, gdy mszanka uklękła obok niego. Siedział oparty plecami o wilgotną ścianę i wzrokiem szukał twarzy Resy pośród więźniów tłoczących się w półmroku. Meggie zauważył dopiero wtedy, gdy mszanka zawołała na nią niecierpliwie. Oczywiście zrozumiał od razu, że nawet jeden uśmiech może ich zdradzić, ale jak trudno było mu się powstrzymać, by jej nie przytulić, jak trudno było ukryć radość i lęk, które ogarnęły jego serce na widok Meggie.

– Co tak stoisz! – ofuknęła ją stara. – Podejdź tu, głupia!

Mo miał ochotę ją uderzyć, ale Meggie skwapliwie uklękła obok niej, zbierając zakrwawione bandaże, które mszanka niezbyt delikatnie rozcinała. „Nie gap się na Meggie!" – myślał Mo i wodził oczami to po rękach starej, to po innych więźniach, byle tylko nie patrzeć na córkę. Czy Resa też już ją widziała? Wygląda dobrze, myślał, nie schudła, nie wydaje się chora ani ranna. Ach, gdyby mógł zamienić z nią chociaż parę słow!

– Plwocino wróżek, co się z tobą dzieje? – zdenerwowała się mszanka, gdy Meggie, podając jej miskę, o mało nie wylała wody. – Równie dobrze mogłam poprosić o pomoc któregoś z żołnierzy.

Poczęła obmacywać ranę sękatymi palcami. Bolało, ale Mo zacisnął zęby, aby Meggie nie zobaczyła, że cierpi.

– Zawsze jesteś dla niej taka surowa? – spytał mszankę.

Starucha mruknęła coś niezrozumiale, nie patrząc na niego. Meggie odważyła się spojrzeć mu w oczy, a on uśmiechnął się do niej, mając nadzieję, że nie wyczyta w jego twarzy przerażenia, jakie ogarnęło go, gdy zobaczył ją pośród wrogów. „Uwaga, Meggie!" – mówiło jego spojrzenie. Wargi jej drżały, jakby powstrzymywała tysiące słów, których – podobnie jak on – nie mogła teraz wypowiedzieć. Jak dobrze było ją widzieć! Przez te wszystkie dni i noce, gdy leżał w gorączce, był pewien, że nigdy już nie zobaczy jej twarzy.

– Pospieszcie się z łaski swojej! – usłyszała Meggie głos Podpalacza za plecami. Szybko pochyliła się i podsunęła starej miskę.

– Paskudna rana! – stwierdziła mszanka. – Dziwię się, że od niej nie umarłeś.

– To niezwykłe, prawda? – rzekł Mo, czując na sobie spojrzenie Meggie, jakby to była jej dłoń. – Może to wróżki szepnęły mi do ucha kilka leczniczych słów.

– Leczniczych słów? – prychnęła mszanka. – Gadanina wróżek jest równie głupia i bezużyteczna jak one same.

– W takim razie to ktoś inny musiał mi szeptać te słowa.

Widział, że twarz Meggie pokryła się bladością, gdy pomagała mszance opatrywać ranę nowymi bandażami. Chciał jej powiedzieć: „To nic, Meggie, czuję się dobrze", ale jedyne, co mógł zrobić, to jeszcze raz spojrzeć na nią przelotnie, jakby jej twarz nie znaczyła dla niego więcej niż wszystkie inne.

– Możesz mi wierzyć albo nie – rzekł do starej – ale ja naprawdę słyszałem te przepiękne słowa. Najpierw myślałem, że to żona mówi do mnie, ale potem poznałem głos córki. Słyszałem ją tak wyraźnie, jakby siedziała tuż obok mnie.

– Tak, tak, w malignie różne rzeczy się słyszy! – odparła niechętnie mszanka. – Niektórzy zaklinali się, że rozmawiali z umarłymi. Umarli, anioły, diabły – gorączka ściąga całe ich tabuny. – Po czym rzekła do Podpalacza: – Mam taką maść, która powinna pomóc, i dam mu coś do wypicia. Nic więcej nie mogę zrobić.

Gdy odwróciła się do nich plecami, Meggie szybko dotknęła dłonią jego palców, które odpowiedziały leciutkim uściskiem. Nikt nie zauważył tej wymiany pieszczot. Mo jeszcze raz uśmiechnął się do niej i zaraz skierował wzrok w inną stronę, gdy mszanka odwróciła się ponownie.

– Jego nogę też powinnaś obejrzeć. – Wskazał głową grajka, który wyczerpany leżał obok niego na słomie i spał.

– Nie, nie powinna! – uciął Podpalacz. – Jest mi wszystko jedno, czy on przeżyje. Ty to co innego.

– Ach, rozumiem. Nadal uważacie mnie za tego zbójcę. – Mo oparł głowę o ścianę i na chwilę zamknął oczy. – Pewnie na nic się nie zda, jeśli jeszcze raz wam powiem, że nim nie jestem?

Podpalacz zmierzył go pogardliwym wzrokiem.

– Powiedz to Żmijogłowemu, może ci uwierzy – warknął, po czym brutalnie odciągnął Meggie od Mo. – Wynoście się obie. Wystarczy!

Żołnierze popchnęli mszankę i Meggie ku drzwiom. Meggie rozejrzała się, szukając oczami matki, jeszcze raz popatrzyła na Mo, ale Podpalacz chwycił ją za ramię i wyrzucił za drzwi. Mo marzył teraz o takich słowach jak te, które zabiły Capricorna. Pragnął je poczuć na języku i cisnąć nimi w Podpalacza, tak by padł martwy na ziemię, jak niegdyś jego pan. Ale nie było nikogo, kto mógłby je napisać. Panowała tu niepodzielnie historia Fenoglia, przerażająca i mroczna, historia, która zapewne w jednym z najbliższych rozdziałów zgotuje mu śmierć.

43

Papier i ogień

– No dobrze, to by było postanowione – dał się słyszeć jakiś głos w kącie więzienia. To odezwał się Gnom Wąchacz, który był nadal związany. Twig zupełnie o nim zapomniał. – Może by ktoś w takim razie zdjął mi więzy.

Paul Stewart, *Łowca burz*

Okna gospody patrzyły na Smolipalucha niby brudne żółte oczy, gdy chyłkiem przemknął przez drogę. Skoczek wyprzedził go – nikły cień śmigający w ciemności. Noc była ciemna, na podwórku i między stajniami panował taki mrok, że nawet jego naznaczona bliznami twarz wyglądała jak szara plama.

Przed stajnią, w której zamknięto więźniów, trzymało straż aż czterech żołnierzy. Z dłońmi na mieczach znudzeni spoglądali w noc, od czasu do czasu zerkając tęsknie na jasno oświetlone okna karczmy. Dochodziły stamtąd pijackie okrzyki, a po chwili dały się słyszeć dźwięki lutni potrącanej wprawną dłonią i dziwnie zduszony śpiew. „Aha, Piszczałka wrócił z Ombry i popisuje się jedną ze swoich pieśni, pełną krwi i szału zabijania” – pomyślał Smolipaluch. To, że Srebrny Nos zawitał do gospody, było jeszcze jednym powodem więcej, by pozostać w ukryciu. Zgodnie z umową Meggie i Farid czekali za stajniami, ale klócili się tak zawzięcie, że nie zauważyli Smolipalucha, gdy ten stanął za nimi. Zatkał chłopcu usta ręką.

– Co to ma znaczyć? – syknął wściekły. – Chcecie, żeby was zamknęli razem z tamtymi?

Meggie spuściła głowę. Miała znowu łzy w oczach.

– Ona chce koniecznie wejść do stajni! – szepnął Farid. – Myśli, że wszyscy śpią! Tak jakby...

Smolipaluch znów zasłonił mu usta. Na podwórku rozległy się głosy. Widocznie ktoś przyniósł strażom posiłek.

– Gdzie jest Czarny Książę? – spytał szeptem Smolipaluch, gdy z powrotem zapadła cisza.

– Za domem koło piekarni, razem z niedźwiedziem. Powiedz jej, żeby nie szła do stajni! W środku jest co najmniej piętnastu żołnierzy.

– Ilu pilnuje księcia?

– Trzech.

Trzech. Smolipaluch spojrzał w niebo. Księżyc schował się za chmurami; ciemność otuliła wszystko czarnym płaszczem.

– Chcesz ich uwolnić? Trzech to niedużo! – szepnął Farid.

W jego głosie nie było ani śladu strachu. Smolipaluch pomyślał, że kiedyś ta odwaga go zgubi.

– Poderżniemy im gardła, nim zdołają krzyknąć. To proste.

Farid często mówił takie rzeczy. Smolipaluch zawsze się zastanawiał, czy tylko mówi o tym, czy już zrobił coś takiego.

– O rany, ale z ciebie zimny drań! – rzekł cicho. – Ale ja nie za bardzo nadaję się do podrzynania gardeł, dobrze o tym wiesz. Ilu jest więźniów?

– Jedenaście kobiet, trójka dzieci, dziewięciu mężczyzn, nie licząc Czarodziejskiego Języka.

– Jak on się czuje? – Smolipaluch spojrzał na Meggie. – Widziałaś go? Może chodzić?

Meggie zaprzeczyła ruchem głowy.

– A twoja matka?

Rzuciła mu niechętnie spojrzenie. Nie lubiła, gdy mówił o Resie.

– Dlaczego milczysz? Jak ona się czuje?

– Chyba dobrze! – Meggie przyłożyła rękę do ściany stajni, jakby chciała dotknąć ukrytych za nią rodziców. – Ale nie mogłam z nią rozmawiać. Proszę! – spojrzała na niego błagalnie. – Na pewno wszyscy śpią. Będę bardzo ostrożna!

Farid z rozpaczą spojrzał w niebo, jakby wzywał gwiazdy na świadków bezrozumnego zachowania Meggie.

– Strażnicy na pewno nie śpią – rzekł Smolipaluch – dlatego musisz mieć jakąś wymówkę. Masz coś do pisania?

Meggie spojrzała na niego z niedowierzaniem oczami swojej matki. Po czym sięgnęła do skórzanej torby, którą miała przewieszoną przez ramię.

– Mam papier – szepnęła, nerwowym ruchem wyrywając kartkę z niewielkiego notatnika. – I długopis!

Zupełnie jak jej matka. Zawsze miała przy sobie coś do pisania.

– Pozwalasz jej iść? – zdumiał się Farid.

– Tak.

Meggie patrzyła na niego wyczekująco.

– Pisz: „Jutro na drodze, którą pójdziecie, będzie leżało zwalone drzewo. Kiedy drzewo stanie w płomieniach, wszyscy, którzy mają dość sił, niech uciekają do lasu na lewo. Na lewo, to ważne! I jeszcze napisz: Będziemy na nich czekać w lesie i ukryjemy ich". Napisałaś?

Meggie skinęła głową. Długopis śmigał po papierze. Smolipaluch miał nadzieję, że Resa odczyta w ciemnościach drobne pismo Meggie, bo jego tam nie będzie, żeby jej poświecić.

– Zastanowiłaś się, co powiesz strażom? – spytał.

Meggie znów kiwnęła głową. Przez moment przypominała tę małą dziewczynkę, którą Smolipaluch poznał ponad rok temu, i przez chwilę żałował, że się na to zgodził, ale nim zdążył zmienić zdanie, Meggie zniknęła w drzwiach gospody. Po chwili wyszła stamtąd z dzbankiem mleka i skierowała się do stajni. Usłyszeli, jak mówi do strażników:

– Proszę mnie przepuścić! Mszanka kazała mi zanieść mleko dzieciom.

– No, popatrz, jest mądra jak szakal i odważna jak lwica! – szepnął Farid, gdy straże przepuściły Meggie.

W jego głosie brzmiało tyle podziwu, że Smolipaluch uśmiechnął się mimo woli. Chłopak był zakochany po uszy.

– Tak, chyba jest mądrzejsza ode mnie i od ciebie razem wziętych – odszepnął. – A już na pewno odważniejsza. Przynajmniej ode mnie.

Farid w milczeniu przytaknął. Wpatrywał się z napięciem w drzwi stajni i uśmiechnął się z ulgą, gdy po chwili Meggie wyszła na podwórko.

– Widziałeś? – szepnęła, stając obok nich. – Poszło całkiem gładko.

– Dobrze! – pochwalił Smolipaluch i skinął na Farida. – W takim razie trzymaj kciuki, żeby i nam równie gładko poszło z tym, co zamierzamy zrobić. No jak, Farid, masz ochotę pobawić się ogniem?

Farid wykonał zadanie z równie zimną krwią jak przedtem Meggie. Udając całkowite zatracenie się w tym, co robi, a jednocześnie ustawiając się tak, by dobrze go widzieli strażnicy, którzy za domem pilnowali księcia i jego niedźwiedzia, Farid począł żonglować ogniem. Czynił to tak beztrosko, jakby stał bezpiecznie na rynku w Ombrze, a nie pod oknami gospody, w której siedzieli Podpalacz i Piszczałka.

Strażnicy trącali się w boki, śmiali się, radzi z nadarzającej się rozrywki. „Wygląda na to, że tylko ja mam zajęcze serce i duszę na ramieniu" – myślał Smolipaluch, ślizgając się na śmierdzących resztkach mięsa i gnijących warzywach. Najwidoczniej kucharze grubego karczmarza wyrzucali po prostu za dom wszystko, czego nie udawało im się wcisnąć klientom. Kilka szczurów uciekło na odgłos kroków Smolipalucha, a w krzakach błysnęło głodne spojrzenie gnoma.

Czarny Książę był przywiązany tuż obok sterty kości, a jego niedźwiedź – na tyle daleko, by nie mógł ich dosięgnąć. Leżał przykuty łańcuchem, ze skrępowanym pyskiem, i parskał smutno, a od czasu do czasu wydawał żałosne głuche wycie.

Nieopodal strażnicy wetknęli w ziemię płonącą pochodnię, ale płomień natychmiast zgasł, gdy tylko wiatr przyniósł do niej szept Smolipalucha. Głownia żarzyła się słabo. Czarny Książę od razu zmiarkował, kto musi się kręcić w pobliżu, skoro płomień tak nagle usnął. Jeszcze kilka cichych kroków i Smolipaluch stanął za plecami niedźwiedzia.

– Chłopak jest naprawdę dobry! – szepnął Czarny Książę, nie odwracając się. Wystarczy krótkie cięcie ostrym nożem i jego więzy opadną.

– O tak, jest dobry. I niczego się nie boi, w przeciwieństwie do mnie. – Smolipaluch oglądał kłódki spinające łańcuch niedźwiedzia. Były zardzewiałe, ale dość łatwe do otwarcia. – Co byś powiedział na małą wycieczkę do lasu? Ale niedźwiedź musi zachowywać się cicho jak sowa. Potrafi to?

Schylił się szybko, gdy jeden ze strażników się odwrócił, ale wyglądało na to, że usłyszał tylko służącą, która wyszła za dom i wylała wiadro pomyj. Ciekawie spojrzała na związanego więźnia, po czym zniknęła w drzwiach domu, zabierając ze sobą hałas, który wylewał się przez otwarte drzwi.

– Co z resztą?

– Czterech strażników przed stajnią, czterech pilnuje Czarodziejskiego Języka i pewnie z dziesięciu – pozostałych więźniów. Nie damy rady odwrócić uwagi wszystkich na tak długo, byśmy zdążyli wynieść rannych i kaleki.

– Czarodziejski Język?

– Tak, to ten mężczyzna, którego u was szukali. A jak ty go nazywasz?

Jedna z kłódek puściła. Niedźwiedź zamruczał. Może to Skoczek go zaniepokoił. Gdyby nie druga kłódka, pewnie by go zeżarł. Teraz Smolipaluch zabrał się do przecinania postronków, którymi przywiązany był Czarny Książę. Musiał się pospieszyć, żeby zdążyli zniknąć, zanim Farida zabolą ręce. Druga kłódka cicho zgrzytnęła. Jeszcze tylko szybki rzut oka na chłopca... „Na ogień elfów! – pomyślał Smolipaluch. – Wyrzuca pochodnie prawie tak wysoko jak ja!". Czarny Książę właśnie strząsał przecięte sznury, gdy do Farida podbiegł tłusty karczmarz w towarzystwie służącej i żołnierza. Zaczął krzyczeć na chłopca, z oburzeniem wskazując na płomienie. Farid tylko się uśmiechał, cofając się tanecznym krokiem i żonglując dalej płonącymi pochodniami, podczas gdy Gwin obiegał go w kółko. O tak, Farid był równie mądry jak Meggie. Smolipaluch skinął na Czarnego Księcia. Niedźwiedź poczłapał za nimi na czworakach, posłuszny cichemu mlaskaniu pana. Niestety, był tylko niedźwiedziem, a nie strachem nocnym, któremu nie trzeba mówić, by zachowywał się cicho. Ale przynajmniej był czarny, tak jak jego pan. Noc połknęła ich, jakby stanowili jej część.

– Spotkamy się na drodze przy zwalonym drzewie! – szepnął Smolipaluch do Czarnego Księcia, a ten skinął głową i zniknął w mroku.

A Smolipaluch udał się na poszukiwanie chłopca i córki Resy. Na podwórku biegali z krzykiem żołnierze, najwyraźniej zauważono zniknięcie Czarnego Księcia i niedźwiedzia. Nawet Piszczałka wybiegł z gospody. Ale nigdzie nie było śladu Farida ani Meggie.

Żołnierze z zapalonymi pochodniami przeszukiwali skraj lasu i zbocze za domem. Smolipaluch szepnął coś w ciemność i pochodnie jedna po drugiej zaczęły gasnąć, jakby pogasił je słaby wiatr, który zbudził się nocą. Żołnierze zatrzymali się na drodze, rozglądając się niepewnie, a w ich oczach czaił się lęk – przed niedźwiedziem i tym wszystkim, co czyhało na nich w gęstwinach leśnych.

Żaden z nich nie odważył się dojść aż tam, gdzie w poprzek drogi leżało zwalone drzewo. Las i wzgórza były tak ciche, jakby nigdy ludzka stopa po nich nie stąpała. Gwin siedział na pniu, a Meggie i Farid czekali po drugiej stronie drogi. Chłopiec miał zakrwawione wargi, a dziewczynka oparła zmęczoną głowę na jego ramieniu. Na widok Smolipalucha wyprostowała się zażenowana.

– Jest wolny? – spytał Farid.

Smolipaluch ujął go pod brodę i oglądał zranioną wargę.

– Tak. Cokolwiek się jutro wydarzy, książę i jego niedźwiedź nam pomogą. Jak to się stało?

Obie kuny przemknęły obok niego i zgodnie pobiegły w las.

– Ach, to nic takiego. Jeden z żołnierzy chciał mnie zatrzymać, ale wywinąłem mu się. No, powiedz! Dobry byłem?

Tak jakby nie wiedział!

– Byłeś tak dobry, że zaczyna mnie to martwić. Jak tak dalej pójdzie, stracę pracę.

Farid uśmiechnął się zadowolony.

Za to Meggie była ogromnie smutna. Smolipaluchowi wydała się tak zagubiona jak ta kilkuletnia dziewczynka, którą znaleźli w splądrowanym obozie. Nietrudno było sobie wyobrazić, co się działo w jej duszy, jeśli nawet – tak jak on – nie znało się swoich rodziców. Kuglarze, wagantki, wędrowny balwierz... Smolipaluch miał wielu rodziców... każdego z kuglarskiej braci, który zechciał zaopiekować się dziećmi pozostawionymi samym sobie. „No, jazda, powiedz jej coś, Smolipaluchu, cokolwiek! – myślał. – Jej matkę też potrafiłeś pocieszyć, choć zwykle tylko na krótko... dając jej tylko chwilę wytchnienia".

– Posłuchaj. – Ukląkł naprzeciwko Meggie i spojrzał jej w twarz. – Jeśli jutro uda nam się uwolnić część więźniów, zajmie się nimi Czarny Książę, a my troje pójdziemy za pozostałymi.

Meggie popatrzyła na niego tak nieufnie, jakby miała postawić stopę na przegniłej linie zawieszonej wysoko w powietrzu.

– Dlaczego? – spytała cicho. Gdy mówiła szeptem, jej głos nie zdradzał nic z tej siły, do jakiej był zdolny. – Dlaczego chcesz im pomóc? – „Ostatnim razem – dodała w myślach – nie zrobiłeś tego. Wtedy, w wiosce Capricorna".

Co miał jej odpowiedzieć? Że w obcym świecie łatwiej jest stać z boku niż we własnym?

– Powiedzmy, że mam coś do naprawienia... – rzekł.

Nie musiał jej wyjaśniać, co ma na myśli. Oboje dobrze pamiętali tę noc, kiedy wydał ją zdradziecko Capricornowi. „A poza tym – miał ochotę dodać – uważam, że twoja matka wystarczająco długo była więźniem". Ale tego nie mógł powiedzieć. Wiedział, że te słowa nie spodobałyby się Meggie.

Dobrą godzinę później dołączył do nich Czarny Książę, cały i zdrowy, razem ze swym niedźwiedziem.

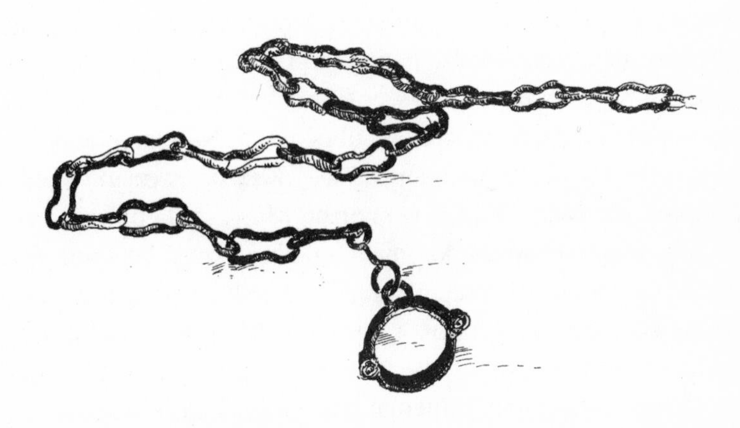

44

Drzewo w płomieniach

Spójrz, jak płomień drzewo liże,
Jęzor ognia coraz bliżej,
Ogień pląsa, co za dryg!
Suchy chrust połyka w mig.

James Krüss, *Ogień*

Stopy Resy krwawiły. Droga była kamienista i mokra od porannej rosy. Wszyscy oprócz dzieci mieli znowu związane ręce na plecach. Resa bała się, że żołnierze nie pozwolą dzieciom iść między dorosłymi, lecz wsadzą je na taczki. „Płaczcie, jeśli będą was chcieli zmusić – pouczyły ich szeptem kobiety. – Płaczcie i krzyczcie, dopóki nie pozwolą wam iść obok nas!". Na szczęście nie było to potrzebne. Trójka maluchów – dwie dziewczynki i jeden chłopiec, nie licząc dziecka w brzuchu Miny – była przerażona.

Najstarsza dziewczynka miała zaledwie sześć lat i szła między Resą a Miną. Patrząc na nią, Resa zadawała sobie pytanie, jak mogła wyglądać Meggie w jej wieku. Mo pokazywał jej zdjęcia ze wszystkich tych lat, które straciła, ale to nie było to samo. Bo to nie były jej wspomnienia, tylko jego. Jego i Meggie.

Dzielna Meggie. Resie za każdym razem ściskało się serce, gdy sobie przypominała, jak Meggie w półmroku stajni ukradkiem wsunęła jej do ręki kartkę. Gdzie ona teraz jest? Czy obserwuje ją ukryta w lesie?

Dopiero gdy wybuchło zamieszanie z powodu zniknięcia Czarnego Księcia, udało jej się przeczytać kartkę w świetle pochodni, która przez całą noc paliła się w stajni. Nikt poza nią nie umiał czytać, szeptem przekazała więc wiadomość kobietom siedzącym obok niej. Nie nadarzyła się już okazja, by wtajemniczyć mężczyzn, ale ci, którzy będą w stanie uciec, na pewno to zrobią. Resa martwiła się o dzieci. Ale teraz już wiedziały, co mają robić.

Druga dziewczynka i chłopczyk szli między swoją matką a Krzywopalcą, tą, która chciała przenieść Mo z powrotem do twierdzy Capricorna i która co chwila rzucała jej spojrzenia mówiące wyraźnie: „Miałam rację!”. Mina natomiast uśmiechała się, gdy ich wzrok się spotykał, Mina z okrągłym brzuchem, która miała wszelkie powody nienawidzić jej za to, co się stało. A kwiaty, które dała jej w jaskini, chyba rzeczywiście przyniosły im szczęście, bo Mo czuł się o wiele lepiej i nie musiała już drżeć o to, że każdy następny jego oddech może być ostatnim. Ponieważ Czarny Książę uciekł, do taczek, na których leżał Mo, zaprzęgnięto konia. Szeptano między sobą, że księcia uwolnił jego niedźwiedź, co ostatecznie dowodziło, że jest nocnym strachem. Miał rzekomo sprawić swym wzrokiem ducha, że krępujące go łańcuchy zniknęły, po czym zamienił się w człowieka i oswobodził swego pana, przecinając mu więzy. Resa zastanawiała się, czy ten człowiek nie miał przypadkiem blizn na twarzy. Kiedy usłyszała krzyki i bieganinę, zdjął ją wielki lęk o Smolipalucha, Meggie i chłopca, ale rankiem gniewne twarze żołnierzy zdradziły jej, że tamci zdołali umknąć.

Tylko wciąż nie widać było przewróconego drzewa, o którym pisała Meggie.

Dziewczynka, która szła obok, uczepiła się jej sukni. Resa uśmiechnęła się do dziecka i szybko odwróciła głowę, kiedy poczuła na sobie spojrzenie Piszczałki siedzącego na koniu. Na szczęście ani on, ani Podpalacz nie rozpoznali jej. Niejeden raz w twierdzy Capricorna musiała słuchać jego krwawych piosenek – miał jeszcze wtedy zwykły ludzki nos – a Podpalaczowi czyściła buty, tyle chociaż dobrego, że się do niej nie zalecał.

Żołnierze rozmawiali głośno ponad ich głowami o tym, jaką to karę obmyśli ich pan dla Czarnego Księcia, kiedy znów go pojmie razem z jego zaczarowanym niedźwiedziem. Humory im się wyraźnie poprawiły, kiedy dosiedli koni. Od czasu do czasu Piszczałka odwracał się w siodle i dorzucał jakiś makabryczny szczegół do fantazjowania żołnierzy, tak by słyszeli to więźniowie. Resa najchętniej zatkałaby uszy idącej obok niej dziewczynce. Jej matka wędrowała po kraju z paroma innymi wagantami, przekonana, że jej córka przebywa bezpiecznie w tajnym obozie.

Dziewczynka da sobie radę, podobnie jak pozostała dwójka i ich matka. Na pewno też będzie próbowała uciec Krzywopalca, Kopeć i większość mężczyzn... Zostanie grajek ze zranioną nogą siedzący obok Mo na taczkach, a także Dwupalcy, który jak ognia boi się kusz, i stary kuglarz, który uprawiał chodzenie na szczudłach, a teraz już nie dowierza swoim nogom. Zostanie krótkowzroczna Benedykta, która prawie nie widzi, gdzie stąpa, Mina, która wkrótce urodzi... i Mo.

Droga schodziła coraz bardziej stromo w dół. Ponad nimi drzewa splatały gałęzie, tworząc zielony baldachim. Był bezwietrzny pochmurny deszczowy poranek, ale ognie Smolipalucha płoną nawet w czasie deszczu.

Resa próbowała dojrzeć coś pomiędzy końmi. Drzewa w lesie rosły tak gęsto, że nawet za dnia panował tam półmrok. Mają pobiec w lewo. Zastanawiała się, czy Meggie sądzi, że ona także ucieknie. Myślała o tym przez cały czas... i za każdym razem odpowiadała sobie tak samo: „Nie, ona wie, że nie opuszczę jej ojca, kocha go tak samo jak ja".

Resa zwolniła kroku. Wreszcie zobaczyła drzewo leżące w poprzek drogi, ogromny pień pokryty zielonym mchem. Dziewczynka podniosła głowę i spojrzała na nią wielkimi oczami. Resa przez cały czas bała się, że dzieci wszystko wypaplają, ale cała trójka od rana milczała jak zaklęta.

Na widok zwalonego drzewa Podpalacz zaczął miotać przekleństwa. Ściągnął wodze i rozkazał pierwszym czterem żołnierzom usunąć przeszkodę. Z ponurymi minami przekazali cugle towarzyszom i ruszyli ku drzewu, hałasując ciężkimi butami do konnej jazdy. Resa nie miała odwagi spojrzeć w bok, by nie zdradzić Smolipalucha czy Meggie. Zdawało jej się, że słyszy ciche strzelanie palcami, a po chwili ledwie wyczuwalny szept. Nie były to ludzkie słowa, lecz słowa ognia. Pewnego razu Smolipaluch zademonstrował jej te słowa w tamtym drugim świecie, gdzie nie miały żadnej mocy, gdzie ogień był niemy i głuchy. „W moim świecie to brzmi o wiele lepiej" – wyjaśnił jej i opowiedział o ognistym miodzie, który podbierał elfom. Dobrze pamiętała dźwięk tych obcych wyrazów: przypominały odgłos, jaki wydaje ogień, trawiąc węgiel drzewny, pochłaniając łapczywie białe kartki papieru. Nikt oprócz niej nie usłyszał szeptu Smolipalucha; zagłuszył go szelest liści, kapanie deszczu, śpiew ptaków i ćwierkanie świerszczy.

Języki ognia wypełzły spod kory drzewa niczym węże z gniazda. Ale czterej żołnierze nic nie zauważyli. Dopiero gdy pierwszy płomień, żarłoczny i gorący, wystrzelił tak wysoko, że osmalił korony drzew przy drodze, cofnęli się przerażeni, nie wierząc własnym oczom. Konie bez jeźdźców stanęły dęba, próbując się wyrwać trzymającym je żołnierzom, a ogień syczał i buzował w najlepsze.

– Biegnij! – szepnęła Resa i dziewczynka skoczyła w las lekko jak sarenka.

Dzieci, kobiety, mężczyźni, wszyscy pędzili między drzewa, wymijając przerażone konie, i tonęli w zbawczym mroku lasu.

Dwaj żołnierze wystrzelili z kusz, ale spłoszone konie nie pozwoliły im spokojnie wycelować, więc bełty wbiły się w pnie drzew zamiast w uciekających ludzi. Więźniowie znikali w lesie, żołnierze pokrzykiwali na siebie, a Resa cierpiała okropne katusze, że musi pozostać na miejscu.

Drzewo stanęło w płomieniach, zwęglona kora zabarwiła się na czarno... „Biegnijcie – myślała Resa – biegnijcie!" – a sama stała bez ruchu, choć nogi wyrywały jej się do lasu, tam gdzie czekała na nią Meggie. Została... Próbowała nie myśleć o tym, że znów ją zamkną. Inaczej pobiegłaby, nie bacząc na Mo... biegłaby i biegła, i nigdy by się już nie zatrzymała. Zbyt długo była więźniem, zbyt długo żyła wspomnieniami – wspomnieniami o Mo i Meggie... Karmiła się nimi przez te wszystkie lata, gdy musiała służyć najpierw Mortoli, a potem Capricornowi.

– Tylko bez wygłupów, Sójka! – usłyszała wrzask jednego z żołnierzy. – Albo wypruję z ciebie flaki!

– O co ci chodzi? – odparł spokojnie Mo. – Czy ja wyglądam na kogoś, kto miałby ochotę uciekać przed twoją kuszą?

Resa stłumiła śmiech. Zawsze potrafił ją rozśmieszyć.

– Na co czekacie? Przyprowadźcie ich z powrotem! – wrzasnął Piszczałka.

Srebrny nos przekrzywił mu się na twarzy, a koń stawał dęba, choć jeździec z całej siły starał się go poskromić. Kilku żołnierzy posłuchało rozkazu; niechętnie zagłębili się w las, ale natychmiast się cofnęli, gdy w krzakach, pomrukując głucho, poruszył się duży cień.

– Strach nocny! – krzyknął któryś z nich i po chwili wszyscy znów byli na drodze.

Twarze im pobladły, a ręce drżały ze strachu, jakby obnażone miecze na nic się nie zdały przeciw okropnościom ukrytym między drzewami.

– Nocny strach? W środku dnia? Idioci! – wrzeszczał Podpalacz. – To niedźwiedź, to zwykły niedźwiedź!

Znów ruszyli w las, ale niepewnie, zbici w gromadkę, jak pisklęta chowające się za kwoką. Resa słyszała, jak złorzeczyli, przedzierając się przez chaszcze, torując sobie mieczami drogę pośród badyli kanianki i krzaków jeżyn. Konie pozostawione na drodze parskały i rzucały niespokojnie łbami. Podpalacz i Piszczałka naradzali się cicho, nachyleni do siebie. Tymczasem żołnierze pilnujący reszty więźniów wpatrywali się w las przerażonymi oczami, jakby w każdej chwili mógł stamtąd wyskoczyć nocny strach, do złudzenia przypominający niedźwiedzia, i pożreć ich, tak jak stoją, bo duchy tak właśnie robią.

Resa spostrzegła, że Mo patrzy na nią. Na jego twarzy malowała się ulga, że została, a zarazem żal, że nie uciekła razem z innymi. Był jeszcze blady, ale nie była to już owa trupia bladość pierwszych dni. Zrobiła krok w kierunku taczek, chciała dotknąć jego dłoni, przekonać się, czy nadal są rozpalone gorączką, ale jeden z żołnierzy odepchnął ją brutalnie.

Drzewo wciąż płonęło. Ogień trzaskał, jakby naigrawał się ze Żmijogłowego. A żołnierze nie przyprowadzili z lasu ani jednego uciekiniera.

45
Biedna Meggie

– Witaj! – rozległ się łagodny, melodyjny głos.

Leonardo podniósł wzrok. Przed nim stała najpiękniejsza dziewczyna, jaką kiedykolwiek widział w życiu. Nie przeraził się jej tylko dlatego, że w jej niebieskich oczach czaił się smutek; a ze smutkiem był dobrze obeznany.

Eva Ibbotson, *Tajemnica siódmej czarownicy*

Meggie nie powiedziała ani słowa. Farid starał się ją rozweselić, ale ona tylko siedziała pod drzewem, obejmując kolana ramionami, i milczała. No tak, uwolnili wielu więźniów, ale jej rodziców – nie.

Nikt z uciekinierów nie został przy tym ranny, tylko jedno z dzieci skręciło sobie nóżkę, ale było maleńkie i dorośli mogli je nieść bez wysiłku. Las pochłonął ich tak szybko, że ludzie Żmijogłowego po kilku krokach ścigali już tylko majaki. Smolipaluch wepchnął dzieciaki do wydrążonego pnia, kobiety wpełzły w gąszcz kanianki i pokrzyw, a niedźwiedź Czarnego Księcia bronił dostępu do nich. Mężczyźni wspięli się wysoko na drzewa, aż zniknęli całkowicie w gęstych koronach drzew. Czarny Książę i Smolipaluch ukryli się na końcu, wywiódłszy przedtem w pole żołnierzy, którym ukazywali się to tu, to tam.

Książę poradził oswobodzonym wagantom, by wrócili do Ombry i przyłączyli się do kuglarzy, którzy tam przebywali. On sam miał inne plany. Zanim odszedł, naradził się z Meggie – i po tej rozmowie nie wydawała się już tak strasznie smutna.

– Powiedział, że nie dopuści do powieszenia mojego ojca – opowiadała Faridowi. – Wie, że Mo nie jest Sójką, i razem ze swoimi ludźmi znajdzie sposób, by uświadomić Żmijogłowemu, że pojmał nie tego człowieka.

Meggie była tak pełna nadziei, że Farid tylko skinął głową, mrucząc: – No, to cudownie! – choć w głębi duszy był przekonany, że Żmijogłowy i tak powiesi jej ojca.

– A co z tym szpiclem, o którym mówił Piszczałka? – spytał Smolipalucha, gdy ruszyli w dalszą drogę. – Czy książę będzie go szukał?

– Nie musi go specjalnie szukać – odparł krótko Smolipaluch. – Wystarczy poczekać, aż któryś z wagantów zacznie szastać srebrem.

Srebro. Farid musiał przyznać, że był ogromnie ciekaw srebrnych wież Mrocznego Zamku. Podobno nawet blanki były posrebrzane. Dostaną się tam jednak inną drogą niż Podpalacz.

– Wystarczy, że wiemy, dokąd zmierzają – wyjaśnił Smolipaluch. – A są bezpieczniejsze szlaki prowadzące do Mrocznego Zamku niż trakt publiczny.

– A co z Mysim Młynem? – spytała Meggie. – Z tym młynem, o którym mówiłeś w lesie? Nie pójdziemy tam najpierw?

– Niekoniecznie. Dlaczego pytasz?

Meggie milczała chwilę. Była pewna, że jej odpowiedź nie spodoba się Smolipaluchowi.

– Dałam Podniebnemu Tancerzowi list do Fenoglia – powiedziała wreszcie. – Poprosiłam go, aby napisał coś, co może uratować moich rodziców, i wysłał mi to jak najszybciej do Mysiego Młyna.

– List? – Smolipaluch powiedział to tak ostrym tonem, że Farid odruchowo otoczył Meggie ramieniem. – No, pięknie! A co będzie, jeśli dostanie się w niepowołane ręce?

Farid skulił się ze strachu. Ale Meggie nie ulękła się Smolipalucha, o nie! Patrząc mu prosto w oczy, odparła twardo:

– Nikt prócz Fenoglia nie może im teraz pomóc. I ty o tym wiesz. Wiesz o tym aż za dobrze!

46

Pukanie do drzwi

Lancelot patrzył w puchar.

– To prawda, że jest nieludzki – rzekł wreszcie. – Ale dlaczego miałby być ludzki? Czy można oczekiwać od anioła, by był ludzki?

T.H. White, *Był sobie raz na zawsze król*

Upłynęło już kilka dni od czasu, gdy Fenoglio posłał żołnierza z wiadomością dla Meggie.

– Musisz pędzić jak wiatr – rzekł do niego, dodając, że to sprawa życia lub śmierci pewnej młodej i oczywiście ślicznej dziewczyny. (Chciał być pewien, że posłaniec da z siebie wszystko). – Prawdopodobnie nie zdołasz jej namówić, by z tobą wróciła, jest bowiem strasznie uparta. Ustal z nią zatem nowe i bezpieczne miejsce spotkania i powiedz jej, że wrócisz z listem ode mnie najszybciej, jak to będzie możliwe. Zapamiętasz?

Młodziutki żołnierz – miał jeszcze mleko pod nosem – bezbłędnie powtórzył zlecenie i pogalopował, zapewniając, że wróci najdalej za trzy dni. Trzy dni. Jeśli chłopak dotrzyma słowa, wkrótce będzie tu z powrotem. Tymczasem Fenoglio wciąż nie miał listu dla Meggie. Po prostu nie przychodziły mu na myśl słowa, które mogłyby naprawić całą historię: ukarać złych, nagrodzić dobrych, tak jak się należy w porządnej bajce.

Dzień i noc przesiadywał w komnacie przydzielonej mu przez Cosima i gapił się na arkusze pergaminu, które przyniosła Minerwa. Towarzyszył mu wystraszony Kryształek. Ale było tak, jakby ktoś rzucił na niego urok: każda myśl rozpływała się niczym atrament na wilgotnym papierze. Co się działo z tymi przeklętymi słowami? Dlaczego pozostawały martwe jak zeschłe listowie? Kłócił się z Kryształkiem, posyłał go to po wino, to po pieczyste, to po słodycze, kazał sobie dawać inny atrament, inne pióra – wszystko na nic. Tymczasem dziedziniec zamkowy rozbrzmiewał echem młotów płatnerzy kujących miecze; wzmacniano bramę, czyszczono otwory do wylewania smoły, ostrzono piki. Przygotowania wojenne powodują mnóstwo hałasu, zwłaszcza gdy się komuś spieszy. A Cosimowi się spieszyło.

Słowa dla księcia – słowa sprawiedliwego gniewu – same spłynęły Fenogliowi spod pióra. Heroldowie ogłaszali je po miastach i wsiach. W odzewie do Ombry poczęli ściągać ochotnicy na wojnę przeciwko Żmijogłowemu. Lecz Fenoglio wciąż nie znajdował słów, które zapewniłyby wygraną Cosimowi, a zarazem uratowały rodziców Meggie.

Wysilał swoją starą głowę, ale nie mógł wymyślić nic odpowiedniego. Dni mijały i Fenoglia zaczynała ogarniać rozpacz. A jeśli Żmijogłowy zdążył tymczasem powiesić Mortimera? Czy w takim wypadku Meggie w ogóle zechce czytać to, co on napisze? Może wówczas będzie jej najzupełniej obojętne, co stanie się z Cosimem i tym światem, skoro jej ojciec nie żyje?

– Gadasz bzdury, Fenoglio – mruczał do siebie, wykreślając kolejne zdania. – I wiesz co? Skoro nie przychodzą ci do głowy odpowiednie słowa, to niech Cosimo uratuje Mortimera!

„Aha! A co będzie, jeśli armia Cosima zdobędzie szturmem Mroczny Zamek, po czym zostanie pogrzebana żywcem w ruinach płonącej twierdzy? – szeptał przekorny głos w jego sercu. – Lub jeśli jego hufce rozbiją się o niedostępne mury?”.

Fenoglio odłożył pióro i ukrył twarz w dłoniach. Tymczasem kolejny raz zapadł zmrok, a jego głowa była tak samo pusta, jak leżące przed nim arkusze pergaminu. Cosimo przekazał mu przez Tulia zaproszenie na kolację, ale Fenoglio odmówił, nie był głodny, choć może sprawiłby mu przyjemność widok księcia słuchającego z rozjaśnionym wzrokiem pieśni, które o nim napisał. Choćby Brzydka Wiolanta przekonywała go, że słowa nudzą jej męża – Cosimo z pewnością uwielbiał utwory Fenoglia: przepiękne baśnie o swoich bohaterskich czynach, o czasie spędzonym u białych dam i o boju w twierdzy Capricorna.

Fenoglio cieszył się istotnie wielką łaską u księcia – zgodnie z tym, co napisał – gdy tymczasem biedna Wiolanta coraz rzadziej widywała męża. Spędzała więc w bibliotece jeszcze więcej czasu niż przed powrotem Cosima. Zwłaszcza że od śmierci teścia nie musiała już zakradać się tam potajemnie, przekupując Balbulusa klejnotami, bo Cosimowi było to obojętne. Chodziło mu tylko o to, by nie wysyłała tajnych pism do ojca i nie kontaktowała się z nim w inny sposób. Tak jakby kiedykolwiek to czyniła!

Fenogliowi żal było Wiolanty, ale pocieszał się, że jest przyzwyczajona do samotności. Nawet syn niczego tu nie zmienił. Było jednak faktem, że księżna nigdy jeszcze nie pragnęła niczyjego towarzystwa tak bardzo jak towarzystwa Cosima. Znamię na policzku zbladło, lecz za to płonął na jej twarzy szkarłat miłości, równie bezużyteczny jak owo znamię, gdyż Cosimo nie odwzajemniał jej uczucia. Co więcej, kazał ją śledzić. Od pewnego czasu za Wiolantą chodził potężny osiłek z łysą głową, który dawniej układał psy myśliwskie Tłustego Księcia. Nie odstępował jej ani na krok, jakby sam zamienił się w psa, który węszy nieustannie, by wytropić jej najskrytsze myśli. Podobno Wiolanta pisała przez Balbulusa listy do męża, błagalne listy, w których zapewniała go o swojej wierności i oddaniu, ale Cosimo wcale ich nie czytał. Jeden z zarządców utrzymywał, że książę stracił umiejętność czytania.

Fenoglio odjął ręce od twarzy i z zazdrością popatrzył na Kryształka, który pochrapując, smacznie spał obok kałamarza. Sięgał właśnie po pióro, gdy rozległo się pukanie do drzwi.

Kto to mógł być tak późno w nocy? O tej porze Cosimo rozpoczynał swoje nocne eskapady.

Drzwi się otworzyły i Fenoglio ujrzał żonę księcia. Wiolanta ubrana była w jedną z czarnych sukien, których nie nosiła od powrotu Cosima. Oczy miała zaczerwienione, ale może po prostu zbyt często używała berylu do czytania?

Fenoglio podniósł się z krzesła.

– Proszę, wejdź, pani! – zawołał. – A gdzież to twój cień?

– Kupiłam miot szczeniąt i kazałam mu je ułożyć, mówiąc, że ma to być niespodzianka dla Cosima. Odtąd co jakiś czas znika.

Była mądra, bardzo mądra! Czyżby nie wiedział o tym? Nie, nawet o tym, że ją stworzył, przypominał sobie jak przez mgłę.

– Usiądź, pani!

Podsunął jej swoje krzesło – drugiego nie było w komnacie – sam zaś usiadł pod oknem na skrzyni, w której trzymał szaty – nie te stare, zżarte przez mole, lecz wspaniałe szaty nadwornego poety, jakie Cosimo kazał dla niego uszyć.

– Cosimo znowu zabrał Briannę na przejażdżkę! – powiedziała Wiolanta łamiącym się głosem. – Jej wolno towarzyszyć mu na przejażdżkach, spożywać posiłki w jego towarzystwie, nawet noce spędza w jego komnacie. Teraz jemu opowiada historie, jemu czyta, dla niego śpiewa i tańczy, jak dawniej robiła to dla mnie. A ja zostałam sama. Czy nie mógłbyś z nią porozmawiać? – Wiolanta nerwowo wygładzała czarną suknię. – Brianna lubi twoje pieśni, może cię więc posłucha! Potrzebuję jej. Prócz niej nie mam nikogo tu na zamku, nie licząc Balbulusa, którego interesuje tylko moje złoto, żeby mógł kupować farby.

– A twój syn, pani?

– Nie lubi mnie.

Fenoglio nic nie odrzekł. Miała rację; Jacopo zresztą nikogo nie lubił prócz swojego ponurego dziadka. Nikt też nie lubił Jacopa. Niełatwo było go lubić. Na dworze nie milkły hałasy – płatnerze wciąż wykuwali miecze.

– Cosimo zamierza wzmocnić mury zamkowe – ciągnęła Wiolanta. – W tym celu kazał ściąć wszystkie drzewa aż po samą rzekę. Podobno za to Pokrzywa rzuciła na niego klątwę. Powiedziała, że porozmawia z białymi damami, żeby go zabrały z powrotem.

– Nie ma obawy, białe damy nie posłuchają Pokrzywy.

– Czy aby jesteś tego pewny? – Księżna potarła zaczerwienione oczy. – Brianna jest moją lektorką – podjęła. – On nie ma prawa mi jej zabierać! Czy mógłbyś napisać do jej matki? Cosimo każe sobie czytać wszystkie moje listy, ale ty możesz do niej napisać, tobie Cosimo ufa. Napisz do matki Brianny, że Jacopo chce się pobawić z jej synem, więc żeby go w południe przyprowadziła na zamek. Wiem, że była dawniej śpiewaczką, a teraz uprawia zioła lecznicze. Wszyscy balwierze w mieście chodzą do niej po zioła. Mam w ogrodzie parę bardzo rzadkich okazów. Napisz, że będzie mogła wziąć nasiona, szczepki, co tylko zechce, byle przyszła.

Roksana. Wiolanta chciała, żeby Roksana przyszła na zamek.

– Dlaczego chcesz, pani, rozmawiać z matką, dlaczego nie porozmawiasz z Brianną? Przecież nie jest już małą dziewczynką.

– Próbowałam! Ona mnie w ogóle nie słucha. Popatrzy na mnie, wymruczy jakieś przeprosiny – i znowu idzie do niego. Nie, muszę pomówić z jej matką.

Fenoglio milczał. Nie był wcale pewien, czy Roksana zechce przyjść na zamek. Znał ją przecież dobrze, sam wpisał w jej serce dumę i niechęć do ludzi o błękitnej krwi. Z drugiej strony obiecał Meggie, że będzie pilnował córki Smolipalucha. Jeśli nie może spełnić największej prośby Meggie, bo słowa haniebnie go opuściły, to może chociaż tym się zajmie... „Boże! –

pomyślał. – Nie chciałbym być blisko Smolipalucha, gdy się dowie, że jego córka spędza noce z Cosimem!”.

– No, dobrze, wyślę posłańca do Roksany – rzekł wreszcie. – Tylko nie obiecuj sobie, pani, zbyt wiele. Słyszałem, że ona nie pochwala tego, że jej córka służy u dworu.

– Wiem! – Wiolanta wstała i rzuciła okiem na czystą kartę pergaminu na biurku. – Piszesz nową pieśń? Może o Sójce? Musisz to najpierw mnie pokazać!

„Nieodrodna córka Żmijogłowego!” – pomyślał Fenoglio.

– Oczywiście, oczywiście – powiedział skwapliwie. – Dostaniesz ją, pani, zanim trafi do wagantów. I postaram się, żeby była taka, jak lubisz: posępna, przygnębiająca, złowieszcza...

„I okrutna” – dodał w myślach. Bo Brzydka Wiolanta uwielbiała ponure historie. Nie chciała czytać o szczęściu i pięknie, lecz o śmierci, nieszczęściach, brzydocie i mrocznych tajemnicach. Chciała czytać o świecie, jaki znała, a w jej świecie nie było miejsca na piękno i szczęście.

Tymczasem Wiolanta wciąż patrzyła na niego tym samym pełnym wyższości wzrokiem, jakim spoglądał na ludzi jej ojciec. Fenogliowi przypomniały się słowa, w jakich przedstawił jej dom: *Szlachetnie urodzeni... Od setek lat ród Żmijogłowego hołdował przekonaniu, że krew płynąca w żyłach jego członków czyni ich odważniejszymi, mądrzejszymi i silniejszymi od ich poddanych.* Przez kolejne stulecia to samo spojrzenie – nawet w oczach Brzydkiej Wiolanty, którą rodzina zaraz po urodzeniu najchętniej utopiłaby w fosie zamkowej niby kalekie szczenię.

– Służba powiada, że matka Brianny ma jeszcze piękniejszy głos niż ona. Mówią, że kiedy śpiewa, kamienie płaczą i rozkwitają róże. – Wiolanta dotknęła twarzy w miejscu, gdzie do niedawna było szpecące ją znamię.

– Ja też o tym słyszałem – przyznał Fenoglio, odprowadzając ją do drzwi.

– Podobno dawniej śpiewała nawet na zamku mojego ojca, ale ja w to nie wierzę. Mój ojciec nigdy nie wpuszczał grajków przez bramę, co najwyżej wieszał ich pod nią.

„Bo sobie wmówił, że żona zdradza go z jednym z nich" – pomyślał Fenoglio, otwierając drzwi.

– Brianna twierdzi, że jej matka przestała śpiewać dlatego, iż uważa, że jej głos przynosi nieszczęście tym, których kocha. Podobno było tak w przypadku ojca Brianny.

– Tak, o tym także słyszałem.

Wiolanta odwróciła się w drzwiach. Nawet z bliska trudno było rozpoznać ślad po znamieniu.

– Jutro rano poślesz gońca?

– Jeśli sobie tego życzysz, pani.

Wiolanta zapatrzyła się w ciemny korytarz.

– Brianna nigdy nie chce mówić o ojcu. Jedna z kucharek twierdzi, że jest połykaczem ognia. Mówi, że matka Brianny była w nim bardzo zakochana, ale potem zakochał się w niej jeden z bandy Capricorna i pokaleczył twarz kuglarza.

– I ja o tym słyszałem!

Fenoglio spoglądał na nią w zadumie. Historia Smolipalucha, gorzka i słodka zarazem, to było coś w guście Wiolanty.

– Zaprowadziła go do balwierza – ciągnęła księżna – i została przy nim, póki twarz mu nie wydobrzała. – Jej głos brzmiał tak obco, jakby zagubiła się między słowami, słowami Fenoglia. – Ale i tak ją porzucił! – dokończyła, odwracając głowę. – Napisz list! – poleciła oschle. – Jeszcze dziś w nocy.

I odeszła spiesznie, jakby nagle się zawstydziła, że do niego przyszła.

– Kryształek – odezwał się Fenoglio, zamknąwszy drzwi za księżną. – Jak myślisz, a może ja potrafię wymyślać tylko smutnych lub złych bohaterów?

Ale szklany ludzik spał snem sprawiedliwego, a z porzuconego pióra skapywał na pergamin atrament.

47 Roksana

W oczach kochanki mojej słońce nie lśni,
Czerwień korali barwę warg przerasta,
Przy bieli śniegu smagłe są jej piersi,
Włos jak drut czarny jej głowę porasta.

William Szekspir, *Sonet CXXX* [w:] *Dzieła. Sonety*

Fenoglio czekał na Roksanę w sali zamkowej, w której zwykle zarządcy wysłuchiwali skarg prostych petentów, a pisarz notował ich sprawę na papierze (pergamin był na to za drogi). Po czym odsyłano biedaków, dając im nadzieję, że kiedyś może otrzymają odpowiedź. Za rządów Tłustego Księcia rzadko się to zdarzało, chyba że wmieszała się w to Wiolanta, toteż poddani w końcu sami załatwiali sprawy między sobą, jedni krwawo, inni bardziej pokojowo, w zależności od temperamentu. Fenoglio miał nadzieję, że pod rządami Cosima i to się wkrótce zmieni...

– Co ja tu robię? – mruknął Fenoglio, rozglądając się po wąskiej, wysoko sklepionej sali.

Był jeszcze w łóżku (daleko wygodniejszym niż to w domu Minerwy), kiedy zjawił się posłaniec Brzydkiej Wiolanty. Księżna przeprasza – brzmiała wiadomość – i prosi go, jako specjalistę od znajdowania właściwych słów, by zamiast niej porozmawiał z Roksaną. Cudownie! Oto są możni tego świata: lubią spychać rzeczy nieprzyjemne na innych. Choć z drugiej strony... zawsze chciał zobaczyć żonę Smolipalucha, przekonać się, czy jest rzeczywiście tak piękna, jak ją opisał.

Z westchnieniem opadł na fotel, w którym zwykle zasiadał zarządca Cosima. Od powrotu księcia natłok petentów był tak wielki, że w końcu postanowiono, iż będą przyjmowani tylko przez dwa dni w tygodniu. Ich książę miał teraz inne kłopoty na głowie niż troski chłopa, któremu sąsiad ukradł świnię, zażalenie szewca, któremu kupiec sprzedał wybrakowaną skórę, czy skargę krawcowej, którą mąż bija po pijanemu. W większych miejscowościach byli oczywiście sędziowie, którzy rozstrzygali takie sprawy, ale większość z nich miała złą opinię. Sprawiedliwości doświadczał tylko ten – takie było przekonanie ludzi po obu stronach lasu – kto napychał sędziemu kieszenie złotem. Toteż ci, którzy nie mieli złota, przychodzili na zamek do swego księcia o anielskiej twarzy, nie uświadamiając sobie, że książę cały czas poświęcał teraz przygotowaniom do wojny.

Roksana przyprowadziła ze sobą dwójkę dzieci: dziewczynkę, może pięcioletnią, i starszego od niej chłopca, który musiał być bratem Brianny, Jehanem; to on właśnie miał wątpliwy zaszczyt od czasu do czasu bawić się z Jacopem. Marszcząc czoło, oglądała kilimy na ścianach opowiadające o czynach Tłustego Księcia: jednorożce, smoki, białe jelenie... nic nie mogło się obronić przed jego włócznią.

Fenoglio chrząknął zakłopotany, widząc jej krytyczne spojrzenie.

– Może pójdziemy do ogrodu...? – zaproponował, podrywając się z fotela.

Była piękniejsza, niż ją przedstawił w książce. A przecież dobierał najcudowniejsze słowa, kiedy opisywał scenę, w której Smolipaluch widzi ją po raz pierwszy. Teraz jednak, kiedy stanęła przed nim jako żywa kobieta, zakochał się w niej niczym nieopierzony szczeniak. „Do diabła, Fenoglio! – strofował sam siebie w duchu. – Przecież sam ją wymyśliłeś, a teraz gapisz się na nią, jakbyś po raz pierwszy widział kobietę". Najgorsze było to, że Roksana chyba zauważyła jego stan ducha.

– Dobrze, chodźmy do ogrodu! Wiele o nim słyszałam, ale nigdy nie miałam okazji go zobaczyć – rzekła z uśmiechem, który wprawił go w najwyższe zakłopotanie. – Czy może wolisz mi najpierw wyjawić, panie, o czym chcesz ze mną mówić. Z listu zrozumiałam tylko tyle, że chodzi o Briannę.

O czym on chce z nią mówić – on! Przeklinał w duchu zazdrość Wiolanty, wiarołomne serce Cosima i siebie samego na dodatek.

– Chodźmy najpierw do ogrodu – odparł.

Może pod gołym niebem będzie mu łatwiej powiedzieć jej to, o co prosiła Wiolanta.

Ale oczywiście nie było mu wcale łatwiej.

Chłopiec udał się na poszukiwanie Jacopa, ale dziewczynka została z Roksaną. Nie puszczała jej ręki, gdy wagantka oglądała po kolei rośliny – a Fenoglio nie mógł wydobyć z siebie słowa.

– Wiem, po co mnie wezwano – odezwała się Roksana, gdy po raz dziesiąty układał w myślach przemowę. – Brianna wprawdzie nie powiedziała mi o tym, tego by nigdy nie uczyniła. Ale służąca, która przynosi Cosimowi śniadanie, a u mnie często zasięga rady z powodu chorej matki, opowiadała mi, że Brianna praktycznie nie wychodzi z jego komnaty. Nawet w nocy...

– Tak... tak właśnie jest... Wiolanta martwi się tym. I ma nadzieję, że ty, pani...

Do licha, alež on się jąkał! Zupełnie nie wiedział, co ma mówić. Do diabła, co za zamieszanie! Ta historia miała stanowczo za dużo bohaterów. Nie sposób przewidzieć wszystkiego, co im może strzelić do głowy. Zwłaszcza jeśli chodzi o uczucia młodych dziewcząt. Nie można od niego wymagać, żeby się na tym znał.

Roksana patrzyła na jego twarz, jakby czekała, aż skończy ostatnie zdanie. „Przeklęty stary durniu, chyba się nie zaczerwienisz!" – pomyślał Fenoglio, czując, że dostaje wypieków.

– Chłopiec opowiadał mi o tobie – rzekła Roksana. – Farid. Kocha się w dziewczynie, która mieszka u ciebie, Meggie, prawda? Wymawia jej imię z taką miną, jakby miał perły w ustach.

– Tak, wydaje mi się, że Meggie też go lubi.

„Ciekawe, co chłopak jej o mnie opowiedział – myślał Fenoglio. – Że ją wymyśliłem, podobnie jak mężczyznę, którego kocha – tylko po to, by go następnie uśmiercić?".

Dziewczynka wciąż ściskała rękę Roksany. Roksana z uśmiechem wpięła jej kwiat w długie czarne włosy. „Wiesz co, Fenoglio – rozmyślał – to wszystko nonsens! Jak mogłeś ją wymyślić? Ona musiała istnieć już wcześniej, na długo przed twoimi słowami. Ktoś taki jak ona nie może składać się tylko ze słów! Byłeś w błędzie przez cały czas! Oni wszyscy istnieli już wcześniej: Smolipaluch i Capricorn, Basta i Roksana, Minerwa, Wiolanta, Żmijogłowy... Ty tylko spisałeś ich historię, ale ona im się nie spodobała, więc teraz piszą ją dalej sami...

Dziewczynka dotknęła kwiatu we włosach i uśmiechnęła się.

– Czy to córka Smolipalucha? – spytał Fenoglio.

Roksana spojrzała na niego zaskoczona.

– Nie – odparła. – Nasza córka już dawno nie żyje. A ty skąd znasz Smolipalucha? Nigdy mi o tobie nie opowiadał.

„Fenoglio, ty durniu, przeklęty durniu!".

– Owszem, znam go! – wyjąkał. – Nawet dobrze go znam. Bywam często u kuglarzy, gdy rozbijają namioty pod murami Ombry. Tam go... hm... spotkałem...

– Naprawdę? – Roksana przejechała palcami po pierzastych liściach jakiejś byliny. – Nie wiedziałam, że już się u nich pokazał. – W zamyśleniu podeszła do innej grządki. – Dzikie malwy. U mnie też rosną. Czyż nie są piękne? A jakie pożyteczne... – I mówiąc dalej, wpatrywała się bacznie w twarz Fenoglia. –

Smolipaluch zniknął. Kolejny raz. Dostałam tylko wiadomość, że tropi ludzi Żmijogłowego, którzy uprowadzili paru wagantów. Jej matka – otoczyła dziewczynkę ramieniem – jest wśród porwanych. I Czarny Książę, dobry druh Smolipalucha.

Czarnego Księcia też złapali? Fenoglio starał się ukryć strach. Sprawy potoczyły się więc dużo gorzej, niż myślał. A on wciąż nie napisał nic odpowiedniego...

Roksana pogłaskała torebki nasienne lawendy i natychmiast w powietrzu rozszedł się słodkawy zapach.

– Podobno byłeś przy tym, kiedy Podniebny Tancerz został zabity. Znasz jego mordercę? Słyszałam, że to był Basta, jeden z tej leśnej bandy podpalaczy.

– Niestety, to prawda.

Nie było nocy, by nie widział we śnie noża Basty śmigającego w powietrzu.

– Chłopiec powiedział Smolipaluchowi, że Basta wrócił, ale miałam nadzieję, że kłamie. Martwię się o Smolipalucha. – Mówiła tak cicho, że Fenoglio z trudem ją rozumiał. – Bardzo się martwię. Czasem łapię się na tym, że stoję i wpatruję się w las, jakby za chwilę miał wyjść spomiędzy drzew, jak tego ranka, gdy wrócił. – Zerwała torebkę nasienną jednej z roślin i wysypała na dłoń parę maleńkich ziarenek. – Czy mogę je wziąć?

– Wszystko, co tylko chcesz – odparł Fenoglio. – Nasiona, szczepki – tak kazała ci powiedzieć Wiolanta – pod warunkiem, że przekonasz swoją córkę, by dotrzymywała towarzystwa jej, a nie jej mężowi.

Roksana spojrzała na trzymane w dłoni ziarenka... i wysypała je z powrotem na grządkę.

– To niemożliwe. Moja córka od lat mnie już nie słucha. Kocha życie na zamku, choć wie, że tego nie pochwalam, i kocha Cosima, od kiedy ujrzała go po raz pierwszy, gdy wyjeżdżał przez bramę miasta. Miała wtedy siedem lat i odtąd nie myślała o niczym, tylko o tym, by zamieszkać na zamku, choćby jako służąca. Gdyby Wiolanta nie usłyszała jej kiedyś, jak wyśpiewuje w kuchni, to pewnie do dziś opróżniałaby nocniki i nosiła świniom odpadki z kuchni. Co najwyżej zakradłaby się czasem na górę, by nacieszyć wzrok widokiem posągów Cosima. A tymczasem stała się jakby młodszą siostrą Wiolanty... nosiła jej suknie, pilnowała jej syna, śpiewała i tańczyła dla niej, krótko mówiąc, została wagantką jak jej matka. Ale nie taką, która sypia pod gołym niebem przy drodze, trzymając w pogotowiu nóż przeciwko włóczęgom próbującym wejść jej pod koc. Ona chodziła w jedwabnych szatach i miała miękkie łóżko z baldachimem. Ale włosy nosi rozpuszczone, jak niegdyś ja sama, i tak jak ja zbyt mocno kocha. Nie! – dokończyła, wciskając Fenogliowi do ręki torebkę nasienną. – Przekaż Wiolancie, że nie mogę jej pomóc, choć bardzo bym chciała.

Dziewczynka patrzyła na Fenoglia. Ciekawe, gdzie teraz była jej matka?

– Posłuchaj mnie! – rzekł Fenoglio do Roksany. Jej uroda przyprawiała go o zawrót głowy. – Weź tyle nasion, ile tylko chcesz. Na twoich polach wydadzą o wiele lepszy plon niż między tymi szarymi murami. Smolipaluch jest razem z Meggie. Posłałem do niej gońca. Kiedy wróci, przekażę ci wszystko, co mi doniesie: gdzie są teraz, jak długo ich nie będzie, wszystko!

Roksana wzięła od niego lawendę, schyliwszy się, zerwała garść innych torebek nasiennych i włożyła je ostrożnie do torby przytroczonej do pasa.

– Dziękuję ci – powiedziała. – Ale jeśli w najbliższym czasie nie dowiem się czegoś pewnego o Smolipaluchu, po prostu pójdę go szukać. Zbyt często biernie czekałam, by wrócił cały i zdrowy, a teraz nie mogę myśleć o niczym innym poza tym, że Basta znów tu jest!

– Ale jak chcesz go znaleźć? Ostatnia rzecz, jaką słyszałem od Meggie, to to, że kierują się do jakiegoś młyna – Mysiego

Młyna. Leży po drugiej stronie lasu, w państwie Żmijogłowego! Tam jest niebezpiecznie!

Roksana uśmiechnęła się do niego, tak jak dojrzała kobieta uśmiecha się do dziecka, kiedy opowiada mu o świecie.

– Tu też będzie wkrótce niebezpiecznie – rzekła. – Czy myślisz, że Żmijogłowy jeszcze nie wie o tym, że Cosimo dzień i noc wykuwa miecze? Może powinieneś zawczasu się rozejrzeć za innym miejscem do pisania, zanim ogniste strzały zaczną spadać na twoje biurko.

Wierzchowiec Roksany czekał na zewnętrznym dziedzińcu. Był to kary koń, stary, wychudzony i siwiejący na pysku.

– Znam Mysi Młyn – powiedziała, sadzając dziewczynkę na siodle. – Pojadę tam, a jeśli ich nie znajdę, spróbuję poszukać u Puszczyka. To najlepszy cyrulik, jakiego znam po tej i po tamtej stronie lasu. Opiekował się Smolipaluchem jako chłopcem. Może on coś będzie wiedział.

Oczywiście, Puszczyk! Jak mógł o nim zapomnieć? Jeśli Smolipaluch kiedykolwiek miał ojca, to tylko jego. Był jednym z tych cyrulików, którzy przez cały czas wędrowali z kuglarzami z miasta do miasta, ze wsi do wsi. Więcej o nim niestety nie wiedział. „Do licha, Fenoglio! – myślał. – Jak można zapominać własne książki? Tylko się nie wymawiaj starością!".

– Jeśli zobaczysz Jehana, powiedz mu, proszę, żeby wrócił do domu – dorzuciła Roksana, wsiadając na konia z tyłu za dziewczynką. – Zna drogę.

– Chcesz jechać na drugą stronę Nieprzebytego Lasu na tej starej chabecie?

– Ta stara chabeta zawsze zawozi mnie, dokąd tylko zechcę – odrzekła Roksana, ujmując wodze. Dziewczynka oparła głowę na jej piersiach. – Żegnaj!

Lecz Fenoglio przytrzymał konia za cugle, gdyż w tej chwili przyszedł mu do głowy szalony pomysł. Na co miał czekać? Na powrót posłańca? Żeby okazało się, że jest już za późno?

– Roksano – szepnął, zadzierając głowę. – Muszę przekazać Meggie list. Posłałem do niej jezdnego, żeby się dowiedział, gdzie ona jest i jak wygląda sytuacja, ale jeszcze nie wrócił, a zanim wyślę go z powrotem z listem – („Tylko nie palnij czegoś o Baście i Rozpruwaczu, Fenoglio, bo ją tylko niepotrzebnie zdenerwujesz!") – ...co to ja chciałem... – („Wielkie nieba, Fenoglio, jąkasz się jak stary tetryk!"). – No, więc, czy nie zabrałabyś listu dla Meggie, jeśli rzeczywiście udasz się na poszukiwanie Smolipalucha? W takim wypadku na pewno znajdziesz ją wcześniej niż jakikolwiek posłaniec! – „Co za list? – zadrwił przekorny głos w jego duszy. – Ten, w którym jej napiszesz, że jeszcze nic nie wymyśliłeś?". Ale Fenoglio zignorował ten głos. – To bardzo ważny list! – Ciszej już nie mógł mówić.

Roksana zmarszczyła czoło. To niesłychane! Nawet czoło marszczyła pięknie.

– Ostatni list, który otrzymałeś, kosztował Podniebnego Tancerza życie. Ale zgoda, jeśli chcesz, przynieś ten list. Jak powiedziałam, nie zamierzam zbyt długo zwlekać.

Kiedy odjechała, dziedziniec zamkowy wydał się Fenogliowi dziwnie pusty.

W komnacie Kryształek siedzący obok czystych arkuszy pergaminu przywitał go pełnym wyrzutu spojrzeniem.

– Wiesz co, Kryształku? – rzekł pisarz, siadając z westchnieniem przy biurku. – Myślę, że Smolipaluch skręciłby mi mój stary kark, gdyby wiedział, jakim wzrokiem patrzyłem na jego żonę. No, trudno. Tak czy owak ma ochotę skręcić mi kark, więc jeden powód więcej nie robi różnicy. On po prostu nie zasługuje na Roksanę. Bez przerwy zostawia ją samą.

– Ktoś tu jest znowu w szampańskim humorze! – stwierdził sarkastycznie szklany ludzik.

– Cicho bądź! – warknął Fenoglio. – Zaraz ten pergamin zapełni się słowami, że hej! Mam nadzieję, że dobrze wymieszałeś atrament.

– Na pewno nie z winy atramentu ten pergamin jest nadal pusty! – odparował Kryształek.

Fenoglio miał ochotę cisnąć w niego piórem, ale się powstrzymał. Z bladych warg szklanego ludzika spływała po prostu prawda. Cóż mógł poradzić na to, że była taka niemiła.

48

Zamek nad morzem

A czasem znajdziesz w jakiej księdze starej
twą ręką zakreślone ciemne miejsce.
Niegdyś tam byłeś. Lecz ślad się twój rozpłynął.
Rainer Maria Rilke, *Improwizacje z zimy w Capreso* (III)

Mo tak właśnie wyobrażał sobie Mroczny Zamek: potężne okrągłe wieże o ciężkiej konstrukcji, pod srebrnymi dachami otwory strzelnicze, które wyglądały jak wybite zęby. Wyczerpani więźniowie wlewali się przez bramę zamkową, a Mo widział oczyma duszy słowa Fenoglia – czarne na śnieżnobiałym papierze: *Mroczny Zamek, ponura narośl nad brzegiem morza, każdy kamień wypolerowany krzykami, mury śliskie od łez i krwi...* O tak, Fenoglio potrafił opowiadać historie. Srebrna koronka oplatała blanki i bramy, ciągnęła się wzdłuż murów jak srebrzysty ślad ślimaka. Żmijogłowy kochał ten metal, który jego poddani nazywali śliną księżyca. Może dlatego, że kiedyś jakiś alchemik przekonał go, iż srebro odstrasza białe damy, bo nie cierpią, gdy się w nim odbijają ich blade twarze.

Ze wszystkich miejsc Atramentowego Świata to miejsce Mo wybrałby jako ostatnie. Ale nie ulegało wątpliwości, że to nie on wybierał swoją drogę przez tę historię, która dała mu nawet nowe imię: Sójka. Czasem czuł się tak, jakby to naprawdę było jego imię. Jakby cały czas nosił je w sobie niczym ziarno, które teraz wzeszło w tym świecie uczynionym ze słów.

Czuł się lepiej. Miał jeszcze gorączkę i widział wszystko jakby przez mleczne szkło, ale ból był teraz podobny do oswojonego kotka, a nie do tego dzikiego zwierzęcia, które rozrywało mu piersi w obozie wagantów. Mógł już usiąść, zaciskając zęby, a nawet popatrzeć wkoło, by odszukać wzrokiem Resę. Rzadko spuszczał ją z oczu, jakby w ten sposób mógł ją uchronić przed spojrzeniami, kopniakami i uderzeniami żołnierzy. Jej widok bolał bardziej niż rana. Kiedy zamknęła się za nimi brama zamku, Resa ledwie się trzymała na nogach z wyczerpania. Zatrzymała się i popatrzyła w górę na otaczające ją wysokie mury, jak mysz oglądająca pułapkę, w którą wpadła. Jeden z żołnierzy popchnął ją drzewcem włóczni i Mo zapragnął chwycić go rękami za szyję i mocno ścisnąć. Rozkoszował się nienawiścią poruszającą jego serce, przeklinając zarazem swoją słabość.

Resa spojrzała na niego, próbując się uśmiechnąć, ale była śmiertelnie zmęczona, a w jej oczach malował się lęk. Ściągając wodze, żołnierze otoczyli więźniów, jakby ci mogli uciec spośród tych wysokich murów. Głowy żmij zdobiące dachy i gzymsy nie pozostawiały wątpliwości, kto jest panem tego zamczyska. Wysuwając rozwidlone języki, spoglądały na zagubioną grupkę nieszczęśników rubinowymi oczami, srebrne łuski połyskiwały jak skóra ryb w świetle księżyca.

– Zabierzcie Sójkę do wieży! – Głos Podpalacza ginął w czeluściach wielkiego dziedzińca. – Pozostałych wtrącić do lochów.

Chcieli ich rozdzielić. Mo widział, jak Resa podchodzi do Podpalacza, z trudem powłócząc obolałymi nogami. Jeden z jeźdźców odepchnął ją mocno butem i Resa upadła. A Mo poczuł przeszywający ból w piersiach, jakby coś się tam zrodziło z nienawiści: nowe serce, zimne i twarde, które pragnęło zabijać.

Broń. Ach, gdyby miał jakąkolwiek broń, jeden z tych okropnych mieczy, które ci żołnierze nosili u pasa, albo choćby nóż. Zdawało mu się, że nie ma na świecie nic bardziej pożądanego niż taki ostry kawałek metalu, cenniejszy od wszelkich słów, jakie mógł napisać Fenoglio.

Żołnierze brutalnie ściągnęli go z taczek. Nie mógł ustać na nogach, ale jakimś cudem nie upadł. Czterech żołnierzy chwyciło go ze wszystkich stron, a on wyobrażał sobie, że ich zabija, jednego po drugim. A jego nowe, zimne serce wybijało śmiertelny takt.

– Wy tam, obchodźcie się z nim trochę ostrożniej, dobrze? – wrzasnął Podpalacz. – Myślicie, że po to go ciągnąłem całą tę przeklętą drogę, żebyście go teraz wykończyli, durnie?

Resa płakała. Mo słyszał, jak raz za razem wykrzykuje jego imię. Odwrócił się, ale nie mógł jej nigdzie zobaczyć, słyszał tylko wciąż jej głos. Wołał ją, próbował się wyrwać żołnierzom ciągnącym go do wieży, szarpał się i kopał.

– Hej, nie rób tego więcej! – zdenerwował się jeden z żołnierzy. – Co się tak wściekasz? Wkrótce się zobaczycie. Żmijogłowy uwielbia, kiedy żony przyglądają się egzekucji mężów.

– O tak, nie może się dość nasłuchać ich płaczów i przekleństw – zadrwił inny. – Zobaczysz, że w tym celu zostawi ją jeszcze przy życiu. A ty będziesz miał wspaniałą egzekucję, Sójko, tego możesz być pewien.

Sójka. Nowe imię. Nowe serce. Jak kawałek lodu w piersiach, o brzegach ostrych jak klinga noża.

49

Mysi Młyn

Jechaliśmy i jechaliśmy, i nic się nie działo. Wszędzie na naszej drodze było bardzo spokojnie i ładnie. Pomyślałem sobie, że można by to nazwać cichym wieczorem w górach. Tylko że to by w niczym nie odpowiadało rzeczywistości.

Astrid Lindgren, *Bracia Lwie Serce*

Droga do Mysiego Młyna zajęła im ponad trzy dni. Trzy długie, monotonne dni, w czasie których Meggie prawie się nie odzywała, choć Farid stawał na głowie, by ją rozweselić. Niemal przez cały czas mżył deszcz i wkrótce zapomnieli, jak to jest, kiedy się śpi w suchym ubraniu. Dopiero gdy przed nimi otworzyła się ciemna dolina, w której leżał młyn, słońce przebiło się przez chmury. Stojące nisko nad wzgórzami skąpało w złotym blasku rzekę i kryte gontem dachy. Jak okiem sięgnąć nie widać było innych domostw, tylko dom młynarza, kilka stajni i sam młyn, który zanurzał wielkie drewniane koło głęboko w wodzie. Brzegi rzeki, nad którą stał młyn, porastały wierzby, topole i krzaki eukaliptusa, olchy i dzikie grusze. Pod schodami prowadzącymi do młyna stał wóz, na który barczysty mężczyzna w umączonym ubraniu ładował worki. Prócz niego na podwórku przebywał tylko chłopiec, który zobaczywszy obcych, wbiegł do domu. Wokoło panował spokój i cisza, nie licząc szumu wody zagłuszającego nawet granie cykad.

– Zobaczysz – szepnął Farid do Meggie. – Fenoglio na pewno coś napisał. Na pewno. A jeśli nie, to poczekamy tutaj, aż...

– Nie będzie żadnego czekania! – przerwał mu szorstko Smolipaluch, rozglądając się nieufnie. – Spytamy o list i idziemy dalej. Za dużo ludzi się tu kręci, a po tym, co się stało na drodze, na pewno wkrótce zjawią się żołnierze. Gdyby to ode mnie zależało, pokazalibyśmy się tu dopiero wtedy, gdy wszystko ucichnie. Ale cóż...

– A jeśli listu jeszcze nie ma? – Meggie spojrzała na niego z niepokojem. – Przecież ja napisałam Fenogliowi, że będziemy tu czekać na list od niego!

– A ja nie przypominam sobie, bym kiedykolwiek pozwolił ci do niego pisać, zgadza się?

Meggie nie odpowiedziała. A Smolipaluch znów spojrzał na młyn i ciągnął:

– Mam nadzieję, że Podniebny Tancerz bezpiecznie dostarczył list i że stary nikomu go nie pokazał. Komu jak komu, ale tobie nie muszę wyjaśniać, jakie skutki mogą spowodować litery.

Rozejrzał się raz jeszcze, zanim opuścił bezpieczną osłonę drzew. Po chwili skinął na Farida i Meggie i ruszył w kierunku zabudowań. Chłopiec, który przedtem pobiegł do domu, siedział teraz na schodach prowadzących do młyna. Kilka kur, głośno gdacząc, umykało przed Gwinem.

– Farid, złap tę przeklętą kunę! – zawołał Smolipaluch, gwizdnięciem przywołując Skoczka.

Ale Gwin fuknął na Farida i choć go nie ugryzł (nigdy go nie gryzł), nie dał się też złapać. Przemknął między nogami Farida i rzucił się na jedną z kur. Kura z przeraźliwym gdakaniem i trzepotem skrzydeł wdarła się na schody młyna, ale Gwin nie dał za wygraną i minąwszy chłopca, który siedział nieruchomo, jakby nic go nie obchodziło, wbiegł za kurą przez otwarte drzwi do wnętrza młyna. Po chwili gdakanie raptem ucichło i Meggie spojrzała na Smolipalucha zaniepokojona.

– No, pięknie! – mruknął, pakując Skoczka do plecaka. – Kuna buszująca w mące i martwa kura, pięknie się zaprezentowaliśmy! O wilku mowa...

Mężczyzna ładujący worki na wóz otarł umączone ręce o spodnie i ruszył ku nim.

– Przykro mi! – zawołał Smolipaluch do zbliżającego się młynarza. – Oczywiście zapłacę za szkody. Ale właściwie przyszliśmy tu, żeby coś odebrać. List...

Mężczyzna zatrzymał się przed nimi. Był o głowę wyższy od Smolipalucha.

– Teraz ja tu jestem młynarzem – rzekł. – Mój ojciec nie żyje. List, powiadacie?

Przewiercał ich spojrzeniem; jego wzrok najdłużej spoczywał na twarzy Smolipalucha.

– Tak, list z Ombry! – odrzekł Smolipaluch i zadarłszy głowę, oglądał młyn. – Dlaczego młyn nie pracuje? Chłopi nie przywożą zboża czy nie macie parobków?

Młynarz wzruszył ramionami.

– Wczoraj ktoś mi przywiózł mokry orkisz. Otręby oblepiły żarna, parobek już od kilku godzin je czyści. Co to miał być za list? Do kogo? Nie macie imienia?

Smolipaluch zastanawiał się nad odpowiedzią.

– A jest jakiś list?

– List jest do mnie – odezwała się Meggie, występując do przodu. – Meggie Folchart. Tak się nazywam.

Młynarz obejrzał ją uważnie od stóp do głów – jej brudną sukienkę, zmierzwione włosy – lecz w końcu skinął głową.

– Mam go we młynie – rzekł. – Rozpytywałem się tak dokładnie, bo wiecie, że list w niewłaściwych rękach to murowane nieszczęście. Wejdźcie do środka, ja tylko skończę ładować worki.

– Napełnij bukłaki wodą – szepnął Smolipaluch do Farida, oddając mu plecak. – Ja tymczasem złapię Gwina, zapłacę za kurę i wynosimy się stąd, jak tylko Meggie odbierze list.

Zanim Farid zdołał zaprotestować, Smolipaluch zniknął we młynie razem z Meggie. Chłopiec siedzący na schodach otarł twarz rękawem, spoglądając w ślad za nimi.

– Napełnij bukłaki wodą, złap kunę! – mruczał Farid, schodząc ku rzece. – Co on sobie wyobraża? Że jestem jego służącym?

Chłopiec wciąż siedział na schodach, kiedy Farid stał w chłodnej wodzie rzeki i zanurzał w niej bukłaki zrobione z dyni. Coś mu się w tym chłopcu nie podobało. Miał coś niepokojącego w twarzy. Strach. Tak, on się bał! Tylko kogo lub czego? „Przecież nie mnie" – zastanawiał się Farid. Coś tu się nie zgadzało, czuł to wyraźnie. Zawsze wyczuwał niebezpieczeństwo, już wtedy, w tym innym życiu, gdzie musiał stać na straży, szpiegować, podkradać się, wywiadywać... Wsunął butle do plecaka obok śpiącego Skoczka, pogłaskał go po kosmatym łebku.

Ciało żołnierza zobaczył dopiero wtedy, gdy miał zamiar wyjść na brzeg. Był bardzo młody, a Faridowi jego twarz wydała się znajoma, to chyba on rzucił mu monetę do miseczki w czasie uroczystości urodzinowych w Ombrze. Trup zaplątał się w zwisających gałęziach wierzby, ale rana w piersiach była doskonale widoczna. Ślad po pchnięciu nożem. Serce Farida poczęło bić szalonym rytmem. Spojrzał ku młynowi. Chłopiec wciąż siedział na schodach, obejmując się ramionami, jakby w obawie, że się rozleci ze strachu. Młynarza nie było nigdzie widać.

Z młyna nie dobiegały żadne podejrzane odgłosy, ale to nic nie znaczyło. Szum wody mógł zagłuszyć wszystko: krzyki, szczęk mieczy... „Jazda, Farid! – przynaglił sam siebie. – Podkradnij się i zbadaj, co tam się dzieje. Robiłeś to ze sto razy albo i więcej".

Pochylony brodził w płytkiej wodzie, aż doszedł do koła młyńskiego i pod jego osłoną wyszedł na brzeg. Serce waliło mu jak młotem, gdy oparł się o ścianę młyna, ukryty za kołem. Znał dobrze to uczucie. Tysiące razy z bijącym sercem czaił się pod murem, przy oknie, koło uchylonych drzwi... Oparł o ścianę plecak Smolipalucha z butelkami i śpiącą kuną w środku.

Gwin... Gwin wskoczył do młyna. A Smolipaluch także tam wszedł. To niedobrze. To bardzo niedobrze! W dodatku była z nimi Meggie. Farid spojrzał w górę. Najbliższe okienko znajdowało się wysoko ponad jego głową, ale na szczęście mur był sklecony byle jak i dawał oparcie rękom i stopom. „Cicho jak wąż!" – szepnął, podciągając się do okna. Wąski parapet był oblepiony mąką. Wstrzymując oddech, Farid ostrożnie zajrzał do środka. Najpierw zobaczył zwalistego mężczyznę z głupawym wyrazem twarzy, najpewniej był to parobek młynarza. Drugiego mężczyzny, stojącego obok parobka, Farid też nigdy jeszcze nie widział. Nie mógł tego niestety powiedzieć o trzecim.

Basta. Ta sama wąska twarz, ten sam zły uśmieszek. Tylko ubranie się zmieniło. Basta nie nosił już białej koszuli i czarnego garnituru z czerwonym kwiatem w butonierce, lecz ubrany był w srebrnoszare barwy Żmijogłowego, a do boku miał przypasany miecz. Za pasem jak zawsze tkwił nóż, a w ręce Basta trzymał martwą kurę.

Od Smolipalucha dzielił go tylko kamień młyński; na kamieniu siedział Gwin, spoglądając pożądliwie na kurę, a koniec ogona drgał mu nerwowo. Meggie stała tuż obok Smolipalucha. Czy myślała o tym samym co Farid? O śmiercionośnych słowach Fenoglia? Pewnie tak, bo starała się zwabić Gwina, ale on nie zwracał na nią uwagi.

„Co ja mam robić? – myślał gorączkowo Farid. – Co ja mam robić? Wleźć do środka? Bez sensu!". Co by to pomogło? Jego śmieszny mały nożyk przeciwko dwóm mieczom? A przecież był jeszcze parobek i młynarz, który tarasował wejście.

– No, czy to ci, na których czekałeś? – zwrócił się młynarz do Basty.

Uśmiechał się, zadowolony z siebie i swoich kłamstw. Farid miał ochotę zeskrobać mu z twarzy ten przebiegły uśmieszek.

– Tak, to oni! – powiedział Basta. – Mała czarownica i połykacz ognia na dokładkę. Opłacało się czekać, choć pewnie do końca życia nie wykaszlę tej przeklętej mąki.

„Myśl, Farid! Wytęż mózgownicę!". Omiótł spojrzeniem wnętrze młyna, jakby szukał drogi ucieczki przez grube kamienne ściany. Było tam jeszcze drugie okienko, ale pod nim stał parobek, oraz drewniane schody prowadzące na strych, gdzie zapewne przechowywano zboże. Spadało ono na żarna przez wystający z sufitu drewniany lej, którego szerszy otwór niczym drewniane usta zwisał nad kamieniem młyńskim. A gdyby tak...

Farid spojrzał w górę, mając nadzieję odkryć jeszcze inne wejście. Wyżej było jeszcze jedno okienko, tak wąskie jak szpara w murze, ale przeciskał się już w życiu przez węższe przejścia. Z bijącym sercem podciągał się wyżej po chropawym murze. Po lewej stronie szumiała rzeka, a wrona siedząca na wierzbie przyglądała mu się tak podejrzliwie, jakby była szpiegiem. Zaparło mu dech w piersiach, gdy przeciskał się przez okienko, a kiedy dotknął stopami pokrytej mącznym pyłem podłogi strychu, deski zaskrzypiały zdradliwie; na szczęście szum wody zagłuszył hałas. Farid podczołgał się na brzuchu i spojrzał w dół przez otwór leja. Zobaczył Bastę, który stał tuż obok koła młyńskiego; po drugiej stronie musieli więc znajdować się Smolipaluch z Meggie. Farid nie widział Smolipalucha, ale mógł sobie wyobrazić, o czym on teraz myśli: o słowach Fenoglia, które opowiadały o jego śmierci.

– Rozpruwacz, złap kunę! – rozkazał Basta swojemu towarzyszowi. – No, pospiesz się.

– Złap ją sam. Nie mam ochoty dostać wścieklizny.

– Gwin, chodź tu!

To był głos Smolipalucha. Co on wyczyniał? Chciał zadrwić z własnego lęku, jak czynił to czasem, gdy ogień kąsał mu skórę?

Gwin zeskoczył z kamienia. Zaraz wdrapie się Smolipaluchowi na ramię. Głupi Gwin. Nic nie wie o słowach...

– Piękne nowe szaty, Basto! – rzekł Smolipaluch. – No, cóż, kiedy sługa znajdzie nowego pana, musi założyć nowe szaty, mam rację?

– Sługa? Kto tu jest sługą? Słyszycie go! Zachowuje się tak bezczelnie, jakby nigdy jeszcze nie posmakował mojego noża! Zapomniałeś już, jak wrzeszczałeś, kiedy kroiłem ci twarz? – Basta postawił stopę na kamieniu. – Spróbuj ruszyć choćby małym palcem! Rączki do góry! Jazda, pospiesz się! Dobrze wiem, co potrafisz robić z ogniem w tym świecie. Jeden szept, jedno strzepnięcie palcami i mój nóż utkwi w piersi tej małej czarownicy.

Strzepnięcie palcami... „Weź się wreszcie do roboty, Farid!". Rozejrzał się, szybko skręcił pochodnię ze słomy i począł szeptem przyzywać ogień. „No chodźże!" – wabił, mlaskał językiem, syczał, tak jak go uczył Smolipaluch, kiedy po raz pierwszy włożył mu do ust odrobinę ognistego miodu. Potem ćwiczył to z nim co wieczór za domem Roksany... Język ognia, trzaskające słowa... Farid szeptał te słowa, dopóki ze słomy nie wystrzelił nikły płomyk.

– Ach, ach, widzisz, Rozpruwacz, jak na mnie patrzy ta mała czarownica? – Basta udawał przerażenie. – Szkoda tylko, że potrzebuje liter, żeby czarować. A tu książki ani na lekarstwo. Jak to miło z jej strony, że nam osobiście napisała, gdzie ją można znaleźć. – Tu Basta zaczął mówić cienkim głosem, jak dziewczynka: – „Ludzie Żmijogłowego zabrali wszystkich, moich rodziców i wagantów. Napisz coś, Fenoglio!". Czy jakoś tak... Wiesz, jestem naprawdę rozczarowany, że twój ojciec jeszcze żyje. Nie patrz na mnie z takim zdziwieniem, mała czarownico, nadal nie umiem czytać, ale nawet w tym świecie jest wielu durniów, którzy to potrafią. Zaraz za bramą Ombry wpadł nam w ręce jakiś pisarczyk. Trochę to trwało, zanim udało mu się odcyfrować twoje gryzmoły, ale i tak zdążyliśmy tu przed wami. Zjawiliśmy się nawet w porę, by uśmiercić posłańca, który miał was ostrzec.

– Jesteś jeszcze bardziej rozmowny niż dawniej, Basto! – rzekł znudzonym głosem Smolipaluch.

Jak on potrafi ukrywać strach! Farid nie przestawał go za to podziwiać, nawet bardziej niż za jego sprawność w obchodzeniu się z ogniem.

Basta bardzo wolno wyjął nóż zza pasa. Smolipaluch nienawidził noży. Jego własny nóż tkwił w plecaku, a plecak był na dworze oparty o ścianę. Ileż to razy Farid prosił go, by nosił nóż za pasem, ale nie, nie chciał o tym słyszeć!

– Rozmowny, aha! – Basta przyglądał się swemu odbiciu w błyszczącej klindze noża. – O tobie nie da się tego powiedzieć. A wiesz co? Ponieważ znamy się już tak długo, osobiście zaniosę twojej żonie wiadomość o twej śmierci. Co o tym sądzisz? Myślisz, że Roksana ucieszy się ze spotkania? – Pieszczotliwie przesunął dwoma palcami po ostrzu noża. – A co się tyczy ciebie, mała czarownico... to było miłe z twojej strony, że powierzyłaś list staremu linoskoczkowi, który ze swoją sztywną nogą nie był nawet w połowie tak szybki jak mój nóż.

– Podniebny Tancerz? Zabiłeś Podniebnego Tancerza? – W głosie Smolipalucha nie było śladu udawanej obojętności.

– Nie ruszaj się, proszę! – szeptał Farid, podsycając ogień słomą. – Nie ruszaj się.

– Ach, więc nie wiedziałeś jeszcze o tym? – Głos Basty zmiękł z zadowolenia. – Tak, tak, twój stary przyjaciel już więcej nie zatańczy. Spytaj Rozpruwacza, był przy tym.

– Kłamiesz! – Głos Meggie drżał.

Farid ostrożnie pochylił się nad wylotem leja. Widział, jak Smolipaluch szorstko odepchnął Meggie za siebie, szukając wzrokiem jakiegoś wyjścia z potrzasku. Ale nie było ucieczki. Z tyłu za nimi piętrzyły się sterty worków z mąką, po prawej stronie drogę zamykał im Rozpruwacz, po lewej uśmiechający się głupkowato parobek, a pod oknem, przez które przedtem zaglądał Farid, stał sam młynarz. Za to na posadzce było mnóstwo słomy, która będzie się palić równie dobrze jak papier.

Basta roześmiał się. Jednym skokiem znalazł się na kole młyńskim, patrząc z góry na Smolipalucha. Obok walały się wiązki słomy. „Pospiesz się” – szeptał do siebie Farid, zapalając drugi wiecheć słomy i trzymając obie płonące pochodnie nad wylotem leja. Martwił się, żeby drewniany lej się nie zapalił; nie był też pewien, czy płonąca słoma przejdzie gładko przez jego gardziel. Wreszcie wcisnął płonące wiechcie w otwór. Poparzył sobie palce, ale nie zważał na to. Smolipaluch znalazł się w potrzasku, a wraz z nim Meggie. Cóż znaczyły poparzone palce?

– Tak, tak, stary Podniebny Tancerz okazał się o wiele za wolny – dogadywał Basta, przerzucając nóż z ręki do ręki. – Ty jesteś szybszy, połykaczu ognia, wiem o tym, ale i tak nie zdążysz uciec. Tym razem nie skończy się na pooranej twarzy, tym razem całego potnę cię na kawałki.

Teraz! Farid puścił płonące wiechcie. Lej połknął je jak wór zboża i wypluł tuż pod stopami Basty.

– Ogień! Skąd tu ogień? – zawołał młynarz, a parobek ryknął jak zarzynany wół.

Poparzone ręce bolały, na palcach pojawiły się bąble, ale Farid był szczęśliwy, bo jego ogień tańczył rześko tam w dole, wspinał się po nogach Basty, lizał jego ręce. Basta cofnął się przerażony, zachwiał się i upadł do tyłu, rozcinając głowę do krwi o kant żaren. Basta panicznie bał się ognia, o wiele bardziej niż innych nieszczęść, przed którymi miał go strzec amulet.

Farid zbiegł na dół po drewnianych schodach, odepchnął parobka, który gapił się na niego, jakby zobaczył ducha, złapał Meggie, pociągnął ją do okna, podsadził.

– Skacz! – zawołał. – Wyskakuj! Szybko!

Meggie trzęsła się ze strachu, we włosach miała pełno mąki. Zamknęła oczy i skoczyła.

Farid obejrzał się na Smolipalucha. Ten rozmawiał z ogniem. Młynarz z parobkiem próbowali stłumić płomienie pustymi workami, ale ogień rozszalał się na dobre. Tańczył dla Smolipalucha.

Farid przykucnął w oknie.

– Chodź! – krzyczał do niego. – No, chodź już!

Gdzie Basta?

Smolipaluch odepchnął młynarza i pobiegł przez dym i płomienie w kierunku okna. Farid był już po drugiej stronie. Uczepiony parapetu zaglądał do środka. Widział, jak Basta wstaje wolno, łapiąc się za krwawiącą głowę.

– Trzymaj go! – wrzasnął do Rozpruwacza. – Trzymaj połykacza ognia!

– Szybko! – wrzasnął Farid, szukając bosymi stopami oparcia na murze.

Smolipaluch potknął się o worek mąki, Gwin zeskoczył z jego ramienia i uciekł do Farida, a kiedy Smolipaluch się podniósł, drogę do okna zagradzał mu Rozpruwacz, kaszlący od dymu, z dobytym mieczem w dłoni.

Farid usłyszał wołanie Meggie:

– Zeskakuj!

Stała pod oknem i z przerażeniem patrzyła w górę. A Farid podciągnął się na rękach i wskoczył do środka.

– Co to ma znaczyć? Uciekaj! – zawołał Smolipaluch, smagając Rozpruwacza płonącym workiem.

Paliły się na nim spodnie, a on, zataczając się, walił na oślep mieczem, to w płomienie, to w Smolipalucha. W chwili gdy Farid znalazł się tuż obok, tamten ostrzem miecza rozpruł Smolipaluchowi nogę. Smolipaluch zachwiał się, przyciskając ręką zranione udo, a Rozpruwacz, oszalały z wściekłości i bólu, znów podniósł miecz.

– Nie! – zawołał przeraźliwie Farid i rzucił się na niego.

Gryzł go w ramię, kopał, aż tamten upuścił miecz już wycelowany w pierś Smolipalucha. Wtedy Farid popchnął go w sam środek płomieni, bo choć Rozpruwacz był co najmniej o głowę wyższy od niego, rozpacz dodała Faridowi sił. Teraz chciał się rzucić na Bastę, który, kaszląc, wynurzył się z dymu, ale Smolipaluch odciągnął go do tyłu, szepcząc ogniowi syczące słowa; płomienie natarły na Bastę jak rozjuszone żmije. Farid słyszał jego krzyki, ale nie obejrzał się, tylko pobiegł do zbawiennego okna wraz ze Smolipaluchem, który, przeklinając, trzymał się za udo. Ale żył.

Tymczasem ogień pastwił się nad Bastą.

50

Najlepsza noc

– Jedz – powiedział Merlot.

– Nie mogę tego zrobić – odrzekł Despereaux, odsuwając się od książki.

– Dlaczego?

– Bo to by zniszczyło historię.

Kate DiCamillo, *Despereaux – O takim, co chciał pokonać lęk*

Żadne z nich nie pamiętało później, jak wydostali się z młyna. Farid zachował w pamięci parę obrazów: twarz Meggie, kiedy biegli nad brzeg, krew w wodzie, kiedy Smolipaluch wskoczył do rzeki, słup dymu wzbijający się w niebo, widoczny nawet wówczas, gdy szli już z godzinę, brodząc w zimnej rzece. Ale nikt ich nie ścigał, ani Rozpruwacz, ani młynarz czy jego parobek, ani nawet Basta. Tylko Gwin pojawił się w pewnej chwili na brzegu. Głupi Gwin.

Była już głęboka noc, gdy Smolipaluch wyszedł na brzeg, pobladły z wyczerpania. Rzucił się na trawę, a Farid z niepokojem wsłuchiwał się w odgłosy nocy, ale nie było słychać nic prócz szumu, głośnego i jednostajnego, niczym oddech jakiegoś olbrzymiego zwierza.

– Co to? – szepnął.

– Morze. Zapomniałeś już, jaki wydaje odgłos?

Morze. Gwin wskoczył Faridowi na plecy, kiedy ten oglądał zranioną nogę Smolipalucha, ale Farid odegnał kunę.

– Wynoś się! – wrzasnął. – Idź polować! Na dzisiaj dosyć już nabroiłeś!

Po czym wypuścił Skoczka z plecaka i rozejrzał się za czymś, czym mógłby zabandażować ranę. Meggie wyżęła mokrą sukienkę i przykucnęła obok nich.

– Bardzo boli? – spytała.

– To nic! – powiedział Smolipaluch, ale wzdrygnął się z bólu, gdy Farid próbował oczyścić głęboką ranę. – Biedny Podniebny Tancerz! – mruczał. – Raz uszedł śmierci, ale ona go i tak dopadła. Kto wie, może białe damy nie lubią, gdy pewna zdobycz wymyka im się z rąk.

– Tak mi przykro. – Meggie mówiła bardzo cicho, Farid ledwie ją rozumiał. – Tak mi strasznie przykro. To wszystko moja wina. A on i tak zginął na darmo. Bo gdzie nas teraz Fenoglio znajdzie, nawet jeśli coś napisał?

– Fenoglio... – Smolipaluch wyrzekł to imię takim tonem, jakby mówił o jakiejś chorobie.

– Czy ty też je czułeś? – Meggie podniosła na niego wzrok. – Ja miałam wrażenie, jakby jego słowa mnie dotykały. Pomyślałam: zaraz zabiją Smolipalucha, a my nic nie będziemy mogli zrobić.

– A jednak mogliśmy coś zrobić! – wtrącił hardo Farid.

Smolipaluch położył się na plecach i zapatrzył w gwiazdy.

– Tak sądzisz? – powiedział w zadumie. – To się jeszcze okaże. Kto wie, może stary tymczasem wyznaczył mi inny los. Może śmierć czeka na mnie już za najbliższym rogiem.

– Niech sobie czeka! – rzekł krótko Farid, wyjmując z plecaka skórzany woreczek. – Trochę pyłku wróżek nigdy nie zaszkodzi – mruczał, posypując ranę błyszczącym proszkiem.

Po czym ściągnął koszulę przez głowę, odciął nożem pas materiału i zaciskając zęby z bólu, przewiązał zranioną nogę Smolipalucha. Niełatwo było tego dokonać poparzonymi palcami, ale Faridowi się udało.

Smolipaluch obejrzał jego dłoń.

– Boże, na twoich palcach jest tyle bąbli, jakby całe stado elfów na nich tańczyło – stwierdził. – Myślę, że obaj potrzebujemy dobrego balwierza. Szkoda, że nie ma tu Roksany – westchnął i położył się znów na plecach. – Wiesz, Farid – rzekł w niebo, jakby mówił do gwiazd. – Jedno jest naprawdę dziwne. Gdyby ojciec Meggie nie ściągnął mnie z mojej historii, nie miałbym teraz takiego fantastycznego psa obronnego. – I mrugając do Meggie, dokończył: – Szkoda, że nie widziałaś, jak ugryzł Rozpruwacza. Ten drań na pewno myślał, że to niedźwiedź księcia dobiera się do jego ramienia.

– Ach, przestań! – Farid nie wiedział, gdzie oczy podziać. W zakłopotaniu wyjmował źdźbła trawy spomiędzy palców u nóg.

– Tak, ale Farid jest mądrzejszy od niedźwiedzia! – zauważyła Meggie. – Dużo mądrzejszy.

– To prawda. I mądrzejszy ode mnie! – stwierdził Smolipaluch. – A to, co on wyrabia z ogniem, zaczyna mnie powoli martwić.

Farid nie mógł dłużej udawać obojętności. Rozpromienił się, rozpierała go duma, czuł, że się czerwieni, na szczęście w ciemności nikt nie mógł tego zauważyć.

Smolipaluch pomacał zranioną nogę i spróbował wstać. Pierwszy krok wywołał grymas bólu na jego twarzy, ale udało mu się przejść kilka razy tam i z powrotem wzdłuż brzegu.

– No proszę – powiedział. – Troszkę wolniej, ale jakoś to idzie. Musi. – I zatrzymując się przed Faridem, rzekł: – Chyba jestem ci coś winien. Czym mam się odwdzięczyć? Może pokażę ci nową sztuczkę z ogniem, której nie potrafi nikt oprócz mnie? Co ty na to?

– Co to za sztuczka? – Farid wstrzymał oddech.

– Można to pokazać tylko nad morzem – odparł Smolipaluch. – Ale i tak musimy tam iść, bo potrzebujemy balwierza.

A najlepszy balwierz mieszka nad morzem. W cieniu Mrocznego Zamku.

Postanowili trzymać straż na zmianę. Farid czuwał pierwszy. Za jego plecami Meggie i Smolipaluch ułożyli się do snu pod zwisającymi gałęziami dębu. Farid spoglądał w niebo, na którym świeciły roje gwiazd, podobnych do robaczków świętojańskich uganiających się nad rzeką. Próbował sobie przypomnieć choćby jedną noc, kiedy czułby się tak jak dziś – tak całkowicie zadowolony z siebie – ale nie było dotąd takiej nocy. Ta noc była najlepsza ze wszystkich, mimo okropności, które miał za sobą, mimo poparzonych palców, które wciąż go bolały, choć Smolipaluch posypał je pyłkiem wróżek i posmarował chłodzącą maścią od Roksany.

Czuł się taki żywy. Żywy jak ogień.

Uratował Smolipalucha! Okazał się silniejszy od słów! Wszystko było dobrze.

Za jego plecami kuny wadziły się ze sobą, pewnie poszło im o zdobycz.

– Obudzisz mnie, kiedy księżyc znajdzie się nad tamtym wzgórzem – powiedział Smolipaluch, zanim położył się spać.

Jednak kiedy Farid poszedł po niego, Smolipaluch spał tak twardo i spokojnie, że postanowił go nie budzić i wrócił na swoje miejsce pod gwiazdami.

Wkrótce potem usłyszał kroki, ale to nie był Smolipaluch, tylko Meggie.

– Ciągle się budzę – powiedziała. – Po prostu nie mogę przestać myśleć.

– O tym, jak Fenoglio cię teraz znajdzie?

Skinęła głową.

Tak, ona wciąż mocno wierzyła w słowa. A Farid wierzył w inne rzeczy: w swój nóż, w przebiegłość i odwagę. I w przyjaźń.

Meggie usiadła obok niego, oparła głowę na jego ramieniu i oboje milczeli, jak gwiazdy ponad ich głowami. Po jakimś czasie zerwała się zimna bryza przynosząca słony zapach morza. Trzęsąc się z zimna, Meggie objęła kolana ramionami.

– Powiedz – odezwała się – czy ten świat ci się podoba?

Co za pytanie? Farid nigdy nie zadawał sobie takich pytań. Cieszył się, że znowu jest ze Smolipaluchem. A w jakim świecie – o to nie dbał.

– Nie sądzisz, że jest okrutny? – ciągnęła Meggie. – Mo często mi to powtarzał: zapominasz, jaki ten świat jest okrutny.

Farid pogładził ją poparzonymi palcami po jasnych włosach. Nawet teraz, w ciemności, połyskiwały ciepłym blaskiem.

– Wszystkie światy są okrutne – rzekł. – Ten, z którego ja pochodzę, ten, z którego ty pochodzisz, i ten tutaj. W twoim świecie okrucieństwo może nie rzuca się tak w oczy, jest bardziej ukryte, ale jest.

Objął ją ramieniem, czując jej strach, troskę, gniew... zdawało mu się, że słyszy szept jej serca, tak wyraźnie jak szept ognia.

– Wiesz, co jest najdziwniejsze? – odezwała się znów Meggie. – Że nawet gdybym mogła, nie chciałabym teraz wrócić. To szaleństwo, prawda? To tak, jakbym zawsze chciała tu być, w takim właśnie miejscu. Dlaczego? Przecież ono jest straszne!

– Straszne i piękne – rzekł Farid, całując ją.

Jej pocałunki smakowały bardziej niż czarodziejski miód Smolipalucha. Bardziej niż wszystko, czego smak poznał do tej pory.

– I tak nie możesz wrócić – szepnął. – Jak tylko znajdziemy twojego ojca, wyjaśnię mu to.

– Co mu wyjaśnisz?

– No, że musi cię tu zostawić. Dlatego, że teraz należysz do mnie, a ja zostaję ze Smolipaluchem.

Meggie roześmiała się zawstydzona i ukryła twarz w jego ramieniu.

– Mo na pewno nie będzie chciał o tym słyszeć.

– No to co? Powiedz mu, że tu dziewczęta w twoim wieku wychodzą za mąż.

Meggie znów się roześmiała, lecz nagle poważniejąc, szepnęła:

– Może Mo też tu zostanie? Może wszyscy zostaniemy... Resa i Fenoglio. A potem sprowadzimy Elinor i Dariusza. I będziemy żyć długo i szczęśliwie. – W jej głosie znów pojawił się smutek. – Oni nie mogą powiesić Mo, Faridzie! Uratujemy go, prawda? I moją mamę, i pozostałych. W książkach przecież zawsze tak jest: dzieje się wiele złych rzeczy, ale wszystko kończy się dobrze. A to właśnie jest historia z książki.

– Na pewno! – odrzekł Farid, choć mimo najszczerszych chęci nie umiał sobie wyobrazić dobrego zakończenia. Ale i tak był szczęśliwy.

Wreszcie Meggie usnęła obok niego. A on siedział i pilnował ich: jej i Smolipalucha. Przez całą noc. Swoją najlepszą noc w życiu.

51

Właściwe słowa

Złe w takiej mieszkać nie może świątyni.
Gdyby dom taki zły duch opanował,
Anioł z pięknego wygna go mieszkania.
William Szekspir, *Burza* [w:] *Komedie* t. 1

Stajenny był głupcem, nie mógł się uporać z osiodłaniem tego przeklętego wierzchowca. „Takiego kogoś na pewno bym nie wymyślił! Całe szczęście, że jestem w takim dobrym humorze". O tak, Fenoglio był w doskonałym humorze. Od kilku godzin pogwizdywał zadowolony, bo udało mu się dokonać wielkiego dzieła. Znalazł rozwiązanie! Słowa spływały mu z pióra tak lekko, jakby tylko czekały, by wyłowił je z morza liter. Właściwe słowa. Najwłaściwsze. Teraz historia mogła toczyć się dalej i wszystko dobrze się skończy. A jednak był czarodziejem, czarodziejem słów, i to pierwszej wody. Nikt nie mógł się z nim mierzyć, no, może kilku, ale w jego świecie, nie w tym. Gdyby tylko ten głupi stajenny mógł się trochę pospieszyć. Najwyższy czas, żeby pojechał do Roksany, bo w końcu wyruszy ona bez listu i kto go wówczas przekaże Meggie? Ten młody zapaleniec, którego do niej posłał, wciąż nie dawał znaku życia. Pewnie zabłądził w Nieprzebytym Lesie, młokos!

Pomacał list pod płaszczem. Jak to dobrze, że słowa są takie lekkie, nawet te najbardziej ważkie. Roksana nie zmęczy się, zanosząc Meggie wyrok śmierci na Żmijogłowego. I jeszcze jedną rzecz zawiezie do nadmorskiego księstwa: zwycięstwo Cosima. O ile ten nie wyruszy, zanim Meggie w ogóle zacznie czytać!

Cosimo płonął niecierpliwością, kiedy wreszcie poprowadzi swoich rycerzy na drugą stronę lasu. „Bo chce się dowiedzieć, kim jest! – szeptał jakiś głos w głowie Fenoglia (a może w sercu?). – Bo jest pusty jak pudełko bez zawartości. Kilka pożyczonych wspomnień, kilka kamiennych wizerunków – oto wszystko, czym ten biedny młodzieniec dysponuje, nie licząc twoich pieśni o jego bohaterskich czynach, których echa na próżno szuka w swym sercu i swej pamięci. Powinieneś był jednak podjąć próbę sprowadzenia prawdziwego Cosima z królestwa umarłych, ale nie odważyłeś się na to!".

Cicho! Fenoglio niecierpliwie potrząsnął głową, próbując odpędzić te nieznośne myśli, które uporczywie powracały. Wszystko się ułoży, gdy tylko Cosimo zasiądzie na tronie Żmijogłowego. Wtedy będzie miał własne wspomnienia i co dzień będzie mu ich przybywało. I wkrótce zapomni o wewnętrznej pustce.

Nareszcie! Jego koń był osiodłany. Uśmiechając się ironicznie, stajenny pomógł mu dosiąść wierzchowca. Bałwan! Fenoglio dobrze wiedział, że nieszczególnie prezentuje się na koniu. Ale co z tego? Okropne bestie te konie, za silne jak na jego gust; ale poeta mieszkający na zamku panującego księcia nie może przecież chodzić piechotą, jak chłop. A poza tym tak będzie po prostu szybciej. O ile oczywiście to zwierzę zechce udać się we właściwym kierunku. Ileż to trzeba zachodu, żeby w ogóle ruszyło się z miejsca...

Kopyta uderzyły o brukowany dziedziniec, koń pokłusował w stronę bramy, mijając otwory do wylewania smoły i rzędy pik, które Cosimo kazał zamontować na murach. Nocą zamek wciąż jeszcze rozbrzmiewał odgłosem młotów kowalskich, a w drewnianych barakach rozmieszczonych wzdłuż murów spali żołnierze ułożeni ciasno jak larwy w mrowisku. Zaiste, stworzył wojowniczego anioła, ale przecież anioły zawsze są wojownicze. „No, cóż, nie potrafię wymyślać pokojowo usposobionych bohaterów! – stwierdził Fenoglio, jadąc przez dziedziniec. – Moi dobrzy bohaterowie są prześladowani przez los, jak Smolipaluch, lub przystają do zbójców, jak Czarny Książę. Czy mógłbym wymyślić kogoś takiego jak Mortimer? Chyba nie".

Kiedy zbliżył się do zewnętrznej bramy, ta otworzyła się natychmiast. W pierwszej chwili uznał, że strażnicy wreszcie zaczęli okazywać nadwornemu poecie należny szacunek, ale widząc ich nisko pochylone głowy, zrozumiał, że to nie może chodzić o niego.

Przez szeroko otwartą bramę wjechał Cosimo na koniu tak białym, że aż nierzeczywistym. W ciemności wydawał się jeszcze piękniejszy niż w świetle dnia, ale to chyba rzecz zwykła u aniołów? Towarzyszyło mu tylko siedmiu żołnierzy, nigdy nie brał większej świty podczas swoich nocnych eskapad. Ale u jego boku jechał jeszcze ktoś: Brianna, córka Smolipalucha. Przyodziana była nie, jak dawniej bywało, w jedną z sukien swej pani, nieszczęśliwej Wiolanty, lecz w szatę, którą dostała od Cosima. Książę obsypywał ją podarunkami, gdy tymczasem żony nie wypuszczał już nawet z zamku, podobnie jak syna. Mimo tych dowodów miłości Brianna nie wyglądała na zbyt szczęśliwą. Nic dziwnego. Która kobieta się cieszy, gdy ukochany wybiera się na wojnę?

Za to Cosimowi perspektywa wojny nie psuła humoru. Przeciwnie, był tak beztroski, jak gdyby przyszłość mogła przynieść mu tylko dobro. Każdej nocy wyjeżdżał z zamku, jakby wcale nie potrzebował snu, i pędził – jak donoszono Fenogliowi – na złamanie karku, rzadko który z gwardzistów mógł mu dotrzymać kroku. Zachowywał się jak człowiek, któremu powiedziano, że śmierć nie zdołała go zatrzymać w swoim królestwie. Nic nie szkodzi, że nie pamięta ani swojej śmierci, ani życia!

Dzień i noc Balbulus ozdabiał najpiękniejszymi ilustracjami teksty o tym zagubionym życiu. Przepisywało je dziesięciu skrybów. „Mój mąż tak jak dawniej nie przestępuje progu biblioteki – mówiła Fenogliowi Wiolanta przy ostatnim spotkaniu. – Ale za to na wszystkich pulpitach leżą teraz księgi opowiadające o jego życiu".

Sprawa była niestety oczywista: Cosimowi nie wystarczały słowa, z których stworzyli go Fenoglio i Meggie. Było ich po prostu za mało. Na dodatek wszystko, co o sobie słyszał, wydawało się należeć do kogoś innego. Może dlatego tak bardzo kochał córkę Smolipalucha, że nie należała przedtem do tego mężczyzny, którym on rzekomo był przed śmiercią. Fenoglio musiał przynosić mu wciąż nowe pieśni miłosne dla Brianny. Zwykle kradł je innym poetom. Łatwo uczył się wierszy na pamięć, a Meggie była daleko i nie mogła przyłapać go na oszustwie. Brianna miała zawsze łzy w oczach, gdy któryś z grajków – a byli oni znów mile widziani na zamku – śpiewał jedną z tych pieśni.

– Fenoglio! – Cosimo ściągnął cugle, a Fenoglio pochylił głowę przed młodym księciem. – Dokąd się wybierasz, poeto? Wszystko przygotowane do wymarszu! – Gwałtowność jego słów dorównywała gwałtowności jego rumaka tańczącego niespokojnie w miejscu i zarażającego swym niepokojem wierzchowca Fenoglia. – A może jednak wolisz zostać tutaj i ostrzyć pióra na te wszystkie pieśni, które będziesz musiał napisać o moim zwycięstwie?

Wymarsz? Wszystko gotowe?

Fenoglio rozejrzał się zdezorientowany, lecz Cosimo tylko się zaśmiał.

– Myślałeś, że gromadzę oddziały na zamku? Jest ich o wiele za dużo. O nie, moje wojsko stacjonuje nad rzeką. Czekam jeszcze tylko na garść najemników, których sprowadzam z północy. Może już jutro tu będą.

Jutro? Fenoglio zerknął na Briannę. A więc to dlatego była taka smutna!

– Proszę, Wasza Książęca Mość! – Fenoglio nie potrafił ukryć zdenerwowania. – To o wiele za wcześnie! Poczekaj jeszcze, panie!

Cosimo uśmiechnął się.

– Księżyc jest czerwony, poeto! Wróżbici uważają, że to dobry omen. Tego znaku nie wolno zaniedbać, bo inaczej przerodzi się w swoje przeciwieństwo.

Co za bzdura! Fenoglio spuścił głowę, by książę nie zobaczył gniewu w jego oczach. Cosimo zresztą wiedział, że drażniło go upodobanie młodego władcy do wróżbitów i że uważał ich za bandę chciwych oszustów.

– Powtórzę to jeszcze raz, Wasza Książęca Mość! – Książę musiał być już znudzony tymi napomnieniami. – Jedyna rzecz, jaka może na was sprowadzić nieszczęście, to przedwczesne rozpoczęcie działań wojennych!

Cosimo wyrozumiale pokiwał głową.

– Jesteś już starym człowiekiem, Fenoglio – rzekł. – W twoich żyłach krew płynie wolno, ale ja jestem młody! Na co mam czekać? Żeby Żmijogłowy też zwerbował najemników i zabarykadował się w Mrocznym Zamku?

„Pewnie już dawno to uczynił – pomyślał Fenoglio. – I dlatego musisz poczekać na moje słowa i na to, by Meggie je przeczytała, tak jak przeczytała słowa, które cię tu sprowadziły. Czekaj na jej głos!".

– Jeszcze tydzień, dwa, nie więcej, książę! – prosił usilnie. – Chłopi muszą zebrać zboże. Z czego będą żyli w zimie?

Ale Cosimo nie chciał słyszeć takich rzeczy.

– To doprawdy gadanie starca! – rzekł ze złością. – Gdzie twoje płomienne słowa? A chłopi będą się żywić zapasami Żmijogłowego, radością z powodu naszego zwycięstwa, srebrem z Mrocznego Zamku, które każę rozdzielić po wsiach!

„Srebra jeść nie będą, książę” – pomyślał Fenoglio, ale nie powiedział tego na głos. Spojrzał w niebo. O Boże, jak wysoko już stał księżyc!

Ale Cosimowi jeszcze coś leżało na sercu.

– Już dawno chciałem cię o to zapytać – zaczął, gdy Fenoglio wyjąkał jakieś usprawiedliwienie i chciał już odjechać. – Masz dobre układy z kuglarzami. Wszyscy gadają o tym połykaczu ognia, który podobno potrafi rozmawiać z płomieniami...

Kątem oka Fenoglio dostrzegł, jak Brianna spuszcza głowę.

– Mówisz, książę, o Smolipaluchu?

– W rzeczy samej, tak się nazywa. Wiem, że jest ojcem Brianny. – Cosimo spojrzał na nią czule. – Ale ona nie chce o nim mówić. Twierdzi też, że nie wie, gdzie on teraz przebywa. Może ty to wiesz? – Cosimo poklepał konia po grzywie. Jego twarz promieniała urodą.

– Czego od niego chcesz, książę?

– No, to chyba oczywiste. On potrafi rozmawiać z ogniem! Mówią, że może sprawić, by płomienie wystrzeliły na kilka metrów w górę, nie czyniąc mu krzywdy.

Fenoglio zrozumiał, o co chodzi księciu.

– Chcesz, panie, wykorzystać Smolipalucha na wojnie? – Nie mógł się powstrzymać od śmiechu.

– Co cię tak śmieszy? – Cosimo zmarszczył brwi.

Fenoglio potrząsnął głową. Połykacz ognia Smolipaluch jako broń!

– No cóż – rzekł. – Znam bardzo dobrze Smolipalucha. – Zauważył zdziwiony wzrok Brianny. – Ma on wiele talentów, ale na pewno nie jest typem wojownika. Wyśmiałby cię.

– Tego bym mu nie radził! – powiedział groźnie Cosimo.

A Brianna patrzyła na Fenoglia takim wzrokiem, jakby cisnęły jej się na usta tysiące pytań. Ale to nie był właściwy moment na pytanie.

– Wasza książęca mość – rzekł szybko Fenoglio. – Proszę o wybaczenie! Jedno z dzieci Minerwy jest chore i obiecałem, że przywiozę od matki Brianny odpowiednie zioła.

– Ach tak. Oczywiście. Wobec tego jedź, porozmawiamy później. – Cosimo ujął cugle. – Jeśli dziecku się nie poprawi, zawiadom mnie, poślę balwierza.

– Dziękuję, książę – odrzekł Fenoglio, ale nim odjechał, postanowił jeszcze o coś zapytać. – Słyszałem, że twoja żona, panie, nie czuje się dobrze?

Balbulus mu o tym powiedział. Był jedyną osobą dopuszczaną do Wiolanty.

– Och, jest tylko wściekła. – Cosimo ujął Briannę za rękę, jakby chciał ją przeprosić za to, że mówi o swojej żonie. – Wiolanta szybko wpada w złość. Ma to po ojcu. Po prostu nie chce zrozumieć, że nie mogę jej wypuścić z zamku. A przecież to jasne, że otaczają nas szpiedzy jej ojca, a kogo najpierw będą chcieli wziąć na spytki? Wiolantę i Jacopa!

Trudno było nie wierzyć słowom spływającym z tych pięknych warg, zwłaszcza że Cosimo wypowiadał je ze szczerym przekonaniem.

– No cóż, pewnie masz rację, książę! Nie zapominaj jednak, proszę, że twoja żona nienawidzi ojca.

– Można kogoś nienawidzić, a mimo to być mu posłusznym. Czy nie jest tak? – Cosimo spojrzał na Fenoglia pustym wzrokiem podobnym do wzroku niemowlęcia.

– Owszem, owszem, zapewne tak jest – odparł Fenoglio zakłopotany.

Za każdym razem, gdy Cosimo tak na niego patrzył, Fenoglio czuł się, jakby odkrył niezadrukowaną stronę w książce, dziurę wyżartą przez mole w kilimie starannie utkanym ze słów.

– Wasza Wysokość! – raz jeszcze skłonił głowę i niezbyt wprawnym ruchem przymusił konia, by przejechał kłusem przez bramę.

Brianna dobrze opisała mu drogę do zagrody matki. Zapytał ją o to zaraz po wizycie Roksany jakby od niechcenia, twierdząc, że strzyka mu w kościach. Dziwne dziecko było z tej córki Smolipalucha. Nie chciała słyszeć o ojcu, o matce właściwie też nie. Ale na szczęście ostrzegła go przed gęsią, trzymał więc konia mocno na wodzy, gdy ptak z groźnym gęganiem rzucił się na niego.

Kiedy wjechał na podwórko, Roksana siedziała przed domem. Była to bardzo nędzna chata. Uroda Roksany pasowała do niej jak drogocenny klejnot do czapki żebraka. Jehan spał na progu, zwinięty w kłębek, z głową na jej kolanach.

– Chce jechać ze mną – wyjaśniła Roksana, gdy Fenoglio niezgrabnie zsiadł z konia. – Mała też się rozpłakała, gdy jej powiedziałam, że muszę wyjechać. Ale nie mogę ich zabrać ze sobą tam, gdzie przebywa Żmijogłowy. Zdarzało mu się już nieraz wieszać dzieci. Zaopiekuje się nią moja przyjaciółka, nią, Jehanem, ziołami i bydłem...

Pogłaskała syna po ciemnych włosach i Fenoglio nagle zapragnął, żeby nie wyjeżdżała. Ale co się wtedy stanie z jego słowami? Kto dostarczy je Meggie? Miał znów prosić Cosima o następnego posłańca, żeby ten znowu nie wrócił? „Kto wie, może i Roksana nie wróci – szeptał jakiś złowieszczy głos w jego sercu. – I twoje bezcenne słowa przepadną".

– Bzdura! – wybuchnął. – Mam przecież kopię!

– Co mówisz? – Roksana spojrzała na niego zdziwiona.

– Ach, nic, nic! – Na miłość boską, doszło już do tego, że rozmawia sam ze sobą! – Muszę ci, pani, jeszcze coś powiedzieć. Trzymaj się z daleka od Mysiego Młyna! Zaprzyjaźniony grajek przekazał mi właśnie wiadomość od Czarnego Księcia.

Roksana przycisnęła dłoń do ust.

– Nie, nie, nie doszło do najgorszego – uspokoił ją szybko pisarz. – No, cóż, wygląda na to, że ojciec Meggie jest więźniem Żmijogłowego, ale tego się, szczerze mówiąc, spodziewałem. A Smolipaluch i Meggie... W skrócie to wygląda tak: młyn, w którym Meggie miała czekać na wiadomość ode mnie, spłonął. Podobno młynarz opowiada wszystkim historyjkę, jak to jakaś kuna spuściła ogień ze strychu, a czarownik z bliznami na twarzy rozmawiał z płomieniami. I rzekomo towarzyszył mu demon pod postacią ciemnoskórego chłopca, który go uratował, oraz dziewczyna.

Roksana patrzyła na niego nieprzytomnym wzrokiem, jakby nie rozumiała sensu jego słów.

– Ranny?

– Tak, ale udało im się uciec! To jest przecież najważniejsze! Roksano, czy potrafisz ich odnaleźć?

Roksana przesunęła dłonią po czole.

– Spróbuję.

– Przestań się martwić – uspokajał ją Fenoglio. – Słyszałaś przecież, że Smolipaluch ma teraz demona, który go strzeże. A poza tym zawsze świetnie dawał sobie radę sam, czyż nie tak?

– O tak!

Fenoglio przeklinał każdą swoją zmarszczkę. Dlaczegóż nie miał twarzy Cosima? Chociaż czy to by jej się podobało? Jej podobał się Smolipaluch, ten sam Smolipaluch, który właściwie powinien już nie żyć, zgodnie z tym, co Fenoglio pierwotnie o nim napisał. „Fenoglio! – zgromił się w duchu. – Tego już nadto! Zachowujesz się doprawdy jak zazdrosny kochanek!".

Ale Roksana nie zwracała na niego uwagi. Patrzyła na pogrążonego we śnie chłopca.

– Brianna była okropnie zła, gdy się dowiedziała, że jadę szukać jej ojca – rzekła. – Mam nadzieję, że Cosimo będzie się nią opiekował i że nie zacznie wojny przed moim powrotem.

Fenoglio nic na to nie odrzekł. Po co miał jej opowiadać o planach Cosima? Żeby się jeszcze bardziej martwiła? Nie. Wyciągnął spod płaszcza list do Meggie... litery, które miały się przemienić w dźwięki, potężne dźwięki... Żadnego listu do tej pory nie kazał Kryształkowi tak starannie zapieczętować.

– Ten list może uratować rodziców Meggie – rzekł z naciskiem. – Może uratować jej ojca. Może nas wszystkich uratować. Pilnuj go więc dobrze, pani.

Roksana obracała w palcach rulon pergaminu, jakby wydał jej się za lekki, by pomieścić tak ważkie słowa.

– Nigdy jeszcze nie słyszałam o liście, który by potrafił otworzyć drzwi lochów Mrocznego Zamku – powiedziała. – Czy to aby w porządku robić dziewczynie fałszywe nadzieje?

– To nie są fałszywe nadzieje! – zaprotestował Fenoglio urażony, że Roksana ani trochę nie wierzy w jego słowa.

– W porządku. Jeśli odnajdę Smolipalucha, a dziewczyna jeszcze z nim będzie, dostanie twój list. – Roksana znowu pogładziła włosy syna tak ostrożnie, jakby strącała z nich liść. – Czy ona kocha swego ojca?

– O tak, bardzo go kocha!

– Podobnie jak moja córka. Brianna tak bardzo kocha Smolipalucha, że nie chce z nim rozmawiać. Kiedy dawniej odchodził, po prostu szedł sobie pewnego dnia – do lasu, na wybrzeże, tam gdzie akurat go wabił ogień czy wiatr – próbowała iść za nim na swoich małych nóżkach. Myślę, że nawet tego nie zauważał, tak szybko znikał za każdym razem, jak lis, który ukradł kurę. A mimo to go kochała. Dlaczego? Ten chłopiec też go kocha. Wydaje mu się, że Smolipaluch go potrzebuje, ale on nie potrzebuje nikogo; wystarczy mu ogień.

Fenoglio spojrzał na nią zamyślony.

– Mylisz się, pani! – rzekł. – Przez ten cały czas był tak strasznie nieszczęśliwy z powodu rozstania z tobą. Szkoda, że tego nie widziałaś.

Patrzyła na niego z niedowierzaniem.

– Wiesz, gdzie się podziewał?

I co teraz? Stary głupiec! Znowu palnął coś bezmyślnie.

– O tak – wyjąkał. – Tak, tak, przecież sam tam byłem.

Musiał kłamać. Prawda na nic by się tu nie zdała. Potrzebował paru pięknych kłamstw, które by wszystko wyjaśniały. Dlaczego nie miałby dla odmiany znaleźć paru dobrych słów dla Smolipalucha, mimo że zazdrościł mu żony?

– Mówi, że nie mógł wrócić. – Nie wierzyła w to, ale ton jej głosu zdradzał, jak bardzo chciała wierzyć.

– Tak właśnie było! Przeżył okropne lata. Basta porwał go na rozkaz Capricorna i wywieźli go bardzo daleko... tam próbowali z niego wydobyć, jak się rozmawia z ogniem. – No i proszę, jak łatwo przychodziły mu kłamstwa. Zresztą kto to mógł wiedzieć? Może nie mijał się wcale tak bardzo z prawdą? – Możesz mi wierzyć, że Basta zemścił się po stokroć na Smolipaluchu za to, że wolałaś go od niego. Przez kilka lat trzymali go w zamknięciu, w końcu udało mu się uciec, ale znów go złapali i prawie zatłukli na śmierć... – Ten szczegół znał od Meggie. Troszkę prawdy nie zawadzi, a Roksana nie musiała wiedzieć, że stało się tak z powodu Resy. – To było straszne, po prostu straszne!

Fenoglio upajał się własnym opowiadaniem, reakcją Roksany, która otworzyła szeroko oczy i wpatrywała się w jego usta, chłonąc każde słowo. Może powinien trochę przyczernić obraz Smolipalucha? Nie, nie, już raz go zabił słowami, dzisiaj wyświadczy mu przysługę. Dzisiaj sprawi, że jego żona przebaczy mu raz na zawsze dziesięcioletnią nieobecność. „Czasem potrafię też być miły!" – pomyślał.

– Sądził, że przyjdzie mu zginąć marnie! Że nigdy więcej cię nie zobaczy, i to było dla niego najstraszniejsze.

Fenoglio odchrząknął, wzruszony własnymi słowami. Roksana też była wzruszona, widział to po jej oczach, w których nie pozostał nawet cień nieufności, oczach zamglonych miłością.

– Potem błąkał się po obcych krajach jak bezpański pies, szukając drogi, która zawiodłaby go nie do Basty czy Capricorna, lecz do ciebie. – Słowa przychodziły mu same do głowy, jakby dokładnie wiedział, co Smolipaluch czuł przez te wszystkie lata. – Był zagubiony, a jego serce stwardniało na kamień od tej samotności. Całą jego duszę wypełniła tęsknota za tobą... i za córką.

– Miał dwie córki – szepnęła Roksana.

Do licha, zapomniał o tym! Oczywiście, że dwie! Na szczęście Roksana była już tak bardzo pod wrażeniem jego słów, że ta drobna omyłka nie mogła sprawić, by czar prysł.

– Skąd to wszystko wiesz? – spytała. – Nigdy mi nie opowiadał, że się tak dobrze znacie.

„Nikt nie zna go lepiej ode mnie! – pomyślał Fenoglio. – Zapewniam cię o tym, moja śliczna".

Roksana odgarnęła ciemne włosy z twarzy. Fenoglio zauważył w nich pasemko siwizny, wyglądało to tak, jakby przeczesała włosy zakurzonym grzebieniem.

– Wyruszam jutro o świcie – oznajmiła.

– Doskonale.

Fenoglio przyciągnął konia za uzdę. Dlaczego tak piekielnie trudno wspiąć się na te bydlęta? Roksana musiała pomyśleć, że jest już zupełnie starym dziadem.

– Uważaj na siebie! – rzekł, gdy wreszcie udało mu się usadowić w siodle. – Na siebie i na list. I pozdrów ode mnie Meggie. Powiedz jej, że wszystko będzie dobrze. Obiecuję!

Kiedy odjeżdżał, Roksana stała zamyślona obok syna, odprowadzając Fenoglia spojrzeniem. Szczerze pragnął, by odnalazła Smolipalucha. Nie tylko po to, by Meggie dostała jego słowa. Nie, tej historii przyda się także trochę szczęścia, a Roksana była taka nieszczęśliwa bez Smolipalucha. On, Fenoglio, sam to tak urządził.

„A jednak na nią nie zasługuje!" – pomyślał, zbliżając się do Ombry.

Światła miasta nie były tak liczne i tak jasne jak w jego świecie, ale tak samo nęcące. Wkrótce domy, ścieśnione w obrębie murów, opustoszeją z mężczyzn. Wszyscy pociągną z Cosimem:

mąż Minerwy – choć prosiła go, by został – i szewc, który miał warsztat po sąsiedzku. Nawet gałganiarz, przemierzający Ombrę w każdy wtorek, chciał walczyć ze Żmijogłowym. „Czy równie chętnie poszliby za Cosimem, gdyby był brzydki? – myślał Fenoglio. – Tak brzydki jak Żmijogłowy z twarzą rzeźnika?". Nie, człowiekowi o pięknej twarzy łatwiej przypisujemy szlachetne zamiary i dlatego słusznie uczynił, sadzając na tronie anioła. Tak, bardzo słusznie, ze wszech miar słusznie! Fenoglio złapał się na tym, że nuci pod nosem; tymczasem koń niósł go przez bramę. Straże przepuściły go bez słowa – jego, książęcego poetę, człowieka, który ujął ich świat w słowa, który go stworzył ze słów. Tak, tak, pochylajcie głowy przed Fenogliem!

Straże również pociągną z Cosimem, i żołnierze przebywający na zamku, i giermkowie niewiele starsi od tego chłopca, który towarzyszy Smolipaluchowi. Nawet syn Minerwy Iwo chciał iść na wojnę, ale matka nie miała zamiaru go puścić. „Wszyscy wrócą z wojny – myślał Fenoglio, kierując konia ku stajniom. – W każdym razie większość. I wszystko zakończy się dobrze. Co tam dobrze – doskonale!".

52

Orfeusz jest wściekły

Wszystkie słowa pisze się tym samym atramentem,
„Kwiat" i „bat" brzmią prawie tak samo.
Mogę napisać na całej stronie „krew" –
Od góry do dołu – lecz to jej nie pobrudzi
Ani mnie nie zrani.

Philippe Jaccottet, *Parlet*

Elinor leżała na materacu i patrzyła w sufit. Znów pokłóciła się z Orfeuszem. A przecież wiedziała, że karą za to jest zamknięcie w piwnicy. „Marsz do łóżka, Elinor! – pomyślała gorzko. – Ojciec też cię tak zawsze karał, gdy przyłapał cię z książką nieodpowiednią jego zdaniem dla twojego wieku". Tak, szła do łóżka czasem już o piątej po południu. Szczególnie latem była to dotkliwa kara, gdy na dworze śpiewały ptaki, a pod oknem bawiła się jej siostra. Siostra, która w ogóle nie interesowała się książkami, za to uwielbiała skarżyć, gdy Elinor, zamiast się z nią bawić, wsadzała nos w zakazaną książkę.

„Nie kłóć się z Orfeuszem!" – wbijał jej do głowy Dariusz. Ale ona nie mogła się opanować. Nic dziwnego, skoro ten ohydny pies zapaskudził najcenniejsze książki, których jego pan nie raczył odstawić na półki, kiedy skończył się już nimi bawić!

Od niedawna zresztą nie wyciągał nowych książek – zawsze była to jakaś pociecha.

– Czyta już tylko *Atramentowe serce* – szepnął jej Dariusz, gdy wieczorem zmywali razem naczynia, bo popsuła się zmywarka.

Jakby nie dość było tego, że musiała pracować we własnym domu jako gosposia, teraz jeszcze miała dłonie nabrzmiałe od zmywania w gorącej wodzie!

– Wydaje mi się, że wyszukuje słowa – szeptał Dariusz – i składa je na nowo w zdania, pisze i pisze, i wyrzuca do śmieci, cały kosz już zapełnił zgniecionymi kartkami. Ale próbuje wciąż na nowo, potem czyta na głos to, co napisał, a gdy się nic nie dzieje...

– Co wtedy?

– Ach nic! – odparł wymijająco Dariusz, pilnie szorując zatłuszczoną patelnię.

Ale Elinor wiedziała, że gdyby to było „nic", to nie speszyłby się tak i nie zamilkł nagle.

– Co wtedy? – powtórzyła.

I Dariusz, czerwieniąc się po uszy, w końcu jej o wszystkim opowiedział. Orfeusz rzucał książkami o ścianę, jej bezcennymi książkami! Ciskał nimi o podłogę, a czasem nawet wyrzucał którąś przez okno. I to tylko dlatego, że nie udawało mu się to, co udało się Meggie. *Atramentowe serce* pozostawało dla niego zamknięte, choć przymilał się i błagał swoim aksamitnym głosem, i czytał wciąż na nowo zdania, między które pragnął się wśliznąć.

Jasne, że pobiegła tam natychmiast, kiedy tylko usłyszała jego dzikie wrzaski. Chciała ratować swoje dzieci!

– Nie! – krzyczał Orfeusz tak głośno, że słychać go było nawet w kuchni. – Nie, nie, nie! Wpuść mnie wreszcie do środka, ty po trzykroć przeklęta książko! To ja odesłałem Smolipalucha! Zrozum to wreszcie! Czym byś była beze mnie? Zwróciłem ci Mortolę i Bastę! Chyba zasłużyłem na nagrodę?

Przed drzwiami biblioteki nie było człowieka-szafy, żeby ją zatrzymać. Pewnie krążył znów po domu, mając nadzieję, że w końcu znajdzie coś, co warto skraść (że najcenniejsze w tym domu są książki, na to nie wpadnie nawet za sto lat). Elinor nie pamiętała słów, jakimi obrzuciła Orfeusza. Pamiętała tylko książkę, którą trzymał w wyciągniętej ręce – przepiękne wydanie wierszy Williama Blake'a – i którą wyrzucił za okno mimo jej gwałtownych protestów. A potem kazał swemu osiłkowi zamknąć Elinor w piwnicy.

„Och, Meggie! – myślała, leżąc na materacu i oglądając odpadający tynk na piwnicznym suficie. – Dlaczego nie zabrałaś mnie ze sobą? Dlaczego mnie nawet nie zapytałaś, czy chciałabym iść do tamtego świata?".

53
Puszczyk

> Każdy lekarz powinien wiedzieć, że Bóg umieścił w ziołach wielką siłę, choćby z uwagi na duchy i majaki, które człowieka doprowadzają do rozpaczy, a pomoc ta nie pochodzi od diabła, lecz z samej natury.
>
> Paracelsus, *Pisma medyczne*

Morze. Meggie po raz ostatni widziała morze, gdy wracali z wioski Capricorna do domu Elinor wraz z wróżkami i gnomami, które potem obróciły się w popiół.

– Tu właśnie mieszka balwierz, o którym wam opowiadałem – rzekł Smolipaluch, gdy ich oczom ukazała się przepiękna zatoka.

W słońcu woda połyskiwała jak ruchome zielone szkło, które wiatr układał w coraz to inne wzory. Był to porywisty wiatr, który przeganiał chmury po błękitnym niebie, przynosząc zapach soli i egzotycznych wysp. Wszystko to chwytało za serce, lecz radość psuł widok nagiej skały wznoszącej się ponad zalesionymi wzgórzami i zwieńczonej zamkiem, topornym jak twarz jego pana, mimo posrebrzanych dachów.

– Tak, to on – odezwał się Smolipaluch, widząc przerażony wzrok Meggie. – Mroczny Zamek. A skała, na której się wznosi, nazywa się oczywiście Żmijowa Góra. Jest łysa jak głowa starucha, żeby nikt nie mógł się podkraść pod osłoną drzew. Ale nie ma obawy, zamek leży dalej, niż się wydaje.

– A wieże? – spytał Farid. – Czy są rzeczywiście zrobione ze srebra?

– O tak – odparł Smolipaluch. – Srebro wydobywa się z tej i z innych gór. Pieczone ptactwo, młode kobiety, żyzna ziemia i srebro... Żmijogłowy ma nienasycony apetyt.

Wzdłuż zatoki ciągnęła się szeroka piaszczysta plaża. W miejscu gdzie plaża dochodziła do pasma drzew, widniał długi mur i niewysoka wieża. Na plaży nie było żywego ducha, żadnej łodzi na piasku, nic, tylko te zabudowania: wieża i długie dachy kryte dachówką, ledwo widoczne za murem. Wiodła tam droga wijąca się jak ślad żmii, lecz Smolipaluch poprowadził ich pod osłoną drzew ku tylnemu wejściu. Skinął na nich niecierpliwie, zanim zniknął w cieniu murów. Czekał pod zmurszałą drewnianą bramą z pordzewiałym od słonego wiatru dzwonkiem. Obok pleniło się zielsko, przetykane zwiędłymi kwiatami i nagimi torebkami nasiennymi. Na jednej z nich łasowała wróżka.

Wokoło panował spokój. Do ucha Meggie doleciało brzęczenie pszczoły pomieszane z szumem morza. Zbyt dobrze jednak pamiętała złudny spokój, jakim przywitał ich Mysi Młyn. Smolipaluch też chyba o tym pamiętał, bo przez chwilę stał, nasłuchując, nim sięgnął ręką do sznura zardzewiałego dzwonka. Rana znowu krwawiła, Meggie widziała, jak Smolipaluch przyciska rękę do uda. Mimo to w czasie drogi przynaglał ich do pośpiechu.

– Nie ma lepszego balwierza – powiedział tylko, gdy Farid spytał, dokąd ich prowadzi. – I takiego, któremu moglibyśmy bardziej ufać. Poza tym stamtąd jest już blisko do Mrocznego Zamku, a Meggie nadal chce się tam dostać, prawda?

Dał im do zjedzenia liście jakiejś rośliny, włochate i gorzkie.

– Jedzcie! – ponaglił ich, gdy wykrzywili się ze wstrętem. – Tam, dokąd idziemy, możecie zostać tylko pod warunkiem, że będziecie mieli w żołądku co najmniej pięć takich liści.

Drewniane drzwi uchyliły się i wyjrzała z nich głowa kobiety.

– Na wszystkie dobre duchy! – usłyszała Meggie jej szept, po czym brama otworzyła się szerzej i ręka, chuda i pomarszczona, skinęła na nich, by weszli.

Kobieta, która szybko zamknęła za nimi bramę, była cała chuda i pomarszczona, jak jej ręka. Patrzyła na Smolipalucha takim wzrokiem, jakby dosłownie spadł z nieba.

– Wczoraj! Nie dalej jak wczoraj to powiedział! – zawołała. – Zobaczysz, Bello, rzekł do mnie, że on wrócił. Któż inny podpaliłby młyn? Któż inny rozmawiałby z ogniem? Przez całą noc nie zmrużył oka. Martwił się. Ale u ciebie, jak widzę, wszystko w porządku. A co z twoją nogą?

Smolipaluch położył palec na ustach, ale Meggie zdążyła zauważyć, że się uśmiecha.

– Mogłoby być lepiej – rzekł cicho. – A ty mówisz wciąż tak samo szybko jak dawniej, Bello. Czy mogłabyś nas teraz zaprowadzić do Puszczyka?

– Tak, tak, oczywiście! – Kobieta poczuła się nieco dotknięta. – Pewnie masz tam w środku tę obrzydliwą kunę? – spytała, wskazując jego plecak. – Biada ci, jeśli ją wypuścisz.

– Jasne, że nie – zapewnił ją skwapliwie Smolipaluch, rzucając Faridowi ostrzegawcze spojrzenie, by lepiej się nie przyznawał, że w jego plecaku śpi druga kuna.

Stara bez słowa skinęła na nich i poprowadziła ich przez ciemny, pozbawiony wszelkich ozdób krużganek. Szła drobnymi kroczkami, szybko, podobna do wiewiórki ubranej w długą samodziałową suknię.

– Dobrze, że wszedłeś tylną bramą – mówiła przytłumionym głosem, prowadząc gości wzdłuż rzędów zamkniętych drzwi. – Obawiam się, że Żmijogłowy ma już i tutaj uszy, ale na szczęście nie płaci swoim szpiclom tyle, by chcieli pracować na oddziale zakaźnym. Mam nadzieję, że dałeś im wystarczająco dużo liści do zjedzenia?

– Oczywiście! – skinął głową Smolipaluch.

Ale Meggie widziała, że rozgląda się niespokojnie i niepostrzeżenie wsuwa do ust włochaty liść. Na dziedzińcu, wokół którego biegł krużganek, wygrzewały się w słońcu słabowite postacie – ledwie cienie ludzkie – i Meggie nie miała już wątpliwości, dokąd przyprowadził ich Smolipaluch. Było to schronisko dla ludzi starych i nieuleczalnie chorych. Farid aż przycisnął rękę do ust, gdy z przeciwka nadszedł starzec, o skórze woskowo bladej, jakby już od dawna należał do świata zmarłych, a na uśmiech jego bezzębnych ust zdołał odpowiedzieć tylko przerażonym skinieniem głowy.

– Nie rób takiej miny, jakbyś miał za chwilę zemdleć – szepnął do niego Smolipaluch, choć i on nie wydawał się zbyt pewny siebie. – Wyleczą ci palce, a poza tym będziemy tu względnie bezpieczni, czego nie można powiedzieć o żadnym innym miejscu po tej stronie lasu.

– To prawda – wtrąciła Bella tonem osoby, która wie, o czym mówi. – Jeśli Żmijogłowy obawia się czegokolwiek, to tylko śmierci i chorób. Mimo to powinniście się jak najmniej pokazywać, zarówno pacjentom, jak i pielęgniarzom. Jednego nauczyłam się w życiu – że nie można nikomu ufać. Oczywiście z wyjątkiem Puszczyka.

– Mnie też nie ufasz? – spytał Smolipaluch.

– O, tobie najmniej! – odparła stara, zatrzymując się przed prostymi drewnianymi drzwiami. – Szkoda, że twoja twarz tak bardzo rzuca się w oczy – szepnęła do Smolipalucha – bo mógłbyś dać naszym chorym parę pokazów. Nic tak nie leczy jak odrobina radości.

Po czym zapukała do drzwi i skłoniwszy głowę, odsunęła się na bok.

Pomieszczenie, w którym się znaleźli, było mroczne, gdyż sterty książek zasłaniały jedyne okno. To wnętrze na pewno spodobałoby się Mo. Uwielbiał, gdy książki wyglądały tak, jakby ktoś dopiero przed chwilą je odłożył. W przeciwieństwie do Elinor nie przeszkadzało mu, gdy leżały otwarte, czekając na kolejnego czytelnika. Puszczyk najwidoczniej uważał tak samo. Po prostu ginął za stosami książek. Był to niewielki człowieczek o krótkowzrocznych oczach i szerokich dłoniach; Meggie skojarzył się z kretem, tyle tylko że miał siwe włosy.

– A nie mówiłem? – zawołał i rzucił się do Smolipalucha, strącając dwie książki na podłogę. – Wrócił! Ale ona oczywiście nie chciała mi wierzyć. Wygląda na to, że ostatnio białe damy coraz częściej pozwalają umarłym wrócić do życia!

Mężczyźni uściskali się, po czym Puszczyk odstąpił krok do tyłu i jął dokładnie oglądać Smolipalucha. Balwierz był bardzo stary, starszy od Fenoglia, ale jego spojrzenie pozostało młode i żywe, jak spojrzenie Farida.

– Jesteś zdrowy jak rydz! – orzekł z satysfakcją. – Nie licząc nogi. Co z nią? Czy to pamiątka z młyna? Wczoraj wezwali na zamek jedną z moich zielarek, żeby opatrzyła dwóch poparzonych mężczyzn. Przyniosła dziwne plotki – o jakiejś zasadzce i kunie z różkami plującej ogniem...

Na zamek? Meggie postąpiła krok do przodu.

– A czy widziała więźniów? – wpadła staremu balwierzowi w słowo. – Musieli ich niedawno przyprowadzić. To byli kuglarze, mężczyzni i kobiety... Mój ojciec i moja matka są wśród nich.

Puszczyk popatrzył na nią ze współczuciem.

– A więc to ty jesteś tą dziewczynką, o której opowiadali ludzie Czarnego Księcia? Twój ojciec...

– ...to człowiek, którego oni uważają za Sójkę – dokończył Smolipaluch. – Wiesz, jak się czuje on i inni więźniowie?

Puszczyk nie zdążył odpowiedzieć, gdy w drzwiach ukazała się wystraszona młoda dziewczyna. W milczeniu przyglądała się obcym; szczególnie Meggie przyciągała jej uwagę. Niezręczną ciszę przerwało chrząknięcie Puszczyka.

– O co chodzi, Carla? – spytał.

Dziewczyna nerwowo przygryzła wargę.

– Przyszłam zapytać, czy mamy jeszcze ziele świetlika – odparła.

– Oczywiście. Idź do Belli, niech ci da, ale teraz zostaw nas samych.

Dziewczyna skwapliwie skinęła głową i wybiegła, zostawiając drzwi otwarte. Puszczyk z westchnieniem zamknął drzwi i zasunął rygiel.

– O czym to ja mówiłem? Aha, więźniowie. Opiekuje się nimi balwierz odpowiedzialny za więzienie. To straszny fuszer, ale nikt porządny nie wytrzymałby tam na górze. Zamiast leczyć, wydaje zgodę na chłosty i inne kary cielesne. Do twojego ojca na szczęście go nie dopuszczają, a balwierz, którego mu przydzielili, nie chce sobie brudzić rąk więźniami, dlatego codziennie posyłam moją najlepszą zielarkę, żeby go doglądała.

– Jak się czuje mój ojciec? – nie wytrzymała Meggie.

Połykała łzy, nie chcąc wyglądać jak mała wystraszona dziewczynka, lecz wszystko na darmo.

– Ma brzydką ranę, ale o tym chyba wiesz?

Meggie skinęła głową, a łzy popłynęły strumieniem, jakby chciały zmyć z jej serca całą troskę, tęsknotę, lęk... Farid objął ją ramieniem, ale to przypomniało jej te wszystkie lata spędzone z Mo, kiedy ją chronił i się nią opiekował. A teraz, gdy sam był w potrzebie, nie było jej przy nim.

– Stracił dużo krwi i jest jeszcze słaby, ale czuje się naprawdę dobrze, w każdym razie dużo lepiej, niż przedstawiamy to Żmijogłowemu. – Widać było, że Puszczyk miał doświadczenie w rozmowach z ludźmi lękającymi się o ukochane osoby. – Moja zielarka poradziła mu, aby nie dawał nic po sobie poznać, musimy bowiem zyskać na czasie. Zapewniam cię, że w tej chwili nie masz powodu się o niego martwić.

Meggie zrobiło się lekko na sercu. „Wszystko będzie dobrze!" – mówił jej wewnętrzny głos, po raz pierwszy od chwili, w której Smolipaluch przekazał jej wiadomość od Resy. Wszystko będzie dobrze. Zakłopotana otarła łzy z twarzy.

– Ta broń, która zraniła twego ojca... moja zielarka twierdzi, że to musiała być straszna rzecz – ciągnął Puszczyk. – Mam nadzieję, że nie jest to nowy wynalazek z kuźni Żmijogłowego.

– Nie, ta broń jest z zupełnie innego miejsca – wyjaśnił Smolipaluch.

Miał wypisane na twarzy słowa: „Stamtąd nie przychodzi nic dobrego", ale Meggie nie chciała się teraz zastanawiać nad tym, ile zła może wyrządzić w tym świecie zwykła strzelba. Myślami była przy Mo.

– Mojemu tacie spodobałby się ten pokój – powiedziała do Puszczyka. – On kocha książki, a pana księgi są naprawdę piękne. Ale na pewno by powiedział, że niektóre z nich potrzebują nowej oprawy, a ta na przykład – wskazała jeden z woluminów – niedługo już pożyje, jeśli nie zrobi pan czegoś z tymi robakami, które ją zżerają.

Puszczyk wziął do ręki książkę wskazaną przez Meggie, otworzył ją i pogładził kartki, zupełnie tak samo, jak czynił to zawsze Mo.

– Sójka lubi książki? – spytał. – To dość niezwykłe jak na zbójcę.

– On nie jest zbójcą – powiedziała Meggie. – Jest lekarzem, tak samo jak pan, tylko że leczy książki, a nie ludzi.

– Coś podobnego! Zatem to prawda, że Żmijogłowy uwięził niewłaściwego człowieka? Może więc ludzie mylą się również, opowiadając o twoim ojcu, że zabił Capricorna?

– Nie, to jest akurat prawda! – wtrącił Smolipaluch, spoglądając za okno, jakby spodziewał się ujrzeć tamtą scenę, która rozegrała się w innym miejscu i w innym świecie. – I potrzebował do tego tylko swojego głosu. Powinieneś kiedyś poprosić jego lub jego córkę, żeby ci coś przeczytali na głos. Zapewniam cię, że wtedy zaczniesz patrzeć na książki zupełnie innymi oczami, a może nawet pozamykasz je na kłódki.

– Naprawdę?

Puszczyk patrzył na Meggie z ciekawością, widać było, że chciałby się dowiedzieć czegoś więcej o śmierci Capricorna, ale w tej chwili znów rozległo się pukanie. Tym razem przez zaryglowane drzwi dobiegł głos mężczyzny:

– Przyjdziesz, mistrzu? Wszystko przygotowaliśmy, ale będzie lepiej, jeśli ty sam dokonasz cięcia.

Meggie spojrzała na Farida, którego twarz okryła się bladością.

– Zaraz przyjdę! – zawołał Puszczyk. – Mam nadzieję gościć kiedyś twego ojca w tym pokoju – rzekł do Meggie, idąc do drzwi. – Masz rację, moje książki potrzebują lekarza. – Spojrzał pytająco na Smolipalucha. – Czy Czarny Książę ma jakiś plan uwolnienia jeńców?

– Nie sądzę – odrzekł Smolipaluch. – Słyszałeś coś o innych więźniach? Jest wśród nich matka Meggie.

Meggie poczuła ukłucie w sercu, bo to on spytał o Resę, a nie ona.

– Nie, o innych nic nie wiem – odparł Puszczyk. – A teraz muszę was przeprosić. Bella na pewno wam już powiedziała, żebyście lepiej nie opuszczali tej części domu. Żmijogłowy wydaje coraz więcej srebra na szpiegów. Nigdzie już nie jest bezpiecznie, nawet tutaj.

– Wiem – przytaknął Smolipaluch.

Wziął do ręki jedną z książek leżących na biurku. Był to atlas zielarski. Meggie wyobraziła sobie, z jaką pożądliwością Elinor wertowałaby tę księgę, a Mo wodziłby palcem po ilustracjach, jakby chciał wyczuć ruchy miniaturowego pędzelka, który wyczarował na pergaminie te wszystkie cudeńka. A o czym myślał Smolipaluch? O ziołach w ogrodzie Roksany?

– Zapewniam cię, że nie przyszedłbym tutaj, gdyby nie wypadek w Mysim Młynie – rzekł. – Nie powinno się narażać tego miejsca na niebezpieczeństwo. Jeszcze dzisiaj sobie pójdziemy.

Ale o tym Puszczyk nie chciał nawet słyszeć.

– Nie, nie, zostaniecie tak długo, aż tobie wygoimy nogę, a chłopcu ręce – rzekł szybko. – Dobrze wiesz, jak bardzo się cieszę, że tu przybyłeś. I cieszę się, że ten chłopiec jest z tobą. On nigdy nie miał ucznia, wiesz o tym? – zwrócił się do Farida. – Zawsze mu powtarzałem, że musi przekazać swoją sztukę innym, ale on nie chciał o tym słyszeć. Ja mam wielu uczniów i dlatego muszę was teraz opuścić. Chcę pokazać jednemu z nich, jak obciąć stopę, nie uśmiercając przy tym pacjenta.

Farid patrzył na niego przerażony.

– Obciąć? – szepnął. – Jak to obciąć?

Ale Puszczyk był już za drzwiami.

– Nie opowiadałem ci? – rzekł Smolipaluch, dotykając bolącego uda. – Puszczyk umie doskonale piłować kości. Ale nie martw się, moja noga i twoje palce pozostaną na swoim miejscu.

Opatrzywszy pęcherze na dłoniach Farida i zranioną nogę Smolipalucha, Bella umieściła całą trójkę w odległej komnacie w pobliżu bramy, przez którą się tu dostali. Meggie spodobała się perspektywa nocowania pod dachem, za to Farid z nieszczęśliwą miną siedział na posypanej lawendą podłodze i gorliwie żuł gorzki liść.

– Czy nie moglibyśmy spać na plaży? Piasek jest taki miękki – zwrócił się do Smolipalucha, gdy ten wyciągnął się na jednym z sienników. – Albo w lesie?

– Proszę bardzo – odparł Smolipaluch. – Ale teraz pozwól mi spać. I nie rób takiej nieszczęśliwej miny, jakbym cię przyprowadził do ludożerców, w przeciwnym razie jutrzejszej nocy nie pokażę ci tego, co obiecałem.

– Jutrzejszej? – Farid wypluł liść na rękę. – Dlaczego dopiero jutrzejszej?

– Bo dzisiaj jest za duży wiatr – rzekł Smolipaluch, odwracając się do niego plecami. – I dlatego, że ta przeklęta noga mi dokucza... Wymienić jeszcze więcej powodów?

Farid skruszony potrząsnął głową, wsunął liść do ust i zapatrzył się w drzwi, jakby się spodziewał, że w każdej chwili może stanąć w nich śmierć we własnej osobie.

A Meggie siedziała na sienniku i oglądając nagie ściany, powtarzała w myślach to, co Puszczyk powiedział o Mo: „Czuje się naprawdę dobrze, w każdym razie dużo lepiej, niż przedstawiamy to Żmijogłowemu... Zapewniam cię, że w tej chwili nie masz powodu się o niego martwić".

Kiedy się ściemniło, Smolipaluch, utykając, wyszedł na dwór. Oparty o kolumnę spoglądał ku wzgórzu, na którym stał Mroczny Zamek. Zastygł w bezruchu, wpatrując się w srebrne wieże, a Meggie po raz setny zadawała sobie pytanie, czy pomaga jej tylko ze względu na matkę. Smolipaluch sam pewnie tego nie wiedział.

54

W lochach mrocznego Zamku

Na moje czoło metal zimny wchodzi,
Pająki lgną do serca.
Oto jest światło, co w mych ustach gaśnie.

Georg Trakl, *De profundis* [w:] *Poezje zebrane*

Mina znowu płakała. Resa przytuliła ją, jakby ta ciężarna kobieta sama była jeszcze dzieckiem. Nuciła jej piosenkę i kołysała ją, jak czasem kołysała własną córkę, choć Meggie była już prawie tak wysoka jak ona.

Dwa razy na dzień przychodziła dziewczynka, chuda, wystraszona, młodsza jeszcze od Meggie, i przynosiła im chleb i wodę. Czasami dawali im do jedzenia breję, kleistą i zimną, ale za to sycącą, która przypominała Resie czasy, gdy Mortola zamykała ją w klatce za coś, co zrobiła lub czego nie zrobiła. Breja Mortoli miała taki sam smak.

Kiedy spytała dziewczynkę o Sójkę, ta tylko schowała głowę w ramionach i szybko wyszła, pozostawiając Resę na pastwę lęku – przerażającego strachu, że może Mo już dawno został powieszony na tej ogromnej szubienicy pod zamkiem i ostatnią rzeczą, którą oglądał na tym świecie, nie była jej twarz, tylko srebrne głowy żmij wysuwające się z zamkowych murów. Widziała tę scenę tak wyraźnie, że nawet kiedy zasłoniła oczy, obraz prześladował ją nadal.

Mrok lochu wywoływał w niej dziwne uczucia. Zdawało jej się, że wszystko, co przeżyła do tej pory, było tylko snem: plac w wiosce Capricorna, gdzie nagle ujrzała Mo obok Meggie, potem rok spędzony w domu Elinor, szczęśliwy rok... tylko snem...

Dobrze chociaż, że nie była sama. Choć pochwyciła czasem czyjeś wrogie spojrzenie, głosy innych więźniów wyrywały ją na chwilę z ponurych rozmyślań...

Ten i ów opowiadał jakąś historię, by zagłuszyć płacz dochodzący z innych cel, szelest szczurów, wrzaski i urywane odpowiedzi, w których trudno było dopatrzeć się sensu. Zwykle opowiadały kobiety – o miłości i śmierci, o zdradzie i przyjaźni. Wszystkie te opowieści kończyły się dobrze, były jak światła w ciemności, jak świece w kieszeni Resy, których knoty zamokły.

Resa opowiadała towarzyszkom niedoli treść książek, które niegdyś czytał jej Mo, dawno, dawno temu, gdy Meggie miała małe pulchne rączki, a oni nie bali się jeszcze liter. A waganci mówili o świecie, który ich otaczał: o Pięknym Cosimie i jego wyprawie przeciw podpalaczom, i o Czarnym Księciu, o tym, jak znalazł niedźwiedzia, i o jego przyjacielu, poskramiaczu ognia, który potrafił rozjaśniać czarną noc pękami skier i kwiatami z ognia. Benedykta cicho zaśpiewała pieśń o Smolipaluchu, tak piękną i wzruszającą, że nawet Dwupalcy ją podchwycił, aż w końcu strażnik począł bębnić kijem w kraty, każąc im siedzieć cicho.

– Widziałam go raz! – szepnęła Benedykta, kiedy strażnik się oddalił. – Wiele lat temu, gdy byłam jeszcze małą dziewczynką. To było wspaniałe. Ogień błyszczał tak jasno, że nawet moje oczy doskonale rozróżniały kształty. Mówią, że nie żyje.

– Ależ żyje! – zaprotestowała cicho Resa. – Jak myślicie, kto podpalił drzewo?

Patrzyli na nią z niedowierzaniem. Ale Resa była za bardzo zmęczona, aby mówić im coś więcej, wyjaśniać, co się wydarzyło na drodze. „Zaprowadźcie mnie do męża! – chciała zawołać. – Puśćcie mnie do dziecka. Nie chcę już słuchać żadnych historii, chcę tylko usłyszeć, jak oni się czują!".

W końcu dowiedziała się prawdy – z najbardziej chyba nienawistnych ust... Jej towarzyszki spały, gdy Mortola zjawiła się w celi w towarzystwie dwóch żołnierzy. Resa nie mogła zasnąć, bo znów prześladowały ją te sceny: wyprowadzają Mo na dziedziniec, zakładają mu stryczek na szyję... „Mo nie żyje, a ona przyszła mi o tym powiedzieć!" – taka była jej pierwsza myśl, gdy Sroka weszła do celi z triumfującym uśmiechem na twarzy.

– Oto niewierna służąca! – rzekła Mortola, gdy Resa dźwigała się z trudem z posłania. – Zdaje się, że jesteś taką samą wiedźmą jak twoja córka. Nie rozumiem, w jaki sposób udało ci się zachować go przy życiu. No cóż, może trochę za szybko wycelowałam. Nie szkodzi, jeszcze kilka tygodni i będzie dostatecznie silny, by go poddać egzekucji.

Żyje!

Resa odwróciła głowę, aby Mortola nie zobaczyła, że się uśmiecha. Ale Sroka nie patrzyła na jej twarz. Z zadowoleniem lustrowała podartą suknię Resy, jej krwawiące stopy.

– Sójka! – Mortola zniżyła głos. – Oczywiście nie powiedziałam Żmijogłowemu, że powiesi nie tego, co trzeba, bo i po co? Wszystko idzie po mojej myśli. A twoją córkę też jeszcze dostanę.

Meggie. Uczucie szczęścia, które przez chwilę rozgrzewało jej serce, znikło równie szybko, jak się pojawiło. Leżąca obok niej Mina nagle usiadła obudzona chrapliwym głosem Mortoli.

– Tak, mam potężnych przyjaciół w tym świecie – ciągnęła Sroka, uśmiechając się z zadowoleniem. – Żmijogłowy pochwycił dla mnie twojego męża, dlaczego nie miałby zrobić tego samego z twoją córką wiedźmą? Powiedzieć ci, jak go przekonałam, że ona jest czarownicą? Pokazałam mu jej zdjęcia. Tak, Reso, kazałam Baście zabrać fotografie twojej małej, te w srebrnych ramkach, które znaleźliśmy w domu pożeraczki książek.

Żmijogłowy oczywiście myśli, że to są zaczarowane obrazy, zaklęte na papierze lustrzane odbicia. Żołnierze boją się ich dotykać, ale muszą je wszędzie pokazywać. Szkoda tylko, że nie możemy ich powielić, jak to się robi w waszym świecie. Na szczęście twoja córka jest teraz razem ze Smolipaluchem, a żeby jego znaleźć, nie są potrzebne żadne czarodziejskie obrazy. Każdy chłop o nim słyszał, o nim i o jego bliznach.

– On ją obroni! – powiedziała Resa, żeby tylko coś powiedzieć.

– Aha, tak jak ciebie obronił, kiedy ugryzła cię żmija, pamiętasz?

Resa wpiła paznokcie w brudny materiał sukienki. Nie istniał nikt w tym ani w żadnym innym świecie, kogo nienawidziłaby bardziej niż Sroki. Nawet Basta nie był jej tak wstrętny. Zresztą to Mortola nauczyła ją nienawiści.

– Tu wszystko wygląda inaczej! – wybuchnęła. – Tutaj może rządzić ogniem i nie jest sam, ma przyjaciół.

– Przyjaciół! Pewnie myślisz o kuglarzach – o Czarnym Księciu, jak sam się przezwał, i tych pozostałych łapserdakach! – Sroka obrzuciła więźniów pogardliwym spojrzeniem. Prawie wszyscy się już obudzili. – Popatrz na nich, Reso! – powiedziała ze złośliwą satysfakcją. – Jak oni mają ci pomóc? Za pomocą kolorowych piłeczek czy wzruszających pieśni? Jeden z nich was zdradził, wiedziałaś o tym? A co może zrobić Smolipaluch? Wypuścić ogień, żeby cię ratować? Wtedy ty byś też spłonęła, a tego nie zaryzykuje, jest przecież w tobie zakochany po uszy. – I z uśmiechem pochylając się ku Resie, spytała: – Ciekawa jestem, czy opowiadałaś mężowi, jakimi byliście dobrymi przyjaciółmi?

Resa nie odpowiedziała. Znała aż za dobrze sztuczki Mortoli.

– No co? Może ja mam mu o tym opowiedzieć? – szepnęła Mortola, przyczajona jak kot przed norką myszy.

– Zrób to – odszepnęła Resa – opowiedz mu. Bądź pewna, że nie powiesz mu nic nowego. Zwróciłam mu wszystkie te lata, z których nas okradliście – słowo po słowie, dzień po dniu. Mo wie także i o tym, że twój własny syn trzymał cię w piwnicy, twierdząc, że jesteś jego gospodynią.

Mortola próbowała ją uderzyć w twarz, jak czyniła to tyle razy w przeszłości z nią i innymi służącymi, ale Resa osłoniła się ramieniem.

– On żyje, Mortolo! – szepnęła. – Ta historia jeszcze się nie skończyła, a jego śmieć nigdzie nie jest zapisana. Za to twoją śmierć moja córka wyszepcze ci prosto do ucha za to, co zrobiłaś jej ojcu. Jeszcze zobaczysz. A wtedy ja będę się przyglądała twojej śmierci.

Tym razem nie udało jej się uniknąć policzka. Jeszcze długo po wyjściu Mortoli twarz piekła ją boleśnie. Siadając na zimnej podłodze, czuła spojrzenia więźniarek jak dotyk palców. Pierwsza odezwała się Mina:

– Skąd znasz tę starą? To dawna trucicielka od Capricorna.

– Wiem! – odparła Resa bezdźwięcznym głosem. – Byłam jej służącą przez wiele lat.

55
List od Fenoglia

> Jest więc taki świat,
> nad którym los sprawuję niezależny?
> Czas, który wiążę łańcuchami znaków?
> Istnienie na mój rozkaz nieustanne?
>
> Wisława Szymborska

Smolipaluch spał, gdy zjawiła się Roksana. Na dworze było już ciemno. Farid z Meggie poszli na plażę, a on się położył, bo noga wciąż sprawiała mu ból. Kiedy Roksana stanęła w drzwiach, w pierwszej chwili pomyślał, że mu się przywidziało; nocą często miewał takie majaki. W końcu raz już tu z nią był – jakże to było dawno! Izba wyglądała wtedy prawie tak samo jak dzisiaj i tak samo leżał na sienniku, ale wtedy miał okaleczoną twarz.

Roksana znów rozpuściła włosy. Może to dlatego wróciło wspomnienie tamtej nocy. Do dziś na myśl o tym serce biło mu mocno w piersi. Wtedy – nieprzytomny z bólu i strachu – zaszył się gdzieś z dala od ludzi, jak ranne zwierzę, aż w końcu Roksana go odnalazła i przyprowadziła tutaj. Puszczyk z trudem go rozpoznał. Dał mu do wypicia napar, po którym zasnął, a gdy się obudził, Roksana stała w drzwiach, zupełnie tak jak teraz.

Gdy rany mimo wysiłków balwierza nie chciały się goić, zaprowadziła go w głąb lasu do wróżek i została z nim, dopóki jego twarz na tyle nie wydobrzała, że znów mógł się pokazać ludziom. Zapewne niewielu było na świecie mężczyzn, którym miłość do kobiety wypisano nożem na twarzy.

A jak on ją przyjął, gdy teraz nagle się pojawiła?

– Co ty tu robisz? – spytał i natychmiast zapragnął odgryźć sobie język za te słowa.

Powinien był jej powiedzieć, jak bardzo za nią tęsknił, tak bardzo, że z dziesięć razy chciał już zawrócić.

– Właśnie, co ja tu robię? – odpowiedziała pytaniem Roksana.

Dawniej po takich słowach odwróciłaby się i wyszła, ale teraz uśmiechała się tylko drwiąco, aż Smolipaluch poczuł się zakłopotany jak mały chłopiec.

– Gdzie zostawiłaś Jehana?

– U przyjaciółki – odrzekła, całując go. – Co z twoją nogą? Fenoglio mi powiedział, że jesteś ranny.

– Już lepiej. A co ty masz wspólnego z Fenogliem?

– Nie lubisz go. Dlaczego? – Roksana pogłaskała go po twarzy.

Jaka ona była piękna!

– Powiedzmy, że miał związane ze mną plany, które mi się wcale nie podobały. Czy stary dał ci może coś dla Meggie? List na przykład?

Roksana bez słowa wsunęła rękę pod płaszcz. Oto były słowa, które pragnęły stać się prawdą. Roksana podała mu zapieczętowany pergamin, ale Smolipaluch potrząsnął głową.

– Lepiej daj to od razu Meggie – powiedział. – Jest na plaży.

Roksana spojrzała na niego ze zdziwieniem.

– Cóż to, boisz się kawałka pergaminu?

– Owszem – powiedział Smolipaluch, ujmując ją za rękę. – Zwłaszcza gdy został zapisany przez Fenoglia. Chodź, poszukamy Meggie.

Meggie uśmiechnęła się nieśmiało do Roksany, gdy ta podała jej list. Przez chwilę z zaciekawieniem spoglądała to na nią, to na Smolipalucha, a potem nie widziała już nic poza listem Fenoglia. Pospiesznie złamała pieczęcie, o mało nie uszkadzając pergaminu. Były to trzy karty zapisane drobnym maczkiem. Pierwsza zawierała list do niej, który po przeczytaniu niedbale włożyła za pas. Słowa, na które czekała z takim utęsknieniem, wypełniały dwie pozostałe. Meggie tak szybko przebiegała wzrokiem po pergaminie, że Smolipaluch nie mógł uwierzyć, że naprawdę czyta. Wreszcie podniosła głowę, spojrzała na Mroczny Zamek i uśmiechnęła się.

– No, co pisze ten stary diabeł? – spytał Smolipaluch.

Meggie podała mu pergamin.

– Jest inaczej, niż się spodziewałam. Zupełnie inaczej, ale dobrze. Proszę, zobacz sam.

Smolipaluch ostrożnie ujął pergamin koniuszkami palców, jakby mógł się nim sparzyć łatwiej niż ogniem.

– Od kiedy to umiesz czytać? – Roksana była tak zaskoczona, że uśmiechnął się mimo woli.

– Matka Meggie mnie nauczyła...

Głupiec! Po co jej to powiedział? Roksana długo patrzyła na Meggie, podczas gdy Smolipaluch męczył się nad odcyfrowaniem pisma Fenoglia. Resa zwykle pisała drukowanymi literami, by mu ułatwić czytanie.

– Nie jest źle, co? – powiedziała Meggie, zaglądając mu przez ramię.

Morze szumiało, jakby przyznawało jej rację.

Chyba rzeczywiście nie było źle... Smolipaluch posuwał się tropem liter, jakby szedł po niebezpiecznej ścieżce. Zawsze jednak była to jakaś ścieżka i prowadziła prosto do serca Żmijogłowego. Ale rola, jaką stary przeznaczył Meggie, nie podobała mu się ani trochę. W końcu jej matka prosiła go, aby jej pilnował.

Farid patrzył na litery z nieszczęśliwą miną. Nadal nie umiał czytać. Czasem Smolipaluchowi wydawało się, że podejrzewa te drobne czarne znaczki o to, iż są zaczarowane. Ale cóż innego mógł myśleć po tym wszystkim, co przeżył?

– No, mów wreszcie! – Farid niecierpliwie przestępował z nogi na nogę. – Co on pisze?

– Meggie będzie musiała iść na zamek. Do jaskini zbójców.

– Co? – Chłopiec z przerażeniem spoglądał to na niego, to na Meggie. – Ależ to niemożliwe! – Chwycił Meggie za ramiona i obrócił ją ku sobie. – Nie możesz tam iść. To jest zbyt niebezpieczne!

Biedak! Oczywiście, że pójdzie!

– Fenoglio tak napisał – rzekła krótko, odsuwając jego ręce.

– Zostaw ją – powiedział Smolipaluch, oddając Meggie pergamin. – Kiedy chcesz czytać?

– Natychmiast.

Oczywiście. Nie chciała tracić ani chwili. I słusznie. Im szybciej ta historia zmieni swój bieg, tym lepiej. Gorzej już być nie mogło.

– Co to wszystko znaczy? – spytała Roksana, spoglądając na nich z konsternacją. Na Farida spojrzała najmniej życzliwie. Pewnie zmieni się to dopiero wtedy, gdy się przekona, że Farid nie jest synem Smolipalucha. – Wyjaśnijcie mi! – zażądała. – Fenoglio powiedział, że ten list może uratować jej rodziców. Jak list może pomóc komuś, kto siedzi w lochach Mrocznego Zamku?

Smolipaluch odgarnął jej włosy z twarzy. Podobało mu się, że znów nosi je rozpuszczone.

– Posłuchaj! – powiedział. – Wiem, że trudno w to uwierzyć, ale jeśli w ogóle coś może otworzyć drzwi więzienia w Mrocznym Zamku, to tylko słowa zawarte w tym liście i język Meggie. Ona potrafi sprawić, by atrament zaczął oddychać, Roksano, tak jak ty ożywiasz swoje pieśni. Jej ojciec ma taki sam dar. Gdyby Żmijogłowy o tym wiedział, już dawno by go powiesił.

Słowa, za pomocą których ojciec Meggie zabił Capricorna, wyglądały równie niewinnie.

Jak ona na niego patrzyła! Z takim samym niedowierzaniem jak dawniej, gdy próbował jej wyjaśnić, gdzie był przez kilka tygodni.

– Mówisz o czarach! – szepnęła.

– Nie, mówię o czytaniu na głos.

Naturalnie nie rozumiała z tego ani słowa. Bo i skąd? Może zrozumie, gdy usłyszy, jak Meggie czyta, kiedy zobaczy, jak słowa drgają w powietrzu, kiedy poczuje ich zapach, ich dotyk na skórze...

– Chcę być sama, kiedy będę czytała – rzekła Meggie, patrząc na Farida.

Po czym odwróciła się na pięcie i ruszyła w kierunku schroniska, trzymając w ręce list Fenoglia. Farid chciał iść za nią, ale Smolipaluch go zatrzymał.

– Zostaw ją! – powiedział. – Boisz się, że zniknie między słowami? Nie ma obawy. Już i tak wszyscy tkwimy po uszy w tej historii. Ona chce tylko sprawić, żeby wiatr się odwrócił. I odwróci się – jeśli tylko stary napisał właściwe słowa!

56

Niepowołane uszy

Pieśni drzemią w każdej rzeczy,
Co chce marzyć wciąż na nowo,
I rozbrzmieje świat człowieczy,
Gdy znasz czarodziejskie słowo.

Joseph von Eichendorff, *Czarodziejska różdżka,*
[w:] *Wiosna i miłość*

Roksana przyniosła lampkę oliwną do komnaty, którą miała dzielić z Meggie, po czym zostawiła dziewczynkę samą.

– Litery potrzebują światła, o tyle są niepraktyczne – rzekła. – Ale jeśli te tutaj są naprawdę tak ważne, jak mówicie, to mogę zrozumieć, że chcesz być sama podczas czytania. Mnie też się zawsze wydawało, że śpiewam najpiękniej, gdy jestem sama. – I zatrzymując się w drzwiach, dodała: – Twoja matka... i Smolipaluch... znają się dobrze?

„Nie wiem – miała ochotę odpowiedzieć Meggie. – Nigdy nie pytałam o to mamy".

W końcu jednak odparła:

– Byli przyjaciółmi.

Nie powie o złości, jaką nadal odczuwa, gdy sobie przypomni, że Smolipaluch przez tyle lat wiedział, gdzie jest Resa, i nie zdradził tego ani jej, ani Mo... Ale Roksana nie pytała już o nic więcej.

– Gdybyś potrzebowała pomocy – rzekła Roksana, wychodząc – znajdziesz mnie u Puszczyka.

Meggie odczekała, aż ucichną jej kroki w korytarzu. Po czym usiadła na jednym z sienników i rozłożyła pergamin na kolanach. „Jak by to było – pomyślała, patrząc na rządki liter – gdybym zrobiła to po prostu dla zabawy, choć jeden jedyny raz. Jak by to było poczuć na języku czar słów, od których nie zależy życie lub śmierć, szczęście lub nieszczęście...?". Pewnego razu w domu Elinor już prawie uległa pokusie. To było wtedy, gdy znalazła w jej bibliotece książkę, którą bardzo lubiła w dzieciństwie – o myszkach w sukienkach z falbankami, które robiły dżemy i urządzały pikniki. Już, już czuła na języku pierwsze słowo... ale przemogła się i odłożyła książkę. Wyobraziła sobie bowiem jedną z tych myszek w ogrodzie Elinor w otoczeniu jej dzikich sióstr, którym ani w głowie było robienie dżemu, wyobraziła sobie sukienkę z falbankami wraz z szarym ogonkiem w pysku jednego z kotów, których pełno włóczyło się w rododendronowych gąszczach... Nie, Meggie nigdy jeszcze nie wywabiła niczego spośród słów tylko dla zabawy, i dzisiaj też tego nie zrobi.

„Oddech, Meggie – powiedział jej kiedyś Mo – oto cała tajemnica. Daje on twojemu głosowi siłę i napełnia go życiem. Nie tylko twoim własnym życiem. Czasem wydaje mi się, jakbym w każdym oddechu przyjmował w siebie to, co nas otacza, co tworzy świat i go porusza – i to także wchodzi w treść słów, które czytamy".

Poszła za jego radą, próbując oddychać tak spokojnie i głęboko jak morze, którego szum docierał do komnaty – wdech i wydech, wdech i wydech, jakby chciała pochwycić i przejąć całą jego siłę. Lampa, którą przyniosła Roksana, roztaczała ciepłe światło, a na korytarzu słychać było ciche kroki którejś z zielarek.

– Ja tylko opowiadam ją dalej! – szeptała Meggie. – Ta historia na to czeka. Trzeba zaczynać!

Wyobraziła sobie zwalistą postać Żmijogłowego, który nie może spać w swoim mrocznym zamczysku wysoko na skale i przemierza sypialnię wzdłuż i wszerz, nieświadom tego, że pewna dziewczynka tej właśnie nocy ma zamiar szepnąć śmierci jego imię.

Wyjęła list od Fenoglia. Dobrze, że Smolipaluch go nie czytał.

Droga Meggie – pisał Fenoglio – *mam nadzieję, że nie będziesz rozczarowana tym, co Ci posyłam. Dziwna sprawa, stwierdziłem, że mogę pisać tylko takie rzeczy, które nie stoją w sprzeczności z tym, co dotychczas napisałem o Atramentowym Świecie. Muszę stosować się do reguł, które sam stworzyłem, nawet jeśli zrobiłem to podświadomie.*

Mam nadzieję, że Twój ojciec czuje się dobrze. Słyszałem, że jest więziony w Mrocznym Zamku, a ja nie jestem tu całkiem bez winy. Tak, przyznaję to. W końcu wykorzystałem go – jak się pewnie domyślasz – jako wzór do postaci Sójki. Bardzo mi przykro, ale wtedy wydawało mi się, że to dobry pomysł. W mojej wyobraźni Twój ojciec przerodził się we wspaniałego, szlachetnego zbójcę. Skąd mogłem wiedzieć, że kiedyś naprawdę trafi do tej historii? Tak czy owak, jest tam, gdzie jest, a Żmijogłowy nie uwolni go, nawet gdybym tak napisał. Ta historia musi pozostać w zgodzie sama ze sobą, to jedyne wyjście. I dlatego przesyłam Ci słowa, które początkowo tylko odsuwają w czasie egzekucję Twojego ojca, ale ostatecznie powinny doprowadzić do jego uwolnienia. Zaufaj mi. Wydaje mi się, że załączone słowa to jedyna możliwość, by doprowadzić tę historię do szczęśliwego końca, a Ty lubisz szczęśliwe zakończenia, prawda?

Opowiedz dalej moją historię, Meggie! Zanim ona sama to zrobi!

Chętnie sam zawiózłbym Ci te słowa, ale muszę pilnować Cosima. Obawiam się, że w jego przypadku trochę za bardzo ułatwiliśmy sobie sprawę. Uważaj na siebie i pozdrów ode mnie ojca, kiedy go zobaczysz (a mam nadzieję, że to nastąpi niebawem), oraz tego chłopca, który całuje ślady Twoich stóp. Aha, i powiedz Smolipaluchowi – chociaż na pewno nie będzie mu to w smak – że jego żona jest dla niego o wiele za piękna.

Ściskam Cię!
Fenoglio

PS Ponieważ Twój ojciec jeszcze żyje, pomyślałem, że może jednak te słowa, które Ci dałem, gdy szłaś do lasu, by go szukać, poskutkowały. A jeśli tak, to prawdopodobnie dlatego, że zrobiłem z niego w jakimś sensie postać z mojej książki. A to znaczy, że ta cała historia z Sójką ma jednak także swoje dobre strony.

Ach, Fenoglio! Jak on potrafił zawsze wszystko obrócić na swoją korzyść! Karty pergaminu, uderzone podmuchem wiatru, który wpadł przez otwarte okno, zadrżały niecierpliwie, jakby historia nie mogła się już doczekać nowych słów.

– Dobrze, dobrze, już czytam! – szepnęła Megie.

Zaledwie kilka razy słyszała, jak ojciec czyta, ale przypominała sobie dokładnie, że Mo nadawał każdemu słowu z osobna właściwe brzmienie... W izbie było cicho jak makiem zasiał. Cały Atramentowy Świat zamarł w oczekiwaniu, każda wróżka, każde drzewo, nawet morze zdawało się wyczekiwać jej głosu.

– *Już od wielu nocy* – zaczęła czytać Meggie – *Żmijogłowy nie mógł zaznać spokoju. Jego żona – piąta z kolei i młodsza od jego trzech najstarszych córek – spała mocnym i głębokim snem. Jej ciężarne ciało – nosiła w łonie jego dziecko – tworzyło krągłą wypukłość pod kołdrą. Tym razem musi to być syn; wcześniej urodziła mu dwie córki. Jeśli i tym razem urodzi dziewczynkę, odepchnie ją, jak odepchnął poprzednie żony. Odeśle ją do rodzinnego domu lub wyśle do jakiegoś samotnego zamku w górach.*

Dlaczego ona mogła spać, choć się go bała, on zaś spędzał bezsenne noce, krążąc po wspaniałej komnacie niby cyrkowy niedźwiedź po klatce?

To dlatego, że ten potworny lęk nawiedzał tylko jego. Lęk przed śmiercią.

Czyhał za zamkniętymi oknami, za wspaniałymi szklanymi szybami, za które zapłacił, sprzedając swoich najlepszych chłopów. Strach przyciskał do szyb swoją szkaradną twarz, gdy tylko ciemności połykały zamek, jak wąż połyka mysz. Każdej nocy Żmijogłowy kazał zapalać coraz więcej pochodni, więcej świec, lecz strach i tak się zjawiał, potrząsał jego ciałem i powalał na kolana, które drżały zbyt mocno, by mógł się utrzymać na nogach, i ukazywał mu przyszłość: ciało obumierające na kościach, zżerane przez robactwo, białe damy zabierające go wbrew jego woli.

Żmijogłowy zatykał ręką usta, by strażnik pod drzwiami nie słyszał jego szlochu. Dławił go strach. Strach przed końcem wszystkiego, przed nicością, strach, strach, strach.

Strach, że śmierć już zagnieździła się w jego ciele, niewidoczna, utajona, że rosła i zżerała go powoli! Śmierć – jedyny wróg, którego nie mógł zabić, spalić, zasztyletować, powiesić, jedyny, przed którym nie było ucieczki.

Pewnej nocy, czarnej i ciągnącej się w nieskończoność jak żadna z dotychczasowych, strach był szczególnie dokuczliwy. Kazał więc Żmijogłowy pobudzić wszystkich śpiących spokojnie w swoich łóżkach, miast drżeć i pocić się ze strachu jak on: żonę, balwierzy darmozjadów, petentów, pisarzy, zarządców, herolda i grajka ze srebrnym nosem. Kucharzom kazał przygotować sobie ucztę, a kiedy już siedział przy suto zastawionym stole i palce ociekały mu tłuszczem, w Mrocznym Zamku zjawiła się dziewczynka. Śmiało minęła straże i zaproponowała mu układ – układ ze śmiercią...

Tak. Tak to się właśnie rozegra. Dlatego że ona to przeczytała. Słowa cisnęły jej się na usta, słowa tkające dywan przyszłości. Każdy dźwięk, każda literka była jak nić tkacka... Meggie zapomniała, gdzie się znajduje: zniknęło schronisko i siennik, zapomniała o Faridzie, który odprowadzał ją tak smutnym spojrzeniem... Tkała dalej historię Fenoglia, tylko po to istniała, tkała ją oddechem i głosem z osnowy dźwięków – aby uratować ojca i matkę, i ten cały dziwny świat.

Kiedy usłyszała głosy na dworze, sądziła zrazu, że wzięły się z jej słów. Niechętnie uniosła głowę. Nie skończyła czytać. Jeszcze kilka zdań czekało, by tchnęła w nie życie. „Patrz na litery, Meggie, skoncentruj się" – myślała, gdy wtem w całym schronisku odbiło się echem głuche stukanie do bramy. Meggie wzdrygnęła się. Głosy były coraz bliżej, na korytarzu rozległy się pospieszne kroki i w drzwiach stanęła Roksana.

– Przyszli po ciebie z Mrocznego Zamku! – szepnęła. – Mają twój wizerunek, bardzo dziwny obraz. Chodź szybko!

Meggie próbowała wsunąć pergaminowe karty do rękawa, ale zmieniła zdanie i włożyła je za dekolt sukienki, mając nadzieję, że nie będą się odznaczać pod grubym materiałem. Jeszcze czuła smak słów na języku, jeszcze widziała się stojącą przed Żmijogłowym, ale Roksana chwyciła ją za rękę i pociągnęła za sobą. Z końca krużganka dobiegł kobiecy głos – to była Bella – odpowiedział jej głos męski, donośny i władczy. Roksana nie puszczała ręki Meggie, prowadząc ją dalej; mijały drzwi, za którymi chorzy spali lub wsłuchiwali się w swój rzężący oddech. Pokój Puszczyka był pusty, Roksana wciągnęła Meggie do środka, zaryglowała drzwi i rozejrzała się. Okno było zakratowane, a do drzwi zbliżały się kroki. Meggie zdawało się, że słyszy głos Puszczyka oraz czyjś inny, grubiański i pełen pogróżek. Nagle zapadła cisza. Zatrzymali się pod ich drzwiami. Roksana otoczyła Meggie ramieniem.

– Zabiorą cię! – szepnęła, podczas gdy za drzwiami Puszczyk tłumaczył coś przybyszom. – Zawiadomimy Czarnego Księcia, on ma szpiegów na zamku. Będziemy próbowali ci pomóc, słyszysz?

Meggie skinęła głową.

W tej chwili rozległo się łomotanie do drzwi.

– Otwieraj, mała czarownico, albo wyważymy drzwi!

Książki, wszędzie tylko książki. Meggie cofnęła się między sterty tomów. Żadna nie mogła jej pomóc. Zawierały wiedzę nieprzydatną w tej chwili. Bezradnie spojrzała na Roksanę, lecz na twarzy wagantki też malowała się bezradność.

Co się stanie, jeśli ją zabiorą? Ile zdań pozostało nieprzeczytanych? Meggie rozpaczliwie próbowała sobie przypomnieć, w którym miejscu skończyła czytać...

Tamci znów zaczęli walić do drzwi. Stare drewno trzeszczało; za chwilę wszystko pójdzie w drzazgi. Meggie odsunęła rygiel i otworzyła. Nie zdążyła zliczyć żołnierzy tłoczących się w wąskim korytarzu; było ich w każdym razie bardzo wielu. Dowodził nimi Podpalacz. Meggie rozpoznała go mimo chustki zasłaniającej mu usta i nos. Wszyscy mieli chustki na twarzach i przerażenie w oczach. „Mam nadzieję, że się tu wszyscy pozarażacie i padniecie jak muchy" – pomyślała Meggie. Żołnierz stojący najbliżej Podpalacza cofnął się gwałtownie, jakby usłyszał jej myśli, lecz tak naprawdę przeraził się na widok jej twarzy.

– Czarownica! – wykrztusił, patrząc na przedmiot trzymany przez Podpalacza. Meggie rozpoznała swoje zdjęcie w srebrnej ramce, które stało w bibliotece Elinor.

Szmer przeszedł przez uzbrojoną gromadę. Tymczasem Podpalacz bezceremonialnie ujął Meggie pod brodę, odwracając ku sobie jej twarz.

– Wiedziałem, to ty jesteś tą małą, która przyszła wtedy z mlekiem do stajni – powiedział. – Muszę przyznać, że tam nie wydawałaś mi się czarownicą!

Meggie próbowała uwolnić głowę, ale Podpalacz mocno trzymał jej podbródek.

– Dobra robota! – zwrócił się do bosonogiej dziewczyny stojącej między żołnierzami.

Sprawiała wrażenie zagubionej. Miała na sobie prosty fartuch, jak wszyscy pracujący w schronisku. Carla. Chyba tak jej było na imię?

Mała spuściła głowę, przyglądając się srebrnej monecie, którą żołnierz wcisnął jej do ręki, jakby nigdy jeszcze nie widziała czegoś równie pięknego.

– Powiedział, że dostanę pracę – szepnęła bezbarwnym głosem. – W kuchni zamkowej. Ten ze srebrnym nosem tak powiedział.

Podpalacz wzruszył ramionami.

– To zgłoś się do niego – prychnął drwiąco, po czym zwrócił się do Puszczyka: – Ciebie też zabierzemy, łapignacie. Tym razem przeholowałeś, wpuszczając gości za bramę. Powiedziałem Żmijogłowemu, że najwyższy czas rozpalić tu porządny ogień, potrafię to jeszcze robić, ale on się nie zgodził. Ktoś mu naopowiadał, że jego śmierć wyjdzie z ognia. Od tego czasu nie pozwala nam zapalać niczego oprócz świec. – W jego głosie brzmiała jawna pogarda dla słabości Żmijogłowego.

Puszczyk spojrzał na Meggie. „Bardzo mi przykro" – mówiły jego oczy. Meggie wyczytała też w nich pytanie: „Gdzie jest Smolipaluch?". Właśnie, gdzie?

– Pozwól mi iść z nią – odezwała się Roksana.

Położyła Meggie rękę na ramieniu, ale Podpalacz odepchnął ją brutalnie.

– Tylko dziewczynka z zaczarowanego obrazu – powiedział. – I balwierz.

Roksana, Bella i kilka innych kobiet towarzyszyło im aż do wrót wychodzących wprost na morze. Piana przyboju połyskiwała w świetle księżyca, ale plaża była pusta; na szczęście nikt z ludzi Żmijogłowego nie zwrócił uwagi na ślady stóp na piasku. Żołnierze mieli ze sobą wierzchowce dla więźniów. Koń Meggie stulił uszy, gdy jeden z żołnierzy pomógł jej usiąść na jego chudym grzbiecie. Dopiero gdy ruszyli w kierunku wzgórz, Meggie odważyła się obejrzeć za siebie. Ale po Smolipaluchu i Faridzie nie było śladu. Prócz odcisków stóp na piasku.

57
Ogień i woda

Czymże innym jest wiedza zawarta w słowach, jeśli nie cieniem wiedzy bezsłownej?

Khalil Gibran, *Prorok*

Smolipaluch skinął na Farida ukrytego wśród drzew. Za murami schroniska panowała cisza. Większość kobiet wróciła do chorych i umierających. Na plaży została tylko Roksana, patrzyła w stronę, gdzie zniknęli żołnierze.

Smolipaluch, kulejąc, ruszył ku niej.

– Pobiegnę za nimi! – wyjąkał idący obok Farid, zaciskając pięści. – Na pewno nie zabłądzę. Nietrudno trafić do tego przeklętego zamku!

– O czym ty mówisz, do diabła? – zdenerwował się Smolipaluch. – Myślisz, że wejdziesz sobie ot tak spacerkiem przez bramę?! To jest Mroczny Zamek, kolego! Tam ściętymi głowami ozdabiają blanki.

Farid skulił się ze strachu. Lękliwie spojrzał ku srebrnym wieżom wrzynającym się w niebo, jakby chciały dosięgnąć gwiazd.

– Ale... ale Meggie... – bąkał.

– Dobrze, dobrze, pójdziemy za nią – rzekł z rozdrażnieniem Smolipaluch. – Moja noga już się cieszy na tę wyprawę... Ale nie możemy biec tam na oślep. Najpierw musisz się jeszcze czegoś nauczyć.

Chłopiec spojrzał na niego z wyraźną ulgą, jakby już cieszył się na to, że wejdzie do jaskini lwa. Smolipaluch z politowaniem pokręcił głową.

– Nauczyć się? Czego? – spytał Farid.

– Tego, co i tak miałem ci pokazać.

Smolipaluch ruszył w kierunku morza.

Roksana podążyła za nim.

– Co ty gadasz? – zawołała, wsuwając się między niego i Farida, głos jej drżał z gniewu i strachu. – Nie możesz iść na zamek! Wszystko stracone. Wasz wspaniały list nic nie pomógł!

– Jeszcze zobaczymy – odparł krótko Smolipaluch. – Wszystko zależy od tego, czy Meggie go przeczytała i ile zdążyła przeczytać.

Próbował odsunąć ją na bok, ale Roksana odtrąciła jego ręce.

– Musimy zawiadomić Czarnego Księcia! – zawołała rozpaczliwie. – Zapomniałeś o bandzie Capricorna, która teraz gnieździ się na zamku? Zginiesz, zanim słońce wzejdzie! A Basta? A Podpalacz, a Piszczałka? Ktoś na pewno rozpozna twoją twarz!

– A kto mówi, że będę pokazywał twarz? – odparł Smolipaluch.

Roksana usunęła się z drogi. Spojrzała na Farida z taką nienawiścią, że ten odwrócił głowę zakłopotany.

– To jest nasza tajemnica – szepnęła do Smolipalucha. – Do tej pory tylko mnie to pokazywałeś. Mówiłeś, że prócz ciebie nikt tego nie potrafi.

– Teraz będzie to umiał także chłopiec!

Piasek skrzypiał pod jego stopami, gdy szedł ku falom. Zatrzymał się dopiero wtedy, gdy przybój począł lizać jego buty.

– O czym ona mówi? – spytał Farid. – Co chcesz mi pokazać? Czy to bardzo trudne?

Smolipaluch patrzył za Roksaną. Wracała wolno do schroniska, aż zniknęła za bramą, nie obejrzawszy się ani razu.

– Co to takiego? – Farid szarpał go niecierpliwie za rękaw. – No, powiedz!

Smolipaluch odwrócił się ku niemu.

– Ogień i woda – rzekł – nie za bardzo się kochają. Ale jeśli się już kochają, to namiętną miłością.

Począł szeptać słowa, których dawno nie używał. Ale ogień zrozumiał. Między mokrymi kamykami, które morze wyrzuciło na piasek, zamigotał płomyk. Smolipaluch pochylił się i zwabiwszy go w dłonie jak młodego ptaszka, szeptem przedstawił mu swoją prośbę, obiecując wspaniałą nocną zabawę, jakiej jeszcze nigdy nie doświadczył. Płomyk odpowiedział w swoim trzaskającym języku i wystrzelił w górę, osmalając Smolipaluchowi dłonie, a wtedy on wrzucił go w spienione fale i pozostał tak z wyciągniętą ręką, jakby trzymał ogień na smyczy. Woda chciała połknąć żar, jak ryba połyka muchę, ale ogień rozbłysnął jeszcze jaśniej.

Smolipaluch rozłożył ramiona. Sycząc i rozpalając się, ogień jak gdyby poszedł w jego ślady, rozlewając się w lewo i w prawo, coraz dalej i dalej, aż spieniona fala obrzeżona płomieniami podbiegła do plaży i ułożyła pod stopami Smolipalucha ognistą wstęgę niby dowód gorącej miłości. Smolipaluch zanurzył obie ręce w płonącej pianie, a gdy się wyprostował, trzymał w dłoniach wyrywającą się wróżkę. Była błękitna jak jej leśne siostry, lecz otaczała ją ognista poświata, a jej oczy były czerwone jak płomienie, które ją zrodziły. Smolipaluch zamknął ją w stulonych dłoniach, niby rzadkiego motyla, i czekał. Skóra zaczęła go szczypać, fala gorąca rozeszła się wzdłuż ramion, jakby w jego żyłach krążył ogień zamiast krwi. Gdy żar spalił jego ręce, sięgając ramion, puścił wreszcie swą zdobycz. Wróżka odleciała, obrzucając go niewybrednymi wyzwiskami; tak się zwykle zachowywały wróżki, kiedy udało się je zwabić zabawą wody z ogniem.

– Co to jest? – spytał przerażony Farid na widok jego poczerniałych rąk i ramion.

Smolipaluch wyjął z kieszeni chusteczkę i zaczął starannie rozcierać sadzę na skórze.

– To jest coś, co nam pomoże dostać się do zamku – odparł. – Ale sadza działa tylko wtedy, gdy sam ją sobie zdobędziesz od wróżek. Dlatego bierz się do roboty.

Farid spojrzał na niego spłoszony.

– Ależ ja tego nie potrafię! – wyjąkał. – Nie mam pojęcia, jak to zrobiłeś.

– Bzdura! – Smolipaluch cofnął się i usiadł na mokrym piasku. – Oczywiście, że potrafisz. Pomyśl o Meggie!

Farid z wahaniem spojrzał na zamkowe wieże. Fale obmywały jego bose stopy, jakby zapraszały go do zabawy.

– A oni tam nie zobaczą ognia?

– Zamek jest dalej, niż się wydaje. Przekonasz się o tym, gdy będziemy tam szli. A gdyby nawet straże coś zobaczyły, to pomyślą, że się błyska albo że ogniste elfy tańczą nad morzem. Od kiedy to tyle się zastanawiasz, nim zaczniesz zabawę? Wiem jedno: jeśli będziesz się dłużej namyślał, na pewno przyjdzie mi do głowy, że to szaleństwo iść do zamku.

To przekonało Farida.

Trzy razy płomyk zgasł, gdy rzucił go w wodę. Ale za czwartym razem ogień rozłożył przed nim spienioną płonącą wstęgę, jak tego żądał, choć może nie tak jasną jak ta, którą wywołał Smolipaluch. Ale jedno było pewne: morze zapłonęło także dla Farida. A ogień już po raz drugi tej nocy począł igrać z wodą.

– Dobrze się spisałeś – pochwalił go Smolipaluch, gdy chłopiec z dumą patrzył na uwalane sadzą ręce. – Rozetrzyj ją starannie na rękach, nogach i twarzy.

– Dlaczego? – Farid patrzył na niego ze zdumieniem.

– Bo dzięki temu staniemy się niewidzialni – odparł Smolipaluch, smarując twarz sadzą. – Przez całą noc aż do wschodu słońca.

58
Nieuchwytni jak wiatr

– Och, najmocniej przepraszam, wielmożny panie Baronie – powiedział przymilnym tonem. – To mój błąd, moja pomyłka... nie widziałem pana... no tak, bo jest pan niewidzialny... racz wybaczyć staremu Irytkowi ten głupi żart...

Joanne K. Rowling, *Harry Potter i kamień filozoficzny*

Dziwne uczucie być niewidocznym. Farid czuł się wszechpotężny, a zarazem zagubiony. Jakby był wszędzie i nigdzie. Najgorsze było to, że nie mógł widzieć Smolipalucha, musiał się zdać na słuch.

– Smolipaluch? – szeptał co chwila, posuwając się za nim w ciemnościach nocy.

I za każdym razem dobiegał go głos:

– Jestem tutaj, przed tobą.

Żołnierze, którzy zabrali Meggie i Puszczyka, musieli jechać kiepską kamienną drogą, w wielu miejscach zarośniętą zielskiem, która wiła się między wzgórzami. A Smolipaluch szedł na przełaj, wspinając się na zbocza zbyt strome dla konia, zwłaszcza gdy niesie na grzbiecie opancerzonego jeźdźca. Farid starał się nie myśleć o tym, jak bardzo musi mu dokuczać noga. Czasem słyszał jego ciche przekleństwa, czasem Smolipaluch zatrzymywał się, niewidoczny pośród nocy, zdradzał go tylko ciężki oddech.

Zamek był rzeczywiście bardziej oddalony, niż mogło się wydawać patrzącym z plaży, lecz w końcu dotarli do jego murów, które sięgały wysoko w niebo. W porównaniu z tą twierdzą zamek w Ombrze wydawał się dziecinną zabawką, został bowiem wzniesiony przez księcia, który chętnie jadł i pił, lecz nie myślał ani trochę o prowadzeniu wojen. Tymczasem każdy kamień Mrocznego Zamku zdawał się ociosany z myślą o wojnie. Posuwając się za ciężko dyszącym Smolipaluchem, Farid z trwogą wyobrażał sobie, jak musiał wyglądać szturm na te niebotyczne ściany, gdy z góry na atakujących leje się roztopiona smoła, a bełty z kusz przeszywają ich pancerze.

Było wciąż daleko do świtu, gdy dotarli do bramy zamkowej. Jeszcze przez kilka cennych godzin pozostaną niewidoczni. Ale brama była zamknięta i Faridowi łzy zakręciły się w oczach.

– Jest zamknięta! – wyjąkał rozczarowany. – Na pewno już ich przywieźli. I co teraz?

Każdy oddech powodował dotkliwe kłucie w piersi, tak szybko pędzili do zamku. I na co się zdało, że byli przezroczyści jak szkło i nieuchwytni jak wiatr?

Czuł ciepło ciała Smolipalucha tuż obok siebie.

– Oczywiście, że jest zamknięta! – usłyszał jego głos. – A coś ty myślał? Że zdołamy ich dogonić? Nie dalibyśmy rady, nawet gdybym nie utykał jak stara baba! Ale zobaczysz – dla kogoś przecież otworzą jeszcze bramę tej nocy, choćby dla któregoś ze szpiegów.

– A może dalibyśmy radę wspiąć się na mury?

Farid spojrzał w górę. Bladoszare mury zdawały się sięgać gwiazd. Wysoko na blankach ujrzał strażników wspartych na włóczniach.

– Wspiąć się? Musisz być naprawdę bardzo zakochany! Nie widzisz, jakie te mury są wysokie i gładkie? Musimy czekać.

Przed nimi na zboczu wznosiło się sześć szubienic. Na czterech widać było wisielców i Farid był szczęśliwy, że w ciemnościach trupy wyglądają jak węzełki starych ubrań poruszane wiatrem.

– Do licha! – zaklął Smolipaluch. – Dlaczego ten jad wróżek nie sprawi, by strach zniknął tak samo jak ciało?

O tak, Farid nie miałby nic przeciwko temu. Tylko że on nie bał się strażników, Basty lub Podpalacza; bał się o Meggie, tak bardzo się o nią bał! To, że był niewidzialny, tylko pogarszało sprawę. Wydawało mu się, że nic z niego nie pozostało prócz lęku wypełniającego serce.

Wiał chłodny wiatr. Farid grzał niewidoczne palce własnym oddechem, gdy usłyszeli odgłosy kopyt końskich.

– No proszę! – szepnął Smolipaluch. – Chyba dla odmiany raz nam się poszczęściło. Pamiętaj o jednym: zanim wstanie dzień, musi nas tu już nie być. Słońce uczyni nas widzialnymi szybciej, niż zdołasz wezwać ogień.

Odgłosy kopyt stawały się coraz głośniejsze, wreszcie z mroku wychynęła postać jeźdźca. Nie nosił barw Żmijogłowego, lecz ubrany był w czerwień i czerń.

– Czy mnie oczy mylą? – szepnął Smolipaluch. – Niech skonam, jeśli to nie Kopeć!

Jeden ze strażników zawołał do niego z góry, Kopeć odpowiedział na wezwanie.

– Chodź! – syknął Smolipaluch do Farida, gdy brama poczęła unosić się do góry.

Szli tak blisko za Kopciem, że Farid czuł ciepło jego konia. „Zdrajca! – myślał. – Podły zdrajca!". Miał ochotę zwalić go z konia, przyłożyć mu nóż do gardła i wydrzeć mu wiadomość, z którą przybywał do Żmijogłowego. Ale Smolipaluch popchnął go lekko do przodu i po chwili znaleźli się na dziedzińcu. Smolipaluch pociągnął go za sobą, podczas gdy Kopeć skierował się ku stajniom. Na dziedzińcu roiło się od pancernych. Widocznie cały zamek nie spał, tak jak i jego pan.

– Posłuchaj! – szepnął Smolipaluch, wciągając Farida pod kamienny łuk bramy. – Ten zamek jest ogromny jak miasto i skomplikowany jak labirynt. Zaznacz sobie drogę powrotną sadzą, żebym cię potem nie musiał szukać, kiedy się zgubisz jak dziecko w lesie. Zrozumiałeś?

– A co z Kopciem? To on musiał zdradzić położenie tajnego obozu!

– Prawdopodobnie. Nie myśl teraz o nim. Myśl o Meggie.

– Przecież on był wśród więźniów!

Obok nich przemaszerował oddział żołnierzy. Farid odskoczył przerażony, jakby nie wierzył, że naprawdę go nie widzą.

– No to co? – Głos Smolipalucha przypominał szept wiatru. – To najstarszy w świecie kamuflaż zdrajców. Gdzie ukryć szpiega? Najlepiej pośród ofiar. Pewnie Piszczałka nagadał mu, że jest świetnym połykaczem ognia, i od razu kupił sobie jego przyjaźń. Kopeć zawsze dobierał sobie dziwnych przyjaciół. A teraz chodź, bo inaczej słońce zmyje z nas niewidzialność, zanim się w ogóle ruszymy.

Farid odruchowo spojrzał w niebo. Noc była ciemna choć oko wykol. Nawet księżyc zdawał się zagubiony w tej bezbrzeżnej ciemności. A Farid nie mógł oderwać oczu od srebrnych wież.

– Gniazdo żmij! – szepnął.

Niewidoczna dłoń Smolipalucha pociągnęła go dalej.

59
Żmijogłowy

Myśli o śmierci
Zawisły nad moim szczęściem
Jak czarne chmury
Nad sierpem księżyca.

Sterling A. Brown, *Myśli o śmierci*

Gdy Podpalacz wprowadził Meggie, Żmijogłowy siedział przy suto zastawionym stole. Wszystko było tak, jak Meggie przeczytała. W komnacie panował taki przepych, że sala tronowa Tłustego Księcia wydawała się przy niej uboga jak chłopska chata. Posadzka, po której Podpalacz prowadził Meggie do swego pana, usłana była płatkami róż. Morze świec płonęło w lichtarzach w kształcie ptasich szponów, a w tym świetle kolumny ozdobione srebrnymi łuskami połyskiwały jak skóra węża. Między kolumnami kręciło się mnóstwo służących; poruszali się bezgłośnie, ze spuszczonymi głowami. Służki w kornej postawie czekały na najmniejsze skinienie pana; miały zmęczone twarze ludzi wyrwanych ze snu, tak jak to opisał Fenoglio. Niektóre z nich ukradkiem opierały się o pokryte wzorzystymi tkaninami ściany.

Przy stole, który zdawał się zastawiony dla stu osób, siedziała obok Żmijogłowego kobieta blada jak porcelanowa figurka z twarzą tak dziecinną, że Meggie uznałaby ją za jego córkę, gdyby nie znała prawdy. Srebrny Książę jadł żarłocznie, jakby wraz z jedzeniem piętrzącym się w niezliczonych misach stojących na czarnym obrusie miał nadzieję połknąć trawiący go strach. Jego żona nawet nie tknęła potraw. Meggie wydawało się, że widok łapczywie jedzącego męża przyprawia ją o mdłości; co chwila gładziła upierścienioną dłonią zaokrąglony brzuch. Co dziwne, ciąża czyniła jej twarz jeszcze bardziej dziecinną; była to twarz dziecka o wąskich, gorzko zaciśniętych wargach i chłodnym spojrzeniu.

Za Żmijogłowym, z nogą na stołku i lutnią opartą o udo, stał srebrnonosy Piszczałka, cicho nucąc pieśń i ze znudzeniem potrącając struny. Meggie omiotła go spojrzeniem i zatrzymała wzrok na dobrze sobie znanej postaci siedzącej na końcu stołu. Serce podeszło jej do gardła. Mortola patrzyła na nią, uśmiechając się triumfalnie. Meggie poczuła, że uginają się pod nią nogi. Obok Mortoli stał człowiek, który zranił Smolipalucha w Mysim Młynie. Miał obandażowane ręce i włosy wypalone nad czołem. Basta ucierpiał jeszcze bardziej od Smolipalucha. Siedział obok Mortoli z twarzą nabrzmiałą i czerwoną, tak że Meggie z trudem go rozpoznała. A więc znów uszedł śmierci! Może te jego amulety, z którymi się nie rozstawał, nie były jednak całkiem bezużyteczne...

Krocząc ku Żmijogłowemu w swojej ciężkiej pelerynie z lisów, Podpalacz mocno trzymał Meggie za ramię, aby nie było wątpliwości, że to on osobiście złapał ptaszka. Popchnął ją brutalnie w kierunku stołu biesiadnego i rzucił między misy zdjęcie w srebrnej ramce.

Żmijogłowy podniósł głowę i spojrzał na nią przekrwionymi oczami – ślad po nieprzespanej nocy, jaką przyniosły mu słowa Fenoglia. Podniósł tłustą dłoń i Piszczałka natychmiast umilkł, opierając lutnię o ścianę.

– Oto ona! – oznajmił Podpalacz, podczas gdy jego pan ocierał koronkową chusteczką tłuszcz z palców i ust. – Chciałbym, żebyśmy mieli taki zaczarowany obraz każdego, kogo szukamy, wtedy nasi szpiedzy nie wprowadzaliby nas bez przerwy w błąd.

Żmijogłowy wziął do ręki zdjęcie i jął lustrować Meggie, porównując jej twarz z wizerunkiem. Meggie spuściła głowę, ale Podpalacz uniósł jej twarz, tak by władca mógł ją widzieć.

– Zdumiewające! – stwierdził Żmijogłowy. – Moi najlepsi malarze nie uchwyciliby lepiej podobieństwa. – Znudzonym ruchem wziął ze stołu srebrną wykałaczkę i zaczął dłubać w zębach. – Mortola twierdzi, że jesteś czarownicą – zwrócił się do Meggie. – Czy to prawda?

– Tak! – odparła bez wahania, patrząc mu prosto w oczy.

Zaraz się okaże, czy słowa Fenoglia i tym razem się spełnią. Ach, gdyby zdążyła przeczytać cały tekst! Doszła prawie do końca, ale pod sukienką wciąż czekały słowa, w które nie zdążyła tchnąć życia. „Zapomnij o nich, Meggie! – myślała. – Teraz chodzi o to, by spełniły się te słowa, które zdążyłaś przeczytać, i żeby Żmijogłowy odegrał swoją rolę, tak jak ty ją odgrywasz".

– Tak? – powtórzył Żmijogłowy. – Przyznajesz się? Czyżbyś nie wiedziała, co robię z czarownicami i czarownikami? Posyłam ich na stos!

Słowa. Powtarzał słowa Fenoglia. Dokładnie takie, jakie pisarz włożył mu je w usta. Dokładnie takie, jakie kilka godzin temu przeczytała w schronisku u Puszczyka.

Wiedziała, co ma odpowiedzieć. Słowa przyszły jej do głowy w tak naturalny sposób, jakby zrodziły się w niej same, a nie zostały napisane przez Fenoglia. Spojrzała na Bastę i tego drugiego mężczyznę, który towarzyszył mu w Mysim Młynie. Fenoglio nic o nich nie napisał, ale ona i tak znalazła właściwą odpowiedź.

– Jeśli ktoś tutaj płonął – odezwała się śmiało – to byli to twoi ludzie. W tym świecie ogień słucha tylko jednego człowieka, ale nie ty nim jesteś.

Żmijogłowy nie spuszczal z niej wzroku, jak tłusty kocur, który jeszcze nie wie, jak najprzyjemniej zabawić się złapaną myszką.

– Aha! – wyrzekł swoim głuchym, jakby ociekającym śliną głosem. – Pewnie mówisz o tym połykaczu ognia, który chętnie brata się z kłusownikami i zbójami. Jak myślisz, czy się tu zjawi i będzie próbował cię ratować? Może wreszcie mógłbym go rzucić na pożarcie ogniowi, któremu rzekomo rozkazuje.

– Nikt nie musi mnie ratować – odparła Meggie. – Przyszłabym tu i tak, nawet gdybyś nie kazał mnie przyprowadzić.

Między srebrnymi kolumnami przetoczył się śmiech. Żmijogłowy, przechylając się przez stół, przyglądał się jej z nieukrywaną ciekawością.

– Coś takiego! – zawołał. – Naprawdę? A dlaczegóż to? Chcesz mnie błagać, bym puścił wolno twojego ojca? Bo to przecież twój ojciec, ten zbójca, którego złapaliśmy, prawda? Tak przynajmniej twierdzi Mortola. Jej zdaniem pojmaliśmy także twoją matkę.

Mortola! O niej Fenoglio nie pomyślał! Nie wspomniał o niej ani słowem, tymczasem ona siedziała za stołem, z tym swoim spojrzeniem sroki. „Nie bój się, Meggie. Niech twoje serce będzie kawałkiem lodu, jak wtedy, gdy wzywałaś Cień". Tylko skąd miała wziąć właściwą odpowiedź? „Improwizuj, Meggie – myślała – tak jak aktorka, która zapomniała tekstu. Dalej! Znajdź własne słowa i dodaj je do słów Fenoglia, jak przyprawę".

– Sroka ma rację – odparła głosem spokojnym i pewnym, choć serce kołatało jej w piersi, przerażone jak zwierzę ścigane przez myśliwych. – Schwytałeś mojego ojca, którego Mortoli nie udało się zabić, i trzymasz też w więzieniu moją matkę. A jednak nie przyszłam tu po to, by błagać cię o litość. Przyszłam dobić z tobą targu.

– Posłuchajcie tylko tej małej czarownicy! – syknął Basta głosem pełnym nienawiści. – Może powinienem ją pociąć na plasterki, żebyś mógł nakarmić swoje psy, książę?

Ale Żmijogłowy nie zwracał na niego uwagi. Nie spuszczał wzroku z Meggie, jakby szukał w jej twarzy niewypowiedzianej myśli. „Bierz przykład ze Smolipalucha – myślała Meggie. – On nigdy nie daje po sobie poznać, co myśli lub czuje. Spróbuj! To nie powinno być aż tak trudne".

– Dobić targu? – Żmijogłowy ścisnął dłoń żony, jakby to był przedmiot znaleziony przypadkiem obok talerza. – Co takiego chcesz mi sprzedać, czego sam nie mógłbym sobie wziąć?

Świta ponownie wybuchnęła śmiechem. Meggie czuła mrowienie w palcach, ale starała się przezwyciężyć strach. I znów pojawiły się na jej wargach słowa napisane przez Fenoglia, które przeczytała na głos w schronisku.

– Mój ojciec – ciągnęła, z trudem opanowując drżenie głosu – nie jest zbójcą. Jest introligatorem i czarownikiem. Tylko on jeden nie boi się śmierci. Widziałeś jego ranę? Czy balwierze nie powiedzieli ci, że od takiej rany niechybnie się ginie? Ale jego nikt nie może zabić. Mortola próbowała i co? Czy umarł? Nie! Sprowadził Pięknego Cosima, którego białe damy oddały już śmierci. A jeśli wypuścisz moich rodziców, ty też nie będziesz musiał się ich obawiać, gdyż mój ojciec – zrobiła efektowną pauzę, nim wypowiedziała ostatnie słowa – może cię uczynić nieśmiertelnym.

W wielkiej sali zrobiło się cicho jak makiem zasiał.

W końcu ciszę przeciął głos Mortoli.

– Ona kłamie! – zawołała. – Ta mała czarownica kłamie! Nie wierzcie w ani jedno słowo. To ten zaczarowany język, jedyna jej broń! A jej ojciec jest jak najbardziej śmiertelny. Przyprowadźcie go, a udowodnię wam. Zabiję go osobiście na waszych oczach i tym razem zrobię to dobrze!

Nie! Meggie była tak przerażona, że serce chciało wyskoczyć jej z piersi. Co ona najlepszego zrobiła? Żmijogłowy wciąż patrzył na nią, aż wreszcie się odezwał, tak jakby w ogóle nie słyszał słów Mortoli.

– Jak? – spytał tylko. – Jak twój ojciec miałby dokonać tego, co mi obiecujesz?

Myślał o nocy. Meggie poznała to po jego oczach. Myślał o lęku czającym się w ciemnościach, lęku, który z każdą nocą narastał, coraz bardziej nieubłagany...

Meggie przechyliła się przez stół. Wypowiadała słowa, jakby czytała je z kartki.

– Mój ojciec zrobi ci księgę! – szeptała tak cicho, że mógł ją słyszeć tylko Żmijogłowy i jego porcelanowa małżonka. – Zrobi to przy mojej pomocy, a będzie to księga o pięciuset niezapisanych kartach. Przybierze ją w drewno i skórę i opatrzy mosiężnymi zatrzaskami, a ty osobiście napiszesz swoje imię na pierwszej stronie. W dowód wdzięczności puścisz go wolno, a wraz z nim wszystkich, których on wskaże. Ponadto schowasz księgę w miejscu, które tylko tobie będzie znane. Wiedz bowiem, że tylko tak długo będziesz nieśmiertelny, jak długo będzie istnieć ta księga. Nic nie zdoła cię zabić: żadna choroba, żadna broń – dopóki księga pozostanie nienaruszona.

– Coś takiego! – Żmijogłowy wpatrywał się w nią przekrwionymi oczami, jego oddech miał słodkawy zapach, jak po wypiciu zbyt ciężkiego wina. – A jeśli ktoś ją spali lub podrze? Papier nie jest tak trwały jak srebro.

– Właśnie dlatego musisz jej dobrze strzec – szepnęła Meggie.

„Ale ona i tak cię zabije" – dodała w myślach. Wciąż słyszała swój własny głos wypowiadający te słowa (ach, jak one smakowały na języku!): *Dziewczynka nie zdradziła Żmijogłowemu, że księga nie tylko może go uczynić nieśmiertelnym, ale może go także zabić; wystarczy, że ktoś napisze na jej kartach trzy słowa: serce, krew, śmierć".*

– Co ona tam szepcze? – Mortola wstała, opierając się chudymi knykciami o stół. – Nie słuchaj jej, książę! – krzyknęła do Żmijogłowego. – To czarownica i kłamczucha! Ile razy mam ci to jeszcze powtarzać? Zabij ją i jej ojca, zanim oni zabiją ciebie! Pewnie to ten stary, o którym ci opowiadałam, napisał jej to wszystko!

Tym razem Żmijogłowy nie zignorował jej słów. Meggie zadrżała ze strachu, że jej uwierzy. Ale na jego twarzy zobaczyła tylko gniew.

– Milcz! – zawołał do Mortoli. – Może Capricorn cię słuchał, ale jego nie ma już na świecie, podobnie jak Cienia, który czynił go potężnym, a ciebie znosimy na tym dworze tylko dlatego, że wyświadczyłaś mi parę przysług. Ale nie chcę więcej słyszeć twojego bredzenia o czarodziejskich językach i staruchach, którzy pobudzają do życia litery. Ani słowa więcej albo wrócisz tam, skąd wyszłaś – między dziewki kuchenne!

Mortola pobladła, jakby w jej żyłach nie było ani kropli krwi.

– Ostrzegłam was! – rzekła ochrypłym głosem. – Pamiętajcie o tym!

I z kamienną twarzą usiadła na swoim miejscu. Basta rzucił jej zaniepokojone spojrzenie, ale ona nie zważała na niego. Wpatrywała się w Meggie wzrokiem pełnym nienawiści, a Meggie zdawało się, że ten wzrok wypali jej dziurę w twarzy.

Tymczasem Żmijogłowy nadział na czubek noża jednego z maleńkich pieczonych ptaszków, których cała góra leżała na srebrnej paterze, i z rozkoszą wbił w niego zęby. Widać spór z Mortolą zaostrzył mu apetyt.

– Czy dobrze cię zrozumiałem? – zwrócił się znów do Meggie, wypluwszy wpierw drobne kosteczki na dłoń służącego, który usłużnie podbiegł do stołu. – Czy to znaczy, że twój ojciec przekazał córce swoją sztukę, jak rzemieślnik przekazuje kunszt synom? Z pewnością wiesz, że w moim państwie jest to zabronione?

Meggie patrzyła na niego bez lęku. Nawet te słowa, co do jednego, wyszły spod pióra Fenoglia; wiedziała też, co Żmijogłowy za chwilę powie – bo tyle jeszcze zdążyła przeczytać...

– Majstrom, którzy nie przestrzegają tego prawa, każę zwykle obciąć prawą dłoń, moje śliczne dziecko – ciągnął. – Ale dobrze, w tym wypadku zrobię wyjątek i odstąpię od zasady, gdyż jest to korzystne dla mnie.

„On to naprawdę zrobi! – pomyślała Meggie. – Puści mnie do Mo, dokładnie tak, jak zaplanował Fenoglio!". Szczęście uczyniło ją zuchwałą.

– Moja matka – zaryzykowała, choć Fenoglio nie przewidział takiej ewentualności – mogłaby też pomóc, a wtedy poszłoby jeszcze szybciej.

– Nie, nie! – Żmijogłowy uśmiechnął się z zadowoleniem, jakby rozkoszował się wyrazem rozczarowania w oczach Meggie bardziej jeszcze niż potrawami na srebrnych półmiskach. – Twoja matka pozostanie w lochu i będzie to dla was bodźcem, byście się nie guzdrali z robotą. – Niecierpliwie skinął na Podpalacza. – Na co jeszcze czekasz? Zaprowadź ją do ojca! I powiedz bibliotekarzowi, że ma jeszcze dziś wieczorem dostarczyć wszystkiego, czego potrzebuje do pracy introligator.

– Do ojca? – Podpalacz chwycił Meggie za ramię, ale nie ruszał się z miejsca. – Chyba nie uwierzyłeś, książę, gadaninie tej czarownicy?

Meggie wstrzymała oddech. Co teraz się zdarzy? Dalej nie zdążyła przeczytać tekstu Fenoglia, mogły więc nastąpić nieprzewidziane wypadki. Nikt nie drgnął, nawet służba zastygła w bezruchu. Tymczasem Podpalacz mówił dalej:

– Księga, w której zamknięto śmierć! Tylko dziecko może uwierzyć w taką bajkę, bo też wymyśliło ją dziecko, żeby ratować ojca. Mortola ma rację. Powieś go wreszcie, książę, zanim staniemy się pośmiewiskiem chłopów! Capricorn dawno by to już uczynił.

– Capricorn? – Żmijogłowy wypluł to imię, jak przedtem wypluł kostki na dłoń służącego. Nie patrzył na Podpalacza, ale jego dłoń leżąca na stole zacisnęła się w pięść. – Od kiedy wróciła Mortola, bardzo często słyszę to imię. – Ale o ile wiem, Capricorn nie żyje – nawet jego przyboczna czarownica nie zdołała temu zapobiec – a ty, Podpalaczu, zapominasz zdaje się, kto jest twoim nowym panem. Jestem Żmijogłowy! Mój ród panuje w tym kraju od siedmiu pokoleń, podczas gdy twój dawny pan był tylko nieślubnym synem usmolonego kowala! Byłeś zwykłym rzezimieszkiem, a ja uczyniłem cię moim heroldem. Wydaje mi się, że zasłużyłem sobie na trochę wdzięczności. A może chcesz poszukać sobie nowego pana?

Twarz Podpalacza nabiegła krwią i zlała się w jedno z rudymi włosami.

– Nie, Wasza Książęca Mość – szepnął zdruzgotany. – Nie chcę.

– To dobrze! – Żmijogłowy nabił na czubek noża kolejnego ptaszka; leżały na srebrnej paterze niczym stos kasztanów. – A teraz zrób, co ci kazałem. Zaprowadź dziewczynkę do jej ojca i dopilnuj, żeby jak najszybciej zabrał się do pracy. Czy przyprowadziłeś tego balwierza, tak jak rozkazałem, tego Puszczyka?

Podpalacz skinął głową, nie patrząc na księcia.

– Dobrze. Niech dwa razy dziennie dogląda jej ojca. Chcemy, żeby nasi więźniowie czuli się dobrze, czy to jasne?

– Najzupełniej – odparł Podpalacz ochrypłym głosem.

I wyprowadził Meggie z sali; szedł prosto, nie patrząc na boki. Obecni przyglądali się Meggie, lecz odwracali wzrok, gdy napotkali jej spojrzenie. Czarownica! Już raz ją tak nazwano, wtedy w wiosce Capricorna. Może to i prawda. W tej chwili czuła się potężna, tak potężna, jakby cały Atramentowy Świat był posłuszny jej językowi. „Zaprowadzą mnie do Mo! – myślała. – Zaprowadzą mnie do niego. Dla Żmijogłowego będzie to początek końca".

Kiedy służba zamknęła za nimi drzwi, przystąpił do nich żołnierz.

– Mortola kazała ci przekazać wiadomość! – rzekł. – Masz przeszukać dziewczynkę, czy nie ukryła gdzieś kartki papieru lub jakiejś zapisanej rzeczy. Mówi, żebyś sprawdził najpierw w rękawach, bo tam już raz coś schowała.

Zanim Meggie zdążyła dobrze pojąć, o co chodzi, Podpalacz bez ceremonii podwinął jej rękawy sukienki. A kiedy tam nic nie znalazł, chciał sięgnąć za dekolt, ale Meggie odtrąciła jego dłoń i sama wyjęła pergamin. Podpalacz wyrwał jej z ręki rulon i przez chwilę gapił się na rządki liter z niepewną miną człowieka nieumiejącego czytać. Po czym bez słowa podał żołnierzowi pergamin i pociągnął Meggie za sobą.

Kręciło jej się w głowie ze strachu. Co będzie, jeśli Mortola pokaże pergamin Żmijogłowemu? Co będzie, jeśli... jeśli...?

– No idź! – Podpalacz popchnął ją na kręcone strome schody.

Meggie oszołomiona wdrapywała się po wąskich stopniach. „Fenoglio, pomóż! – błagała w myślach. – Mortola wie o naszym planie!”.

– Zatrzymaj się!

Podpalacz chwycił ją brutalnie za włosy. Trzech ciężkozbrojnych żołnierzy pilnowało drzwi zamkniętych na potrójny rygiel. Podpalacz skinieniem głowy nakazał otworzyć drzwi.

„Mo! – myślała Meggie. – Naprawdę prowadzą mnie do niego!”. I ta myśl zagłuszyła wszystkie inne. Nawet myśl o Mortoli.

60

Ogień na ścianie

Ach spójrz, ach spójrz! Na bieli ścian
Jakby swą dłonią pisał Pan
Ognistych znaków boską mową
Karzące, bezlitosne słowa.

Heinrich Heine, *Baltazar,* [w:] *Romantyk znad Renu*

Gdy Smolipaluch i Farid wśliznęli się do Mrocznego Zamku, w przepastnych ciemnych korytarzach panowała cisza. Tylko wosk z tysięcy świec kapał na kamienne płytki posadzki ozdobione herbem Żmijogłowego. Cicho jak cienie przemykali służący, a służki sunęły nieśmiało, z pochylonymi głowami.

Wszędzie, w niekończących się korytarzach, przed wszystkimi drzwiami, tak wysokimi, jakby przeznaczone były dla olbrzymów, nie dla ludzi, rozstawiono straże. Na każdych drzwiach pyszniło się zwierzę herbowe władcy tego zamku – okryta srebrną łuską żmija atakująca zdobycz. Obok drzwi wisiały ogromne lustra z błyszczącego metalu i Farid co chwila zatrzymywał się przed nimi, by sprawdzić, czy naprawdę jest niewidzialny.

Smolipaluch wyczarował płomyczek wielkości żołędzia, który tańczył na jego dłoni, będąc wskazówką dla Farida. Minęli salę, z której słudzy wynosili właśnie pachnące smakołyki, i niewidzialny żołądek Smolipalucha boleśnie dał o sobie znać. A gdy Smolipaluch bezszelestnie jak wąż Żmijogłowego prześlizgiwał się obok jego ludzi, słyszał, jak rozmawiali półgłosem o młodej czarownicy i umowie, która miała uratować Sójkę od stryczka. Przysłuchiwał się rozmowom, niewidzialny jak głosy rozmawiających, a w jego duszy kłóciły się dwa uczucia: ulga na myśl o tym, że słowa Fenoglia i tym razem stały się rzeczywistością, oraz lęk przed tymi słowami i niewidzialnymi nićmi, które snuł ten stary człowiek i którymi omotał nawet Żmijogłowego, pobudzając w nim marzenia o nieśmiertelności, choć zaplanował jego koniec. Pytanie tylko, czy Meggie zdążyła przeczytać słowa niosące mu śmierć, nim ją zabrano na zamek.

– I co teraz? – szepnął Farid. – Słyszałeś? Zamknęli Meggie razem z Czarodziejskim Językiem w wieży! Jak się tam dostanę? – Głos drżał mu z emocji.

„Miłość to straszne cierpienie! – myślał Smolipaluch. – Kto twierdzi inaczej, zapewne nigdy jeszcze nie odczuł tego szczególnego bicia serca".

– Nie dokonasz tego! – odszepnął. – Więzienia zamkowe mają solidne drzwi i nawet będąc niewidzialny, nie przenikniesz przez nie. A poza tym na górze roi się pewnie od straży. W końcu wciąż jeszcze wierzą, że złapali Sójkę. Lepiej wśliźnij się do kuchni i podsłuchaj, co mówi służba, tam można się dowiedzieć najciekawszych rzeczy. Tylko bądź ostrożny, pamiętaj, że niewidoczny nie oznacza nieśmiertelny.

– A ty?

– Ja zakradnę się do lochów pod zamczyskiem, gdzie trzymają mniej wytwornych więźniów; spróbuję odszukać Puszczyka i matkę Meggie. Widzisz tego marmurowego tłuściocha? To pewnie jakiś przodek Żmijogłowego. Spotkamy się pod tym posągiem. I niech ci nie przyjdzie do głowy, żeby iść za mną. Farid...?

Ale chłopca już nie było. Smolipaluch zaklął cicho. Żeby tylko nie usłyszeli bicia jego zakochanego serca!

Do lochów wiodły długie, mroczne korytarze. Jedna z zielarek Puszczyka opisała mu w miarę dokładnie, jak dotrzeć do wejścia. Smolipaluch mijał kolejnych strażników, ale żaden nawet nie odwrócił głowy. Dwaj pilnowali wlotu do wilgotnego korytarza oświetlonego zaledwie jedną pochodnią, na którego końcu znajdowały się drzwi. Za nimi droga prowadziła w dół, do śmiercionośnych trzewi Mrocznego Zamku trawiących ludzi niczym kamienny żołądek, a od czasu do czasu wydalających parę trupów. Również i na tych drzwiach – przez które nikt nie pragnął wejść – umieszczono wizerunek srebrnej żmii; jadowity gad oplatał nagą czaszkę.

Strażnicy kłócili się zawzięcie – chodziło im o Podpalacza – ale Smolipaluch nie był ciekaw przedmiotu sporu. Zadowolony, że są zajęci sobą, przekradał się ostrożnie do wejścia. Drzwi skrzypnęły, gdy lekko je uchylił, tylko na tyle, by wśliznąć się do środka; serce w nim zamarło, lecz żaden ze strażników nie zareagował. Ileż by dał za to, aby mieć serce nieustraszone jak Farid, nawet jeśli to czyniło człowieka lekkomyślnym.

Za drzwiami było tak ciemno, że musiał przywołać ogień; uczynił to w samą porę, inaczej jego niewidoczne stopy niechybnie obsunęłyby się po stromych kamiennych schodach, wąskich i wyślizganych. Mroczna głębia zdawała się tchnąć bezbrzeżną rozpaczą i strachem. Schody prowadziły podobno równie głęboko w dół, jak wysoko wieże wznosiły się w niebo, ale Smolipaluch nie spotkał jeszcze nikogo, kto by mógł potwierdzić tę opinię. Jak dotąd nikt z tych, których wtrącono do lochów, nie wyszedł stamtąd żywy.

„Smolipaluchu – pomyślał, nim zstąpił w przepastny szyb – czy to nie za wysoka cena za odwiedzenie dwóch starych przyjaciół, którym twoja wizyta na nic się nie zda?". No cóż, przez całe życie biegał za Puszczykiem, jak Farid teraz biega za nim.

A co się tyczy Resy... chyba tylko dlatego wspomniał jej imię, by przekonać samego siebie, że to na pewno nie ona jest powodem tej karkołomnej wyprawy.

Niewidzialne stopy także czynią hałas, ale na szczęście tylko raz spotkał trzech dozorców idących z przeciwka. Przeszli tak blisko niego, że poczuł bijący od nich zapach czosnku; rozpłaszczył się na ścianie, lecz i tak najgrubszy z nich o mało go nie stratował. Dalej w mrocznej pochylni nie spotkał już nikogo. Na grubo ciosanych ścianach – jakże różnych od misternie rzeźbionych ścian w komnatach na górze – co parę metrów płonęła pochodnia. Dwa razy minął pomieszczenia, w których siedzieli strażnicy, ale żaden nawet nie uniósł głowy, gdy prześlizgiwał się obok nich, cichszy od wiatru i jak wiatr nieuchwytny.

Kiedy wreszcie dotarł do końca schodów, natknął się na dozorcę, który ze znudzoną miną spacerował tam i z powrotem po skąpanym w blasku świec korytarzu. Minął go i szedł dalej, zaglądając do cel, z których jedne były tylko niszami w kamiennym murze, zbyt niskimi, by człowiek mógł się w nich wyprostować, inne za to mogły pomieścić z pięćdziesięciu mężczyzn. O tych, którzy się tu dostali, łatwo pewnie zapominano; Smolipaluchowi serce ścisnęło się na myśl, jak musiała się czuć Resa w tych mrocznych lochach. Przez tyle lat była więźniem, a potem odzyskała wolność, która trwała zaledwie rok.

Usłyszał głosy i ruszył w tę stronę innym korytarzem, biegnącym pochyło w dół, aż głosy stały się wyraźniejsze. Z przeciwka szedł niski, łysy strażnik; Smolipaluch wstrzymał oddech, ale tamten minął go i zniknął za rogiem, mrucząc coś pod nosem o głupich babach. Smolipaluch, nasłuchując, przywarł plecami do wilgotnej ściany. Usłyszał płacz kobiety i inny kobiecy głos, który uspokajał płaczącą. Na końcu korytarza była tylko jedna cela – zakratowana nisza, obok której płonęła pochodnia. Nie zdoła się przecisnąć przez te głupie kraty! Przysunął się do żelaznych sztab i ujrzał Resę. Siedziała na ziemi, głaszcząc po głowie towarzyszkę; Dwupalcy wygrywał na miniaturowym flecie smętną melodyjkę. Nikt inny dziesięcioma palcami nie potrafił tego robić tak dobrze jak on swymi siedmioma. Innych więźniów Smolipaluch nie znał, ani kobiet, ani mężczyzn. Puszczyka nigdzie nie było widać. Ciekawe, dokąd go zabrali? Może do celi Czarodziejskiego Języka?

Rozejrzał się, wciąż nasłuchując. Skądś dobiegł go śmiech mężczyzny, prawdopodobnie jednego z dozorców. Smolipaluch dotknął palcem wskazującym płomienia pochodni, szepcząc słowa w języku ognia, aż mały płomyczek wskoczył mu na opuszkę palca niby wróbel dziobiący znalezione ziarenko. Gdy po raz pierwszy pokazywał Faridowi, jak napisać ogniem na ścianie własne imię, chłopakowi czarne oczy o mało nie wyszły z orbit. A przecież było to całkiem łatwe. Smolipaluch wsunął rękę przez sztaby i pociągnął palcem po chropawym murze. Napisał imię Resy; Dwupalcy opuścił flet i gapił się na płonące litery. Resa odwróciła się. Boże, ależ była smutna! Powinien był przyjść wcześniej. Dobrze, że córka nie widzi jej w tym stanie.

Resa podniosła się, podeszła do ściany, gdzie płonęło jej imię, i zawahała się. Smolipaluch nakreślił płonącą strzałę wskazującą miejsce, gdzie stał. Zatrzymała się przed kratą, wbijając wzrok w pustkę, niepewna, bezradna.

– Przykro mi – szepnął Smolipaluch. – Tym razem nie zobaczysz mojej twarzy, ale zapewniam cię, że się nie zmieniła.

– Smolipaluch?

Wysunęła rękę w pustkę, a on schwycił jej dłoń niewidocznymi palcami. Naprawdę mówiła! Czarny Książę powiedział mu, że odzyskała mowę, lecz on nie uwierzył.

– Jaki masz piękny głos! – szepnął. – Tak go sobie zawsze wyobrażałem. Kiedy zaczęłaś znów mówić?

– Kiedy Mortola strzeliła do Mo.

Dwupalcy wciąż gapił się na Resę zdezorientowany. Towarzyszka Resy także patrzyła na nią. Żeby tylko siedziała cicho...

– Co u ciebie słychać? – spytała szeptem Resa. – Jak się czuje Meggie?

– Dobrze. Na pewno lepiej niż ty. Ona i ten poeta zmówili się, by nadać tej historii szczęśliwe zakończenie.

Resa jedną ręką trzymała się krat, drugą ściskała dłoń Smolipalucha.

– Gdzie ona teraz jest?

– Pewnie z ojcem. – Na twarzy Resy odmalowało się przerażenie. – Tak, wiem, że on siedzi w wieży, ale Meggie sama tego chciała. To jest część planu, który wymyślili razem z Fenogliem.

– A co z Mo? Jak się czuje?

Poczuł ukłucie zazdrości. Serce to głupia rzecz.

– Podobno czuje się lepiej, a dzięki Meggie na razie go nie powieszą, więc nie bądź taka smutna. Twoja córka i Fenoglio wymyślili coś naprawdę mądrego, żeby go uratować. Jego, ciebie i innych...

Posłyszał kroki. Puścił rękę Resy i cofnął się od kraty, ale kroki zaraz się oddaliły.

– Jesteś tu jeszcze? – Oczy Resy przeszukiwały ciemność.

– Tak. – Ponownie ujął jej dłoń. – Ostatnimi czasy spotykamy się tylko w więzieniu, prawda...? Ile czasu potrzebuje twój mąż na zszycie i oprawienie książki?

– Książki?

Znów usłyszał kroki, tym razem umilkły jeszcze szybciej.

– Tak. To zwariowana historia, ale ponieważ napisał ją Fenoglio, a twoja córka ją przeczytała, więc pewnie się spełni.

Resa wyciągnęła rękę przez kraty, dotknęła palcami jego twarzy.

– Jesteś naprawdę niewidzialny! Jak ty to robisz?

W jej głosie brzmiała ciekawość małej dziewczynki. Pasjonowało ją to, czego nie znała. Zawsze lubił w niej tę cechę.

– To stary trik wróżek!

Przesuwała palcami po bliznach na jego twarzy. „Dlaczego nie możesz jej pomóc, Smolipaluchu? Ona zwariuje w tych lochach!”. A gdyby tak powalił strażnika? Ale były jeszcze strome, niekończące się schody, a potem cały zamek, ogromny dziedziniec i nagie wzgórze bez jednego drzewa, gdzie nie można się ukryć... Wokoło tylko kamienie i żołnierze.

– A co z twoją żoną? – Miała naprawdę piękny głos. – Odnalazłeś ją?

– Tak.

– Co jej powiedziałeś?

– O czym?

– O tym czasie, kiedy byłeś nieobecny.

– Nic.

– Ja wszystko opowiedziałam Mo.

Smolipaluch nie miał co do tego wątpliwości.

– Tylko że Czarodziejski Język wie, o czym mówisz, a Roksana by mi po prostu nie uwierzyła.

– Pewnie masz rację. – Resa zwiesiła głowę, jakby przypominała sobie to wszystko, o czym Smolipaluch nie mógł opowiedzieć Roksanie. – Czarny Książę mówił mi, że ty też masz córkę – szepnęła. – Dlaczego nigdy o tym nie wspomniałeś?

Dwupalcy i kobieta z zapłakaną twarzą wciąż patrzyli na Resę. Pewnie myśleli, że tylko im się przyśniły płonące litery, po których pozostały ślady sadzy na murze. A to, że ktoś rozmawia z powietrzem, nikogo tu nie dziwi.

– Miałem dwie córki. – Smolipaluch wzdrygnął się, gdzieś z głębi korytarza dobiegł ich przeraźliwy krzyk. – Starsza jest mniej więcej w wieku Meggie, ale nie chce mnie znać. Pyta tylko w kółko, gdzie byłem przez te dziesięć lat. Może znasz jakąś ładną historyjkę, którą mógłbym jej opowiedzieć?

– A co z drugą?

– Nie żyje.

Resa w milczeniu ścisnęła go za rękę.

– Przykro mi!

– Mnie też.

Odwrócił się. Na końcu korytarza jeden z dozorców krzyknął coś do drugiego i poczłapał dalej z ponurą miną.

– Trzy albo cztery tygodnie – szepnęła Resa. – Tyle czasu będzie potrzebował Mo, żeby zrobić książkę. To zależy od grubości.

– Dobrze, to wygląda całkiem nieźle. – Włożył rękę przez kraty i pogłaskał ją po włosach. – Kilka tygodni to nic w porównaniu z tymi wszystkimi latami w domu Capricorna, Reso! Pomyśl o tym za każdym razem, gdy będziesz miała ochotę walić głową w mur. Obiecaj mi to!

Resa skinęła potakująco.

– Powiedz Meggie, że u mnie wszystko w porządku! – szepnęła. – I powiedz to też Mo. Zobaczysz się z nim, prawda?

– Jasne! – skłamał Smolipaluch.

Cóż szkodziło zapewnić ją o tym? Nic więcej nie mógł dla niej zrobić. Tamta kobieta znów się rozszlochała. Jej płacz odbijał się echem od pokrytych pleśnią ścian; płakała coraz głośniej.

– Cicho tam, do diabła!

Smolipaluch przywarł do ściany, gdy strażnik podszedł do kraty. Był to zwalisty tłuścioch. Smolipaluch wstrzymał oddech; tamten prawie go dotykał. Z celi Dwupalcy patrzył wprost na niego, choć przecież nie mógł go widzieć; po chwili zaczął błądzić wzrokiem po murze, jakby szukał ognistych liter.

– Przestać zawodzić! – wrzasnął strażnik, waląc kijem w kratę.

Smolipaluch rozpłaszczył się na murze. Resa próbowała uspokoić tulącą się do niej kobietę. Dozorca odwrócił się i odszedł, mrucząc ze złością. Smolipaluch odczekał, aż kroki ucichną w korytarzu, i znów zbliżył się do kraty. Resa klęczała obok płaczącej kobiety, tłumacząc jej coś po cichu.

– Resa! – szepnął Smolipaluch. – Muszę już iść. Powiedz, czy dzisiaj w nocy przyprowadzili tu starego człowieka? Balwierza. Zwie się Puszczyk.

Resa przysunęła się do kraty.

– Nie – szepnęła – ale dozorcy opowiadają o jakimś balwierzu, którego złapali i który ma zbadać każdego, zanim go zamkną w lochu.

– To na pewno on. Pozdrów go ode mnie.

Było mu ogromnie przykro, że musi ją tu zostawić samą w ciemności. Jakże chętnie uwolniłby ją z tej klatki, jak to czynił z wróżkami na rynkach. Ale Resa nie mogła przecież odfrunąć tak jak one.

U podnóża schodów dwaj dozorcy natrząsali się z kata, któremu Podpalacz sprzątał ofiary sprzed nosa. Smolipaluch przemknął obok nich zwinnie jak jaszczurka; jeden z nich zdumiony odwrócił głowę. Może poczuł zapach ognia, który otaczał Smolipalucha niczym niewidzialny płaszcz.

61
W wieży Mrocznego Zamku

Nigdy nie wychodziłeś tą samą drogą, którą przyszedłeś.

Francis Spufford, *Dziecko stworzone przez książki*

Mo spał, gdy wprowadzono Meggie do jego celi. Tylko gorączka przynosiła mu jeszcze sen, zagłuszając myśli, które nie pozwalały mu usnąć, gdy godzina po godzinie, dzień po dniu wsłuchiwał się w bicie własnego serca, zamknięty w srebrnej wieży, w celi, po której hulał wiatr. Zbudziły go kroki. Przez zakratowane okno świecił księżyc.

– Obudź się, Sójka!

W blasku pochodni zobaczył, że Podpalacz wepchnął do jego celi szczupłą postać.

Resa? Co to znów za dziwny sen? Dla odmiany przyjemny?

Ale to nie była żona. To była jego córka. Mo z trudem usiadł na swym posłaniu. Poczuł na twarzy słone łzy Meggie, która objęła go tak mocno, że aż zabolało go w piersiach. Meggie! A więc ją także złapali!

– Mo? Odezwij się! – Chwyciła go za rękę, z niepokojem wpatrując się w niego. – Jak się czujesz?

– No, proszę! – prychnął kpiąco Podpalacz. – Sójka naprawdę ma córkę. Pewnie zaraz ci powie, że przyszła tu dobrowolnie;

już to próbowała wmówić Żmijogłowemu. Zawarła z nim układ, który ma uratować twoją głowę. Szkoda, że nie słyszałeś bajeczek, jakich mu naopowiadała. Możesz ją oddać wagantom z jej anielskim języczkiem.

Ale Mo nie zwracał na niego uwagi. Kiedy tylko straże zaryglowały drzwi po wyjściu Podpalacza, przytulił Meggie do siebie, pocałował ją we włosy i w czoło, ujął w dłonie jej twarz i długo na nią patrzył. Wtedy w tej leśnej gospodzie, w stajni, był pewien, że widzi ją po raz ostatni.

– Meggie, na miłość boską! – zawołał, opierając się o zimną ścianę, bo wciąż jeszcze czuł się słaby. Był taki szczęśliwy, że ją widzi, szczęśliwy i zarazem zrozpaczony. – Jak cię złapali?

– To nie ma znaczenia. Wszystko będzie dobrze, uwierz mi! – Przesunęła rękę po zaplamionej krwią koszuli. – Wtedy w stajni byłeś taki chory... myślałam, że już nigdy cię nie zobaczę.

– Ja pomyślałem to już wtedy, gdy ujrzałem twój list na poduszce.

Ocierał jej łzy z oczu, jak czynił to przez tyle lat. Ależ ona urosła! Nie była już dzieckiem, choć dla niego zawsze nim pozostanie.

– Jak dobrze cię widzieć, Meggie! Wiem, że nie powinienem tego mówić. Dobry ojciec zapytałby surowo: droga córko, czy zawsze musisz dać się zamknąć, kiedy mnie wsadzają?

Roześmiała się. Ale dostrzegła troskę w jego oczach. Przesunęła dłonią po jego twarzy, jakby odkryła w niej cienie, których przedtem nie było. Może białe damy pozostawiły tam ślady swoich palców, choć nie zdołały zabrać go ze sobą.

– No, nie patrz tak na mnie! Naprawdę czuję się lepiej, o wiele lepiej, i ty dobrze wiesz dlaczego! – Odgarnął jej z czoła włosy tak bardzo przypominające włosy jej matki. Myśl o Resie tkwiła mu cierniem w sercu. – To były potężne słowa. Czy to Fenoglio je napisał?

Skinęła głową.

– Napisał ich więcej! – szepnęła mu do ucha. – Napisał słowa, które cię uratują. Ciebie i Resę, i wszystkich pozostałych.

Słowa. Jego życie zdawało się z nich utkane, i życie, i śmierć.

– Zamknęli twoją mamę i pozostałych więźniów w lochach pod zamkiem – powiedział.

Dobrze pamiętał opis tych lochów w książce Fenoglia: „Lochy Mrocznego Zamku, gdzie ściany oblepione są strachem jak pleśnią, a promień słońca nigdy nie ogrzewa czarnych kamieni...". Czy istniały słowa zdolne uwolnić stamtąd Resę? Albo jego ze srebrnej wieży?

– Mo? – Meggie położyła mu ręce na ramionach. – Myślisz, że będziesz mógł pracować?

– Pracować? A dlaczego pytasz? – Nie mógł się powstrzymać od śmiechu; śmiał się po raz pierwszy od bardzo długiego czasu. – Myślisz, że Żmijogłowy zapomni, że chciał mnie powiesić, jeśli odrestauruję jego książki?

Nie przerwał jej ani razu, gdy cichym głosem opowiadała, co Fenoglio wymyślił dla ratowania go. Siedząc na nędznym sienniku, na którym przeleżał kilka nocy i dni, licząc nacięcia na ścianie pozostawione przez swoich poprzedników, bez słowa przysłuchiwał się opowieści Meggie. Im dłużej słuchał, tym bardziej szalony wydawał mu się plan Fenoglia, lecz gdy Meggie skończyła mówić – uśmiechnął się, kręcąc głową.

– To całkiem niezły pomysł! – rzekł cicho. – Nie, stary lis naprawdę nie jest głupi, dobrze zna swoją historię! – „Szkoda tylko, że Mortola też już prawdopodobnie zna jej nową wersję. I że nie zdążyłaś przeczytać do końca tego, co napisał Fenoglio" – dodał w duchu.

Meggie jak zwykle czytała w jego myślach. Widział to po jej oczach. Pogłaskał ją palcem wskazującym po grzbiecie nosa, tak jak to robił dawniej, gdy była jeszcze taka malutka, że dłonią zaledwie mogła objąć jego palec. Mała Meggie, duża Meggie, dzielna Meggie...

– Jesteś odważniejsza ode mnie – rzekł. – Układasz się ze Żmijogłowym... Żałuję, że tego nie widziałem!

Zarzuciła mu ręce na szyję, pogłaskała jego zmęczoną twarz.

– Zobaczysz, Mo! – szepnęła. – Słowa Fenoglia zawsze się spełniają, i w tym świecie, i w naszym. Przecież to jego słowa cię wyleczyły, prawda?

Mo skinął głową w milczeniu. Gdyby się odezwał, od razu poznałaby po jego głosie, że nie bardzo wierzy w szczęśliwe zakończenie. Nawet kiedy była jeszcze o wiele młodsza, wyczuwała, gdy go coś dręczyło. Ale wtedy łatwo było odwrócić jej uwagę żartem, grą słów, śmieszną historyjką. Teraz nie było to już takie proste. Nikt tak dobrze nie znał jego serca jak Meggie. Z wyjątkiem jej matki. Resa patrzyła na niego w taki sam sposób.

– Na pewno słyszałaś, dlaczego mnie złapali i sprowadzili tutaj – odezwał się wreszcie. – Podobno jestem słynnym zbójcą. Pamiętasz, jak dawniej bawiliśmy się w Robin Hooda?

Meggie skinęła głową.

– Zawsze chciałeś być Robin Hoodem.

– A ty szeryfem z Nottingham. „Źli są silniejsi, Mo" – powtarzałaś za każdym razem. Mądre dziecko. Wiesz, jak mnie nazywają? To imię ci się spodoba.

– Sójka – szepnęła Meggie.

– Właśnie. Co o tym myślisz? Obawiam się, że właściciel nie zgłosi się po swoje imię, zanim mnie powieszą.

Jak poważnie na niego patrzyła! Jakby wiedziała coś, o czym on nie wiedział.

– Nie ma nikogo innego, Mo – rzekła cicho. – To ty jesteś Sójką.

Bez słowa podciągnęła mu rękaw i przesunęła dłonią po bliźnie, którą zostawiły psy Basty.

– Kiedy byliśmy w domu Fenoglia, rana się właśnie goiła i Fenoglio dał ci jakąś maść, pamiętasz?

Mo nic nie rozumiał.

– No, tak. Ale o co ci chodzi?

– To ty jesteś Sójką – powtórzyła. – Nie ma żadnego innego Sójki. Fenoglio stworzył tego bohatera i pisał pieśni na jego temat, bo uważał, że w tym świecie potrzebny jest dobry zbójca. Ale to ty posłużyłeś mu za wzór do postaci Sójki! „W mojej wyobraźni stworzył wspaniałą postać zbójcy" – zacytowała Fenoglia.

Mo nie od razu pojął sens jej słów. A gdy zrozumiał, wybuchnął głośnym śmiechem. Śmiał się tak serdecznie, że strażnik podniósł klapę zasłaniającą zakratowany otwór w drzwiach, zajrzał do środka i popatrzył na nich podejrzliwie. Mo przestał się śmiać i patrzył na strażnika, póki ten, złorzecząc, nie opuścił klapy. Po czym oparł głowę o ścianę i zamknął oczy.

– Tak mi przykro, Mo – szepnęła Meggie. – Czasem Fenoglio potrafi być przerażającym staruchem!

– To prawda.

Może właśnie dlatego Orfeusz z taką łatwością wysłał go do tego świata? Bo już wcześniej był częścią tej historii?

– Jak myślisz? – rzekł. – Czy mam się czuć zaszczycony, czy powinienem ukręcić Fenogliowi jego stary łeb?

Meggie przyłożyła mu dłoń do czoła.

– Jesteś bardzo rozpalony. Połóż się. Musisz odpocząć.

Ileż razy to on mówił do niej te słowa! Odra, wietrzna ospa, szkarlatyna... „Na Boga, Meggie – jęknął, gdy nabawiła się kokluszu. – Czy nie mogłabyś sobie darować chociaż jednej choroby wieku dziecięcego?".

Gorączka napełniała jego żyły rozpalonym ołowiem. Kiedy Meggie pochyliła się nad nim, myślał przez chwilę, że to Resa usiadła obok niego. Ale Meggie miała jaśniejsze włosy.

– A gdzie Smolipaluch i Farid? Byli razem z tobą. Ich też złapali? – mówił z wielkim trudem.

– Nie, nie sądzę. Wiedziałeś, że Smolipaluch ma żonę?

– Tak. To z jej powodu Basta pokaleczył mu twarz. Spotkałaś ją?

Meggie skinęła głową.

– Jest bardzo piękna. Farid jest zazdrosny z jej powodu.

– Naprawdę? Myślałem, że kocha się w tobie.

Meggie spłonęła rumieńcem.

– Meggie?

Usiadł na posłaniu. Kiedy wreszcie opuści go ta przeklęta gorączka?! Wysysała z niego ostatnie soki, czuł się zniedołężniałym starcem.

– No, nie! – rzekł cicho. – Zdaje się, że coś straciłem. Moja córka się zakochała, a mnie przy tym nie było! To kolejny powód, by wreszcie zamknąć na zawsze karty tej przeklętej książki! Powinnaś była zostać z Faridem. Sam dałbym sobie radę.

– Nie dałbyś sobie rady! Powiesiliby cię!

– Może tak, może nie. Chłopak musi się teraz o ciebie strasznie martwić. Biedaczysko! Całował cię?

– Mo!

Meggie odwróciła głowę, ale widział, że się uśmiecha.

– Muszę to wiedzieć. Chyba powinienem nawet wyrazić zgodę, co?

– Przestań, Mo! – Dała mu kuksańca w bok, jak zawsze, gdy się z nią drażnił, i przeraziła się, gdy skrzywił twarz z bólu. – Przepraszam – szepnęła.

– No cóż, dopóki mnie boli, to znaczy, że jeszcze żyję.

Wiatr przyniósł odgłos kopyt końskich, brzęk broni i podniesione głosy.

– Wiesz co? – rzekł cicho Mo. – Zabawmy się w naszą starą grę. Wyobraźmy sobie, że jesteśmy zupełnie gdzie indziej. Na przykład w krainie hobbitów, w miłym i spokojnym miejscu. Co ty na to?

Meggie milczała, zastanawiając się przez chwilę. Wreszcie chwyciła go za rękę i zaczęła mówić gorączkowym szeptem:

– Chciałabym sobie wyobrazić, że jesteśmy razem w Nieprzebytym Lesie. Ty, ja i Resa. Mogłabym ci pokazać wróżki, ogniste elfy, szepczące drzewa i... albo nie, poczekaj! Chciałabym ci pokazać pracownię Balbulusa! Chciałabym tam być z tobą. On jest iluminatorem, Mo! Na zamku w Ombrze. Najlepszym miniaturzystą w świecie. Zobaczyłbyś jego pędzle, farby...

Jak bardzo się zapaliła! Wciąż jeszcze, jak małe dziecko, potrafiła zapomnieć o wszystkim, o zaryglowanych drzwiach, szubienicy pod zamkiem. Wystarczyło, że wyobraziła sobie parę delikatnych pędzelków...

– No dobrze, Meggie – rzekł i jeszcze raz pogładził ją po jasnych włosach. – Jak chcesz. Wyobraźmy sobie, że jesteśmy na zamku w Ombrze. Naprawdę chętnie bym zobaczył te pędzelki.

62

Co dalej?

> Wymarzyłem nieskończoną księgę,
> Księgę bez granic
> O fantastycznie bujnym listowiu.
> Każdy wers nowy horyzont rysuje,
> Nowe nieba obiecuje,
> Nowe barwy, nowe dusze.
>
> Clive Barker, *Abarat*

Farid, zgodnie z umową, czekał już przy posągu. Ukrył się za nim, najwyraźniej wciąż trudno mu było uwierzyć, że go nikt nie widzi. Nie zobaczył Meggie – Smolipaluch poznał to od razu po jego głosie.

– Dostałem się do wieży – opowiadał – widziałem nawet celę, w której ją trzymają, ale jest za dobrze strzeżona. A w kuchni opowiadają, że ona jest czarownicą i że zginie razem ze swoim ojcem.

– No, a niby co mieliby gadać? Jeszcze coś?

– Tak, mówili coś o Podpalaczu. Że odeśle Cosima z powrotem do krainy umarłych.

– Aha. Nic o Czarnym Księciu?

– Tylko tyle, że go szukają, ale nie mogą znaleźć. Mówią, że niedźwiedź i książę mogą się zamieniać postaciami i że czasem niedźwiedź jest księciem, a książę niedźwiedziem. I że Czarny Książę może latać i stawać się niewidzialny, i że uratuje Sójkę.

– Naprawdę? – roześmiał się cicho Smolipaluch. – To by się spodobało Czarnemu Księciu. Dobrze. Chodź, najwyższy czas się stąd wynieść.

– Wynieść się? – Smolipaluch poczuł, jak palce Farida zaciskają się na jego ramieniu. – Jak to? Moglibyśmy się ukryć, zamek jest ogromny, nikt nas tu nie znajdzie!

– Tak? A nie wiesz przypadkiem, czego mielibyśmy tu szukać? Meggie nie odejdzie z tobą, nawet gdybyś ją zaczarował i przeniósł przez kraty. Zapomniałeś o propozycji, jaką ma złożyć Żmijogłowemu? Resa mówi, że sporządzenie książki może zabrać kilka tygodni. A dopóki Żmijogłowy nie będzie miał książki, włos im z głowy nie spadnie. Chodź wreszcie! Najwyższy czas odnaleźć Czarnego Księcia i powiedzieć mu o zdradzie Kopcia.

Na dworze było wciąż tak ciemno, jakby nigdy już nie miał nadejść ranek. Wymknęli się z zamku z grupą pancernych. Smolipaluch wiele dałby za to, by wiedzieć, dokąd się wybierali tak późną nocą. „Mam nadzieję, że nie pojechali tropić Czarnego Księcia" – pomyślał, przeklinając wiarołomne serce Kopcia.

Pancerni pogalopowali drogą prowadzącą z Mrocznego Zamku do lasu. Smolipaluch stał bez ruchu, patrząc w ślad za nimi, gdy wtem coś kosmatego wylądowało na jego ramieniu. Przerażony zachwiał się i oparł o jedną z szubienic. Nogi wisielca dyndały nad jego głową, a w ramię wpijał mu się pazurami Gwin – tak beztrosko, jakby jego pan zawsze był niewidzialny.

– Psiakrew! – zaklął, dygocąc ze strachu i chwyciwszy kunę, syknął: – Koniecznie chcesz mnie zgubić, ty mały diable! Skąd się tu w ogóle wziąłeś?

Jakby w odpowiedzi na jego pytanie z cienia, jaki rzucały zamkowe mury, wyszła Roksana.

– Smolipaluch? – szepnęła, szukając oczami jego niewidocznej twarzy. Obok jej nogi stanął słupka Skoczek, wietrząc niespokojnie.

– A któż by inny? – mruknął Smolipaluch i pociągnął ją pod mury, gdzie nie mogli ich dostrzec strażnicy z blanków.

Tym razem nie spytał, dlaczego za nimi poszła, tak bardzo był rad, że ją widzi. Ale jego radość mąciło wspomnienie zasmuconej Resy.

– Na razie nic nie możemy zrobić – szepnął. – Wiedziałaś, że Kopeć jest mile widzianym gościem na zamku?

– Kopeć?

– Tak. To zła wiadomość. Wracaj do Ombry i pilnuj Jehana i Brianny. Ja tymczasem odnajdę Czarnego Księcia i opowiem mu o tym kukułczym jaju.

– A wiesz, gdzie go szukać? – uśmiechnęła się Roksana, jakby widziała jego bezradną minę. – Chcesz, żebym cię do niego zaprowadziła?

– Ty?

– Właśnie ja! – Na górze straże coś wołały do siebie. Smolipaluch popchnął Roksanę pod sam mur. – Czarny Książę troszczy się bardzo o kuglarską brać – odezwała się szeptem. – Pewnie zdajesz sobie sprawę, że tego złota, które wydaje na potrzeby kalek i starców, wdów i sierot, nie zdobywa pokazami na rynku. Jego ludzie to zręczni kłusownicy i postrach poborców podatkowych. Mają kryjówki w całym lesie. I oczywiście bywają ranni i chorzy... Pokrzywa nie chce słyszeć o zbójcach, mszanki też nie chcą się nimi zajmować, a balwierzom oni nie dowierzają. Przychodzą więc do mnie. Ja się nie boję lasu, bywałam już w jego najbardziej ponurych zakątkach. Znam się na leczeniu ran od strzał, składaniu złamanych kości, usuwaniu złośliwego kaszlu, a przy tym Czarny Książę mi ufa. Dla niego byłam zawsze żoną Smolipalucha, nawet gdy poślubiłam innego. Może miał rację...

– Miał rację? – Smolipaluch odwrócił się raptownie.

Nagle w ciemności rozległo się chrząknięcie i dobiegł pełen wyrzutu głos Farida:

– Czy nie mówiłeś, że musimy się stąd zabierać, nim wzejdzie słońce?

Na wszystkie wróżki świata! Zapomniał o chłopcu. Farid miał rację. Zbliżał się świt, a poza tym nie było to odpowiednie miejsce do wspominania zmarłych mężów.

– No, już dobrze. Złap kuny! A spróbuj mnie jeszcze raz tak przestraszyć, to na zawsze pożegnasz się z niewidzialnością!

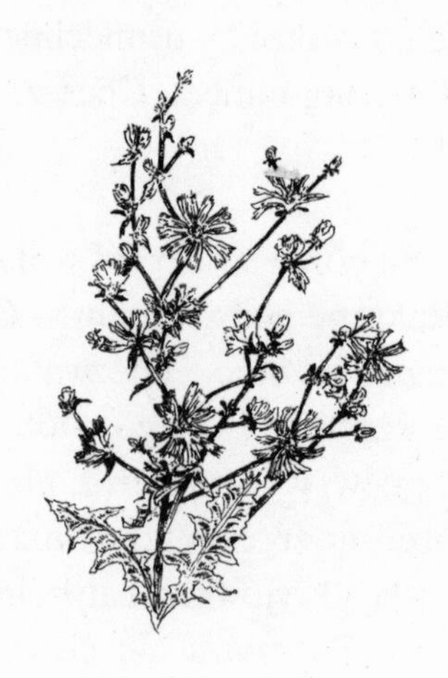

63

Borsucza Jama

– Saro – wyszeptała w uniesieniu – to zupełnie jak w powieści.

– Bo to jest powieść – rzekła Sara. – Wszystko jest powieścią. Ty jesteś powieścią – ja jestem powieścią. Panna Minchin jest powieścią.

Frances Hodgson Burnett, *Mała księżniczka*

Farid szedł za Smolipaluchem i Roksaną z twarzą tak mroczną jak niebo nad ich głowami. Ciężko mu było zostawiać Meggie na zamku, choć zdrowy rozsądek podpowiadał, że nie mieli innego wyjścia. W dodatku była z nimi Roksana! Choć musiał przyznać, że wiedziała, co robi. Wkrótce natrafili na pierwszą kryjówkę, dobrze ukrytą za ciernistymi krzakami, ale była pusta. W następnej natknęli się na dwóch ludzi. Ci patrzyli na Roksanę nieufnie, a noże schowali za pas dopiero po dłuższej chwili rozmowy. Być może wyczuwali obecność Smolipalucha i Farida, choć nie mogli ich widzieć. Na szczęście okazało się, że Roksana wyleczyła kiedyś jednego z nich, gdy nabawił się okropnego wrzodu, w końcu więc zdradził jej, gdzie znajdzie Czarnego Księcia.

Borsucza Jama. Nazwa ta – jak się wydawało Faridowi – padła dwukrotnie w rozmowie.

– To ich główna kryjówka – wyjaśniła Roksana. – O świcie powinniśmy tam dotrzeć. Ale ostrzegli mnie, że możemy się natknąć na żołnierzy Żmijogłowego, których całe zastępy maszerują przez las.

Od tej chwili Faridowi ciągle się zdawało, że słyszy w oddali szczęk mieczy, parskanie koni, rozmowy, odgłosy ciężkich kroków. Ale może to było tylko przywidzenie. Wkrótce przez baldachim z liści przeniknęły pierwsze promienie słońca i ciała ich obu poczęły się z wolna ukazywać, jak odbicia w ciemnej wodzie. Dobrze było nie musieć już szukać własnych rąk i nóg i widzieć przed sobą Smolipalucha, choćby za cenę tego, że obok niego szła Roksana.

Co jakiś czas Farid czuł na sobie jej spojrzenie, tak jakby wciąż szukała w jego ciemnej twarzy podobieństwa do Smolipalucha. W zagrodzie kilka razy pytała go o matkę. Farid miał ochotę jej opowiedzieć, że jego matka była księżniczką, że była o wiele piękniejsza od niej, a Smolipaluch tak ją kochał, że nie opuszczał jej przez dziesięć lat, dopóki nie umarła, pozostawiając mu ciemnoskórego, ciemnookiego syna, który teraz chodził za nim jak cień. Ale ta historyjka nie bardzo się zgadzała z jego wiekiem, a ponadto Smolipaluch wpadłby w okropny gniew, gdyby Roksana spytała go, czy to wszystko prawda. W końcu powiedział jej tylko tyle, że jego matka umarła, co mogło być prawdą. Jeśli Roksana była tak głupia, by myśleć, że Smolipaluch wrócił do niej tylko dlatego, że umarła inna kobieta... to tym lepiej. Każde spojrzenie, które rzucał jej Smolipaluch, przepełniało serce Farida zazdrością. Co będzie, jeśli kiedyś zostanie z nią na zawsze w zagrodzie pośród pachnących ziołami pól? Jeśli straci ochotę, by wędrować z miejsca na miejsce, i zostanie przy niej, będzie ją całował i śmiał się w jej towarzystwie? Już teraz zdarzało mu się to zbyt często, a wtedy zapominał o ogniu i o Faridzie.

Las gęstniał coraz bardziej, a wspomnienie Mrocznego Zamku wydawało się tylko snem. Wtem otoczyło ich kilkunastu mężczyzn, uzbrojonych po zęby, choć w podartych ubraniach.

Wysunęli się tak cicho spod osłony drzew, że nawet Smolipaluch ich nie usłyszał. Trzymając w pogotowiu noże i miecze, patrzyli wrogo na dwie postacie, które tu i ówdzie były jeszcze przezroczyste.

– Ej, Drabie, nie poznajesz mnie? – spytała Roksana, podchodząc do jednego z mężczyzn. – Jak twoje palce?

Twarz tamtego rozjaśniła się. Był to rosły mężczyzna o pospolitym wyglądzie.

– Aha, to nasza czarownica zielarka – zawołał. – Oczywiście, że cię poznaję. Czemu to skradasz się po nocy? I co to za duchy?

– Nie jesteśmy duchami. Szukamy Czarnego Księcia.

Smolipaluch stanął obok Roksany; wszyscy jak na komendę skierowali broń w jego stronę.

– Co to ma znaczyć? – uniosła się Roksana. – Spójrzcie na jego twarz. Nigdy nie słyszeliście o Smolipaluchu, połykaczu ognia? Książę poszczuje was swoim niedźwiedziem, gdy się dowie, że mu groziliście.

Mężczyźni naradzali się cicho, popatrując na pokrytą bliznami twarz Smolipalucha.

– Trzy blizny, blade jak pajęcze nici – szepnął Drab. – Tak, słyszeliśmy o nim – zwrócił się do Roksany – ale tylko w pieśniach...

– Od kiedy to nie wierzycie pieśniom? – rzekł Smolipaluch.

Chuchnął w chłód poranka, wyszeptał tajemnicze słowa i w powietrzu wystrzelił płomień, połykając jego parujący oddech. Zbójcy cofnęli się, jakby teraz mieli już pewność, że to duch, on zaś wyciągnął obie ręce, zdusił płomień, po czym ochłodził dłonie w trawie mokrej od porannej rosy.

– Widzieliście? – Drab popatrzył na swoich towarzyszy. – Dokładnie tak, jak nam Czarny Książę zawsze opowiadał. Chwyta ogień, tak jak wy chwytacie dzikie króliki, i rozmawia z nim jak z ukochaną.

Zbójcy otoczyli ich kołem. Farid rzucał im niechętne spojrzenia. Przypominali mu twarze z jego dawnego życia w innym świecie, którego wolał nie pamiętać. Starał się więc trzymać jak najbliżej Smolipalucha.

– Jesteś pewna, że to są ludzie Czarnego Księcia? – cicho spytał Roksanę Smolipaluch.

– O tak – odparła. – Ale werbując ich, nie zawsze ma wybór. Farida ta odpowiedź wcale nie uspokoiła.

Zbójcy, wśród których Farid żył w swoim dawnym świecie, mieli jaskinie pełne skarbów, wspanialsze niż sale na zamku Żmijogłowego. Kryjówka, do której zaprowadził ich Drab, nie mogła się z nimi mierzyć. Wejście, ukryte w rozpadlinie między wysokimi bukami, było tak wąskie, że trzeba się było przez nie przeciskać, a w podziemnym przejściu nawet Farid musiał schylać głowę. Pieczara, do której dotarli, była niewiele lepsza; odchodziły od niej korytarze prowadzące zapewne jeszcze dalej w głąb ziemi.

– Witajcie w Borsuczej Jamie! – zawołał Drab. Tymczasem siedzący wkoło łotrzykowie przyglądali im się nieufnie. – Kto powiedział, że tylko Żmijogłowy może wgryzać się w ziemię. Mam tu ludzi, którzy całe lata harowali w jego kopalniach i teraz wiedzą, jak się urządzić pod ziemią, tak by nie spadła im na głowę.

Czarny Książę był sam w osobnej pieczarze, ze swoim niedźwiedziem. Wyglądał na zmęczonego, ale na widok Smolipalucha twarz mu się rozjaśniła. Nowiny, jakie przynieśli, wbrew ich oczekiwaniom wcale go nie zaskoczyły.

– Ach tak, Kopeć! – powiedział, a Drab jednoznacznym gestem przesunął palcem po szyi. – Powinienem był się wcześniej zainteresować, skąd bierze pieniądze na proszki alchemików, które wykorzystuje do swoich sztuczek z ogniem. Bo przecież nie kupuje ich za tych parę miedziaków, które zarabia na jarmarkach. Niestety kazałem go śledzić dopiero po napadzie na tajny obóz. Szybko się wtedy odłączył od reszty uwolnionych przez nas przy płonącym drzewie i spotkał się na granicy ze szpiclami Żmijogłowego. Tymczasem ci, których zdradził, wciąż tkwią w lochach Mrocznego Zamku, a ja nic nie mogę dla nich zrobić! Siedzę tu jak borsuk w jamie, a las roi się od żołnierzy. Żmijogłowy zbiera wojska na drodze prowadzącej do Ombry.

– Cosimo? – odezwała się Roksana, a Czarny Książę skinął głową.

– Tak. Trzy razy posyłałem do niego gońca z ostrzeżeniem. Tylko jeden z nich wrócił, donosząc mi, że Cosimo go wyśmiał. Nie pamiętam, żeby dawniej był taki głupi. Ten rok, który spędził nie wiadomo gdzie, całkiem odebrał mu rozum. Chce prowadzić wojnę przeciwko Żmijogłowemu z gromadą chłopów. To tak jakbyśmy my wystąpili do walki z pancernymi.

– Nawet my mielibyśmy większe szanse – wtrącił Drab.

– Pewnie tak – przyznał Czarny Książę.

Był tak zrezygnowany, że Faridowi serce ściskało się z żalu. Po cichu liczył na niego o wiele bardziej niż na słowa Fenoglia. Ale co ta garstka obdartusów ukrywających się w lesie jak króliki mogła wskórać przeciwko potędze Mrocznego Zamku?

Przyniesiono im jedzenie, a Roksana obejrzała nogę Smolipalucha. Posmarowała ranę maścią, od której w jaskini rozszedł się zapach wiosny. Farid pomyślał o Meggie. Przypomniała mu się historia, którą usłyszał pewnej chłodnej nocy na pustyni przy ognisku. To była opowieść o złodzieju, który zakochał się w księżniczce, dotąd bardzo dobrze to pamiętał. Ci dwoje kochali się tak bardzo, że potrafili ze sobą rozmawiać, choćby dzieliło ich wiele mil. Słyszeli swoje myśli przez dzielące ich mury, czuli, czy to drugie jest smutne, czy wesołe... Ale choć Farid wsłuchiwał się w siebie, nie czuł nic związanego z Meggie; nie potrafiłby nawet powiedzieć, czy ona jeszcze żyje. Po prostu jej nie było; tak jakby zniknęła ze świata. Otarł łzy, czując, że Smolipaluch mu się przygląda.

– Ta przeklęta noga musi odpocząć, inaczej nigdy się nie zagoi – powiedział cicho Smolipaluch. – Ale wrócimy tam. Gdy przyjdzie właściwa pora...

Roksana zmarszczyła czoło, ale nie odezwała się słowem. A Czarny Książę i Smolipaluch zaczęli rozmawiać tak cicho, że Farid musiał się do nich przysunąć, by rozumieć, o czym mówią. Roksana położyła głowę na kolanach Smolipalucha i usnęła. A Farid zwinął się w kłębek u jego boku, jak pies, i zamknąwszy oczy, przysłuchiwał się rozmowie.

Czarny Książę chciał wiedzieć wszystko o Czarodziejskim Języku. Czy dzień egzekucji został już wyznaczony, gdzie go trzymają i czy rana się zagoiła...

Smolipaluch przekazał mu wszystkie wieści. Powiedział też o książce, której wykonanie Meggie zaproponowała Żmijogłowemu w zamian za głowę swojego ojca.

– Książka zdolna uwięzić śmierć? – roześmiał się z niedowierzaniem Czarny Książę. – Czyżby Żmijogłowy zaczął wierzyć w bajki?

Na to Smolipaluch nic nie odrzekł. Nie wspomniał o Fenogliu, o tym, że wszyscy oni byli częścią historii napisanej przez pewnego starego człowieka. Na jego miejscu Farid też by nic nie powiedział. Czarny Książę na pewno by nie uwierzył, że istnieją słowa, które wyznaczają także jego własny los, słowa niby niewidoczne drogi, od których nie ma ucieczki.

Niedźwiedź zamruczał przez sen i Roksana niespokojnie odwróciła głowę. Trzymała Smolipalucha za rękę, jakby chciała zabrać go w swój sen.

– Powiedziałeś chłopcu, że wrócicie na zamek – odezwał się Czarny Książę. – Chodźcie więc z nami.

– Chcecie iść na zamek? Po co? Chcesz go wziąć szturmem z tą garstką ludzi? Albo wytłumaczyć Żmijogłowemu, że schwytał niewłaściwego człowieka? Z tym na twarzy...?

Smolipaluch sięgnął pomiędzy leżące na ziemi derki i wyciągnął maskę z piór sójki przymocowanych do popękanej skórzanej opaski. Założył maskę na swoją pokrytą bliznami twarz.

– Wielu z nas nosiło tę maskę – rzekł Czarny Książę. – I oto po raz kolejny mają powiesić niewinnego człowieka za czyny, których dopuścił się kto inny. Nie mogę na to pozwolić! Tym razem trafiło na introligatora. Poprzednim razem, kiedy napadliśmy na transport srebra, powiesili smolarza, tylko dlatego, że miał bliznę na ramieniu. Żona do dziś go opłakuje.

– Tu nie chodzi tylko o wasze uczynki. Większość opiewanych czynów Fenoglio po prostu wymyślił! – powiedział Smolipaluch rozdrażnionym głosem. – Do licha, książę, nie zdołasz uratować Czarodziejskiego Języka. Zginiesz razem z nim. A może myślisz, że Żmijogłowy go wypuści, gdy się przed nim stawisz?

– Nie, nie jestem taki głupi. Ale muszę coś zrobić.

Czarny Książę wsunął niedźwiedziowi dłoń do pyska i jak zawsze – niby cudem – wyciągnął ją całą i zdrową.

– Tak, tak, rozumiem – westchnął Smolipaluch. – Ach, te twoje niepisane reguły. Ale przecież nawet nie znasz Czarodziejskiego Języka! Jak można umrzeć za kogoś, kogo się nie zna?

– A ty za kogo mógłbyś umrzeć? – spytał Czarny Książę.

Farid zobaczył, jak Smolipaluch patrzy na twarz Roksany, a potem przenosi wzrok na niego. Szybko zacisnął powieki.

– Mógłbyś umrzeć za Roksanę – stwierdził Czarny Książę.

– Może – rzekł Smolipaluch. Farid przez rzęsy widział, jak przesuwa palcem po czarnych brwiach Roksany. – A może i nie... Masz wielu szpiegów na zamku?

– Oczywiście. Posługaczki w kuchni, chłopców stajennych, paru strażników, choć ci ostatni są za drodzy dla mnie. A najważniejsze, że sokolnik książęcy posyła mi od czasu do czasu wiadomość przez swojego mądrego ptaka. Kiedy ustalą dzień egzekucji, natychmiast się o tym dowiem. Wiesz, że Żmijogłowy nie urządza już egzekucji na rynkach czy na dziedzińcu przed tłumem gapiów, od kiedy mu zepsułeś piękne widowisko, jakim miała być kara dla mnie i mojego niedźwiedzia? Zresztą nigdy nie lubił takich przedstawień. Dla niego egzekucja to poważna sprawa. Zwykłych kuglarzy wiesza na stoku pod zamkiem bez zbędnego rozgłosu, ale Sójka zginie zapewne w obrębie murów zamkowych.

– Tak, o ile jego córka swoim głosem nie otworzy mu bram zamku – odparł Smolipaluch. – Swoim głosem i książką niosącą nieśmiertelność.

Farid usłyszał śmiech Czarnego Księcia i jego słowa:

– To brzmi prawie jak nowa pieśń Atramentowego Tkacza.

– Prawda? – odparł chrapliwie Smolipaluch. – To zupełnie do niego podobne!

64
Wszystko stracone

> Wojna! Ach, Boży anieli,
> sprawcie, niech ludzie nie giną!
> Jest wojna – lecz byśmy nie chcieli
> obarczać się za to winą.
>
> Matthias Claudius, *Pieśń wojenna*

Po kilku dniach noga Smolipalucha wydobrzała na tyle, że można już było myśleć o wymarszu. Farid właśnie opowiadał obu kunom, jak to wślizną się do Mrocznego Zamku i uwolnią Meggie i jej rodziców, gdy jeden z ludzi Czarnego Księcia obserwujących drogę do Ombry przyniósł złą wiadomość. Miał zakrwawioną twarz i ledwie trzymał się na nogach.

– Pozabijają ich! – powtarzał w kółko. – Wszystkich ich pozabijają.

– Gdzie? – spytał Czarny Książę. – Gdzie to jest?

– Niecałe dwie godziny drogi stąd – wykrztusił zbójca. – Idąc wciąż na północ.

Czarny Książę zostawił w Borsuczej Jamie dziesięciu ludzi, reszta ruszyła do lasu. Roksana usiłowała zatrzymać Smolipalucha.

– Rana nigdy się nie zagoi, gdy będziesz ciągle forsował nogę – tłumaczyła mu.

Ale on nie chciał o niczym słyszeć, Roksana dołączyła więc do milczącego, posuwającego się spiesznie przez las oddziałku.

Odgłosy walki dobiegły ich dużo wcześniej, nim dostrzegli walczących. Do uszu Farida dochodziły okrzyki bólu i rżenie oszalałych ze strachu koni. Wreszcie Czarny Książę dał znak, by zwolnili. Chyłkiem podkradli się na skraj zbocza stromo opadającego w dół ku drodze, która kilkanaście kilometrów dalej na północ kończyła się u bram Ombry. Smolipaluch pociągnął Roksanę i Farida na ziemię, choć nikt nie patrzył w ich stronę. W dole pośród drzew walczyły ze sobą setki ludzi, ale nie było wśród nich zbójców. Zbójcy nie noszą kolczug, stalowych napierśników, hełmów z pawimi piórami, rzadko dosiadają koni i nie mają wyhaftowanych herbów na jedwabnych płaszczach.

Smolipaluch przytulił szlochającą Roksanę. Słońce zniżało się ku wzgórzom, a żołnierze Żmijogłowego zabijali po kolei ludzi Cosima. Bitwa musiała trwać już długo. Cała droga usiana była trupami. Garstka rycerzy na koniach trzymała się jeszcze pośród tej potwornej rzezi. Był wśród nich Cosimo; jego piękną twarz wykrzywiał grymas gniewu i strachu. Przez chwilę wydawało się, że grupka straceńców przebije się przez nawałę napastników, lecz wtem Podpalacz wdarł się w sam środek oddziałku na czele roty pancernych połyskujących jak ogromne żuki. Skosili Cosima i jego gwardię przyboczną niby łan zboża. Tymczasem słońce schowało się za wzgórzami, zalewając niebo czerwienią, jakby opiło się przelaną krwią. Kiedy Podpalacz raził Cosima, strącając go z konia, Smolipaluch ukrył twarz we włosach Roksany, jakby zmęczyło go przyglądanie się śmierci zbierającej tak obfite żniwo. Ale Farid nie odwrócił głowy. Przyglądał się rzezi z zastygłą w przerażeniu twarzą i myślał o Meggie, która wciąż wierzyła, że w tym świecie można cokolwiek naprawić odrobiną atramentu. Czy nadal by w to wierzyła, gdyby jej oczy widziały to, na co on patrzył w tej chwili?

Zaledwie garstka ludzi Cosima przeżyła śmierć swego księcia. Może z dziesięciu rozbiegło się po lesie, ale zwycięzcy nie zadali sobie trudu, by ich ścigać. Żołnierze Żmijogłowego wznieśli radosny okrzyk i rzucili się do plądrowania trupów, jak stado sępów w ludzkiej postaci. Tylko ciało Cosima pozostało nietknięte. Podpalacz osobiście odpędził rozochoconych żołdaków, kazał trupa załadować na grzbiet koński i zabrać z pobojowiska.

– Dlaczego oni to robią? – szepnął Farid.

– Dlaczego? Bo trup Cosima będzie dowodem, że tym razem umarł na dobre! – odparł gorzko Smolipaluch.

– To prawda – szepnął Czarny Książę. – Ktoś, kto powstał z martwych, może pomyśleć, że jest nieśmiertelny, ale jak widać, Cosimo nie był nieśmiertelny, podobnie jak jego ludzie. Teraz cała ludność Ombry to wdowy i sieroty.

Dopiero po kilku godzinach żołnierze Żmijogłowego opuścili pole bitwy, obładowani łupami zrabowanymi z trupów. Ściemniało się już, gdy między drzewami zapadła wreszcie cisza, taka cisza, jaka możliwa jest tylko w obliczu śmierci.

Roksana pierwsza zeszła na drogę. Twarz miała zastygłą, nie wiadomo, w gniewie czy w bólu. Zbójcy ruszyli za nią, choć niechętnie, albowiem pośród trupów pokazały się już pierwsze białe damy.

65

Władca tej historii

Hajda! Nie posłuży chwale
Żelazna misiurka wcale.
Leje się krew bohaterów,
Giną z ręki maruderów.

Heinrich Heine, *Walkirie*

Zbójcy znaleźli Fenoglia błądzącego nieprzytomnie pośród trupów. Zapadła noc – nie wiedział która. Nie wiedział, ile dni minęło od chwili, gdy wraz z Cosimem wyjechał za bramę Ombry. Tylko jedno było pewne: wszyscy nie żyli – mąż Minerwy, jego sąsiad i ojciec chłopca, który zawsze naprzykrzał mu się, prosząc o bajkę... Wszyscy.... A i on sam by już nie żył, gdyby jego koń nie poniósł i nie zrzucił go z grzbietu. Na czworakach wpełzł między drzewa, ukrył się jak ścigane zwierzę, i bezsilnie przyglądał się, jak mordowano innych.

Kiedy żołnierze Żmijogłowego opuścili plac boju, wyczołgał się z kryjówki i chodził od jednego trupa do drugiego, przeklinając sam siebie, swoją historię, świat, który stworzył. A gdy poczuł na ramieniu czyjąś dłoń, przez ułamek sekundy myślał, że to Cosimo raz jeszcze powstał z martwych. Lecz był to Czarny Książę.

– Czego tu szukasz? – krzyknął Fenoglio. – Ty też chcesz zginąć? Zabieraj się stąd, ukryj się i zostaw mnie w spokoju.

Uderzył się pięścią w czoło. Przeklęta niech będzie jego głowa, która ich wszystkich wymyśliła, a wraz z nimi całe to nieszczęście, w którym się nurzali jak w czarnej, śmierdzącej wodzie! Upadł na kolana obok trupa, który patrzył otwartymi oczami w niebo, i zaczął przeklinać siebie, Żmijogłowego, Cosima i jego pośpiech... Nagle umilkł, spostrzegłszy Smolipalucha.

– Ty? – wyjąkał, stając na chwiejnych nogach. – Ty jeszcze żyjesz? Jeszcze nie jesteś martwy, mimo że tak napisałem? – Chwycił Smolipalucha za rękę, uczepił się jej kurczowo.

– Jesteś rozczarowany, co? – odparł Smolipaluch, wyrywając rękę. – Pociesz się, że już byłbym zimnym trupem jak ci tutaj, gdyby nie było ze mną Farida, a jego wszak nie wymyśliłeś...

Farid... Aha, to ten chłopiec, którego Mortimer sprowadził z jego pustynnej historii. Stał obok Smolipalucha, gapiąc się na Fenoglia, jakby chciał go zabić wzrokiem. Zaiste, ten chłopak nie miał tu czego szukać! To nie Fenoglio posłał go Smolipaluchowi jako opiekuńczego ducha! Ale na tym polegało całe nieszczęście, że wszyscy bez ceremonii mieszali się do jego historii. Jak miało się to wszystko dobrze skończyć?!

– Nie mogę znaleźć Cosima! – mruknął. – Szukam go od paru godzin. Może któryś z was go widział?

– Podpalacz kazał go zabrać – wyjaśnił Czarny Książę. – Prawdopodobnie wystawią trupa na widok publiczny, żeby tym razem nikt już nie twierdził, iż Cosimo żyje.

Fenoglio wlepił w niego nieprzytomny wzrok, a niedźwiedź zaczął pomrukiwać groźnie. Potrząsając głową, pisarz wyjąkał:

– Nic z tego nie rozumiem! Czy Meggie nie przeczytała tego, co napisałem? Czy Roksana jej nie odnalazła?

Spojrzał z rozpaczą na Smolipalucha. Przypominał sobie dokładnie dzień, w którym opisał jego śmierć. To była dobra scena, jedna z najlepszych, jakie kiedykolwiek stworzył.

– Owszem, Roksana przekazała Meggie twój list. Sam ją zapytaj, jeśli mi nie wierzysz. Chociaż wątpię, by w tej chwili miała ochotę rozmawiać.

Smolipaluch wskazał kobietę kręcącą się między trupami. Roksana! Piękna Roksana! Pochylała się nad zwłokami, przyglądała się martwym twarzom, wreszcie uklękła obok mężczyzny, do którego zbliżała się właśnie biała dama. Szybko zatkała mu uszy, pochyliła się nad jego twarzą i skinęła na dwóch zbójców, którzy towarzyszyli jej z zapalonymi pochodniami. Na pewno nie miała ochoty rozmawiać!

Smolipaluch spojrzał na niego. „Dlaczego patrzysz na mnie z takim wyrzutem? – miał ochotę zawołać Fenoglio. – W końcu stworzyłem także twoją żonę!". Ale głośno powiedział tylko:

– Dobrze, Roksana oddała Meggie list. Ale czy Meggie go przeczytała?

Smolipaluch patrzył na niego z odrazą.

– Próbowała, ale tej samej nocy ludzie Żmijogłowego zabrali ją na zamek.

– O Boże! – Fenoglio obejrzał się. Patrzyły na niego martwe twarze ludzi Cosima. – A więc to tak! – wykrzyknął. – Myślałem, że to wszystko stało się tylko dlatego, że Cosimo za wcześnie wyruszył. Moje słowa, moje piękne słowa... Meggie na pewno ich nie przeczytała, inaczej wszystko byłoby dobrze!

– Nic by nie było dobrze! – krzyknął Smolipaluch tak ostro, że Fenoglio cofnął się odruchowo. – I żaden z tych mężczyzn, którzy tu leżą, by nie zginął, gdybyś nie ożywił Cosima!

Czarny Książę i jego ludzie ze zdumieniem patrzyli na Smolipalucha. Nie rozumieli ani słowa z tego, co mówił. Ale Smolipaluch był pewny swego. Fenoglio zastanawiał się, kto mógł mu opowiedzieć o Cosimie, Meggie czy chłopak.

– Co się tak na niego gapicie? – krzyknął Farid, stając obok Smolipalucha. – Jest dokładnie tak, jak mówi! Fenoglio sprowadził Cosima ze świata umarłych. Byłem przy tym!

Jak ci głupcy cofnęli się bojaźliwie! Tylko Czarny Książę patrzył w zamyśleniu na Fenoglia.

– Co za bzdura! – wykrzyknął Fenoglio. – Nikt nie może wrócić z krainy umarłych! Zrobiłby się wtedy kompletny bałagan! Stworzyłem nowego Cosima, całkiem nowego, i wszystko potoczyłoby się dobrze, gdyby nie przerwano Meggie lektury! Mój Cosimo byłby wspaniałym księciem...

Nie dokończył, gdyż Czarny Książę zatkał mu usta swoją czarną dłonią.

– Dosyć! – powiedział stanowczo. – Wystarczy tego gadania, kiedy dokoła nas leżą umarli. Twój Cosimo, skądkolwiek się wziął, nie żyje, a człowiek, którego z powodu twoich pieśni uważają za Sójkę, może też wkrótce stracić życie. Zbytnio lubisz igrać ze śmiercią, Atramentowy Tkaczu.

Fenoglio chciał zaprotestować, ale Czarny Książę odwrócił się do swoich ludzi i rozkazał:

– Szukajcie dalej rannych! I pospieszcie się! Najwyższy czas wynosić się stąd.

Znaleźli jeszcze około dwudziestu rannych. Dwudziestu pośród setek trupów! Kiedy zbójcy ruszyli w drogę, zabierając rannych, Fenoglio w milczeniu powlókł się za nimi.

– Stary idzie za nami! – usłyszał głos Smolipalucha.

– A dokąd miałby pójść? – odrzekł Czarny Książę.

Smolipaluch nic nie odrzekł. Ale trzymał się z daleka od Fenoglia, jakby to była sama śmierć.

66

Czyste kartki

A my wytwarzamy rzeczy wiecznotrwałe –
ze szmatek stos kartek; gdy arkusze białe
przekażą drukarzom, ci martwe papiery
co żywo ożywią, drukując litery.

Michael Kongehl, *Wiersz o białej magii*

Meggie opowiadała właśnie Mo o święcie urodzinowym na zamku Tłustego Księcia, o Czarnym Księciu i Faridzie, jak żonglował pochodniami, gdy usłyszeli szczęk rygli. Mo objął Meggie ramieniem. Do celi wkroczyła Mortola w towarzystwie Basty i Piszczałki. W promieniach słońca wpadającego przez zakratowane okno twarz Basty wyglądała jak ugotowany homar.

– Co za idylla! Ojciec i córka znów razem! – szydziła Mortola. – Wzruszające!

– Pospieszcie się! – dobiegł spod drzwi szept strażnika. – Jeśli Żmijogłowy się dowie, że was wpuściłem, spędzę trzy dni w dybach!

– A jeśli nawet, to dobrze ci za to zapłaciłam! – odparła Mortola, a Basta ze złowróżbnym uśmiechem podszedł do Mo.

– No co, Czarodziejski Języku? – zaczął słodko. – Mówiłem, że jeszcze nam wszyscy wpadniecie w ręce?

– Wygląda na to, że na razie to ty wpadłeś w ręce Smolipalucha – odparł Mo i szybko zasłonił sobą Meggie, gdy Basta w odpowiedzi otworzył nóż.

– Przestań, Basta! – zawołała Mortola. – Nie mamy czasu na twoje zabawy.

Gdy Mortola podeszła do nich, Meggie wysunęła się zza pleców Mo, by pokazać, że się jej nie boi (było to oczywiście tylko odważne kłamstwo).

– To były interesujące słowa, te, które chowałaś pod sukienką – szepnęła złowieszczo Mortola. – Żmijogłowego szczególnie zainteresował ten fragment, gdzie jest mowa o trzech specjalnych słówkach. O proszę, jak się boi o swój śliczny nosek! Tak, gołąbeczko, Żmijogłowy wie o twoich planach, zrozumiał też, że Mortola nie jest taka głupia, jak mu się zdawało. Szkoda tylko, że nadal życzy sobie książki, którą mu obiecałaś. Ten głupiec naprawdę uwierzył, że wy dwoje możecie zamknąć jego śmierć między okładkami książki. – Sroka skrzywiła się na myśl o głupocie księcia i przysunęła się do Meggie. – Tak, tak, to łatwowierny głupiec, jak wszyscy książęta! – szepnęła jej do ucha. – Obie o tym wiemy. Wszak słowa, które miałaś przy sobie, opowiadają też o tym, że Piękny Cosimo zdobędzie ten zamek i zabije Żmijogłowego, i to dzięki książce, którą ma zrobić twój ojciec. Ale jakże to uczyni, skoro nie żyje? I tym razem już na pewno nie zmartwychwstanie. No co, przestraszyłaś się, mała czarownico? – Mortola uszczypnęła ją kościstymi palcami w policzek.

Mo chciał odtrącić jej dłoń, ale Basta zagroził mu nożem.

– Twój języczek stracił czarodziejską moc, skarbie! – szeptała Sroka. – Słowa nie ożyją. A książka, którą twój ojciec ma sporządzić dla Żmijogłowego, pozostanie pusta. Kiedy Srebrny Książę to wreszcie zrozumie, nic już was nie uratuje przed katem. A Mortola wreszcie dopełni zemsty.

– Zostaw ją w spokoju, Mortolo! – zawołał Mo i nie zważając na nóż Basty, wziął Meggie za rękę.

Meggie ściskała jego dłoń, a w głowie miała zupełny mętlik. Cosimo nie żyje? Po raz drugi? Co to miało znaczyć? „Nic, Meggie, zwyczajnie nic! – odpowiedziała sobie w myślach. – Po prostu nie przeczytałaś słów, które miały go chronić!”. Odetchnęła z ulgą.

Mortola widać to zauważyła, bo oczy jej się zwęziły w szparki, podobne do jej zaciśniętych warg.

– No proszę, wcale się nie zmartwiłaś. Myślisz, że cię oszukuję? A może naprawdę wierzysz w tę księgę nieśmiertelności? – Sroka wpiła kościste palce w ramię Meggie. – To tylko książka, a ty i twój ojciec na pewno pamiętacie, co robił mój syn z niepotrzebnymi książkami! Capricorn nigdy by tak nie zgłupiał, by powierzać swoje życie książce, nawet gdybyś mu za to obiecała nieśmiertelność! A poza tym... te trzy słówka, których podobno nie wolno wpisywać... teraz ja też je znam...

– Co to znaczy, Mortolo? – spytał Mo. – Czyżbyś chciała posadzić Bastę na tronie Żmijogłowego? Albo siebie samą?

Sroka spojrzała na strażnika pod drzwiami, ale ten ostentacyjnie odwrócił się plecami.

– Cokolwiek zamierzam, Czarodziejski Języku – syknęła – ty już tego nie dożyjesz! Dla ciebie ta historia się skończyła. Dlaczego nie jest skuty? – warknęła do Piszczałki. – Związćie mu chociaż ręce na drogę.

Meggie chciała zaprotestować, ale Mo rzucił jej ostrzegawcze spojrzenie.

– Wierz mi, Czarodziejski Języku! – szepnęła Mortola, podczas gdy Piszczałka pętał mu ręce na plecach. – Gdyby nawet Żmijogłowy cię uwolnił, kiedy już mu sporządzisz tę książkę, bądź pewien, że niedaleko zajdziesz. A na moim słowie można polegać bardziej niż na słowie jakiegoś poety. Zaprowadźcie tych dwoje do Starej Komnaty! – rozkazała, kierując się ku drzwiom. – Tylko dobrze ich pilnujcie przy pracy!

Stara Komnata leżała w najodleglejszym zakątku zamczyska, z dala od sal, w których żył i rządził Żmijogłowy. Basta i Piszczałka prowadzili ich opuszczonymi korytarzami, pełnymi kurzu i pajęczyn. Kolumny i drzwi nie miały tu srebrnych ozdób, w oknach nie było szyb, wszędzie hulał wiatr.

Komnata, której drzwi otworzył Piszczałka, ironicznym ukłonem zapraszając Mo do środka, wydawała się od dawna niezamieszkana. Bladoczerwony baldachim nad łóżkiem był zżarty przez mole, kwiaty w wazonach na parapetach dawno uschły. Kurz gromadził się w zeschłych kielichach kwiatów i pokrywał białą powłoką skrzynie stojące pod oknami. Pośrodku znajdował się stół – długi drewniany blat wsparty na kozłach. Stał przy nim staruszek, blady jak kreda, o śnieżnobiałych włosach, z palcami powalanymi atramentem. Ledwie spojrzawszy na Meggie, zaczął badawczo przyglądać się Mo, jakby miał wydać opinię na jego temat.

– To on? – zwrócił się do Piszczałki. – Wygląda mi na człowieka, który nigdy nie miał w ręku książki, nie mówiąc o oprawianiu.

Meggie zauważyła uśmieszek na twarzy Mo. Bez słowa podszedł do stołu i jął oglądać ułożone na nim narzędzia.

– Mam na imię Taddeo i jestem tu bibliotekarzem – podjął z rozdrażnieniem starzec. – Nie sądzę, aby któryś z tych przedmiotów coś ci mówił, ale dla porządku powiem, że sam papier, który tu widzisz, jest więcej wart od twojego żałosnego zbójeckiego życia. To najlepszy czerpany papier z najlepszej papierni w promieniu tysiąca kilometrów, w ilości wystarczającej do sporządzenia dwóch ksiąg po pięćset kart każda. Nie wspomnę o tym, że prawdziwy introligator wolałby pergamin od najlepszego papieru.

Mo odwrócił się plecami do Piszczałki, a ten zdjął mu pęta z rąk.

– To sprawa dyskusyjna – rzekł. – Ale ciesz się, że zażądałem papieru, bo pergamin kosztowałby majątek, nie mówiąc o setkach biednych kóz, które musiałyby oddać życie. A jeśli chodzi o jakość tych arkuszy, to nie jest ona wcale tak doskonała, jak twierdzisz. Jest dość grubo czerpany, ale skoro nie ma innego, musi mi wystarczyć. Mam nadzieję, że jest przynajmniej solidnie klejony. A co do reszty – Mo fachowo przesunął palcami po narzędziach – to wydaje się w porządku.

Noże i falcarki, konopie, nici, igły do zszywania składek, klej i garnek do jego podgrzewania, bukowe deski i skóra na okładki... Mo brał po kolei do ręki każdy przedmiot, jak robił to zawsze we własnej pracowni, nim zabrał się do pracy. Obejrzawszy wszystko, spytał zdziwiony:

– A gdzie prasa i krosna? I na czym mam podgrzać klej?

– Dostaniesz wszystko jeszcze przed wieczorem – pospieszył z odpowiedzią zakłopotany Taddeo.

– Zatrzaski są w porządku, ale będzie mi jeszcze potrzebny pilnik, a także skóra i pergamin na wyklejki.

– Oczywiście, oczywiście! Dostaniesz wszystko, czego zażądasz – usłużnie kiwał głową bibliotekarz, a na jego ustach wykwitł uśmiech niedowierzania.

– Dobrze. – Mo oparł się rękami o blat. – Przepraszam, ale jestem jeszcze trochę słaby. Mam nadzieję, że skóra jest bardziej elastyczna od papieru, a jeśli chodzi o klej – podniósł tygiel i powąchał – no, cóż, zobaczymy, czy się nadaje. Przynieś mi też klajstru. Kleju użyję tylko na oprawę; za bardzo smakuje robakom.

Meggie rozkoszowała się wyrazem zdumienia na twarzy bibliotekarza. Nawet Piszczałka był zaskoczony. Tylko Basta pozostał obojętny, wiedział bowiem dobrze, że przyprowadził tu introligatora, a nie zbójcę.

– Mój ojciec potrzebuje krzesła – odezwała się Meggie, patrząc z wyrzutem na bibliotekarza. – Nie widzisz, że jest ranny? Czy ma pracować na stojąco?

– Na stojąco? Ależ nie... oczywiście, że nie! Zaraz każę przynieść fotel – odparł machinalnie bibliotekarz, wciąż wpatrując się w Mo. – Hm... wy... wiesz... zdumiewająco dużo o introligatorstwie jak na rozbójnika.

Mo uśmiechnął się do niego.

– Prawda? – rzekł. – Może to dlatego, że rozbójnik był kiedyś introligatorem? Mówi się przecież, że pośród wyjętych spod prawa są ludzie najróżniejszych zawodów: rolnicy, szewcy, balwierze, grajkowie...

– Niezależnie od tego, kim był niegdyś – wmieszał się Piszczałka – teraz jest mordercą, nie daj się więc zwieść jego pięknym słówkom, molu książkowy. On zabija bez mrugnięcia okiem. Spytaj Bastę, jeśli mi nie wierzysz.

– To prawda! – Basta tarł poparzoną twarz. – Jest bardziej niebezpieczny od gniazda żmij. A jego córka nie jest ani odrobinę lepsza. Mam nadzieję – zwrócił się do Mo, wskazując na noże – że nie przyjdzie ci nic głupiego do głowy. Strażnicy będą je codziennie liczyć; za każdy brakujący nóż obetną twojej córce palec; za każde głupstwo – jeden palec. Zrozumiano?

Mo nie odpowiedział, lecz spojrzał na noże takim wzrokiem, jakby je chciał policzyć na wszelki wypadek.

– Przynieście wreszcie krzesło! – zawołała Meggie niecierpliwie, gdy Mo znów oparł się o blat.

– W tej chwili! – Taddeo rzucił się spełnić polecenie.

Piszczałka zaśmiał się ponuro.

– Patrzcie na tę małą czarownicę! – rzekł zjadliwie. – Rządzi się tu jak jakaś księżniczka! Nic dziwnego, twierdzi przecież, że jest córką człowieka, który potrafi zamknąć śmierć między okładkami książki! Co ty o tym sądzisz, Basta? Wierzysz w te bzdury?

Basta dotknął amuletu zawieszonego na szyi. Nie była to już łapka królicza, którą nosił w służbie Capricorna, lecz coś, co wyglądało na ludzki palec.

– Kto wie! – mruknął.

– Tak, kto wie? – powtórzył Mo, nie odwracając się. – W każdym razie potrafię wezwać śmierć, prawda, Basto? I moja córka też.

Piszczałka spojrzał na Bastę.

Na poparzonej twarzy Basty ukazały się purpurowe cętki.

– Wiem tylko jedno – warknął, nie puszczając amuletu. – Że powinieneś już dawno leżeć pod ziemią, Czarodziejski Języku. I że Żmijogłowy lepiej by zrobił, gdyby słuchał Mortoli zamiast twojej córki czarownicy. Jadł jej z ręki, nasz Srebrny Książę. Nabrał się na wszystkie jej kłamstwa.

Piszczałka wyprostował się, jakby szykował się do ataku, niczym żmija na herbie jego pana.

– Nabrał się? – powtórzył zduszonym głosem. Był o głowę wyższy od Basty. – Żmijogłowego nikt nie może nabrać. Jest wielkim księciem, większym od wszystkich innych. Podpalacz czasem o tym zapomina, Mortola też. Nie zrób takiego samego błędu. A teraz zabieraj się stąd! Żmijogłowy rozkazał, by nikt z tych, którzy dawniej służyli Capricornowi, nie trzymał tu straży. Może wam po prostu nie ufa?

Z ust Basty wydobył się syk.

– Ty też kiedyś pracowałeś dla Capricorna, Piszczałka – wycedził przez zaciśnięte zęby. – Bez niego byłbyś niczym!

– Naprawdę? Widzisz ten nos? – Piszczałka pogładził się po srebrnym nosie. – Kiedyś miałem nos taki sam jak ty, po prostu kawałek mięsa. Nie było mi przyjemnie, kiedy go straciłem, ale Żmijogłowy zafundował mi o wiele lepszy. Odtąd nie śpiewam już dla pijanych łotrzyków, ale wyłącznie dla niego. Jego rodzina jest starsza od tych wież. Jeśli nie chcesz mu służyć, to wracaj do twierdzy Capricorna, może tam jeszcze jego duch straszy pomiędzy wypalonymi murami. Ale ty się boisz duchów, co, Basta?

Stali obaj tak blisko siebie, że nie zmieściłaby się między nimi nawet klinga noża Basty.

– To prawda, boję się duchów – przyznał Basta. – Ale przynajmniej nie padam co noc na kolana i nie skowyczę ze strachu, że białe damy mogą przyjść po mnie, jak to robi twój nowy wspaniały pan.

Na to Piszczałka uderzył Bastę z całej siły w twarz, aż jego głowa grzmotnęła o framugę drzwi, a oparzony policzek spłynął krwią.

– Strzeż się ciemnych korytarzy, Piszczałka! – szepnął Basta, ocierając krew wierzchem dłoni. – Nosa już nie masz, ale zawsze znajdzie się coś do obcięcia!

Kiedy bibliotekarz powrócił, niosąc fotel, Basty już nie było. Po chwili zniknął też Piszczałka, zostawiając pod drzwiami dwóch strażników. Meggie słyszała, jak komenderował szorstkim głosem:

– Nikt nie ma prawa wchodzić ani wychodzić, z wyjątkiem bibliotekarza. I sprawdzać mi regularnie, czy Sójka pracuje!

Gdy w korytarzu ucichły kroki Piszczałki, Taddeo uśmiechnął się do Mo z zakłopotaniem, jakby chciał go przeprosić za obecność żołnierzy.

– Wybacz! – rzekł cicho, przysuwając fotel do stołu. – Mam kilka uszkodzonych książek. Czy mógłbyś rzucić na nie okiem?

Meggie stłumiła uśmiech, ale Mo odparł spokojnie, jakby bibliotekarz postawił mu najzwyklejsze w świecie pytanie:

– Oczywiście.

Taddeo skinął głową, rzucając okiem na drzwi.

– Mortola nie może się o tym dowiedzieć, dlatego przyjdę, jak się ściemni – szepnął. – Na szczęście chodzi wcześnie spać. W tym zamku są przepiękne księgi, ale nikt z jego mieszkańców tego nie docenia. Dawniej było inaczej, ale te dawne czasy już nie wrócą. Słyszałem, że na zamku Tłustego Księcia dzieje się teraz nie lepiej, ale tam przynajmniej jest Balbulus. Wszyscy byliśmy oburzeni, kiedy Żmijogłowy dał córce w posagu naszego najlepszego miniaturzystę. Odtąd nie wolno mi zatrudniać więcej niż dwóch skrybów i jednego kiepskiego iluminatora. A do przepisania mogę dawać jedynie manuskrypty dotyczące przodków Żmijogłowego, wydobywania i obróbki srebra oraz sztuki wojennej. Ostatniej zimy, kiedy zabrakło drewna na opał, Podpalacz ogrzewał moimi najpiękniejszymi książkami małą salę recepcyjną. – Mętne oczy Taddea zaszkliły się łzami.

– Przynieś mi książki, kiedy będzie ci wygodnie – rzekł Mo.

Stary bibliotekarz otarł oczy połą granatowego kitla.

– Tak! – wyjąkał. – Tak właśnie uczynię. Dziękuję ci!

Kiedy odszedł, Mo usiadł w fotelu.

– No, dobrze – odetchnął z ulgą. – A więc zabierzmy się do pracy. Książka, która broni dostępu śmierci – co za pomysł! Szkoda tylko, że jest przeznaczona dla tego rzeźnika! Będziesz musiała mi pomóc, Meggie, przy składaniu arkuszy i zszywaniu składek, a także przy prasie...

Meggie skinęła głową. Zawsze uwielbiała pomagać mu w pracy. Poczuła się jak w domu. Jak dobrze było znów przyglądać się Mo, jak składa arkusze, zszywa, przycina. Pracował wolniej niż dawniej; co chwila dotykał piersi w miejscu, gdzie postrzeliła go Mortola. Ale Meggie czuła, że dobrze mu robi wykonywanie czynności, do których przywykł, chociaż niektóre narzędzia były nieco inne niż te, którymi posługiwał się do tej pory. Ale ruchy rąk pozostały od stuleci te same, w tym i w innym świecie...

Po kilku godzinach Stara Komnata nabrała swojskiego charakteru, stała się nie tyle nowym więzieniem, ile raczej azylem. Kiedy się ściemniło, bibliotekarz z pomocą sługi przyniósł im kilka lamp oliwnych. Ciepłe światło ożywiło to zakurzone wnętrze po raz pierwszy od bardzo dawna.

– Ileż to już czasu w tej izbie nie zapalano świateł! – westchnął Taddeo, stawiając na stole jeszcze jedną lampę.

– Kto mieszkał tu ostatnio? – zainteresował się Mo.

– Nasza pierwsza księżna – odrzekł Taddeo. – Jej córka poślubiła syna Tłustego Księcia. Zastanawiam się, czy Wiolanta już wie, że Cosimo umarł po raz drugi.

Ze smutkiem popatrzył w okno. Podmuch wilgotnego wiatru wpadł do pokoju i Mo przycisnął papier drewnianym klockiem.

– Wiolanta przyszła na świat ze znamieniem, które szpeciło jej twarz – podjął bibliotekarz z miną tak nieobecną, jakby opowiadał to jakimś odległym słuchaczom. – Wszyscy mówili, że to jest kara, klątwa wróżek, bo jej matka zakochała się w grajku. Żmijogłowy usunął ją do tej części zamku, gdzie mieszkała z córką, póki nie umarła... Umarła jakoś tak nagle.

– To bardzo smutna historia – rzekł Mo.

– Wierz mi, że gdyby spisać wszystkie smutne historie, jakie oglądały te mury – odparł gorzko Taddeo – to tymi księgami można by wypełnić cały zamek.

Meggie obejrzała się, jakby w wyobraźni widziała już tutaj te wszystkie książki.

– Ile lat miała Wiolanta, kiedy zaręczono ją z Cosimem i odesłano do Ombry? – spytała.

– Siedem. Córki naszej obecnej księżnej już w wieku sześciu lat zostały odesłane do narzeczonych. Wszyscy mamy nadzieję, że tym razem urodzi syna! – Taddeo patrzył na przycięte przez Mo arkusze, porozkładane narzędzia... – Jak dobrze znów widzieć życie w tej komnacie – rzekł cicho. – Wrócę z książkami, jak tylko się upewnię, że Mortola śpi.

– Sześć lat, siedem lat... Mój Boże, Meggie – powiedział Mo, gdy bibliotekarz wyszedł – ty masz już trzynaście lat, a ja wciąż jeszcze cię nie odesłałem, nie mówiąc o zaręczynach...

Śmiech przydał się im obojgu, choć dziwnie brzmiał w tej wysoko sklepionej izbie.

Taddeo wrócił dopiero po kilku godzinach. Mo wciąż jeszcze pracował, choć coraz częściej chwytał się za pierś, a Meggie bezskutecznie namawiała go, by się wreszcie położył spać.

– Spać? – zdziwił się. – Nie przespałem jeszcze ani jednej nocy, od kiedy znalazłem się w tym zamku. Poza tym chcę zobaczyć twoją matkę, a to będzie możliwe dopiero wtedy, gdy oprawię książkę.

Bibliotekarz przydźwigał dwa woluminy.

– Spójrz na te zżarte okładki! – rzekł, podsuwając Mo jedną z ksiąg. – A atrament wygląda tak, jakby rdzewiał. Poza tym robią się dziury w pergaminie, niektóre wyrazy są już prawie nieczytelne. Co to może być? Jakieś robaki? Nigdy nie troszczyłem się o takie rzeczy, miałem od tego pomocnika. Ale pewnego dnia zniknął; mówią, że przystał do zbójców.

Mo wziął książkę do ręki, otworzył i przejechał dłonią po kartach.

– Boże! – zawołał ze zdumieniem. – Kto to malował? Nigdy nie widziałem równie pięknych iluminacji.

– Balbulus – odparł Taddeo. – Ten iluminator, którego odesłano wraz z Wiolantą. Był bardzo młody, kiedy to malował. Popatrz, pismo jeszcze trochę niewyrobione. Ale teraz to już mistrz nad mistrze.

– Skąd to wiesz? – spytała Meggie.

Bibliotekarz ściszył głos.

– Wiolanta od czasu do czasu przysyła mi jakąś książkę. Wie, jak bardzo podziwiam sztukę Balbulusa i że w mrocznym Zamku tylko ja jeden kocham książki. To znaczy po śmierci jej matki... Widzicie te skrzynie? – Wskazał na ciężkie zakurzone skrzynie stojące obok drzwi i pod oknami. – Matka Wiolanty ukrywała w nich książki między ubraniami. Wyjmowała je tylko wieczorem i pokazywała córce, choć ona na pewno nie rozumiała ani słowa z tego, co jej matka czytała. Aż pewnego dnia – było to wkrótce po zniknięciu Capricorna – na zamku zjawiła się Mortola; Żmijogłowy kazał jej szkolić kucharki – w jakiej sztuce, o tym nikt nie chciał mówić... Matka Wiolanty poprosiła mnie wtedy, żebym schował książki w bibliotece, bo Mortola kazała codziennie przeszukiwać jej komnatę. Nigdy się nie dowiedziała, czego szukali. To – wskazał na tom, który Mo wciąż jeszcze przeglądał – była jedna z jej ulubionych książek. Wiolanta wskazywała palcem obrazki, a matka opowiadała jej związane z nimi historie. Dałem ją Wiolancie, gdy nas opuszczała, ale zostawiła ją w tej komnacie. Może nie chciała zabierać ze sobą smutnych wspomnień. Mimo to chciałbym uratować tę księgę jako wspomnienie po jej matce. Myślę, że każda książka przechowuje między kartkami cząstkę swego właściciela.

– O tak, ja też w to wierzę – odparł Mo. – Z pewnością tak jest.

– No więc? – Taddeo spojrzał na niego z nadzieją. – Wiesz, jak ją uchronić przed dalszym zniszczeniem?

Mo ostrożnie zamknął książkę.

– Tak, ale to niełatwa sprawa. Korniki i kto wie, co jeszcze... Czy tamta druga wygląda podobnie?

– O, tamta... – Bibliotekarz rzucił nerwowe spojrzenie na drzwi – ...nie jest jeszcze w tak złym stanie. Ale pomyślałem, że może chciałbyś ją zobaczyć. Balbulus skończył ją dopiero niedawno na polecenie Wiolanty. Ta księga... – popatrzył niepewnie na Mo – zawiera wszystkie pieśni, jakie grajkowie śpiewają na temat Sójki. O ile wiem, są tylko dwa egzemplarze. Jeden ma Wiolanta, a drugi leży przed tobą – jest to odpis, który Wiolanta kazała sporządzić specjalnie dla mnie. Autor tych pieśni podobno nie chce, by były spisywane, ale za parę miedziaków można je usłyszeć od każdego waganta. W ten sposób Wiolanta je zebrała, a Balbulus zapisał. Ach, grajkowie... to wędrowne księgi w tym świecie tak ubogim w księgi prawdziwe! Wiesz – szepnął do Mo, otwierając wolumin – czasem myślę, że ten świat już dawno straciłby pamięć, gdyby nie wędrowni grajkowie. Niestety, Żmijogłowy za bardzo lubi ich wieszać! Już niejeden raz proponowałem, by przed egzekucją posyłano do nich skrybów, którzy uwiecznią na papierze wszystkie te piękne pieśni, nim słowa umrą wraz z nimi, ale biednego bibliotekarza nikt nie słucha w tym zamku!

– Nie dziwię się – mruknął Mo.

Meggie poznała po jego głosie, że nie słyszał nic z tego, co mówił Taddeo. Był całkowicie pogrążony w rządkach przepięknych liter, które płynęły po pergaminie jak bystry atramentowy strumyk.

– Wybaczcie moją ciekawość – chrząknął zakłopotany Taddeo. – Słyszałem, że zaprzeczasz, jakobyś był Sójką. Ale jeśli pozwolisz...

Bibliotekarz wziął książkę i otworzył na stronie, którą Balbulus bogato opatrzył ilustracjami. Między dwoma drzewami, tak cudownie namalowanymi, że Meggie zdawało się, iż słyszy szelest liści, stał mężczyzna w masce na twarzy.

– Balbulus przedstawił tu Sójkę tak, jak go opisują pieśni – szepnął Taddeo. – Wysoki wzrost, czarne włosy... Czyż nie jest podobny do ciebie?

– Nie wiem – odparł Mo. – Twarz ma zasłoniętą maską.

– Tak, tak, oczywiście. – Taddeo wciąż wpatrywał się w niego uporczywie. – Ale wiesz, mówi się jeszcze coś innego o Sójce: że ma piękny głos w przeciwieństwie do ptaka, którego imię nosi. Podobno kilkoma słowami potrafi obłaskawić niedźwiedzia czy wilka. Wybacz moją śmiałość, ale... – zaczął szeptać jeszcze ciszej – ale ty przecież masz bardzo piękny głos, Mortola opowiada o nim nadzwyczajne rzeczy. A jeśli do tego masz bliznę... – Wlepił oczy w ramię Mo.

– Aha, masz na myśli tę tutaj? – spytał Mo, wskazując palcem linijkę, którą Balbulus ozdobił wyobrażeniem sfory białych psów. – *I do śmierci nosi bliznę z lewej strony na ramieniu...* – przeczytał. – Tak, mam taką bliznę, tylko że to były inne psy niż te, o których jest mowa w pieśni.

Chwycił się za ramię, jakby przypomniał sobie dzień, kiedy to Basta odnalazł ich w rozwalonej chacie na wzgórzach, pełnej skorup i potrzaskanych dachówek.

Ale stary bibliotekarz cofnął się o krok.

– A więc to jednak ty! – szepnął z przejęciem. – Nadzieja biednych, postrach morderców, mściciel i zbójca, las jest jego domem, który dzieli z niedźwiedziami i wilkami!

Mo zamknął księgę i zatrzasnął metalowe okucia na obciągniętych skórą okładkach.

– Nie – odrzekł. – Nie, to nie ja. Ale dziękuję ci bardzo za książkę. Dawno nie miałem żadnej w ręce. Dobrze będzie mieć znowu coś do czytania, prawda, Meggie?

– O, tak! – zawołała Meggie, biorąc od niego książkę.

Pieśni o Sójce! Zastanawiała się, co by powiedział Fenoglio, gdyby usłyszał, że Wiolanta kazała je potajemnie spisać. I teraz mogą się bardzo przydać! Serce podeszło jej do gardła, gdy sobie wyobraziła, jakie możliwości kryje w sobie ta książka... Ale Taddeo zniweczył jej nadzieje.

– Bardzo żałuję – rzekł, łagodnie, lecz stanowczo odbierając jej książkę – ale nie mogę wam zostawić żadnej z nich. Była u mnie Mortola – była u wszystkich – i zagroziła, że każe oślepić każdego, kto przyniesie choć jedną książkę do waszej komnaty. Wyobraźcie sobie: oślepić! A przecież wzrok to jedyna droga do świata liter! Już i tak za dużo ryzykowałem, przychodząc tutaj, ale tak jestem przywiązany do tych książek, że musiałem cię spytać o radę. Powiedz mi, proszę, co mam robić, by je ratować!

Meggie była tak rozczarowana, że z miejsca odrzuciłaby prośbę bibliotekarza, ale Mo widział to oczywiście inaczej; Mo myślał tylko o chorych książkach.

– Oczywiście – rzekł do Taddea. – Najlepiej wszystko ci zapiszę. Potrzeba na to czasu, tygodni, miesięcy, nie wiem też, czy dostaniesz potrzebne materiały, ale warto przynajmniej spróbować. Niechętnie to mówię, ale obawiam się, że będziesz musiał przynajmniej tę jedną księgę rozłożyć, żeby ją uratować, gdyż kartki muszą się wybielić na słońcu. Gdybyś nie wiedział, jak się do tego zabrać, z przyjemnością ci pomogę. Mortola może się przyglądać, jeśli chce mieć pewność, że nie robię niczego niebezpiecznego.

– Och, dziękuję ci! – Staruszek ukłonił się nisko, wsadzając pod chude ramię obie księgi. – Dziękuję stokrotnie! Żywię gorącą nadzieję, że Żmijogłowy zostawi cię przy życiu, a jeśli nie, życzę ci szybkiej i bezbolesnej śmierci.

Mo chciał dać mu na to stosowną odpowiedź, ale Taddeo pospiesznie odszedł na swoich cienkich nóżkach.

– Nie pomagaj mu, Mo! – zawołała oburzona Meggie, gdy strażnik zasunął rygle. – Dlaczego miałbyś mu pomagać? To nędzny tchórz!

– Och, rozumiem go doskonale. Ja też nie chciałbym zostać bez oczu, choć w naszym świecie jest przynajmniej alfabet dla niewidomych.

– I co z tego? Ja bym mu nie pomogła!

Meggie kochała ojca za dobre serce, ale sama nie czuła ani odrobiny litości dla Taddea. Naśladując złośliwie jego głos powtórzyła:

– „Życzę ci szybkiej i bezbolesnej śmierci!". Jak można powiedzieć coś takiego?

Ale Mo jej nie słuchał.

– Czy widziałaś kiedyś tak piękne książki, Meggie? – rzekł z rozmarzeniem, wyciągając się na łóżku.

– Owszem! – odparła wojowniczo Meggie. – Każda, którą mogę przeczytać, jest piękniejsza od tych! Może nie?

Ale Mo nic na to nie odpowiedział. Odwrócony do niej plecami, oddychał równo i głęboko. Widocznie sen wreszcie go zmorzył.

67

Dobroć i miłosierdzie

Widzicie nas tu, wiszące straszliwie;
Ciało, o które dbaliśmy zbyt tkliwie,
Zgniłe, nadżarte, wzrok straszy i hydzi:
Kość z wolna w popiół y proch się przemienia;

François Villon, *Nagrobek w formie ballady...*

– Kiedy wrócimy do zamku?

Farid zadawał to pytanie Smolipaluchowi po kilka razy dziennie i za każdym razem otrzymywał tę samą odpowiedź:

– Jeszcze nie.

– Ale już tak długo tu siedzimy! – denerwował się Farid.

Upłynęły blisko dwa tygodnie od rzezi w lesie, której byli świadkami, i Farid miał dość tkwienia w Borsuczej Jamie.

– A co z Meggie? Obiecałeś, że wrócimy po nią!

– Jeśli będziesz się tak napraszał, zapomnę o obietnicy! – odpowiadał Smolipaluch i szedł do Roksany.

Roksana przez cały czas opiekowała się rannymi, mając nadzieję, że choć tych kilkunastu mężczyzn wróci cało do Ombry, ale nawet spośród tej garstki nie udało jej się uratować wszystkich. „Zostanie z nią – myślał Farid z rozpaczą, kiedy widział Smolipalucha z Roksaną. – A ja będę musiał sam wrócić do

Mrocznego Zamku". Myśl o tym była boleśniejsza, niż gdyby płomienie lizały jego skórę.

Wreszcie piętnastego dnia, gdy Farid miał wrażenie, że nigdy już nie zmyje z siebie zapachu mysich odchodów i bladych grzybów porastających ściany, dwaj szpiedzy przynieśli wiadomość, że Żmijogłowemu urodził się syn. Aby uczcić to wydarzenie, jak ogłaszali heroldowie na placach i rynkach, Srebrny Książę chce okazać swoją wielką dobroć i miłosierdzie i uwolnić wszystkich więźniów tkwiących w lochach Mrocznego Zamku. Nie wyłączając Sójki.

– Bzdura! – zawołał Smolipaluch, gdy Farid przybiegł z nowinami. – Żmijogłowy ma pieczoną przepiórkę tam, gdzie inni mają serce. Nigdy nikogo by nie uwolnił z dobroci serca, choćby mu się urodziło stu synów. Jeśli naprawdę zamierza uwolnić więźniów, to tylko dlatego, że Fenoglio tak napisał. Z żadnego innego powodu.

Fenoglio był tego samego zdania. Od czasu tragicznej bitwy prawie się nie pokazywał; przesiadywał gdzieś w ciemnym kącie Borsuczej Jamy, patrząc ponuro i nie odzywając się do nikogo. Ale teraz chełpliwie oznajmiał każdemu, kogo spotkał, że tylko jemu zawdzięczają te dobre wieści.

Nikt nie chciał go słuchać, nikt nie rozumiał, o czym mówi – z wyjątkiem Smolipalucha, który nadal unikał go jak zarazy.

– Posłuchaj tylko, jak ten stary się pyszni – rzekł do Farida. – Cosimo i jego ludzie ledwo zdążyli ostygnąć, a on już o nich zapomniał. Niech go diabli!

Czarny Książę równie mało wierzył w miłosierdzie Żmijogłowego co Smolipaluch mimo zapewnień Fenoglia, że nastąpi dokładnie to, o czym donieśli szpiedzy. Zbójcy do późna w nocy radzili nad tym, co im wypada czynić. Farida nie dopuścili do narady, ale Smolipaluch siedział wraz z nimi.

– Co zamierzają? Powiedz! – gorączkował się Farid, gdy Smolipaluch wyszedł wreszcie z pieczary, gdzie zbójcy naradzali się potajemnie.

– Za tydzień ruszamy.

– Dokąd? Do Mrocznego Zamku?

– Tak. – Smolipaluch nie wydawał się ani w połowie tak zachwycony tą perspektywą jak Farid. – Drżysz z niecierpliwości jak płomień w podmuchach wiatru – ofuknął go rozdrażniony. – Zobaczymy, czy będziesz się tak samo cieszył, kiedy tam dotrzemy. Będziemy znów musieli gnieździć się pod ziemią jak robaki, i to o wiele głębiej niż tutaj...

– Jeszcze głębiej?

No tak! Farid oczyma duszy ujrzał Żmijową Górę: nigdzie nie można się skryć, ani jednego drzewka, ani krzaka!

– U podnóża Żmijowej Góry od strony północnej jest wejście do starej kopalni. – Smolipaluch skrzywił się, jakby na samą myśl o tym zrobiło mu się niedobrze. – Jakiś przodek Żmijogłowego kazał za głęboko kopać i kilka sztolni się zawaliło, ale to było tak dawno, że nawet sam Żmijogłowy nie pamięta o tej kopalni. Nie jest to przyjemne miejsce, ale za to bezpieczne; to jedyna kryjówka w okolicy Żmijowej Góry. Wejście do niej odkrył niedźwiedź Czarnego Księcia.

Kopalnia! Farid przełknął ślinę. Ta perspektywa napawała go przerażeniem.

– A potem? – spytał. – Kiedy już się tam znajdziemy, co będziemy robić?

– Czekać. Zobaczymy, czy Żmijogłowy dotrzyma przyrzeczenia.

– Czekać? Nic więcej?

– Wszystkiego dowiesz się w odpowiednim czasie.

– A więc ruszymy razem z nimi?

– Masz inny pomysł?

Farid uściskał go tak wylewnie, jak tego już dawno nie czynił. Choć wiedział, że Smolipaluch niezbyt lubi takie czułości.

– Nie! – rzekła Roksana stanowczo, gdy Czarny Książę zaproponował jej, że jeden z jego ludzi odprowadzi ją do Ombry, zanim wyruszą do Mrocznego Zamku. – Idę z wami. Jeśli masz za dużo ludzi, to poślij kogoś, by zajął się moimi dziećmi i przekazał im, że niebawem wrócę do domu.

Niebawem! Farid zastanawiał się, kiedy może nastąpić owo „niebawem", ale nic nie powiedział. Choć dzień wymarszu był wyznaczony, czas dłużył mu się niemiłosiernie, a co noc śniła mu się Meggie. Były to złe sny, pełne mroku i strachu. Wreszcie nadszedł ów dzień. Pozostawiono w Borsuczej Jamie pięciu zbójców, którzy mieli się opiekować rannymi, a reszta wyruszyła w drogę: trzydziestu mężczyzn w łachmanach, ale za to dobrze uzbrojonych. A także Roksana. I Fenoglio.

– Bierzesz starego? – zdziwił się Smolipaluch, gdy zobaczył Fenoglia wśród ludzi Czarnego Księcia. – Zwariowałeś? Odeślij go do Ombry czy gdziekolwiek indziej, najlepiej od razu do białych dam, ale nie zabieraj go ze sobą.

Czarny Książę nie chciał jednak o tym słyszeć.

– A co właściwie masz przeciwko niemu? – spytał zdziwiony. – Tylko oszczędź mi tej śpiewki, że potrafi ożywiać umarłych! To nieszkodliwy starzec. Nawet mój niedźwiedź go lubi. Napisał dla nas wiele pięknych pieśni i potrafi opowiadać cudowne historie, choć w tej chwili stracił na to ochotę. Poza tym nie chce wracać do Ombry.

– Wcale się nie dziwię! Tyle tam teraz wdów i sierot z jego winy! – odparł gorzko Smolipaluch, rzucając Fenogliowi tak lodowate spojrzenie, że tamten czym prędzej odwrócił głowę.

Maszerowali w milczeniu. Ponad ich głowami szeptały drzewa, jakby chciały ich ostrzec, by nie ważyli się postąpić ani kroku dalej na południe, a kilka razy Smolipaluch musiał przywoływać ogień, by przepłoszyć istoty, których nikt nie widział, lecz wszyscy wyczuwali ich obecność. Farid był śmiertelnie zmęczony, ręce miał podrapane do krwi. Lecz nareszcie ponad wierzchołkami drzew ukazały się srebrne wieże.

– Zupełnie jak korona na łysej głowie – zauważył szeptem jeden ze zbójców, a Farid niemal namacalnie wyczuł strach, jaki ogarnął na chwilę ludzi Czarnego Księcia na widok potężnego zamczyska.

Musieli odczuć ulgę, gdy Czarny Książę poprowadził ich do północnego podnóża góry i srebrne wieże zniknęły im z oczu. Ziemia była tu pofałdowana jak wygnieciona szata, a nieliczne drzewa skuliły się, jakby zbyt często słyszały odgłos topora. Farid nigdy jeszcze nie widział takich drzew. Ich listowie było czarne jak noc, a kora najeżona kolcami jak futerko jeża. Na gałęziach rosły czerwone jagody.

– Jagody Mortoli! – szepnął Smolipaluch do Farida, który zerwał garść owoców. – Podobno zasadziła je wszędzie dokoła góry. Te drzewa rosną szybko, wyrastają jak grzyby po deszczu i nie dopuszczają żadnej innej roślinności. Nazywają je kąsającymi drzewami; wszystko w nich jest trujące: jagody, liście, a ich kora parzy bardziej od ognia.

Farid szybko upuścił na ziemię czerwone owoce i wytarł rękę w spodnie.

Krótko potem – było już ciemno choć oko wykol – natknęli się na jeden z patroli Żmijogłowego; na szczęście niedźwiedź ich ostrzegł. Jeźdźcy wychynęli spośród drzew niby srebrne żuki; blask księżyca odbijał się w ich napierśnikach. Farid wstrzymał oddech, chowając się wraz ze Smolipaluchem i Roksaną w rozpadlinie i czekając, aż ucichną odgłosy kopyt. Skradając się jak myszy pod okiem kota, wreszcie dobrnęli do celu.

Wejście do kopalni zasłonięte było pleniącą się kanianką i wietrzejącą skałą. Czarny Książę pierwszy zniknął pod ziemią. Farid zawahał się, gdy zobaczył stromy korytarz prowadzący w ciemność.

– No chodźże! – zniecierpliwił się Smolipaluch. – Wkrótce wzejdzie słońce, a żołnierze Żmijogłowego na pewno nie pomyślą, że jesteś wiewiórką.

– Ależ tu cuchnie jak w grobie! – poskarżył się Farid i tęsknym wzrokiem popatrzył na niebo.

– Aha, chłopczyk ma delikatne powonienie! – zakpił Drab. – Owszem, tam w dole jest wielu umarłych. Góra ich pożarła, bo za głęboko się w nią wgryźli. Nie widać ich, ale czuć. Podobno wypełniają sztolnie jak ławica śniętych ryb.

Farid spojrzał na niego przerażony, ale Smolipaluch popchnął go lekko, mówiąc:

– Ile razy mam ci powtarzać, że powinieneś się bać nie umarłych, ale żywych. Lepiej wyczaruj parę iskierek i nam poświeć!

Zbójcy urządzili się prowizorycznie w ocalałych sztolniach, wzmacniając dodatkowo ściany i stropy, ale Farid nie dowierzał drewnianym stemplom. Jakże miały unieść ciężar całej góry? Wydawało mu się, że ziemia stęka i jęczy, a gdy ułożył się na brudnych derkach, nagle pomyślał o Kopciu. Ale Czarny Książę roześmiał się, gdy go o to spytał.

– Nie, Kopeć nie zna tego miejsca. Nie zna żadnej naszej kryjówki. Nieraz napraszał się, żebyśmy go ze sobą zabrali, ale czy można ufać komuś, kto jest tak marnym połykaczem ognia? O tajnym obozie wiedział tylko dlatego, że należy do kuglarskiej braci.

Mimo to Farid nie czuł się tu bezpieczny. Jeszcze prawie tydzień do wyznaczonego terminu, kiedy to Żmijogłowy miał uwolnić więźniów! Czas będzie mu się dłużył. Niemal zatęsknił za mysimi odchodami w Borsuczej Jamie. Nocą bez przerwy wpatrywał się w miejsce, gdzie majaczyło wejście do sztolni. Zdawało mu się, że słyszy skrobanie bladych palców o kamienie.

– To zatkaj sobie uszy! – poradził Smolipaluch, gdy Farid go obudził, by mu o tym powiedzieć. A potem odwrócił się na drugi bok.

Smolipaluch znów miał złe sny, które gnębiły go w tamtym świecie, ale teraz była przy nim Roksana, która go uspokajała, odganiając koszmary. Jej czuły szept przypominał Faridowi o Meggie. Tęsknił za nią tak bardzo, że aż się tego wstydził.

I w tych ciemnościach, pośród bezimiennych umarłych, trudno mu było uwierzyć, że Meggie też za nim tęskni. A jeśli zapomniała o nim, tak jak często zapominał Smolipaluch, odkąd zjawiła się Roksana? Tylko dzięki Meggie Farid przestawał odczuwać zazdrość, ale Meggie była daleko.

Następnej nocy zjawił się w kopalni chłopiec, który pracował w stajniach Żmijogłowego i był szpiegiem Czarnego Księcia, od kiedy Piszczałka wysłał na szubienicę jego brata. Chłopiec doniósł im, że Żmijogłowy pozwoli odejść więźniom drogą prowadzącą do portu, pod warunkiem że wsiądą na statek i nigdy więcej nie wrócą.

– Drogą prowadzącą do portu, no proszę! – mruknął Czarny Książę, gdy chłopiec opuścił kopalnię.

I jeszcze tej samej nocy poszedł ze Smolipaluchem obejrzeć drogę. Farid, nie pytając o pozwolenie, przyłączył się do nich.

Owa droga była właściwie ścieżką między drzewami; schodziła z Mrocznego Zamku zboczem prosto jak strzelił, jakby się chciała czym prędzej ukryć pod baldachimem z liści.

– Już kiedyś Żmijogłowy ułaskawił grupę więźniów i wysłał ich właśnie tędy – opowiadał Czarny Książę, gdy zatrzymali się wśród drzew na skraju drogi. – Więźniowie dotarli bez przeszkód do morza, tak jak im obiecał, ale statek, który czekał w porcie, był statkiem handlarzy niewolników, a Żmijogłowy dostał podobno cenną srebrną uzdę za tych kilkunastu mężczyzn.

Handlarze niewolników? Farid przypominał sobie rynki, na których sprzedawano ludzi; oglądano ich i obmacywano jak bydło. Szczególnie poszukiwane były jasnowłose dziewczęta.

– No, nie patrz tak, jakby Meggie już została sprzedana! – uspokajał go Smolipaluch. – Czarny Książę na pewno coś wymyśli.

Tamten uśmiechnął się, ale widać było, że ogląda drogę z wielkim niepokojem.

– Nie możemy dopuścić, by dotarli na statek – rzekł. – Wszystko zależy od tego, jak silną eskortę da im Żmijogłowy. Potem musimy ich szybko ukryć, najlepiej w kopalni, póki się wszystko nie uciszy. Myślę – dodał od niechcenia – że będziemy potrzebowali ognia.

Smolipaluch dmuchnął na dłoń i na opuszkach palców zatańczyły ogniki niby delikatne motylki.

– A jak myślisz, dlaczego tu jeszcze tkwię? – powiedział. – O ogień niech cię głowa nie boli. Ale miecza do ręki nie wezmę, jeśli na to liczyłeś. To zabawa nie dla mnie.

68
Odwiedziny

Jeśli nie zdołam ujść z tego domu – rzekł do siebie – zginąłem!
Robert L. Stevenson, *Czarna strzała*

Meggie obudziła się w środku nocy i przez chwilę nie wiedziała, gdzie się znajduje. U Elinor? U Fenoglia? I wtedy zobaczyła Mo; pochylony nad stołem, zajęty był oprawianiem książki. Tej książki... Pięćset pustych kartek.

Byli w Mrocznym Zamku, a rano upływał termin oddania tego woluminu...

Błyskawica rozjaśniła osmalony sadzą strop, piorun uderzył niebezpiecznie blisko. Ale to nie burza ją obudziła. Usłyszała jakieś głosy. Strażnicy! Ktoś był pod drzwiami. Mo też usłyszał hałas.

„Meggie, on nie może tak długo pracować, w przeciwnym razie wróci gorączka" – ostrzegał jeszcze wczoraj rano Puszczyk, nim odprowadzono go z powrotem do lochów. Ale co mogła na to poradzić? Zwykle gdy za często ziewała, Mo wysyłał ją do łóżka („To był dwudziesty trzeci raz, Meggie. Jazda do łóżka, inaczej padniesz trupem, nim skończę tę przeklętą książkę!"), sam zaś jeszcze długo się nie kładł. Przycinał, składał, szył do białego rana. Tak jak tej nocy.

Gdy jeden ze strażników otworzył drzwi, Meggie wyobraziła sobie, że to Mortola wróciła, by zabić Mo, zanim Żmijogłowy go wypuści. Ale to nie była Sroka. W drzwiach stał, głośno dysząc, sam Żmijogłowy. Towarzyszyło mu dwóch służących, bladych ze zmęczenia, trzymających srebrne lichtarze, z których wosk skapywał na podłogę. Ich pan ciężkim krokiem podszedł do stołu, przy którym pracował Mo, i przyjrzał się prawie gotowej księdze.

– Czego sobie życzysz, książę? – Mo zastygł w bezruchu, trzymając w ręku nóż, którym przycinał papier.

Żmijogłowy wbił w niego wzrok. Oczy miał jeszcze bardziej nabiegłe krwią niż tamtej nocy, gdy Meggie zawarła z nim układ.

– Jak długo jeszcze? – zacharczał. – Mój syn krzyczy po nocach. Wyczuwa białe damy, podobnie jak ja. Teraz chcą zabrać nas obu. W czasie burzy są szczególnie wygłodniałe.

Mo odłożył nóż.

– Jutro będzie gotowa, zgodnie z umową. Skończyłbym wcześniej, ale skóra na okładki była porysowana i podziurawiona kolcami, stąd wynikła zwłoka, a papier też jest nie najlepszej jakości.

– Tak, tak, wiem o wszystkim, bibliotekarz przekazał mi twoje zastrzeżenia! – Książę mówił głosem ochrypłym, jak po długim krzyku. – Gdyby to zależało od Taddea, spędziłbyś resztę życia w tej komnacie, oprawiając na nowo wszystkie moje książki. Ale ja dotrzymam danego słowa! Pozwolę wam odejść – tobie, twojej córce, twojej żonie i reszcie kuglarskiej hołoty... Wszyscy mogą odejść, ja chcę tylko księgę! Mortola powiedziała mi o tych trzech słowach, które twoja córka podstępnie przemilczała, ale jest mi to obojętne. Już ja przypilnuję, żeby ich tam nikt nie wpisał! Chcę wreszcie śmiać się śmierci w twarz! Jeszcze jedna taka noc i zacznę walić głową w ścianę, zamorduję żonę, syna, pozabijam was wszystkich! Rozumiesz to, Sójko, czy jak tam cię zwą? Musisz skończyć, nim nadejdzie kolejny zmierzch!

Mo przesunął dłonią po okładce, którą poprzedniego dnia obciągnął skórą.

– O wschodzie słońca będzie gotowa. Ale przysięgnij mi na życie twojego syna, że wtedy pozwolisz nam odejść.

Żmijogłowy obejrzał się, jakby białe damy już stały za nim i sięgały po niego zimnymi rękami.

– Tak, tak, przysięgam na wszystko i wszystkich! O wschodzie słońca, to brzmi wspaniale!

Zbliżył się do Mo, wpatrując się w jego pierś.

– Pokaż mi to! – szepnął. – Pokaż, gdzie Mortola zraniła cię tą cudowną bronią, którą mój zbrojmistrz rozłożył tak gruntownie, że teraz nikt nie może jej złożyć. Kazałem za to powiesić głupca!

Mo zawahał się, lecz w końcu rozpiął koszulę.

– Tak blisko serca! – Żmijogłowy dotknął jego piersi, jakby chciał się upewnić, że serce wciąż w niej bije. – Tak! – stwierdził. – Tak, chyba naprawdę znasz sposób, jak oszukać śmierć, inaczej byś tego nie przeżył.

Odwrócił się raptownie i skinął na służących.

– A więc dobrze, zaraz po wschodzie słońca przyślę po ciebie, po ciebie i księgę – rzucił przez ramię.

Poprzez szczęk zasuwanych rygli Meggie usłyszała za drzwiami jego gniewny głos:

– Przynieście mi jedzenie! Zbudzić kucharzy, służbę i Piszczałkę! Wszystkich pobudzić! Chcę jeść i słuchać ponurych pieśni. A Piszczałka ma śpiewać tak głośno, żebym nie słyszał płaczu syna.

Wreszcie jego kroki ucichły i dobiegały już tylko grzmoty i pomruki burzy. W świetle błyskawicy karty rozłożonej księgi rozjarzyły się nagle, jakby taiło się w nich ukryte życie. Mo podszedł do okna. Stał nieruchomo, wyglądając w noc.

– O wschodzie słońca? Zdążysz? – zaniepokoiła się Meggie.

– Oczywiście – odrzekł Mo, nie odwracając się.

Ponad morzem zapalały się błyskawice, jakby ktoś w dali włączał i wyłączał światło elektryczne, tylko że w tym świecie nie było elektryczności. Meggie podeszła do Mo, a on objął ją ramieniem. Wiedział, że boi się burzy. Kiedy była jeszcze całkiem malutka i w czasie burzy wsuwała się do niego pod kołdrę, opowiadał jej, że to niebo tęskni za ziemią i wyciąga ogniste palce, by jej dotknąć.

Ale dzisiaj nie opowiedział tej historii.

– Widziałaś strach malujący się na jego twarzy? – szepnęła Meggie. – Tak właśnie napisał Fenoglio.

– Tak, nawet Żmijogłowy musi odgrywać rolę, jaką wyznaczył mu Fenoglio – stwierdził Mo. – Ale my też, Meggie. Jak ci się to podoba?

69

Ostatnia noc

Stój córko! Mam ja w myśli pewien środek,
Wymagający równie rozpaczliwej
Determinacji, jak jest rozpaczliwe
To, czemu chcemy zapobiec.

William Szekspir, *Romeo i Julia*

Była to ostatnia noc poprzedzająca dzień, w którym Żmijogłowy miał okazać swoje miłosierdzie. Za kilka godzin, jeszcze przed świtaniem, ustawią się na czatach przy drodze. Szpiedzy nie umieli powiedzieć, o jakiej porze można oczekiwać więźniów, tylko dzień był pewny. Zbójcy zbili się w gromadę i przekrzykując się, opowiadali sobie dawne przygody. W ten sposób chcieli zagłuszyć strach. Ale Smolipaluch nie miał ochoty ani opowiadać, ani słuchać. Obudził się nagle, lecz nie z powodu głośnych rozmów.

Od kilku dni dręczyły go we śnie okropne koszmary. Tej nocy były szczególnie dokuczliwe, a obrazy wydawały się tak rzeczywiste, że obudził się przerażony, czując ucisk, jakby Gwin wskoczył mu na piersi. Serce waliło mu jak młotem; usiadł na posłaniu, wpatrując się w ciemność. Już w tamtym innym świecie koszmary senne zgotowały mu niejedną nieprzespaną noc. „To umarli.

To oni przynoszą złe sny – powtarzał zawsze Farid. – Szepczą ci do ucha okropne rzeczy, a potem kładą się na twojej piersi, by czuć gwałtowne bicie serca. To im daje złudzenie życia".

Smolipaluchowi podobało się to wyjaśnienie. Bał się śmierci, ale nie obawiał się umarłych. A jeśli było inaczej? Jeśli sny pokazywały mu historię, która gdzieś tam już na niego czekała? Rzeczywistość to bardzo krucha rzecz – lekcji, jakiej udzielił mu głos Czarodziejskiego Języka, nie zapomni do końca życia.

Obok niego Roksana poruszyła się we śnie, mrucząc imiona swoich dzieci – żyjących i nieżyjących. Z Ombry wciąż nie było żadnych wieści. Nawet Czarny Książę nie wiedział, co się dzieje na zamku i w mieście po tym, jak Żmijogłowy posłał córce martwe ciało Cosima wraz z zapewnieniem, że niewielu jego ludzi wróci do domu.

Roksana znów wyszeptała imię Brianny. Smolipaluch dobrze wiedział, że każdy dzień, jaki Roksana spędzała tutaj, z dala od swoich dzieci, rozdzierał jej serce. Dlaczego więc nie mógł odejść razem z nią? Dlaczego nie odwróci się od tej przeklętej góry i nie pójdzie tam, gdzie nie będzie musiał chować się pod ziemią jak zwierz... lub umarły...

„Dobrze wiesz dlaczego – myślał. – To przez te koszmarne sny". Szeptem zawezwał ogień. Precz z ciemnością, która rodzi takie okropne majaki. Z ziemi wystrzelił senny płomyczek. Smolipaluch wyciągnął rękę, kazał płomieniowi tańczyć na swym ramieniu, lizać mu palce i czoło; miał nadzieję, że wypali z jego głowy te okropne sny. Ale nawet ból ich nie przepłoszył i Smolipaluch zgasił ogień dłonią, skóra poczerniała od sadzy, jakby płomień pozostawił na niej swój oddech, ale sen wciąż trwał, napełniał strachem jego serce, zbyt mroczny i silny nawet dla ognia.

Jak mógłby tak po prostu odejść, gdy we śnie dręczyły go obrazy umarłych, gdy w jego snach wciąż pojawiała się krew i śmierć. Twarze się zmieniały. Czasem była to twarz Resy, czasem Meggie, to znów Puszczyka. Nawet Czarnego Księcia widział już we śnie z zakrwawioną piersią. A dzisiaj – dzisiaj zobaczył Farida... Tak jak poprzedniej nocy. Zamknął oczy, ale pod powiekami obrazy trwały jasno i wyraźnie... Próbował przekonać chłopca, by został z Roksaną w kopalni, ale na próżno.

Oparł się plecami o wilgotną skałę, w której dawno umarłe ręce wykuły niegdyś wąskie sztolnie, i spojrzał na chłopca. Farid spał zwinięty w kłębek, jak małe dziecko, z kolanami podciągniętymi do brody; obok ułożyły się obie kuny. Coraz częściej kładły się u boku Farida, wracając z polowania – może czuły, że Roksana ich nie lubi.

Chłopiec spał spokojnie – jakże inaczej widział go Smolipaluch przed chwilą we śnie – a po jego ciemnej twarzy przemykał nikły uśmieszek. Może śniła mu się Meggie, tak podobna do matki jak jeden płomień do drugiego, a przecież zupełnie inna. „Ty też myślisz, że u niej wszystko w porządku?" – pytał go chłopiec po kilka razy dziennie. Smolipaluch dobrze pamiętał to uczucie, gdy po raz pierwszy był zakochany. Miał niewiele więcej lat niż teraz Farid. Jakże bezbronne było wtedy jego serce! Trzepotało i tłukło się w piersi, szczęśliwe i przerażone zarazem.

Chłodny powiew przeleciał przez sztolnię i chłopiec zadrżał z zimna. Smolipaluch wstał, zdjął z ramion płaszcz i przykrył nim Farida. Gwin podniósł łepek.

– No, co tak patrzysz? – szepnął do kuny. – Do twojego serca wkradł się tak samo jak do mojego. Jak nam się mogło to przydarzyć, Gwin?

Kuna lizała łapę i popatrywała na niego czarnymi ślepkami. Jeśli o czymś śniła, to o polowaniu, na pewno nie o martwym chłopcu.

A jeśli to stary wysyłał te wszystkie sny? Ta myśl wstrząsnęła Smolipaluchem, gdy znów położył się na twardej ziemi obok Roksany. Może Fenoglio siedział gdzieś w kącie, jak to czynił ostatnimi czasy, i snuł złe sny dla niego? Nie inaczej przecież wywołał paniczny strach Żmijogłowego! „Bzdura! – pomyślał, zły na siebie. – Meggie tu nie ma, a bez jej głosu słowa starego to tylko atrament. A teraz spróbuj wreszcie się przespać, bo inaczej zaśniesz na stojąco, gdy będziecie czekać na więźniów".

Ale jeszcze długo nie mógł zamknąć oczu.

Leżał, nasłuchując oddechu chłopca.

70

Pióro i miecz

– Oczywiście, że nie. Mamy tu wszystko, czego nam potrzeba.

Joanne K. Rowling, *Harry Potter i kamień filozoficzny*

Mo pracował przez całą noc, a burza szalała na zewnątrz w najlepsze, jakby świat Fenoglia nie przyjmował do wiadomości, że oto wkracza do niego nieśmiertelność. Meggie próbowała czuwać, ale w końcu usnęła, głowa opadła jej na stół i Mo zaniósł córkę do łóżka, jak dawniej. I znów się zdziwił, jaka jest już duża. Była prawie dorosła. Prawie.

Meggie obudziła się, gdy Mo zamknął zatrzaski książki.

– Dzień dobry! – powiedział, gdy podniosła głowę z poduszki.

Miał nadzieję, że to będzie naprawdę dobry dzień. Na dworze niebo zaróżowiło się jak pobladła twarz, do której z powrotem napływa krew.

Zatrzaski trzymały mocno; Mo podpiłował je, by się nie zacinały. Ściskały puste kartki, jakby już teraz zamknięta była między nimi śmierć. Błyszcząca czerwonawa skóra gładko opinała drewniane okładki. Grzbiet był łagodnie zaokrąglony, składki mocno zszyte, klocek książki starannie oszlifowany. Ale wszystko to nie miało znaczenia w przypadku tej książki. Nikt nie będzie jej czytał, nie położy na stoliku obok łóżka, by ciągle do niej zaglądać.

Książka była niesamowita, przy całej swej krasie, nawet Mo to czuł, choć wyszła spod jego rąk. Wydawało się, że szepcze cichutko słowa, których w niej nie ma. Ale te słowa były, choć nie na jej kartach. Napisał je Fenoglio w dalekim mieście, gdzie teraz wdowy i sieroty płaczą po mężach i ojcach. Tak, zatrzaski były ważne.

Na korytarzu dały się słyszeć ciężkie kroki. Żołnierze! Kroki się zbliżały. Na dworze noc ustąpiła miejsca porankowi. Żmijogłowy trzymał go za słowo. O wschodzie słońca...

Meggie szybko wyskoczyła z łóżka, poprawiła włosy, wygładziła pogniecioną sukienkę.

– Skończyłeś? – szepnęła.

Mo skinął głową i wziął ze stołu książkę.

– Myślisz, że się spodoba Żmijogłowemu? – spytał.

W drzwiach stanął Piszczałka w towarzystwie czterech żołnierzy. Srebrny nos przylegał mu do twarzy, jakby wyrastał z żywego ciała.

– No, Sójka? Skończyłeś?

Mo obejrzał książkę z każdej strony.

– Wydaje mi się, że tak! – odparł, lecz gdy Piszczałka wyciągnął rękę po książkę, schował ją za plecami. – O, nie – powiedział. – Zachowam ją, dopóki twój pan nie dotrzyma swojej części przyrzeczenia.

– Ach tak? – roześmiał się drwiąco Piszczałka. – Nie wydaje ci się, że z łatwością mógłbym ci ją odebrać? Ale dobrze, jeśli to ci daje poczucie bezpieczeństwa. Zdążysz się jeszcze najeść strachu.

Droga z tej części Mrocznego Zamku, gdzie przebywały duchy dawno zapomnianych kobiet, do pomieszczeń, w których mieszkał i królował Żmijogłowy, była daleka. Przez cały czas Piszczałka kroczył tuż za nim, sztywny jak bocian; Mo czuł na karku jego oddech. Większości korytarzy nigdy jeszcze nie dotknął stopą, ale miał wrażenie, jakby je wszystkie już kiedyś przemierzył. Sprawiła to książka Fenoglia, którą czytał wciąż od nowa, wtedy gdy pragnął odzyskać Resę. Było to dziwne uczucie, gdy teraz rzeczywiście szedł po tych korytarzach – i znów szukał Resy, tak samo jak wtedy.

O tej sali, której potężne drzwi wreszcie otworzyły się przed nimi, także czytał w książce, a gdy dostrzegł przerażone spojrzenie Meggie, od razu wiedział, z czym jej się kojarzyła. Czerwony kościół Capricorna nie był nawet w połowie tak wspaniały jak sala tronowa Żmijogłowego, lecz dzięki książce Fenoglia Mo od razu rozpoznał wzorzec. Czerwono tynkowane ściany, rzędy kolumn po obu stronach, tyle że te tutaj – inaczej niż kolumny w kościele Capricorna – ozdobione były srebrnymi łuskami. Nawet posąg u wejścia Capricorn podpatrzył u Żmijogłowego, ale rzeźbiarz Srebrnego Księcia znał się dużo lepiej na swoim rzemiośle.

Tylko tronu Żmijogłowego Capricorn nie próbował naśladować. Tron był w kształcie gniazda żmij, z których dwie unosiły sztywno głowy z otwartymi paszczami, tworząc oparcie dla rąk Żmijogłowego.

Pan Mrocznego Zamku mimo wczesnej pory odziany był we wspaniały strój, jakby chciał uczcić swoją nieśmiertelność. Na szaty z czarnego jedwabiu narzucił płaszcz ze srebrnobiałych piór czapli. Z tyłu, niby stado kolorowych ptaków, stała świta: zarządcy, pokojówki, służący; pośród nich szarym jak popiół odzieniem wyróżniali się balwierze.

Oczywiście była tam też Mortola, prawie niewidoczna w swojej czarnej sukni. Mo wcale by jej nie zauważył, gdyby nie to, że się specjalnie za nią rozglądał. Basty nie znalazł w tłumie. Za to tuż obok tronu stał Podpalacz z rękami skrzyżowanymi pod płaszczem z lisów. Przywitał ich wrogim spojrzeniem, ale ku zdziwieniu Mo patrzył nie na nich, lecz na Piszczałkę.

„To wszystko jest tylko gra, gra Fenoglia" – myślał Mo, krocząc między kolumnami. Lecz jakże dokuczliwie realna! Jaka cisza panowała w sali mimo obecności tylu ludzi! Spojrzał na

Meggie, jej twarz okolona jasnymi włosami była kredowobiała. Uśmiechem dodawał jej otuchy, rad, że córka nie słyszy, jak wali mu serce.

Obok Żmijogłowego siedziała jego żona. Meggie trafnie ją opisała: porcelanowa laleczka w kolorze kości słoniowej. Za nią stała niania, trzymając na rękach tak bardzo wyczekiwanego syna. Płacz dziecka był dziwnie zagubiony w tej ogromnej sali.

„To wszystko gra – raz jeszcze pomyślał Mo, zatrzymując się przed schodami prowadzącymi do tronu. – Nic, tylko gra". Gdybyż znał jej reguły! Drugą znajomą postacią był bibliotekarz Taddeo. Pokornie schylając głowę, stał za tronem w kształcie gniazda żmij i smutno uśmiechał się do Mo.

Żmijogłowy wydawał się jeszcze bardziej zmęczony bezsennymi nocami niż przy ich ostatnim spotkaniu. Twarz miał całą w krwawych i sinych cętkach, wargi bez kropli krwi i tylko rubin płonął czerwienią w skrzydełku nosa.

– Dobrze, a więc naprawdę skończyłeś – odezwał się. – Nic dziwnego, pilno ci zobaczyć żonę, prawda? Donoszono mi, że każdego dnia pyta o ciebie. To chyba miłość, co?

„Gra, nic, tylko gra...". Ale to nie wyglądało na grę. Spoglądając w ordynarną, niewzruszoną twarz księcia, Mo poczuł gwałtowną nienawiść. W jego piersiach biło nowe, zimne serce.

Żmijogłowy dał znak Piszczałce, ten zaś podszedł do Mo, władczo wyciągając rękę. Jak trudno było oddać książkę w jego dłonie osłonięte rękawiczkami! Ale przecież tylko to jedno mogło ich uratować. Piszczałka wyczuł jego opór; uśmiechając się drwiąco, zaniósł księgę swemu panu. Po czym, rzuciwszy Podpalaczowi krótkie spojrzenie, stanął obok tronu z tak dumną miną, jakby był najważniejszym człowiekiem w tej sali.

– Przepiękna, w rzeczy samej! – Żmijogłowy głaskał skórzaną oprawę. – Wszystko jedno, czy jest zbójcą, czy nie, ale na oprawianiu książek zna się doskonale. Co o tym sądzisz, Podpalaczu?

– Wśród rozbójników spotyka się wiele zawodów, mógł się więc też zaplątać jakiś przeklęty introligator!

– Święte słowa! Słyszeliście? – Żmijogłowy odwrócił się do swojej świty. – Wydaje mi się, że mój herold nadal uważa, że dałem się oszukać małej dziewczynce. Sądzi, że jestem łatwowiernym głupcem w przeciwieństwie do Capricorna, jego dawnego pana.

Podpalacz chciał zaprotestować, lecz Żmijogłowy gestem nakazał mu milczenie.

– A jednak wyobraź sobie – książę mówił tak głośno, by wszyscy w sali go słyszeli – że mimo mojej oczywistej głupoty znalazłem sposób na udowodnienie, który z nas się myli.

Skinieniem głowy przywołał Taddea. Bibliotekarz skwapliwie podbiegł do niego, wyciągając spod obszernego płaszcza pióro i atrament.

– To całkiem proste, Podpalaczu! – Żmijogłowy upajał się własnym głosem. – To nie ja, tylko ty pierwszy wpiszesz swoje imię do księgi! Taddeo zapewnił mnie, że będzie można wymazać litery za pomocą skrobaka, który niegdyś sporządził Balbulus, tak że nikt nie dopatrzy się potem nawet śladu twojego imienia na tych kartach. A więc tak: napiszesz swoje imię – wiem, że umiesz pisać – następnie damy Sójce miecz i będzie miał prawo cię przebić! Prawda, że to genialny pomysł? W ten sposób zostanie jednoznacznie dowiedzione, czy ta księga naprawdę zapewnia nieśmiertelność temu, czyje imię zostanie do niej wpisane.

„To tylko gra...". Mo dostrzegł strach rozlewający się na twarzy Podpalacza niczym wysypka.

– No chodź! – szydził Żmijogłowy, gładząc machinalnie zatrzask. – Dlaczego tak nagle zbladłeś? Czyż to nie jest zabawa w twoim stylu? Podejdź tu i wpisz swoje imię. Ale nie to, które sam sobie nadałeś, lecz to, pod którym się urodziłeś.

Podpalacz rozejrzał się, szukając twarzy, która by obiecywała pomoc, lecz nikt się nie ruszył, nawet Mortola. Stała ze zbielałymi, zaciśniętymi mocno wargami, a gdyby jej wzrok mógł zabijać, Żmijogłowemu nie pomogłaby żadna czarodziejska księga. On jednak uśmiechnął się do niej i otworzywszy księgę, wetknął swemu heroldowi pióro do ręki. Podpalacz przyglądał się zaostrzonej szypułce, jakby nie wiedział, co się z tym robi, po czym niespiesznie umoczył pióro w atramencie – i zaczął pisać.

„Co teraz, Mortimerze? – pomyślał Mo. Stojący obok żołnierz położył dłoń na rękojeści miecza. – Co zrobisz? Co?!". Widział przerażony wzrok Meggie, czuł jej strach, jakby dotykał zimnej ściany.

– Doskonale! – Piszczałka odebrał książkę Podpalaczowi, zaledwie ten skończył pisać.

Żmijogłowy skinął na służbę czekającą pod kolumnami z paterami pełnymi owoców i ciastek. Wsunął do ust ciastko, a po palcach pociekł mu miód.

– No, na co jeszcze czekasz, Podpalaczu? – powiedział z pełnymi ustami. – Spróbuj szczęścia. No, jazda!

A Podpalacz stał nieruchomo, wpatrując się w Piszczałkę, który przyciskał książkę do piersi, jakby tulił dziecko. Srebrny Nos ze złym uśmiechem odwzajemnił jego spojrzenie. Podpalacz gwałtownie się odwrócił i począł schodzić po stopniach. U stóp schodów czekał na niego Mo.

Mo zdjął rękę Meggie ze swego ramienia i odsunął córkę na bok, choć się opierała. Pancerni cofnęli się, jakby chcieli oczyścić scenę widowiska. Tylko jeden z nich na znak dany przez Żmijogłowego przystąpił do Podpalacza, wyjął mu miecz z pochwy i podsunął Mo srebrną rękojeść.

Czy to wciąż jeszcze była gra Fenoglia?

Teraz to już nie miało znaczenia. Kiedy wkraczał tutaj, dałby sobie uciąć rękę za miecz, ale tego miecza nie chciał przyjąć. I nie chciał przyjąć roli, którą ktoś inny mu wyznaczył, wszystko jedno, Fenoglio czy Żmijogłowy.

– No bierz, Sójko! – niecierpliwił się żołnierz.

Mo przypomniał sobie noc, kiedy to podniósł upuszczony przez Bastę miecz i wypędził ze swego domu jego i Capricorna. Pamiętał dobrze ciężar żelaza w dłoni, blask światła na gładkiej klindze...

– Nie, dziękuję! – rzekł, cofając się o krok. – Miecze nie należą do mojego zawodu. Chyba dowiodłem tego tą książką?

Żmijogłowy otarł usta i palce z miodu i zmierzył go zdziwionym spojrzeniem.

– Ależ Sójko! – zawołał. – Przecież słyszałeś. Nie żądamy od ciebie specjalnej biegłości. Masz go po prostu przebić mieczem. To chyba nie jest trudne!

Podpalacz patrzył na niego nienawistnym wzrokiem. „Spójrz na niego, głupcze! – myślał Mo. – On by cię przebił bez mrugnięcia oka, dlaczego więc się wahasz?". Ale Meggie rozumiała, dlaczego Mo się waha. Widział to po jej oczach. Może Sójka chwyciłby za miecz, ale nie jej ojciec.

– To niemożliwe, Żmijogłowy! – powiedział głośno. – Jeśli masz porachunki z twoim siepaczem, załatw to sam. My dwaj zawarliśmy inną umowę.

Żmijogłowy przyglądał mu się z taką ciekawością, jakby miał przed sobą okaz egzotycznego zwierzęcia. Wreszcie się roześmiał.

– Podoba mi się twoja odpowiedź! – wykrzyknął. – Naprawdę. I wiesz co? Twoje słowa dowodzą ostatecznie, że jednak złapałem prawdziwego Sójkę. Jesteś nim bez wątpienia, bo ludzie mówią wiele o jego przebiegłości. Ja jednak dotrzymam danego słowa.

To mówiąc, skinął na żołnierza trzymającego miecz, a ten obrócił go i wsadził ostrą klingę w brzuch Podpalacza tak szybko, że ten nie zdążył się nawet cofnąć.

Meggie krzyknęła. Mo przyciągnął ją do siebie i objął, zasłaniając jej twarz. A Podpalacz patrzył zdumiony na miecz sterczący z jego ciała, jakby był jakąś osobliwą naroślą.

Żmijogłowy popatrzył po obecnych z uśmiechem zadowolenia na twarzy, rozkoszując się niemym przerażeniem, które ogarnęło ludzi. Tymczasem Podpalacz ujął miecz i nawet się nie zachwiawszy, wolno wyciągnął go ze swego ciała.

W wielkiej sali zrobiło się tak cicho, jakby nagle wszyscy obecni przestali oddychać.

Żmijogłowy począł klaskać w dłonie.

– Spójrzcie na niego! – wykrzyknął. – Czy ktokolwiek w tej sali ośmieliłby się twierdzić, że Podpalacz mógł przeżyć takie pchnięcie? A on tylko zbladł lekko, nic więcej! Prawda, Podpalaczu?

Ale herold nie odpowiedział; stał nieruchomo i wpatrywał się w zakrwawiony miecz, który trzymał w rękach.

Tymczasem Żmijogłowy ciągnął z ożywieniem:

– Tak, myślę, że to zostało dowiedzione! Dziewczynka nie kłamała, a Żmijogłowy nie jest wcale lekkomyślnym głupcem, który daje się nabrać na dziecinne bajeczki.

Wymawiał słowa ostrożnie, niczym drapieżnik, który się skrada, nim zaatakuje zdobycz. Odpowiedziała mu cisza. Milczał również Podpalacz z twarzą pobladłą z bólu; połą płaszcza ocierał miecz z własnej krwi.

– Bardzo dobrze! – stwierdził Żmijogłowy. – No, to jedna sprawa została załatwiona, a ja mam teraz nieśmiertelnego herolda! Czas najwyższy, bym mógł powiedzieć to samo o sobie. – Piszczałka! – zwrócił się do grajka. – Opróżnij salę. Wyrzuć wszystkich. Służbę, kobiety, balwierzy, zarządców, wszystkich! Zostaje dziesięciu pancernych, ty, Podpalaczu, bibliotekarz i dwoje więźniów. Ty także wyjdź! – krzyknął na Mortolę, gdy ta próbowała protestować. – Zostań przy mojej żonie i zrób wreszcie coś, żeby dziecko przestało płakać.

– Mo, co on zamierza? – szepnęła Meggie.

Wokół nich wszczął się ruch, wszyscy opuszczali salę. Ale Mo tylko potrząsnął głową. Nie znał odpowiedzi na to pytanie. Czuł tylko, że gra jeszcze długo się nie skończy.

– A co z nami? – krzyknął do Żmijogłowego. – Moja córka i ja wypełniliśmy naszą część umowy, więc wypuść więźniów i pozwól nam odejść!

Żmijogłowy podniósł rękę w uspokajającym geście.

– Tak, tak, oczywiście, Sójko! – rzekł protekcjonalnie. – Ty wypełniłeś swoją część umowy, więc ja też wypełnię swoją. Słowo honoru Żmijogłowego! Posłałem już ludzi do lochów, ale stamtąd do bramy jest daleka droga, więc dotrzymaj nam jeszcze przez chwilę towarzystwa. Zapewniam cię, że nie będziesz się nudził.

Gra. Mo obejrzał się i zobaczył, jak potężne drzwi zamykają się za ostatnimi wychodzącymi. Opustoszała sala wydawała się jeszcze większa.

– Jak się czujesz, Podpalaczu? – Żmijogłowy zmierzył swego herolda zimnym spojrzeniem. – Jak się czuje człowiek, który jest nieśmiertelny? Fantastycznie? Spokojnie?

Podpalacz milczał, wciąż trzymając w dłoniach miecz, który go przebił.

– Chciałbym dostać inny miecz – rzekł ochrypłym głosem, patrząc w oczy swojemu panu. – Ten się do niczego nie nadaje.

– Co tam miecz, Podpalaczu! Każę ci wykuć nowy, o wiele lepszy od tego, za przysługę, jaką mi dziś wyświadczyłeś! – odrzekł Żmijogłowy. – Ale najpierw musimy załatwić pewną drobnostkę, byśmy mogli bez szkody wymazać twoje imię z księgi.

– Wymazać? – Wzrok Podpalacza pobiegł ku Piszczałce, który wciąż przyciskał książkę do piersi.

– Tak, wymazać. Pamiętasz przecież, że ta książka miała uczynić nieśmiertelnym mnie, a nie ciebie. A żeby było to możliwe, Taddeo musi wpisać do niej najpierw trzy słowa.

– Po co? – Podpalacz otarł rękawem pot z czoła.

Trzy słowa! Biedaczysko! Czy słyszał, jak zatrzasnęła się pułapka? Meggie chwyciła Mo za rękę.

– Żeby zrobić miejsce, można powiedzieć, miejsce dla mnie – wyjaśnił Żmijogłowy. – I wiesz co? – ciągnął, podczas gdy Podpalacz patrzył na niego, nic nie rozumiejąc. – W nagrodę za to, że tak ofiarnie mi dowiodłeś, iż ta książka niezawodnie chroni przed śmiercią, pozwolę ci zabić Sójkę, jak tylko skryba skończy pisać te trzy słowa. Jeśli w ogóle można go zabić. Odpowiada ci ta propozycja?

– Co?! Co ty mówisz?! – krzyknęła przerażona Meggie.

Ale Mo szybko zatkał jej ręką usta.

– Meggie, proszę! – szepnął. – Sama mówiłaś, że słowa Fenoglia się spełniają. Nic mi nie będzie!

Ale Meggie nie słuchała. Szlochając, uczepiła się jego ramienia, aż dwóch pancernych musiało ją odciągnąć.

– Trzy słowa! – wyrzekł Podpalacz, podchodząc do niego. („Mortimer, jesteś głupcem!" – pomyślał Mo). – Trzy słowa, licz dobrze, Sójko – syczał Podpalacz, unosząc miecz do góry. – Na cztery cię przebiję i zapewniam, że będzie mocno bolało, choćbyś nawet nie umarł. Wiem, o czym mówię.

Klinga miecza błyszczała w świetle świec, jakby była z lodu. Była tak długa, że można by nią przebić trzech ludzi. W kilku miejscach widać było jeszcze zaschniętą krew Podpalacza.

– Do roboty, Taddeo! – rzekł Żmijogłowy. – Pamiętasz słowa, które ci powiedziałem? Napisz je jedno po drugim, ale ich nie wymawiaj, tylko licz.

Piszczałka otworzył księgę i podsunął ją staremu bibliotekarzowi. Taddeo ujął pióro drżącą ręką i zanurzył je ostrożnie w atramencie.

– Jeden – powiedział i pióro, skrzypiąc, zaczęło się posuwać po papierze. – Dwa.

Podpalacz z uśmiechem przystawił koniec klingi do piersi Mo.

Taddeo uniósł głowę, umoczył na nowo pióro i spojrzał niepewnie na Żmijogłowego.

– Nie umiesz liczyć, starcze? – zniecierpliwił się tamten.

Taddeo potrząsnął głową.

– Trzy! – wyszeptał.

Mo słyszał, jak Meggie wykrzykuje jego imię. Wpatrywał się w ostry czubek miecza. Słowa... tylko słowa chroniły go teraz przed klingą...

Ale w świecie Fenoglia to wystarczyło.

Oczy Podpalacza rozszerzyły się w bezbrzeżnym zdumieniu i przerażeniu. Mo widział, jak wraz z ostatnim tchnieniem próbuje pchnąć mieczem, by zabrać Mo ze sobą tam, dokąd wysyłały go pióro i atrament, ale miecz wypadł z omdlałej ręki. Podpalacz zachwiał się i padł martwy u stóp Mo.

Piszczałka w milczeniu patrzył na trupa. Taddeo opuścił pióro i odsunął się od książki, w której przed chwilą jeszcze pisał, jakby i jego mogła zabić – cichym głosem, jednym niepozornym słowem.

– Wynieście go z zamku! – rozkazał Żmijogłowy. – Nie chcę, żeby tu przyszły białe damy. Pospieszcie się!

Trzej pancerni wynieśli zwłoki Podpalacza. Lisie kity u jego płaszcza zamiatały podłogę, a Mo stał jak skamieniały, wbijając wzrok w miecz, który upadł do jego stóp. Meggie przytuliła się do ojca; Mo czuł, jak serce tłucze jej się w piersi, niczym u przerażonego ptaka.

– Tak, kto by chciał mieć nieśmiertelnego herolda! – zawołał Żmijogłowy w ślad za wynoszonym ciałem. – Gdybyś był mądrzejszy, tobyś to zrozumiał. – Rubin w skrzydełku jego nosa bardziej niż kiedykolwiek przypominał kroplę krwi.

– Czy mam teraz wymazać jego imię, Wasza Książęca Mość? – spytał drżącym głosem Taddeo.

– Oczywiście. Jego imię i te trzy słowa, ma się rozumieć. Tylko zrób to dokładnie, chcę, żeby wszystkie karty tej księgi były znów białe, jak świeżo spadły śnieg.

Bibliotekarz posłusznie zabrał się do pracy. Skrzypienie skrobaka po papierze wydawało się dziwnie głośne w tej ogromnej pustej sali. Wreszcie Taddeo skończył i wygładził białe jak śnieg strony. Wtedy Piszczałka wziął od niego książkę i podsunął ją Żmijogłowemu.

Mo zauważył drżenie tłustych palców księcia, gdy ten umoczył pióro w kałamarzu. Trzymając pióro nad książką, Żmijogłowy uniósł głowę i przemówił do Mo:

– Chyba nie byłeś na tyle głupi, żeby umieścić tutaj jakieś dodatkowe zaklęcie, Sójko? – spytał podejrzliwie. – Istnieją sposoby uśmiercenia mężczyzny – i nie tylko mężczyzny, ale także jego żony i córki – które czynią umieranie długotrwałym i bolesnym procesem. Może to trwać wiele dni i nocy.

– Zaklęcie? Nie – odparł Mo, nie odrywając wzroku od porzuconego miecza. – Nie znam się na czarach. Powtarzam raz jeszcze, że jestem introligatorem i niczym więcej. Całą swoją wiedzę włożyłem w tę książkę. Ani więcej, ani mniej.

– No, to dobrze.

Żmijogłowy jeszcze raz umoczył pióro w atramencie – i znów pióro zawisło w powietrzu.

– Białe! – mruczał Żmijogłowy pod nosem, wpatrując się w puste stronice. – Popatrzcie, jakie są białe. Białe jak białe damy, które przynoszą śmierć, i jak kości, kiedy śmierć ogryzie z nich ciało.

A potem zaczął pisać. Wpisał swoje imię do pustej księgi i ją zamknął.

– Gotowe! – zawołał triumfalnie. – Gotowe, Taddeo! A teraz zatrzaśnij tę przeklętą kostuchę, tego wroga, którego nie można zabić. Już mnie nie dostanie! Teraz jesteśmy sobie równi. Nieśmiertelni, a uśmiercający. I razem będziemy rządzić tym światem.

Bibliotekarz wziął księgę i zamykając zatrzaski, wpatrywał się w Mo. „Kim jesteś – zdawały się mówić jego oczy. – Jaką rolę odgrywasz w tej grze?". Ale nawet gdyby Mo chciał, nie potrafiłby odpowiedzieć na to pytanie.

Za to Żmijogłowy sprawiał wrażenie człowieka, który zna odpowiedź.

– Wiesz co? Podobasz mi się, Sójko! – powiedział, przewiercając Mo swym jaszczurczym wzrokiem. – Naprawdę! Byłbyś doskonałym heroldem, ale role zostały inaczej rozdzielone, prawda?

– Prawda – przyznał Mo. „Tylko że ty nie wiesz przez kogo, a ja wiem" – dodał w myślach.

Żmijogłowy skinął na pancernych.

– Niech odejdzie wolno! – rozkazał. – On, dziewczynka i każdy, kogo zechce zabrać ze sobą.

Żołnierze rozstąpili się niechętnie.

– Chodź, Mo! – szepnęła Meggie, ściskając go za rękę.

Była taka blada! Blada z przerażenia i zupełnie bezbronna. Mo spojrzał wzdłuż szeregu pancernych, wyobraził sobie dziedziniec otoczony wysokim murem, srebrne żmije zwieszające się z murów, otwory do wylewania rozpalonej smoły. Pomyślał o kuszach wartowników na blankach, włóczniach strażników przy bramie; przypomniał sobie tego żołdaka, który brutalnie pchnął Resę w błoto. Bez słowa schylił się... i podniósł z posadzki miecz, który wypadł z martwych rąk Podpalacza.

– Mo! – Meggie puściła jego rękę i patrzyła na niego przerażona. – Co ty robisz?

Ale on tylko mocno przygarnął ją do siebie. Pancerni jak jeden mąż dobyli mieczy. Miecz Podpalacza ważył więcej niż ten, którym Mo wypędził ze swego domu Capricorna.

– No, proszę! – rzekł Żmijogłowy. – Wygląda na to, że nie ufasz mojemu słowu, Sójko!

– Ależ ufam, jak najbardziej! – odparł Mo, nie opuszczając miecza. – Ale wszyscy tutaj mają broń oprócz mnie, więc chyba zachowam ten bezpański miecz. Ty za to zachowasz książkę, a jeśli obaj będziemy mieli szczęście, to nigdy więcej się już nie spotkamy.

Nawet śmiech Żmijogłowego brzmiał zupełnie jak brzęk starego srebra.

– Ależ dlaczego? – zawołał. – Zabawa z tobą bardzo mi się podoba. Jesteś godnym przeciwnikiem. I dlatego dotrzymam słowa. Przepuścić ich! – rozkazał ponownie. – I przekażcie to strażom przy bramie. Żmijogłowy pozwala odejść Sójce, ponieważ nie musi się go już obawiać. Żmijogłowy jest teraz nieśmiertelny!

Mo ujął Meggie za rękę; słowa księcia huczały mu w głowie. Taddeo wciąż trzymał zamkniętą książkę w taki sposób, jakby mogła go ugryźć. A Mo czuł jeszcze na palcach dotyk papieru, czuł drewno okładek, skórę, którą na nie naciągał, nici, którymi zszywał składki. Zauważył wzrok Meggie. Wpatrywała się w miecz w jego dłoni, jakby ten przedmiot czynił go kimś obcym.

– Chodź – rzekł Mo i pociągnął ją za sobą. – Poszukamy twojej matki.

– Tak, idź, Sójko, weź córkę, żonę i pozostałych! – krzyknął za nim Żmijogłowy. – Odejdź, zanim Mortola przypomni mi, jakim jestem głupcem, że cię puszczam wolno!

Tylko dwaj pancerni towarzyszyli im w długiej wędrówce przez korytarze zamku. Dziedziniec był prawie pusty o tak wczesnej porze. Niebo rozciągające się nad Mrocznym Zamkiem było ołowiane, siąpił drobny deszcz, spowijając szarym welonem nadchodzący dzień. Kilku parobków krzątających się na dziedzińcu cofnęło się na widok obnażonego miecza w ręce Mo, a pancerni bez słowa usunęli ich z drogi.

Reszta więźniów czekała już przy bramie pod strażą kilkunastu pancernych. W pierwszej chwili Mo nie mógł dostrzec Resy w tłumie, lecz wtem jakaś postać oderwała się od grupy i wybiegła im naprzeciw. Nikt jej nie zatrzymywał. Może żołnierze zdążyli się już dowiedzieć, co się stało z Podpalaczem. Mo czuł na sobie ich spojrzenia, pełne przerażenia i strachu – przed człowiekiem, który zaklął śmierć między kartami książki, a w dodatku był rozbójnikiem! Czyż trzymany przez niego miecz nie był tego dostatecznym dowodem? Mo zupełnie nie dbał o to, co o nim myślą. Niech się go boją. Tak jak on się bał – przez tyle dni i nocy, kiedy sądził, że wszystko utracił na zawsze, żonę, córkę, i że nie pozostanie mu nic prócz samotnej śmierci w tym świecie utkanym ze słów.

Resa obejmowała na przemian to jego, to Meggie, o mało nie zadusiła ich w uściskach, a kiedy ich wreszcie puściła, Mo miał twarz mokrą od jej łez.

– Chodź, Reso, wyjdźmy za bramę! – szepnął do niej. – Zanim pan tego zamczyska się rozmyśli! Mamy sobie wiele do opowiedzenia, ale najpierw musimy opuścić to miejsce.

Pozostali więźniowie ruszyli za nimi. Z niedowierzaniem patrzyli, jak otwiera się przed nimi ciężka żelazna brama. Potykali się, chcąc jak najszybciej znaleźć się na wolności. I wciąż nikt ich nie ścigał.

Straże stały bezczynnie, dzierżąc w dłoniach włócznie i miecze i przyglądając się odchodzącym, których członki wciąż jeszcze były zesztywniałe od długiego przebywania w wilgotnych lochach. Tylko jeden z pancernych wyszedł za bramę i bez słowa wskazał im drogę, którą mieli się oddalić.

„A jeśli zaczną do nas strzelać z blanków?" – myślał Mo, gdy schodzili po nagim zboczu. Nigdzie nie było ani drzewa, ani najmniejszego krzaczka, za którym można by się ukryć. Byli jak muchy na ścianie.

Ale nic się nie działo. Szli przez deszcz, w szarości poranka, zostawiając za sobą ciemny masyw zamku niby przyczajonego groźnie potwora... i nic się nie działo.

– Dotrzymał słowa! – rozlegały się wokoło szepty. – Żmijogłowy dotrzymał przyrzeczenia.

Resa z niepokojem spytała Mo o ranę, ale on odpowiedział cicho, że czuje się dobrze. Nasłuchiwał, czy nie rozlegnie się za nimi tupot ścigających ich pancernych... ale wkoło panowała cisza. Droga schodząca nagim zboczem zamkowym zdawała się nie mieć końca. Wtem przed nimi wyrosły drzewa. Cienie, jakie ich gałęzie rzucały na drogę, były tak czarne, jakby pod drzewami schroniła się noc.

71

To tylko sen

Któregoś dnia pewien młody człowiek rzekł:

– Nie podoba mi się to, że wszyscy musimy umrzeć. Pójdę i poszukam kraju, gdzie nikt nie umiera.

Kraj, gdzie nikt nie umiera (włoska baśń ludowa)

Smolipaluch leżał pod drzewem przemoczony do suchej nitki. Obok niego leżał Farid; drżał z zimna, mokre czarne włosy lepiły mu się do czoła. W podobnym stanie byli inni. Czekali już od kilku godzin. Zajęli stanowiska jeszcze przed wschodem słońca i od tego czasu bez przerwy lał deszcz. Pod drzewami było tak ciemno, jakby dzień jeszcze nie nadszedł. I cicho; tak cicho, jakby wszystko wokół – nie tylko wyczekujący ludzie – wstrzymało oddech. Tylko deszcz wciąż padał, niezmordowanie obmywając gałęzie i listowie. Farid otarł rękawem ociekający wodą nos, a gdzieś obok ktoś kichnął. „Przeklęty głupcze, zatykaj nos!" – pomyślał Smolipaluch i wzdrygnął się, słysząc szelest po drugiej stronie drogi. Ale to tylko dziki królik wyskoczył z gęstwiny i węsząc, stanął słupka na środku drogi. Uszy mu drgały, okrągłe oczka patrzyły nieruchomo. „Pewnie nawet w połowie tak się nie boi jak ja" – pomyślał Smolipaluch. Chciałby teraz siedzieć z Roksaną w kopalni, gdzie cuchnęło jak w grobie, ale przynajmniej było sucho.

Po raz setny odgarniał z czoła ociekające deszczem włosy, gdy Farid czujnie uniósł głowę. Królik smyrgnął między drzewa, a poprzez szum deszczu dało się słyszeć stąpanie. Nareszcie! Ukazała się grupka ludzi zagubionych pośród lasu, tak samo przemoczonych jak czekający na nich zbójcy. Farid chciał się zerwać na równe nogi, ale Smolipaluch chwycił go i przyciągnął do siebie.

– Nie ruszaj się z miejsca, rozumiesz? – syknął. – Nie po to zostawiłem kuny z Roksaną, żebym teraz miał biegać za tobą!

Na przodzie szedł Czarodziejski Język z Meggie i Resą. W ręce trzymał miecz, jak wtedy, gdy wypędził z domu Capricorna i Bastę. Obok Resy kroczyła ostrożnie ciężarna wagantka, którą widział w lochu. Oglądała się co chwila na zamek wysoko w górze, który wciąż jeszcze wyglądał groźnie, choć był już daleko. Grupa liczyła więcej ludzi, niż zmuszeni byli zostawić przy płonącym drzewie. Widocznie Żmijogłowy rzeczywiście opróżnił więzienie. Jedni słaniali się na nogach, inni mrugali oczami, jakby nawet to mdłe światło dnia było dla nich zbyt jaskrawe. Czarodziejski Język najwidoczniej czuł się dobrze, choć wciąż miał na sobie poplamioną krwią koszulę, a i Resa nie była już tak blada jak w lochu, choć mogło mu się tak tylko wydawać.

Właśnie dostrzegł w grupie Puszczyka – wyglądał staro i niedołężnie – gdy Farid z przerażeniem chwycił go za ramię, wskazując mężczyzn, którzy nie wiadomo skąd pojawili się na drodze, którą zdążali więźniowie. Wyglądało to tak, jakby wychodzili z deszczu; w ciszy jeden po drugim wysypywali się spomiędzy drzew. W pierwszej chwili Smolipaluch pomyślał, że Czarny Książę doczekał się posiłków. I wtedy zobaczył Bastę.

Basta trzymał miecz w jednej ręce, a nóż w drugiej, a na jego poparzonej twarzy malowała się żądza mordu. Żaden z towarzyszących mu ludzi nie występował w barwach Żmijogłowego, ale cóż to znaczyło? Może wysłała ich Mortola, a może książę po prostu umywał ręce, żeby wina za zabicie uwolnionych więźniów nie spadła na niego. Ważne było to, że przeciwników było wielu, dużo więcej niż ludzi Czarnego Księcia ukrytych między drzewami. Basta z uśmiechem dał znak ręką i jego ludzie z dobytymi mieczami ruszyli w górę drogi, wolno, jakby chcieli się nasycić widokiem przerażenia na twarzach uwolnionych, nim ich pozabijają.

Czarny Książę pierwszy wyszedł zza drzew i stanął na drodze wraz z nieodłącznym niedźwiedziem, jakby we dwóch mogli zapobiec zbliżającej się rzezi. Ale zaraz też jego ludzie wysypali się z lasu i utworzyli żywy wał oddzielający więźniów od tych, którzy przyszli ich zabić. Smolipaluch, złorzecząc, podniósł się z ziemi. Zapowiadał się krwawy poranek. Deszcz nie nadąży zmywać krwi, a on będzie musiał dobrze rozzłościć ogień, który nie lubi deszczu – wilgoć działa na niego usypiająco, tymczasem płomienie muszą być bardzo agresywne.

– Farid! – Smolipaluch zdążył go przytrzymać za ramię.

Chłopak spieszył na ratunek Meggie, ale musiał przecież zabrać ogień. Musieli utworzyć pierścień z ognia wokół tych, którzy mieli tylko puste dłonie przeciwko mieczom. Podniósł grubą gałąź, wywołał syczący i dymiący płomień spod wilgotnej kory i rzucił chłopcu płonące polano. Mur z ciał ludzkich nie osłoni ich na długo; ratunkiem może być tylko ogień.

Tymczasem rozwidniło się zupełnie; szyderczy głos Basty dyszącego żądzą krwi rozbrzmiewał na drodze, a Farid sypał skry z bierwiona, zataczając krąg wokół więźniów. Sypał je na ziemię, jak chłop sieje ziarno, a Smolipaluch, biegnąc za nim, sprawiał, że z iskier wytryskały płomienie. Gdy ludzie Basty ruszyli do ataku, cała grupa otoczona już była murem ognia. Walczący zwarli się ze sobą; miecz szczękał o miecz, ciało uderzało o ciało, a Smolipaluch z Faridem wciąż przyzywali i podsycali ogień.

W ognistym kole pozostawili tylko wąskie przejście – drogę ucieczki na wypadek, gdyby płomienie przestały ich słuchać, a ich gniew obrócił się zarówno przeciwko przyjaciołom, jak i wrogom.

Smolipaluch dostrzegł strach na twarzy Resy, widział, jak Farid przez płomienie wskakuje do środka ognistego kręgu, tak jak się umówili. Szczęście, że była tam Meggie, inaczej chłopiec pewnie znowu nie odstąpiłby go na krok. Sam pozostał jeszcze na zewnątrz płomiennego koliska. Wyciągnął nóż – gdy Basta był w pobliżu, lepiej było mieć nóż pod ręką – i szeptem rozmawiał z ogniem, cierpliwie, prawie czule, przekonując go, by nie robił, co mu się żywnie podoba, by z przyjaciela nie stał się wrogiem. Ludzie Basty coraz dalej wypierali zbójców, walczący coraz bardziej zbliżali się do grupki więźniów, z których jeden tylko Czarodziejski Język był uzbrojony. Czarnego Księcia zaatakowało aż trzech napastników, ale niedźwiedź bronił go kłami i pazurami. Smolipaluchowi zrobiło się słabo na widok ran, jakie zadawały łapy zwierza.

Ogień coś mówił do niego, chciał igrać, tańczyć, szaleć, nie rozumiał panicznego lęku, który czaił się w ludziach. Smolipaluch usłyszał krzyki, zdawało mu się, że rozróżnia głos chłopca... Przebił się przez walczących, podniósł miecz leżący na ziemi.

Gdzie był Farid?

Tam! Walczył, wywijając nożem zwinnie jak żmija. Smolipaluch złapał go za ramię, szepnął płomieniom, by ich przepuściły, i wciągnął go do środka ognistego kręgu.

– Do diabła! Powinienem był cię zostawić z Roksaną! Mówiłem ci, że masz nie odchodzić od Meggie!

Miał ochotę skręcić mu ten jego cienki kark z radości, że chłopak żyje.

Meggie podbiegła do Farida, chwyciła go za rękę. Stali ramię przy ramieniu, wpatrując się w krwawe widowisko. Tymczasem Smolipaluch starał się nic nie słyszeć, nic nie widzieć... On miał tylko pilnować ognia. Reszta należała do Czarnego Księcia.

Czarodziejski Język dobrze radził sobie z mieczem, o wiele lepiej, niż on sam by to potrafił, ale widać było, że jest wyczerpany. Resa stała obok Meggie, na razie jeszcze cała i zdrowa. Na razie! Przeklęty deszcz wlewał mu się za kołnierz, zagłuszał jego głos swym szumem. Woda śpiewała płomieniom kołysankę, Smolipaluch zaczął krzyczeć, chcąc obudzić ogień, sprawić, by buzował i kąsał. Podszedł do ściany ognia i przyglądał się walczącym, którzy byli coraz bliżej; niektórzy ocierali się już o tańczący żar.

Farid również zorientował się, co deszcz robi z ogniem. Zwinnie podskoczył tam, gdzie płomienie zaczynały opadać. Meggie pobiegła za nim. W tej chwili w miejscu, gdzie stał Farid, w ognisty krąg upadł mężczyzna, martwe ciało przygniotło płomienie; inny napastnik wskoczył po trupie do środka. Smolipaluch podbiegł do wyrwy w płomieniach, wzywając na pomoc Mo... Pośród płomieni ujrzał Bastę z opalonymi włosami i wzrokiem pełnym nienawiści i lęku przed ogniem. Które uczucie zwycięży? Basta, mrugając oczami, rozglądał się w gryzącym dymie, jakby szukał czyjejś twarzy. Smolipaluch wiedział czyjej. Odruchowo cofnął się o krok, kolejny trup zwalił się do środka, niszcząc ogniową zaporę. Dwaj mężczyźni z dobytymi mieczami wskoczyli do środka i zaatakowali więźniów. Smolipaluch usłyszał przeraźliwe krzyki, widział, jak Czarodziejski Język zasłania Resę i Meggie, a Basta stawia stopę na trupie, niczym na moście. Dawać tu płomienie! Smolipaluch chciał podbiec do ognia, by ten go lepiej słyszał, lecz w tej chwili ktoś chwycił go za ramię. Był to Dwupalcy.

– Pozabijają nas! – wyrzucał z siebie urywanym głosem, rozglądając się z przerażeniem. – Od początku chcieli nas zabić! A jeśli oni nas nie dostaną, upieczemy się na ogniu.

– Puść mnie! – wrzasnął Smolipaluch.

Dym szczypał go w oczy, drapał w gardle. Basta! Tamten wpatrywał się w niego przez dym, jakby byli złączeni niewidzialną nicią. Płomienie nie czyniły mu krzywdy; zamachnął się nożem... W kogo celował? I dlaczego się uśmiechał?

Chłopiec!

Smolipaluch odepchnął Dwupalcego. Wołał Farida po imieniu, ale straszliwy hałas zagłuszał jego słowa. Chłopiec wciąż trzymał Meggie za rękę, w drugiej ściskał nóż, który podarował mu Smolipaluch w innym życiu, w innym świecie.

– Farid!

Ale on go nie słyszał. A Basta rzucił nożem.

Smolipaluch widział, jak ostrze wbija się w szczupłe plecy chłopca. Zdążył go jeszcze złapać, nim upadł na ziemię, ale on już nie żył... A Basta postawił nogę na innym trupie i uśmiechał się. Miał powód! Trafił wreszcie w cel, w który zawsze mierzył: w serce Smolipalucha, w jego głupie serce... To serce pękło z bólu, gdy trzymał w ramionach martwego Farida. Po prostu pękło z bólu, choć przez tyle lat tak dobrze go pilnował. Ujrzał przerażoną twarz Meggie, usłyszał, jak woła Farida po imieniu, i złożył go w jej ramionach. Wyprostował się z trudem, tak bardzo drżały mu nogi. Trząsł się cały, trzęsła mu się ręka ściskająca nóż, który wyciągnął z pleców chłopca. Chciał rzucić się na Bastę przez ogień i zwarte w śmiertelnych zmaganiach ciała, ale Czarodziejski Język był szybszy... Czarodziejski Język, ten, który ściągnął Farida z jego dawnego świata i którego córka siedziała i płakała, jakby ktoś przebił jej serce tak samo jak serce chłopca...

Czarodziejski Język nie zważał na buchające płomienie. Przewiercił ciało Basty z taką łatwością, jakby nigdy nic innego nie robił, jakby od dziś znał już tylko to jedno rzemiosło: zabijanie. Basta padł martwy z grymasem zdziwienia na ustach. Zwalił się w płomienie, a Smolipaluch podbiegł do Farida, którego Meggie wciąż jeszcze trzymała w ramionach.

Czego się spodziewał? Że chłopiec ożyje tylko dlatego, że jego zabójca był martwy? Nie, czarne oczy pozostały puste jak opuszczony dom. Nie było w nich nawet cienia tej radości, którą za życia tak trudno było w nich zgasić. A Smolipaluch ukląkł obok ciała na stratowanej ziemi, podczas gdy Resa pocieszała Meggie, a wokół szalała śmiertelna walka; nic już nie wiedział, ani co tu robi, ani co się dzieje, ani po co tu przyszedł, między te drzewa – te same, które widział we śnie.

W najgorszym ze swoich snów. Który teraz spełnił się na jego oczach.

72

Zamiana

Błękit moich oczu zgasł tej nocy,
Czerwone złoto mego serca.
Georg Trakl, *Nocą*, [w:] *Poezje zebrane*

Prawie wszyscy uszli z życiem. Uratował ich ogień, wściekłość niedźwiedzia, ludzie Czarnego Księcia i Mo, który o tym szarym poranku uczył się zabijania, jakby chciał zostać mistrzem w tym rzemiośle. Basta padł martwy, podobnie jak Rozpruwacz i tylu innych jego ludzi; ziemia usłana była ich trupami jak zwiędłymi liśćmi. Śmierć poniosło dwóch grajków – i Farid.

Farid...

Smolipaluch sam był blady jak śmierć, gdy niósł martwego chłopca do kopalni. Meggie szła przez cały czas obok niego, trzymając rękę Farida, jakby to mogło coś pomóc; czuła potworny ból w sercu i wydawało się, że ten ból nigdy już nie minie.

Tylko jej jednej Smolipaluch pozwolił zostać, gdy ułożył Farida na swoim płaszczu w najodleglejszym zakątku kopalni. Nikt nie miał odwagi odezwać się do niego, gdy pochylony nad chłopcem ocierał mu osmalone czoło. Roksana chciała z nim pomówić, ale gdy zobaczyła wyraz jego twarzy, zostawiła go w spokoju. Tylko Meggie pozwolił siedzieć obok Farida, jak gdyby w jej oczach dostrzegł własny ból. I tak siedzieli oboje w trzewiach Żmijowej Góry, jakby u końca wszelkich historii. Siedzieli bez słowa, bo zdawało się, że wszystko już zostało powiedziane.

Na dworze mogła być już noc, gdy Meggie usłyszała głos Smolipalucha. Dochodził do niej jak z oddali, przez mgłę bólu, która ją spowijała i z której nigdy już nie spodziewała się wyjść.

– Ty też byś chciała, żeby wrócił, co?

Z trudem odwróciła wzrok od twarzy Farida.

– On już nigdy nie wróci – szepnęła, spoglądając na Smolipalucha.

Nie miała siły mówić głośniej. Cała jej siła gdzieś zniknęła, jakby Farid zabrał ją ze sobą. Wszystko zabrał ze sobą.

– Istnieje taka opowieść... – Smolipaluch patrzył na swoje ręce, jak gdyby tam było wypisane wszystko to, o czym mówił. – Opowieść o białych damach...

– Co za opowieść?

Meggie nie chciała już nigdy więcej słyszeć żadnej opowieści, żadnej historii. Ta, w której tkwili, złamała jej serce raz na zawsze. Ale w głosie Smolipalucha było coś zastanawiającego...

Pochylił się nad Faridem i starł odrobinę sadzy z jego czoła.

– Roksana ją zna – podjął. – Opowie ci. Idź do niej... i powiedz jej, że musiałem odejść. Żeby się przekonać, czy ta historia jest prawdziwa. – Mówił dziwnie urywanym głosem, jakby z trudem dobierał słowa. – I przypomnij jej o mojej obietnicy: że gdziekolwiek będę, znajdę drogę powrotną do niej. Przekażesz jej to?

O czym on mówił?

– Przekonać się? – spytała Meggie przez łzy. – O czym?

– Och, ludzie opowiadają różne rzeczy o białych damach. Wiele z tego to przesądy, ale niektóre rzeczy na pewno są prawdziwe. Przecież w historiach tak już jest, prawda? Fenoglio mógłby mi na ten temat powiedzieć więcej, ale szczerze mówiąc, nie mam ochoty go o to pytać. Nie, lepiej sam zapytam białe damy.

Smolipaluch podniósł się z ziemi. Stał i rozglądał się, jakby zapomniał, gdzie się znajduje.

Białe damy!

– One się tu zaraz zjawią, tak? – spytała Meggie z niepokojem. – Przyjdą, żeby zabrać Farida?

Ale Smolipaluch potrząsnął głową i po raz pierwszy od długiego czasu uśmiechnął się tym swoim smutnym uśmiechem, jakiego nie widziała u nikogo innego, uśmiechem, którego nigdy do końca nie rozumiała.

– Nie, po co? Są go przecież pewne. One przychodzą tylko wtedy, gdy jeszcze kurczowo trzymasz się życia, gdy muszą cię zwabić na tamtą stronę spojrzeniem lub szeptem. Tylko to jest prawdą o białych damach, reszta to zabobon. Przychodzą, gdy jeszcze oddychasz, ale już należysz do śmierci. Kiedy twoje serce bije coraz słabiej albo kiedy poczują krew, jak u twojego ojca. Jeśli ktoś umiera tak szybko jak Farid, to sam do nich przychodzi.

Meggie pogłaskała palce Farida; były zimniejsze od skały, na której siedziała.

– W takim razie nie rozumiem – szepnęła. – Jeśli tu nie przyjdą, to w jaki sposób chcesz je spytać?

– Przywołam je. Ale lepiej, żeby cię tu nie było, kiedy to zrobię, więc idź do Roksany i przekaż jej moje słowa. – Położył palec na ustach, gdy chciała mówić dalej. – Proszę, Meggie! – Nieczęsto zwracał się do niej po imieniu. – Przekaż Roksanie moje słowa i powiedz jej, że jest mi przykro. A teraz idź już.

Meggie czuła, że Smolipaluch się boi, ale nie spytała go o powód tego lęku, gdyż serce stawiało jej inne pytania: jak to możliwe, żeby Farid nie żył, i jak to będzie nosić go już na zawsze martwego w sercu? Po raz ostatni pogłaskała jego nieruchomą twarz i wstała. Opuszczając sztolnię, raz jeszcze się obejrzała.

Smolipaluch wpatrywał się w Farida. I po raz pierwszy Meggie dostrzegła na jego twarzy to wszystko, co zawsze skrzętnie ukrywał przed innymi: czułość, miłość i ból.

Meggie wiedziała, gdzie szukać Roksany, ale dwa razy pobłądziła w ciemnych sztolniach, zanim ją znalazła. Roksana zajmowała się rannymi kobietami, a Puszczyk doglądał mężczyzn. Wielu odniosło rany, bo choć ogień ich uratował, to niejednego dotkliwie poparzył. Mo nigdzie nie było widać, pewnie trzymał straż u wejścia razem z Czarnym Księciem, ale Resa była z Roksaną. Bandażowała właśnie poparzone ramię jednej z kobiet, podczas gdy Roksana smarowała ranę na czole starszej wagantki tą samą maścią, którą wcześniej kurowała zranioną nogę Smolipalucha. Zapach wiosny tak bardzo nie pasował do tego wnętrza.

Roksana podniosła głowę, gdy Meggie wyłoniła się z ciemnego korytarza; może miała nadzieję, słysząc kroki, że to nadchodzi Smolipaluch. Meggie oparła się o zimną ścianę sztolni. „To wszystko jest tylko snem – myślała – bardzo złym snem". Ledwie trzymała się na nogach, wyczerpana długim płaczem.

– Co to za historia? – zwróciła się do Roksany. – Historia o białych damach... Smolipaluch mówi, że masz mi ją opowiedzieć. I że musi odejść, bo chce się przekonać, czy to prawda...

– Odejść? – Roksana odłożyła maść. – O czym ty mówisz?

Meggie otarła ręką oczy, ale nie było w nich łez, pewnie wszystkie już wypłakała. Skąd się brało tyle łez?

– Powiedział, że musi je zawołać – mruczała. – I żebyś pamiętała o jego obietnicy, że gdziekolwiek będzie, znajdzie drogę powrotną do ciebie...

Powtarzając te słowa, wciąż nie widziała w nich żadnego sensu. Ale Roksana zrozumiała.

Podniosła się z ziemi. Resa także wstała.

– Co ty mówisz, Meggie? – zapytała matka z niepokojem. – Gdzie jest Smolipaluch?

– U Farida. Jest jeszcze u Farida.

Jak ciężko było wymówić jego imię!

Resa objęła ją ramionami. A Roksana stała nieruchomo, wpatrując się w ciemny korytarz, skąd przyszła Meggie. I nagle odepchnęła ją z drogi i zniknęła w ciemnościach. Resa pobiegła za nią, nie puszczając ręki Meggie. Roksana wyprzedzała je zaledwie o kilka kroków; przydeptała sobie długą suknię i runęła na ziemię, ale zaraz podniosła się i pomknęła dalej. Biegła coraz szybciej. Ale i tak przybyła za późno.

Resa prawie wpadła na nią u wejścia do sztolni, gdzie leżał Farid. Roksana stała jak wrośnięta w ziemię. Na ścianie literami z ognia wypisane było jej imię. Białe damy nie zdążyły jeszcze odejść. Wyciągały blade ręce z piersi Smolipalucha, jakby właśnie wyrwały mu serce. Może ostatnią rzeczą, jaką zobaczył, była Roksana, a może zdążył jeszcze ujrzeć, jak Farid się poruszył – nim padł bez zmysłów, równie cicho, jak cicho zniknęły białe damy.

Tak, Farid się poruszył, jak ktoś, kto spał zbyt długo i zbyt mocno. Usiadł, nieświadom, kto za jego plecami właśnie padł bez życia. Nie odwrócił się nawet wtedy, gdy minęła go Roksana. Zamglonymi oczami patrzył w pustkę, jakby widział obrazy niedostrzegalne dla innych.

Meggie podeszła do niego z wahaniem, jak do kogoś obcego. Nie wiedziała, co ma czuć, co myśleć. A Roksana stała nad leżącym Smolipaluchem, przyciskając dłoń do ust, jakby chciała powstrzymać ból. Na ścianie sztolni wciąż płonęło jej imię, lecz ona nie zwracała na to uwagi. Uklękła bez słowa, ułożyła głowę Smolipalucha na kolanach i pochyliła się nad nim, osłaniając jego twarz czarnym welonem włosów.

Farid siedział wciąż jak ogłuszony. Ale gdy Meggie podeszła do niego, rozpoznał ją i szepnął, z trudem poruszając zdrętwiałym językiem:

– Meggie?

To niemożliwe! On naprawdę wrócił! Farid. Nagle to imię nie miało już smaku bólu. Wyciągnął do niej rękę, a ona chwyciła ją gwałtownie, jakby chciała go przytrzymać, by znów nie odszedł, tak bardzo daleko. Czy teraz trafił tam Smolipaluch? Twarz Farida była znów taka ciepła. Uklękła obok niego, objęła go mocno ramionami, poczuła bicie jego serca.

– Meggie!

Powiedział to z taką ulgą, jakby się obudził z męczącego snu. Na jego wargach pojawił się cień uśmiechu. I wtedy za ich plecami rozległ się cichy szloch Roksany.

Farid obejrzał się. Przez chwilę zdawał się nie rozumieć, co to wszystko oznacza.

Lecz nagle wyrwał się Meggie, skoczył na równe nogi, potknął się o płaszcz, na którym położył go Smolipaluch, podczołgał do jego ciała i z niemym przerażeniem przesunął ręką po jego cichej twarzy.

– Co się stało? – krzyknął na Roksanę, jakby była źródłem wszystkich nieszczęść. – Co ty mu zrobiłaś?!

Meggie uklękła obok niego, próbując go uspokoić, ale odepchnął jej ręce i znów pochylił się nad Smolipaluchem, przyłożył ucho do jego piersi, nasłuchiwał bicia serca, które już dawno przestało bić.

Do sztolni wszedł Czarny Książę w towarzystwie Mo, a za nimi pojawiali się inni.

– Wynoście się! – krzyknął na nich Farid. – Wynoście się wszyscy! Co z nim zrobiliście? Dlaczego nie oddycha? Nie widzę ani śladu krwi, nic!

– Nikt mu nic nie zrobił, Faridzie! – szepnęła łagodnie Meggie. „Ty też byś chciała, żeby wrócił, co?”. Te słowa Smolipalucha wciąż brzmiały jej w uszach, huczały w głowie. – To białe damy. Widzieliśmy je. On sam je wezwał.

– Kłamiesz! – krzyknął Farid. – Dlaczego miałby to zrobić?

Roksana przesuwała palcami po bliznach na twarzy Smolipalucha; były tak blade, jakby zostawił je nie nóż, lecz pióro szklanego ludzika.

– Istnieje taka legenda, którą waganci opowiadają swoim dzieciom – powiedziała w próżnię. – Jest to historia połykacza ognia, któremu białe damy zabrały syna. Zrozpaczony przypomniał sobie opowieści o tym, że białe damy boją się ognia, a zarazem tęsknią za jego ciepłem. Postanowił więc swoją sztuką zwabić je do siebie i poprosić, by oddały mu syna. I udało się. Przywołał je za pomocą ognia, któremu nakazał tańczyć i śpiewać dla nich, a one zwróciły mu syna, zamiast oddać go śmierci. Ale w zamian za syna zabrały połykacza ognia i nigdy już nie wrócił. Legenda głosi, że musi aż do skończenia świata pozostać u białych dam, by zabawiać je swymi sztuczkami z ogniem. – Roksana ujęła martwą dłoń Smolipalucha i pocałowała osmalone opuszki palców. – To tylko legenda – ciągnęła – ale on kochał tę opowieść. Powtarzał, że jest tak piękna, iż musi być w niej ziarno prawdy. A teraz swoim życiem dowiódł, że ta historia jest prawdziwa. I nigdy już nie wróci mimo swej obietnicy. Tym razem już nie.

To była długa noc.

Roksana i Czarny Książę czuwali przy zwłokach Smolipalucha, a Farid wyszedł na zewnątrz. Księżyc ukazywał się i chował za czarnymi chmurami, a ze zroszonej ziemi podnosiła się mgła. Odepchnął straże, które chciały go zatrzymać, i rzucił się na ziemię, pokrytą wilgotnym mchem. Leżał pod trującymi drzewami Mortoli i szlochał, a dwie kuny walczyły w ciemności, jakby wciąż jeszcze miały pana, o którego łaski musiały zabiegać.

Meggie poszła za nim, ale odesłał ją z powrotem, udała się więc na poszukiwanie Mo. Resa spała u jego boku, lecz Mo miał oczy otwarte. Siedział na posłaniu z derek i patrzył w ciemność, jakby czytał w niej historię, której nie rozumiał. Jego twarz była obca, zamknięta, twarda, jak strupek na zabliźnionej ranie. Ale kiedy ją zauważył, uśmiechnął się i od razu cała obcość pierzchła.

– Chodź tutaj – szepnął.

Meggie usiadła obok niego i ukryła twarz w jego ramieniu.

– Chcę do domu, Mo! – szepnęła.

– To nieprawda, wcale tego nie chcesz – odszepnął, a ona rozszlochała się, przytuliwszy głowę do jego piersi.

Zawsze tak robiła, kiedy była mała. Przy nim pozbywała się nawet najcięższych trosk. Mo przepędzał smutki samą swoją obecnością; gładził ją po włosach, kładł jej dłoń na czole, szepcząc jej imię. Tak uczynił też dzisiaj, w tym smutnym miejscu, tej smutnej nocy. Nie mógł zdjąć z niej brzemienia bólu, było zbyt ciężkie, ale potrafił ból złagodzić. Nikt nie potrafił robić tego tak dobrze jak on. Nawet Resa. Nawet Farid.

Tak, to była długa noc, dłuższa niż tysiąc innych nocy i ciemniejsza od wszystkich, jakie Meggie pamiętała. Nie wiedziała, jak długo spała u boku Mo, gdy Farid zbudził ją, potrząsając nią gwałtownie. Pociągnął ją w odległy kąt pieczary, gdzie czuć było zapach niedźwiedzia.

– Meggie! – szepnął i ścisnął jej ręce aż do bólu. – Wiem już, jak wszystko naprawić. Pójdziesz do Fenoglia! Powiedz mu, żeby napisał coś, co ożywi Smolipalucha! Ciebie na pewno posłucha!

Oczywiście! Powinna była wiedzieć, że przyjdzie mu do głowy taki pomysł. Patrzył na nią tak błagalnie, że poczuła ból w sercu, ale mimo to pokręciła głową.

– Nie, Faridzie! Smolipaluch nie żyje. Fenoglio nic nie może dla niego zrobić. A gdyby nawet mógł, to i tak nie zechce. Wiesz przecież, że bez przerwy mruczy, że nigdy nie napisze już ani słowa po tym, co się przytrafiło Cosimowi.

Tak, Fenoglio bardzo się zmienił. Dawniej jego oczy przypominały oczy małego chłopca; teraz były to oczy starego człowieka. Spojrzenie miał nieufne, niepewne, jakby nie był pewny ziemi, po której stąpa, a od śmierci Cosima nie golił się, nie czesał i nie mył. Raz tylko spytał Meggie o książkę, którą sporządził

Mo. Ale nawet wiadomość, że jej puste kartki rzeczywiście chronią przed śmiercią, nie starła wyrazu goryczy z jego twarzy.

– No, pięknie! – mruknął. – Więc teraz Żmijogłowy jest nieśmiertelny, a Cosimo spoczywa w mogile. W tej historii nic się już nie zgadza!

Nie, Fenoglio nie miał ochoty już nikomu pomagać, nawet sobie. Mimo to Meggie poszła z Faridem na poszukiwanie Fenoglia.

Stary pisarz większość czasu spędzał w najniższej części kopalni, w prawie zasypanej sztolni, dokąd nikt prócz niego nie zaglądał. Kiedy zeszli po stromej drabinie, Fenoglio spał, podciągnąwszy pod samą brodę skórę, którą otrzymał od zbójców; czoło miał zmarszczone, jakby nawet we śnie nie przestawał myśleć.

– Fenoglio! – Farid potrząsnął nim bez ceregieli.

Stary odwrócił się na plecy, wydając pomruk, którego nie powstydziłby się niedźwiedź Czarnego Księcia, otworzył oczy i spojrzał na Farida, jakby po raz pierwszy w życiu widział jego brunatną twarz.

– Ach, to ty! – mruknął zaspanym głosem. – Chłopiec, który wstał z martwych. Znów wydarzyło się coś, czego nie napisałem! Czego chcesz? Właśnie śnił mi się pierwszy dobry sen od bardzo długiego czasu.

– Musisz coś napisać!

– Napisać? Niczego więcej nie napiszę. Po raz kolejny widzieliśmy zgubne skutki pisania. Miałem wspaniały pomysł z księgą nieśmiertelności, która miała uwolnić dobrych, a przynieść śmierć Żmijogłowemu. I co? Żmijogłowy jest nieśmiertelny, a w lesie leżą nowe trupy! Zbójcy, waganci, Dwupalcy... martwi! Po co w ogóle wymyślam bohaterów, skoro ta historia ich wszystkich uśmierca?

– Ale musisz go sprowadzić z powrotem! – wyrzekł Farid drżącymi wargami. – Uczyniłeś nieśmiertelnym Żmijogłowego, zrób to samo z nim!

– Ach, mówisz o Smolipaluchu! – Fenoglio usiadł i z głębokim westchnieniem przetarł zaspaną twarz. – Prawda, ten też nie żyje, ale jego śmierć była przynajmniej zaplanowana, jak sobie zapewne przypominacie. Nieważne! Tak czy inaczej – Smolipaluch nie żyje, ty byłeś martwy... mąż Minerwy, Cosimo, wszyscy młodzi chłopcy, którzy wyruszyli z nim w bój – nie żyją! Czy ta historia niczego innego nie potrafi wymyślić? Coś ci powiem, chłopcze. Nie jestem już jej autorem. Stanowczo nie! Jej autorem jest teraz śmierć, kostucha, nazwij ją, jak chcesz. To istny taniec śmierci; cokolwiek napiszę, śmierć przejmuje moje słowa i czyni je swymi sługami.

– Bzdura! – Farid nie próbował nawet ocierać łez, które spływały mu po policzkach. – Musisz go sprowadzić z powrotem! To nie była wcale jego śmierć, tylko moja! Spraw, żeby zaczął znów oddychać! To tylko kilka słów, przecież zrobiłeś to dla Cosima i dla Czarodziejskiego Języka.

– Zaraz, chwileczkę, chłopcze! Po pierwsze, ojciec Meggie jeszcze żył – zauważył trzeźwo Fenoglio. – A co się tyczy Cosima, to on tylko wyglądał jak Cosimo. Mówiłem ci, że stworzyliśmy z Meggie całkiem nowego Cosima, i to się niestety bardzo źle skończyło. Nie! – Wyciągnął z kieszeni coś, co przypominało chustkę, i hałaśliwie wytarł nos. – W tej historii umarli nie powstają z martwych! Owszem, przyznaję, że wprowadziłem do gry nieśmiertelność, ale to jednak co innego niż przywracanie do życia umarłych! Nie! Tak już musi być. Kto w tej historii umrze, ten pozostanie martwy! Takie są reguły w tym świecie, takie same jak w tym, z którego pochodzę. Smolipaluch w sprytny sposób obszedł tę regułę na twoją korzyść. Może to ja sam napisałem tę sentymentalną historię, która poddała mu pomysł... nie pamiętam, ale to nie ma znaczenia. Zawsze mogą zdarzyć się luki. Tylko że on za twoje życie zapłacił swoim. To jedyny układ, jaki śmierć akceptuje. Kto by to pomyślał? Kto by się spodziewał, że Smolipaluch tak mocno zamknie w sercu chłopca przybłędę, że odda za niego życie? Przyznaję, że to o wiele lepszy sposób niż ten z kuną, który ja wymyśliłem. Nie, jeśli szukasz winnego, to sam uderz się w piersi. Bo jedno jest pewne, mój chłopcze – Fenoglio mocno dźgnął palcem Farida w chudą pierś – że to ty nie należysz do tej historii! I gdybyś sobie nie wbił do głowy, żeby się w nią wkraść podstępem, Smolipaluch pewnie by jeszcze żył...

Na te słowa Farid z całej siły uderzył go pięścią w twarz.

– Jak możesz mówić coś takiego? – krzyknęła Meggie, podczas gdy Farid uczepił się jej, szlochając. – On uratował Smolipalucha w Mysim Młynie! Ochraniał go przez cały czas, odkąd się tu znalazł...

– Już dobrze! – mruknął Fenoglio, obmacując stłuczony nos. – Jestem staruchem bez serca, wiem. Ale możesz mi wierzyć, że czułem się obrzydliwie, kiedy zobaczyłem martwego Smolipalucha. I ten płacz Roksany, straszne, straszne... I ci wszyscy ranni, zabici... Nie, Meggie, słowa przestały być mi posłuszne. Słuchają mnie tylko wtedy, gdy im to pasuje. Wykarmiłem żmije na swojej piersi.

– Właśnie! Jesteś partaczem, nędznym partaczem! – Farid oderwał się od Meggie. – Nic nie potrafisz! Ale ktoś inny potrafi. Ten, który przysłał tu Smolipalucha. Orfeusz! On na pewno to zrobi, zobaczysz. Więc sprowadź go! Może przynajmniej tyle potrafisz! Tak, sprowadź Orfeusza, natychmiast albo... albo... opowiem Żmijogłowemu, że chciałeś go zabić... opowiem wszystkim kobietom w Ombrze, że przez ciebie straciły mężów... albo... albo...

Chłopiec zaciskał pięści, drżąc z wściekłości i rozpaczy. Stary człowiek przyglądał mu się spokojnie. Wreszcie z trudem podniósł się z posłania.

– Wiesz co, mój chłopcze? – powiedział, przysuwając twarz do twarzy Farida. – Gdybyś mnie ładnie poprosił, może bym spróbował to zrobić, ale tak nie. O nie! Fenoglia trzeba poprosić, a nie grozić mu. Tyle dumy jeszcze mi pozostało.

Farid znów chciał się na niego rzucić, ale Meggie go powstrzymała.

– Fenoglio, przestań! – zawołała. – Jest w rozpaczy, nie widzisz?

– W rozpaczy? No i co z tego? Ja też jestem w rozpaczy! – odparował Fenoglio. – Moja historia tonie w nieszczęściu, a te oto ręce – wyciągnął do niej dłonie – nie chcą już pisać! Boję się słów, Meggie! Dawniej były dla mnie miodem, a dziś są trucizną, samą trucizną! A czymże jest poeta, który przestał kochać słowa? Czymże ja jestem? Ta historia mnie pożarła, starła na proch, mnie – swojego twórcę!

– Sprowadź Orfeusza! – rzekł ochryple Farid. Meggie widziała, jak bardzo stara się opanować gniew. – Sprowadź go i niech pisze za ciebie. Naucz go swojego rzemiosła, jak Smolipaluch nauczył mnie! Niech on zamiast ciebie znajduje właściwe słowa. On kocha twoją historię, tak mówił Smolipaluchowi. Napisał nawet do ciebie list, gdy był małym chłopcem.

– Naprawdę? – Na krótką chwilę w Fenogliu obudziła się dawna duma.

– Tak, podziwia cię! Uważa, że jest to najlepsza historia, jaką czytał. Sam tak powiedział!

– Tak powiedział? – Widać było, że pisarz czuje się pochlebiony. – Faktycznie, jest nie najgorsza. To znaczy była nie najgorsza! – Patrzył na Farida w zadumie. – Hm, uczeń. Uczeń Fenoglia – mruczał. – Uczeń w rzemiośle pisarskim, hm... Orfeusz... – Wymówił to imię tak, jakby smakował je na języku. – Jedyny poeta, jaki kiedykolwiek zmierzył się ze śmiercią... to by nawet pasowało.

Farid patrzył na niego z taką nadzieją, że Meggie znów poczuła ukłucie w sercu.

Ale Fenoglio uśmiechnął się, choć był to smutny uśmiech.

– Spójrz na niego, Meggie! – rzekł. – Ma takie samo błagalne spojrzenie jak moje wnuki, które w ten sposób potrafiły wszystko ode mnie uzyskać. Czy na ciebie też tak patrzy, kiedy czegoś od ciebie chce?

Meggie zarumieniła się, ale Fenoglio nie czekał na jej odpowiedź.

– Wiesz, że będziemy potrzebowali pomocy Meggie? – zwrócił się do Farida.

– Jeśli napiszesz, przeczytam – rzekła Meggie bez namysłu. „I sprowadzę człowieka, który pomógł Mortoli ściągnąć tu Mo i prawie go zabić" – dodała w duchu. Wolała nie myśleć, co powiedziałby Mo na ten projekt.

Tymczasem Fenoglio zdawał się już szukać właściwych słów – takich, które nie zdradzą jego zamiarów.

– No dobrze – mruczał zamyślony. – Weźmy się po raz ostatni do roboty... Tylko nie mam papieru i atramentu. Nie mówiąc już o piórze i szklanym ludziku do pomocy. Biedny Kryształek wciąż tkwi w Ombrze!

– Ja mam papier – rzekła Meggie. – I długopis.

– Piękny – stwierdził Fenoglio, gdy położyła mu notatnik na kolanach. – Czy to twój ojciec oprawiał?

Meggie skinęła głową.

– Tu są wyrwane kartki!

– Tak, pisałam wiadomość do mamy i ten list, który przekazał ci Podniebny Tancerz.

– Ach...! – Fenoglio wydał się Meggie nagle bardzo zmęczony. – Książki z pustymi kartkami – mruczał. – Zdaje się, że odgrywają coraz ważniejszą rolę w tej historii, prawda?

Po czym poprosił Meggie, by zostawiła go samego z Faridem, aby chłopiec mógł mu opowiedzieć o Orfeuszu.

– Szczerze mówiąc – szepnął do Meggie – uważam, że przecenia jego zdolności! I czegóż takiego dokonał ten Orfeusz? Ułożył moje słowa w innej kolejności. Ale przyznaję, że jestem go ciekaw. Trzeba być naprawdę megalomanem, żeby przybrać imię Orfeusza, a megalomania to ciekawy rys charakteru.

Meggie była innego zdania, ale nie mogła już cofnąć obietnicy. Będzie znów czytała! Wróciła po cichu do rodziców, położyła głowę na piersi Mo i usnęła, czując bicie jego serca. Jego uratowały słowa, dlaczego nie miałyby zrobić tego samego dla Smolipalucha? Jeśli nawet odszedł bardzo, bardzo daleko... Czyż w tym świecie słowa nie panowały nawet nad krainą wiecznego milczenia?

73

Sójka

Świat istniał po to, by go czytać. A więc czytałam go.

Lynn Sharon Schwartz, *Zniszczona przez lekturę*

Gdy Mo się obudził, Resa i Meggie jeszcze spały. Ale jemu zdawało się, że nie wytrzyma ani chwili dłużej pośród tych skał kryjących śmierć. Strażnicy, którzy pilnowali wejścia do kopalni, przywitali go skinieniem głowy. Przez otwór prowadzący na zewnątrz sączyło się blade światło poranka, pachniało rozmarynem, tymiankiem i jagodami z trujących drzew Mortoli. Mo wciąż się zdumiewał, że w świecie Fenoglia to, co znane, mieszało się z tym, co obce, i że to, co obce, wydawało się nawet bardziej autentyczne.

Strażnicy nie byli sami. Pięciu innych zbójców stało opartych o ściany sztolni, wśród nich Drab i Czarny Książę.

– Popatrzcie, najbardziej poszukiwany zbójca między Ombrą a morzem! – szepnął Drab, gdy Mo zbliżył się do nich.

Patrzyli na niego jak na egzotyczne zwierzę, o którym słyszeli najbardziej zwariowane historie, a Mo znów poczuł się jak aktor wkraczający na scenę ze świadomością, że nie zna ani sztuki, ani własnej roli.

– Nie wiem jak wy – podjął Drab, spoglądając na towarzyszy – ale ja zawsze myślałem, że Sójkę wymyślił jakiś poeta i że jedyny, który ma prawo do maski z piór, to nasz Czarny Książę, choć nie całkiem odpowiada opisom. Kiedy usłyszałem, że Sójka siedzi w Mrocznym Zamku, pomyślałem, że znowu powieszą jakiegoś niewinnego biedaka tylko dlatego, że przypadkiem ma bliznę na ramieniu. Ale potem... – Patrzył na Mo z taką uwagą, jakby porównywał jego wygląd ze wszystkim, co kiedykolwiek słyszał o nim w pieśniach. – Potem zobaczyłem, jak walczysz... „i wbija miecz między nich jak igłę w kartki...", tak mówi o tym jedna z pieśni. Trafny opis, co?

„Tak sądzisz, Drabie? – pomyślał Mo. – A gdybym ci powiedział, że Sójka naprawdę został stworzony przez poetę, podobnie jak ty?".

Wszyscy przyglądali mu się ukradkiem.

– Musimy się stąd wynosić – przerwał ciszę Czarny Książę. – Przeczesują las aż po samo wybrzeże. Wytropili już dwie nasze kryjówki, a na kopalnię nie wpadli chyba tylko dlatego, że nie spodziewają się, byśmy mogli być tak blisko.

Niedźwiedź wydał pomruk, jakby się śmiał z głupoty pancernych. Szary pysk, czarny kosmaty łeb, małe przebiegłe oczka koloru bursztynu... Już w czasie lektury książki Mo nabrał sympatii do niedźwiedzia, wyobrażał go sobie tylko jako większego, niż okazał się w rzeczywistości.

– Dziś w nocy połowa z nas zaniesie rannych do Borsuczej Jamy – ciągnął Czarny Książę – a druga połowa pójdzie z Roksaną do Ombry.

– A on dokąd pójdzie? – Drab wskazał wzrokiem Mo.

Mo czuł na sobie pełne nadziei spojrzenia zbójców, lecz nadziei na co? Co o nim słyszeli? Czyżby już opowiadano sobie historie o tym, co wydarzyło się na zamku?

– Musi stąd odejść, to oczywiste, i to jak najdalej! – Czarny Książę wyjął niedźwiedziowi zeschły liść z futra. – Żmijogłowy będzie go wszędzie szukał, chociaż każe rozgłosić, że za napad na drodze odpowiedzialna jest Mortola. – Skinął na stojącego pośród mężczyzn chłopca, o głowę może niższego od Meggie. – Powtórz, co heroldowie ogłosili w twojej wiosce.

– „Oto obietnica Żmijogłowego – recytował chłopiec urywanym głosem. – Jeśli Sójka pojawi się kiedykolwiek po tej stronie lasu, umrze najpowolniejszą śmiercią, jaką potrafią wymyślić kaci w Mrocznym Zamku. A ten, kto go pojmie, otrzyma tyle srebra, ile waży ten zbrodniarz".

– Zacznij się już odchudzać, Sójka – zakpił Drab, ale nikt się nie roześmiał.

– Naprawdę uczyniłeś go nieśmiertelnym? – spytał chłopiec.

– Słyszycie, co ten mały gada? – roześmiał się Drab. – Pewnie uwierzyłbyś nawet w to, że Czarny Książę potrafi latać, prawda?

Ale chłopiec wcale się nie speszył. Z uwagą wpatrywał się w Mo.

– Mówią, że ty też nie możesz umrzeć – rzekł cicho. – Mówią, że dla siebie też zrobiłeś taką książkę z białymi kartkami, w której siedzi zamknięta twoja śmierć.

Mo nie mógł powstrzymać uśmiechu. Tak samo dawniej patrzyła na niego Meggie, pytając: „Czy to prawda, Mo, no powiedz!".

Wszyscy, nawet Czarny Książę, czekali w napięciu na jego odpowiedź.

– Owszem, mogę umrzeć – odezwał się wreszcie Mo. – Wierz mi, że przekonałem się o tym aż nadto boleśnie. Co się zaś tyczy Żmijogłowego, to rzeczywiście uczyniłem go nieśmiertelnym. Ale nie na długo.

– Co masz na myśli? – spytał Drab, a jego twarz była tym razem śmiertelnie poważna.

A Mo odpowiedział, patrząc nie na niego, tylko na Czarnego Księcia.

– Mam na myśli to, że w tym momencie nic nie może zabić Żmijogłowego, ani miecz, ani nóż, ani żadna choroba. Chroni go książka, którą dla niego oprawiłem. Ale ta sama książka sprowadzi na niego nieszczęście. Tylko przez kilka tygodni będzie się nią cieszył.

– Jak to? – zdumiał się chłopiec.

Mo zniżył głos, jak to czynił zawsze, gdy chciał się podzielić z Meggie jakąś tajemnicą.

– Och, wiesz, to nic specjalnie trudnego postarać się o to, by książka nie żyła zbyt długo. Zwłaszcza dla introligatora. A ja jestem przecież introligatorem z zawodu, cokolwiek ludzie mówią na ten temat. W normalnych warunkach nigdy nie uśmiercam książek. Przeciwnie, wzywa się mnie, bym przedłużył im życie, ale w tym wypadku musiałem to niestety uczynić. Nie mogłem przecież dopuścić do tego, by Żmijogłowy przez całą wieczność siedział na tronie i zabawiał się wieszaniem grajków.

– A więc jednak jesteś czarownikiem! – zawołał Drab ochrypłym głosem.

– Nie, naprawdę nie – odparł Mo. – Powtarzam raz jeszcze: jestem introligatorem.

Znów patrzyli na niego w napięciu, a w ich spojrzeniach prócz respektu malował się strach.

– A teraz ruszajcie! – przerwał ciszę Czarny Książę. – Idźcie przygotować nosze dla rannych.

Ludzie posłusznie zaczęli się rozchodzić, rzucając Mo ukradkowe spojrzenia. Tylko chłopiec uśmiechnął się do niego nieśmiało.

Czarny Książę skinął na Mo.

– Kilka tygodni... – rzekł, gdy znaleźli się w osobnej sztolni, w której przebywał razem z niedźwiedziem. – To znaczy ile dokładnie?

Ile? Mo sam tego nie wiedział. Jeśli nie zauważą jego podstępu, pójdzie to błyskawicznie.

– Niezbyt wiele.

– I nie będą mogli uratować książki?

– Nie.

Czarny Książę uśmiechnął się. Po raz pierwszy Mo zobaczył uśmiech na jego ciemnej twarzy.

– To pocieszające wieści, Sójko. Walka z nieśmiertelnym przeciwnikiem może zniechęcić najodważniejszego. Ale zdajesz sobie sprawę, że kiedy się zorientuje, iż go oszukałeś, będzie cię ścigał tym zajadlej?

Była to prawda. I dlatego Mo nie powiedział o tym Meggie; zrobił to, co należało, potajemnie, kiedy córka spała. Obawiał się, że Żmijogłowy mógłby wyczytać strach w jej oczach.

– Nie mam zamiaru pojawiać się po tej stronie lasu – rzekł do Czarnego Księcia. – Może znajdzie się jakaś kryjówka dla mnie w pobliżu Ombry.

Czarny Książę znów się uśmiechnął.

– Na pewno się znajdzie – rzekł.

Przewiercał Mo wzrokiem, jakby chciał mu zajrzeć w głąb duszy. „Spróbuj! – myślał Mo. – I powiedz mi, co tam znalazłeś, bo ja sam już tego nie wiem". Przypomniał sobie, że gdy po raz pierwszy czytał o Czarnym Księciu, pomyślał, że to wspaniała postać! Człowiek, który stał teraz przed nim, robił na nim jeszcze większe wrażenie. Może był nieco niższy, niż Mo sobie wyobrażał. I smutniejszy.

– Twoja żona twierdzi, że nie jesteś tym, za kogo cię uważamy – odezwał się Czarny Książę. – Smolipaluch mówił to samo. Opowiadał, że pochodzisz z kraju, w którym on przebywał przez dziesięć lat, kiedy to sądziliśmy, że umarł. Czy ten kraj bardzo się różni od naszego?

Mo uśmiechnął się mimo woli.

– O tak, myślę, że tak.

– Pod jakim względem? Ludzie są tam szczęśliwsi?

– Może...

– Może? Rozumiem...

Czarny Książę schylił się i podniósł coś z derki, którą się przykrywał.

– Zapomniałem, jak twoja żona cię nazywa – ciągnął. – Smolipaluch miał dla ciebie śmieszne imię: Czarodziejski Język. Ale Smolipaluch nie żyje, a dla wszystkich innych pozostaniesz na zawsze Sójką. Nawet mnie trudno by cię było nazywać inaczej po tym, jak zobaczyłem cię w walce. I dlatego myślę, że to powinno należeć do ciebie.

Mo nigdy jeszcze nie widział maski, którą mu podał Czarny Książę. Skóra była ściemniała i mocno popękana, ale pióra błyszczały żywymi kolorami: biały, czarny, rdzawy i błękitny. Pióra sójki.

– Tę maskę opiewa wiele pieśni – rzekł Czarny Książę. – Pozwoliłem ją sobie nosić przez pewien czas. Kilku z nas ją zakładało, ale teraz należy do ciebie.

Mo w milczeniu obracał maskę w dłoniach. Przez chwilę miał wielką ochotę założyć ją na twarz, jakby robił to już wcześniej. O tak, słowa Fenoglia miały potężną moc, ale w końcu były to tylko słowa, nawet jeśli zostały napisane specjalnie dla niego... Każdy aktor ma prawo wybrać rolę...

– Nie – rzekł, oddając maskę wagantowi. – Drab ma rację, Sójka to zwykły twór wyobraźni starego człowieka. Moim rzemiosłem nie jest walka, wierz mi.

Czarny Książę patrzył na niego w zamyśleniu, ale maski nie przyjął.

– Mimo to ją zachowaj – rzekł. – Zbyt niebezpiecznie jest teraz ją nosić. A co się tyczy twojego rzemiosła, to nikt nie rodzi się zbójcą.

Mo nic nie odpowiedział. Patrzył na swoje palce. Dużo czasu zajęło mu zmycie z nich krwi po leśnej walce. Stał jeszcze długo sam w pustej sztolni, trzymając maskę w ręce, gdy usłyszał za plecami głos Meggie.

– Mo? – Z troską spojrzała mu w twarz. – Gdzie ty byłeś? Roksana chce zaraz ruszać do domu, a Resa pyta, czy z nią idziemy. Jak ty uważasz?

Właśnie, jak on uważał? Dokąd chciał się udać? „Z powrotem do mojej pracowni – pomyślał. – Do domu Elinor. A może nie?”. A czego chciała Meggie? Wystarczyło na nią spojrzeć, by znać odpowiedź. Oczywiście chciała zostać z powodu chłopca, ale nie tylko. Resa również chciała zostać, mimo więzienia, bólu i ciemności. Co takiego było w świecie Fenoglia, że napełniał serca tęsknotą? Czyż on sam tego nie czuł? Ten świat był jak szybko działająca trucizna...

– Jak ty uważasz, Mo? – powtórzyła Meggie, chwytając go za rękę. Ależ ona urosła!

– Jak ja uważam?

Wsłuchiwał się w ciszę; zdawało mu się, że słyszy szept liter – w ścianach sztolni, a może we włóknach koca, pod którym spał Czarny Książę. Ale usłyszał tylko własny głos:

– A co ty na to, gdybym ci powiedział: pokaż mi wróżki, Meggie. I rusałki. Zaprowadź mnie do iluminatora na zamku w Ombrze. Przekonajmy się, czy jego pędzelki są naprawdę tak delikatne, jak mówisz.

Niebezpieczne słowa!

Ale Meggie uściskała go tak mocno jak dawniej, gdy była mała.

74
Nadzieja Farida

A teraz już nie żył, a jego dusza schroniła się do Bezsłonecznego Kraju.

Philip Reeve, *Polowanie w wielkim mieście*

Kiedy krótko przed wschodem słońca straże po raz drugi tej nocy wszczęły alarm, Czarny Książę rozkazał wszystkim zejść do najniższych sztolni, gdzie w korytarzach stała woda i miało się wrażenie, że słychać, jak ziemia oddycha. Tylko jeden człowiek nie zszedł na dół: Fenoglio. Gdy Czarny Książę odwołał alarm i Meggie wróciła na górę z przemoczonymi nogami i sercem wciąż pełnym lęku, Fenoglio podszedł do niej i odciągnął ją na bok. Na szczęście Mo rozmawiał właśnie z Resą i nic nie zauważył.

– Proszę – szepnął Fenoglio, zwracając jej notatnik. – Ale niczego nie gwarantuję. Prawdopodobnie okaże się to kolejnym błędem, ale jestem już zbyt zmęczony, żeby się nad tym zastanawiać. Nakarm tę przeklętą historię nowymi słowami, ja nawet nie chcę tego słuchać, idę spać. To ostatnia rzecz, jaką napisałem w życiu!

Nakarm ją!

Farid zaproponował, by Meggie przeczytała tekst tam, gdzie on i Smolipaluch przedtem sypiali. Plecak Smolipalucha leżał wciąż obok derki, kuny spały zwinięte w kłębek po obu stronach plecaka. Farid usiadł między nimi, przyciskając plecak do piersi, jakby w środku biło serce kuglarza. Pełen oczekiwania spojrzał na Meggie, ale ona milczała. Patrzyła na litery w otwartym notatniku i milczała. Pismo Fenoglia rozpływało jej się przed oczami, jakby nie chciało dać się przeczytać.

– Meggie?

Farid wciąż wbijał w nią wzrok. W jego oczach malowała się czarna rozpacz. „Dla niego – pomyślała Meggie. – Tylko dla niego...". I uklękła na derce, którą przykrywał się Smolipaluch.

Już po przeczytaniu pierwszych słów wiedziała, że Fenoglio i tym razem stanął na wysokości zadania. Czuła coś jakby oddech na twarzy. Litery żyły, cała historia żyła, pragnęła się rozrastać, karmiąc się nowymi słowami; chciała tego! Czy Fenoglio, pisząc te zdania, czuł to samo?

– *Pewnego dnia, gdy śmierć znów zebrała obfite żniwo* – zaczęła Meggie; miała wrażenie, że czyta dobrze znaną książkę, którą ledwie przed chwilą odłożyła – *wielki poeta Fenoglio postanowił, że nie będzie już więcej pisał. Był zmęczony słowami i uwodzicielską mocą, jaka w nich mieszkała. Miał dość tego, że słowa go zdradzają, szydzą z niego i milczą akurat wtedy, gdy powinny przemawiać. Wezwał więc na pomoc innego, młodszego, imieniem Orfeusz, który umiał obchodzić się z literami, choć nie dorównywał mistrzostwu Fenoglia, i postanowił przekazać mu swoją sztukę, jak czyni to każdy mistrz. Chciał, by Orfeusz przez czas jakiś zamiast niego zabawiał się słowami – uwodził i kłamał, tworzył i niweczył, wypędzał i sprowadzał – Fenoglio zaś poczeka, aż minie mu zmęczenie, aż znów poczuje ochotę parania się literami. Wówczas odeśle Orfeusza do świata, z którego go wezwał, sam zaś wleje w swoją historię nowe życie, użyczając jej świeżych, niezużytych słów.*

Meggie umilkła. Jeszcze tylko echo, niby cień słów, rozbrzmiewało w sztolni. A kiedy wszystko ucichło, usłyszeli kroki.

Kroki na wilgotnej kamiennej posadzce.

75

Znowu sama

„Nadzieja" jest tym upierzonym
Stworzeniem na gałązce

Emily Dickinson, *Nadzieja,* [w:] *Wiersze wybrane*

Orfeusz zniknął wprost na oczach Elinor. Była zaledwie kilka kroków od niego, trzymając butelkę wina, po które ją posłał, gdy po prostu rozpłynął się w powietrzu, stał się nicością, jakby nigdy nie istniał, jakby jej się tylko przyśnił. Butelka wypadła jej z rąk i rozprysnęła się na podłodze, między książkami rozrzuconymi przez Orfeusza.

Pies począł wyć tak przeraźliwie, że aż Dariusz przybiegł z kuchni. Człowiek-szafa nie próbował go nawet zatrzymać; osłupiały wpatrywał się w miejsce, gdzie jeszcze przed chwilą stał Orfeusz. W chwili zniknięcia poeta czytał z kartki rozłożonej na blacie witryny, przyciskając do piersi *Atramentowe serce*, jakby w ten sposób chciał zmusić książkę, by wreszcie go do siebie przyjęła.

Elinor stanęła jak wryta. A więc po raz setny czy może tysięczny spróbował szczęścia. „Może przynajmniej któreś z nich wróci w zamian za jego zniknięcie!" – pomyślała z nadzieją. Meggie, Resa, Mortimer – każde z tych trzech imion miało smak goryczy... Tymczasem Orfeusz zniknął, ale nikt nie pojawił się na jego miejsce. Tylko ten przeklęty pies nie przestawał wyć.

– Udało mu się! – szepnęła Elinor. – Dariuszu, udało mu się! Jest tam... teraz wszyscy są tam. Oprócz ciebie i mnie!

Ogarnął ją żal. Oto stoi tu, ona, Elinor Loredan, pośród swoich książek, ale żadna z nich nie wpuszcza jej do środka. Zamknięte drzwi, które wabią, napełniają serce tęsknotą, lecz nie wpuszczają jej za próg. Przeklęte, bezduszne przedmioty! Pełne pustych obietnic, fałszywych przynęt, wzbudzających głód, którego nie zamierzają zaspokoić!

„Ależ Elinor, dawniej byłaś innego zdania! – myślała, ocierając łzy z oczu. – No to co? – odpowiadała sama sobie. – Chyba mam dostatecznie dużo lat, bym mogła zmienić zdanie i pogrzebać dawną miłość, która pozostała nieodwzajemniona?". Książki nie wpuszczały jej do środka. Wszyscy inni znaleźli się między kartkami, a ona nie! Biedna, osamotniona Elinor! Szloch wstrząsnął jej piersią, przycisnęła rękę do ust.

Dariusz zbliżył się nieśmiało, patrząc na nią ze współczuciem. Dobrze, że chociaż on jej pozostał! Ale i tak nie mógł jej pomóc.

„Chcę dołączyć do nich! – myślała z rozpaczą. – To moja rodzina: Resa, Meggie i Mortimer. Chcę zobaczyć Nieprzebyty Las, poczuć znów dotyk wróżki siadającej na mojej ręce, chcę spotkać Czarnego Księcia, choćbym nawet musiała znosić zapach jego niedźwiedzia, chcę usłyszeć, jak Smolipaluch rozmawia z ogniem, chociaż nadal go nie lubię... chcę... chcę...".

– Och, Dariuszu! – szlochała. – Dlaczego ten przeklęty drań nie wziął mnie ze sobą?

Ale Dariusz tylko patrzył na nią swymi mądrymi sowimi oczami.

– Hej, gdzie on się podział? Ten drań był mi jeszcze winien pieniądze! – Cukier podszedł do miejsca, w którym przed chwilą stał Orfeusz, i rozejrzał się, jakby tamten mógł się ukryć gdzieś za regałami. – Do diabła, co on sobie wyobraża, tak po prostu zniknąć! – Schylił się, podnosząc z podłogi kartkę papieru.

Była to kartka, z której Orfeusz czytał w chwili zniknięcia! Zabrał książkę, ale zostawił przynajmniej słowa, które mu otworzyły drzwi. A więc nie wszystko było jeszcze stracone...

Elinor stanowczym ruchem wyrwała Cukrowi kartkę z rąk, wołając:

– Proszę mi to dać!

Przycisnęła kartkę do piersi, tak samo jak Orfeusz przyciskał książkę.

Cukier spochmurniał. Zdawały się nim targać dwa sprzeczne uczucia: gniew z powodu bezczelności Elinor i strach przed literami, które tak żarliwie przyciskała do siebie. Przez chwilę Elinor nie była pewna, które uczucie weźmie w nim górę. Dariusz stanął za nią, jakby miał zamiar jej bronić, ale twarz Cukra nagle się rozjaśniła. Wybuchnął śmiechem.

– Patrzcie ją! – zawołał drwiąco. – Po co ci ten świstek, pożeraczko książek? Ty też się chcesz rozpłynąć w powietrzu, jak Orfeusz, jak Sroka i twoi przyjaciele? Proszę, nie przeszkadzaj sobie, ale najpierw żądam zapłaty, którą są mi winni Orfeusz i stara!

To mówiąc, rozglądał się po bibliotece Elinor, jakby liczył, że jednak znajdzie coś, co by miało wartość pieniężną.

– Zapłata, oczywiście, rozumiem! – powiedziała szybko Elinor i pociągnęła go do drzwi. – Mam w pokoju trochę pieniędzy. Dariuszu, wiesz, gdzie one są. Daj mu wszystko, co znajdziesz, tylko niech się stąd wynosi!

Dariusz nie był zachwycony tym pomysłem, ale Cukier się rozpromienił, pokazując w uśmiechu wszystkie zepsute zęby.

– No, proszę! Nareszcie jakaś rozsądna propozycja! – zarechotał i poczłapał za Dariuszem, który z nieszczęśliwą miną wyszedł na korytarz.

Elinor została sama w bibliotece.

Jak cicho się nagle zrobiło! Orfeusz odesłał z powrotem wszystkie postacie, które przywołał z książek, i tylko pies ze spuszczonym ogonem obwąchiwał miejsce, na którym jeszcze przed chwilą znajdował się jego pan.

– Jak pusto! – mruknęła Elinor.

Czuła się przeraźliwie samotna. Jeszcze bardziej samotna niż tego dnia, gdy Sroka zabrała Mortimera i Resę. A książka, w której znaleźli się oboje, zniknęła. Ciekawe, co się dzieje z książką, która ląduje we własnej historii?

„Zapomnij o książce, Elinor! – myślała, ocierając łzę skapującą z nosa. – Teraz już nigdy ich nie odnajdziesz!".

Słowa Orfeusza! – olśniło ją. Litery rozpływały się jej przed oczami. To one musiały go przenieść do książki, nic innego! Ostrożnie otworzyła szklaną witrynę, na której leżała kartka, nim Orfeusz zniknął, wyjęła stamtąd przepięknie ilustrowane wydanie baśni Andersena z podpisem autora! – i umieściła tam kartkę.

76

Nowy poeta

> Radość pisania.
> Możność utrwalania.
> Zemsta ręki śmiertelnej.
>
> Wisława Szymborska, *Radość pisania*

Początkowo nie zauważyli go w ciemnościach zalegających sztolnię. Orfeusz ostrożnie wyszedł z cienia i podszedł do lampki oliwnej, przy której Meggie czytała. Zdawało jej się, że schował coś szybko pod kurtką, ale nie widziała co. Mogła to być książka.

– Orfeusz! – Farid rzucił się ku niemu, wciąż ściskając w ramionach plecak Smolipalucha.

A więc to naprawdę był on! Orfeusz. Meggie wyobrażała go sobie zupełnie inaczej, spodziewała się o wiele bardziej... imponującej postaci. Tymczasem stał przed nią zwykły mężczyzna, przysadzisty i dość jeszcze młody, w okularach i źle dopasowanym garniturze. Stał stropiony, jakby zapomniał języka w gębie. Przyjrzał się Meggie, ciemnej sztolni, a na koniec Faridowi, który najwidoczniej już nie pamiętał, że człowiek, którego powitał z takim entuzjazmem, przy ich ostatnim spotkaniu okradł go i wydał Baście. Orfeusz nie poznał go od razu, lecz wreszcie przypomniał go sobie i odzyskał mowę.

– Chłopak Smolipalucha! Skąd ty się tu wziąłeś? – spytał. O tak, Meggie musiała to przyznać: głos Orfeusza był o wiele bardziej imponujący od jego postury. – Wszystko jedno! To musi być Atramentowy Świat! Wiedziałem, że to potrafię! Wiedziałem!

Uśmiechał się chełpliwie. Nie zauważył, że nadepnął Gwinowi na ogon, aż kuna, fukając, podskoczyła w górę.

– Fantastycznie! – mruczał, przesuwając dłonią po ścianach sztolni. – To jest zapewne jeden z tych korytarzy pod zamkiem w Ombrze, które prowadzą do sarkofagów książęcych.

– Nie sądzę! – rzekła zimno Meggie.

Orfeusz, pomocnik Mortoli, zdrajca o magicznym głosie! Jego okrągła twarz wydała jej się pozbawiona wyrazu. „Nic dziwnego – myślała, podnosząc się z posłania Smolipalucha. – Przecież on nie ma sumienia, serca, nie zna litości". Po co go tu sprowadziła? Jakby nie dość było tutaj takich ludzi! „Dla Farida – odpowiedziało jej własne serce – dla Farida...".

– Co się dzieje z Elinor i Dariuszem? Jeśli im zrobiłeś coś złego... – nie dokończyła. Właśnie, jeśli im zrobił coś złego, to co?

Orfeusz odwrócił się zaskoczony, jakby dopiero teraz ją zauważył.

– Elinor i Dariusz? Ach, może to ty jesteś tą dziewczynką, co to podobno sama siebie wczytała do książki?

Nagle w jego oczach pojawiła się czujność. Widocznie przypomniał sobie, co zrobił z jej rodzicami.

– Mój ojciec o mało przez ciebie nie umarł! – Meggie była zła na siebie, że nie umie powstrzymać drżenia głosu.

Orfeusz zarumienił się jak mała dziewczynka, nie wiadomo, ze wstydu czy ze złości. Cokolwiek to było, szybko się opanował.

– A co ja na to poradzę, że Mortola miała z nim porachunki? – odparł. – Poza tym z twoich słów wynika, że żyje. Nie ma więc o co robić rabanu, prawda? – Odwrócił się, wzruszając ramionami. – Dziwne! – mruczał, oglądając wąską sztolnię, wysokie drabiny prowadzące na górę, stemple podpierające sufit. – Powiedzcie mi, gdzie ja wylądowałem? To mi wygląda na kopalnię, ale nie czytałem nic o kopalni...

– Nie ma najmniejszego znaczenia, co czytałeś, bo to ja cię tu sprowadziłam!

Głos Meggie zabrzmiał tak ostro, że Farid spojrzał na nią zaniepokojony.

– Ty? – Orfeusz popatrzył na Meggie z taką wyższością, że krew uderzyła jej do głowy. – Chyba nie zdajesz sobie sprawy, z kim rozmawiasz? Ale po co ja w ogóle tracę tutaj czas z wami? Mam dość tej okropnej kopalni. Gdzie są wróżki? Gdzie pancerni? Waganci...?

Bezceremonialnie odepchnął Meggie i podskoczył do drabinki, ale Farid zastąpił mu drogę.

– Nie ruszaj się z miejsca, Świecąca Gębo! – krzyknął. – Chcesz wiedzieć, dlaczego tu jesteś? Z powodu Smolipalucha!

– Ach tak! – roześmiał się drwiąco Orfeusz. – Czyżbyś go jeszcze nie znalazł? A może on wcale nie chce być znaleziony, zwłaszcza przez takiego małego uparciucha jak ty...

– On nie żyje! – przerwał mu szorstko Farid. – Smolipaluch nie żyje... Meggie sprowadziła cię tylko po to, żebyś go ożywił!

– Ona – mnie – nie – sprowadziła! Ile razy mam to powtarzać?

Orfeusz chciał wspiąć się po drabince, ale Farid bez słowa chwycił go za rękę i pociągnął za sobą.

Roksana powiesiła płaszcz Smolipalucha przed sztolnią, w której go złożono. Ona i Resa poustawiały płonące świece wokół jego zwłok; ogień zastępował kwiaty, którymi zwykle otacza się mary.

– Wszechmogący Boże! – wykrzyknął na ten widok Orfeusz. – Nie żyje! On naprawdę nie żyje!

Meggie ze zdumieniem zobaczyła, że ma łzy w oczach. Drżącymi rękami zdjął okulary i wytarł je połą marynarki. Po czym wolno podszedł do zwłok i dotknął ręki Smolipalucha.

– Zimna! – szepnął, cofając się. Spojrzał na Farida oczami pełnymi łez. – Czy to sprawka Basty? Powiedz! Nie, poczekaj, jak to było? Czy Basta w ogóle był z nimi? „Banda ludzi Capricorna", tak, tak właśnie, chcieli zabić kunę, a on próbował ją ratować! Wypłakiwałem oczy, czytając ten rozdział, i z wściekłości rzuciłem książką o ścianę! A teraz po tylu latach udało mi się tu wreszcie dostać i oto... – Z trudem łapał oddech. – Przecież odesłałem go do domu tylko dlatego, że sądziłem, iż tutaj będzie bezpieczny! O Boże! Boże, Boże! Nie żyje!

Orfeusz załkał i nagle umilkł. Jeszcze raz pochylił się nad ciałem Smolipalucha.

– Zaraz, zaraz! „Zakłuty!". Tak jest napisane w książce! A gdzie rana? „Zakłuty z powodu kuny", tak, pamiętam dokładnie. – Odwrócił się raptownie i wlepił spojrzenie w Gwina, który siedział na ramieniu Farida, wściekle sycząc. – Przecież zostawił kunę! – zawołał. – Kunę i ciebie. Więc jak to się stało, że...

Farid milczał. Meggie było go strasznie żal, ale gdy wyciągnęła do niego rękę, cofnął się.

– Co tu robi ta kuna? Gadaj! Zapomniałeś języka w gębie? – Piękny głos Orfeusza nabrał metalicznego brzmienia.

– Umarł nie z powodu Gwina – szepnął Farid.

– Nie? A z czyjego powodu?

– Z mojego.

Tym razem Farid nie odepchnął ręki Meggie. Ale zanim zdążył powiedzieć coś więcej, odezwał się inny głos:

– Kto to jest? Czego tu szuka ten obcy?

Orfeusz odwrócił się, jak człowiek przyłapany na gorącym uczynku. U wejścia do sztolni stała Roksana, a obok niej Resa.

– Roksana! – szepnął Orfeusz. – Piękna wagantka! – Stropiony poprawił okulary i ukłonił się. – Pani pozwoli, że się przedstawię! Jestem Orfeusz. Byłem... przyjacielem Smolipalucha. Tak, myślę, że można tak to nazwać...

– Meggie! – Resa była wzburzona. – Jak on się tu znalazł?

Meggie odruchowo schowała za plecami notatnik ze słowami Fenoglia.

– Co z Elinor? – zwróciła się Resa do Orfeusza. – I z Dariuszem? Co z nimi zrobiłeś?

– Nic złego! – odparł Orfeusz, który w zdenerwowaniu nie zauważył nawet, że kobieta, która rozmawiała tylko za pomocą rąk, teraz odzyskała głos. – Przeciwnie, starałem się nauczyć ich nieco swobodniejszego stosunku do książek. Trzymają je jak owady uwięzione w gablotkach, każdą na swoim miejscu, marsz z powrotem do celi! A książki pragną oddychać i śpiewać, pragną czuć powietrze między kartkami i palce czytelnika przesuwające się delikatnie po...

Zdejmując płaszcz Smolipalucha z belki, Roksana przerwała Orfeuszowi:

– Nie wyglądasz na przyjaciela Smolipalucha. Ale jeśli chcesz się z nim pożegnać, zrób to teraz, bo zabieram go ze sobą.

– Zabierasz go ze sobą? Co ty opowiadasz? – Farid zastąpił jej drogę. – Orfeusz jest tu po to, by go sprowadzić z krainy umarłych!

– Zejdź mi z oczu! – warknęła Roksana. – Kiedy cię po raz pierwszy zobaczyłam na podwórku, od razu wiedziałam, że przyniesiesz nam nieszczęście. To ty powinieneś być teraz martwy, nie on! I nic nie zmieni tego faktu.

Farid cofnął się, jakby Roksana uderzyła go w twarz. Nie protestował, gdy odepchnęła go na bok; stał bezwolny, opuściwszy ramiona, a Roksana znów pochyliła się nad Smolipaluchem.

Meggie nie wiedziała, jak go pocieszyć. Tymczasem Resa uklękła obok Roksany i poczęła jej tłumaczyć po cichu:

– Posłuchaj! Smolipaluch wydarł Farida śmierci tym sposobem, że urzeczywistnił słowa pewnej historii. Słowa, Roksano! W tym świecie słowa potrafią sprawiać cuda, a Orfeusz zna się na nich bardzo dobrze!

– O tak, to prawda! – Orfeusz w mgnieniu oka znalazł się przy Roksanie. – Zbudowałem dla niego drzwi ze słów, by mógł wrócić do ciebie. Nigdy ci o tym nie opowiadał?

Roksana spojrzała na niego z niedowierzaniem, ale i ona uległa czarowi jego głosu.

– Tak, uwierz mi, ja to sprawiłem! – ciągnął poeta. – Teraz też napiszę dla niego coś, co pozwoli mu wrócić do życia. Znajdę słowa tak cudowne i pachnące jak lilie, słowa, które omamią śmierć i wyrwą z jej zimnych pazurów jego ciepłe serce!

Na jego ustach wykwitł uśmiech samozadowolenia, zdawało się, że Orfeusz widzi już swoją przyszłą chwałę.

Ale Roksana potrząsnęła głową, jakby chciała się uwolnić od czaru, i zdmuchnęła świece palące się wokół ciała Smolipalucha.

– Teraz już rozumiem – rzekła, przykrywając Smolipalucha jego własnym płaszczem. – Jesteś czarownikiem. Jeden jedyny raz byłam u czarownika, kiedy zmarła nasza młodsza córka. Ten, kto udaje się po pomoc do czarownika, jest w rozpaczy, oni to wiedzą i wykorzystują, łudzą się fałszywymi nadziejami ludzi jak kruki padliną. Jego obietnice brzmiały tak samo pięknie jak twoje. Obiecywał mi to, czego najbardziej pragnęłam. Oni wszyscy tak robią, obiecują przywrócić do życia to, co utraciłaś na zawsze: dziecko, przyjaciela, męża... – Nasunęła płaszcz na zastygłą twarz Smolipalucha. – Nigdy już nie uwierzę tym obietnicom. Zabiorę go do Ombry i znajdę dla niego miejsce, gdzie nikt nie będzie go niepokoił, ani Żmijogłowy, ani wilki, ani nawet wróżki. I choć moje włosy posiwieją, on będzie zawsze wyglądał, jakby spał, bo Pokrzywa nauczyła mnie, jak zachowywać ciało, gdy uleci z niego dusza.

– Ale powiesz mi...? – Głos Farida drżał, jakby znał z góry odpowiedź Roksany. – Powiesz mi, gdzie jest to miejsce?

– Nie – odparła Roksana. – Wszystkim, tylko nie tobie.

77

Dokąd?

Olbrzym odchylił się na krześle.
– Kilka historii jeszcze ci zostało. Twoja skóra nimi pachnie.
Brian Patten, *Olbrzym zrodzony z historii*

Farid przyglądał się, jak zbójcy pod osłoną nocy ładują rannych na nosze. Sześciu, ukrytych między drzewami, nasłuchiwało najlżejszych odgłosów, które mogłyby oznaczać niebezpieczeństwo. Widać stąd było tylko czubki srebrnych wież zalanych gwiezdnym blaskiem, ale wszyscy mieli wrażenie, że Żmijogłowy ich widzi. Że wyczuwa tam w górze, w swoim zamku, jak skradają się po cichu, opuszczając zbocze Żmijowej Góry. Któż mógł wiedzieć, do czego teraz zdolny jest Żmijogłowy, nieśmiertelny i niepokonany jak sama śmierć?

Ale dokoła panowała cisza; noc była tak spokojna jak Smolipaluch, którego niedźwiedź Czarnego Księcia miał pociągnąć na noszach do Ombry. Na razie Meggie też się tam udawała, wraz z Czarodziejskim Językiem i matką. Czarny Książę opowiedział im o pewnej wiosce, zbyt biednej i położonej zbyt daleko od dużych traktów, by mogła zainteresować jakiegokolwiek księcia. Tam właśnie, w wiosce lub w jednej z samotnych zagród rozrzuconych wokół wsi, zamierzał ich ukryć.

Farid nie mógł się zdecydować. Czy miał iść z nimi?

Spostrzegł, że Meggie spogląda ku niemu. Była z matką i pozostałymi kobietami. Czarodziejski Język stał pośród zbójców, z przypasanym mieczem, tym mieczem, którym podobno zabił Bastę – i nie tylko jego. Z jego ręki zginęło kilkunastu ludzi Basty – tak mu opowiadali zbójcy. Farid nie mógł w to uwierzyć. Wtedy na wzgórzach za wsią Capricorna, gdzie się razem ukrywali, Czarodziejski Język był człowiekiem, który nie zabiłby nawet muchy, nie mówiąc już o uśmierceniu człowieka. Z drugiej strony – w jaki sposób on, Farid, nauczył się zabijać? Nauczyły go tego strach i gniew. A tych nie brakowało w tej historii!

Roksana wmieszała się między zbójców. Gdy zauważyła spojrzenie Farida, ostentacyjnie odwróciła się do niego plecami. Traktowała go jak powietrze, jakby wcale nie trafił znów do świata żywych, jakby był tylko duchem, zmorą, która pożarła serce jej męża.

„Jak to jest być umarłym, Faridzie?" – spytała go Meggie. Ale Farid niczego nie pamiętał. Może nie chciał pamiętać.

Orfeusz stał zaledwie dwa kroki od niego; marzł w cienkiej koszuli. Czarny Książę kazał mu zmienić garnitur na ciemną opończę i włożyć wełniane spodnie. Ale mimo tego przebrania nadal wyglądał jak kukułka wśród wróbli. Fenoglio przyglądał mu się nieufnie, jak stary kocur młodemu bezpańskiemu kotu, który naruszył jego rewir.

– Wygląda jak kompletny cymbał! – powiedział do Meggie głośnym szeptem. – Przyjrzyj mu się. Ma mleko pod nosem, nie wie nic o życiu, jak on może coś napisać? Najlepiej by było od razu go odesłać z powrotem, zresztą mniejsza o to. Tej historii i tak już nic nie uratuje.

Pewnie Fenoglio miał rację, myślał Farid. Ale dlaczego w takim razie sam nie napisał czegoś, aby przywołać Smolipalucha do życia? Czy tak mało zależało mu na tych, których stworzył?

Czy tylko przesuwał ich jak figury na szachownicy, ciesząc się z ich cierpienia?

Farid zacisnął pięści w bezsilnej złości. „Ja bym próbował! – myślał. – Sto razy, tysiąc razy, przez całe życie". Ale nie potrafił nawet czytać tych małych czarnych znaczków. Tyle, co nauczył go Smolipaluch, na pewno nie wystarczy, by sprowadzić go stamtąd, gdzie teraz przebywał. Nawet gdyby napisał jego imię na ścianie ognistymi literami, twarz Smolipalucha pozostanie przeraźliwie martwa, taka, jaką ją przed chwilą widział.

Nie, tylko Orfeusz mógł tego dokonać! Tymczasem nie napisał jeszcze ani słowa, od kiedy Meggie go sprowadziła. Potrafił tylko sterczeć z głupią miną albo chodzić tam i z powrotem, odprowadzany nieufnymi spojrzeniami zbójców. Czarodziejski Język również patrzył na niego bez sympatii. Zbladł, gdy zobaczył Orfeusza, i przez chwilę Farid myślał, że spierze go na kwaśne jabłko. Ale Meggie szybko odciągnęła Mo na bok. Nie zdradziła Faridowi, o czym rozmawiała wtedy z ojcem. Wiedziała, że Czarodziejski Język nie pochwali jej postępowania, jeśli ściągnie Orfeusza, a jednak to zrobiła. Dla niego. Ale czy Orfeusza to cokolwiek obchodziło? Nic a nic! Nadal zachowywał się tak, jakby to jego własny głos, a nie głos Meggie otworzył mu drzwi do Atramentowego Świata. Głupi pyszałek, po trzykroć przeklęty drań!

– Farid? Zdecydowałeś się?

Ocknął się z ponurych rozmyślań. Przed nim stała Meggie.

– Idziesz z nami, prawda? Resa mówi, że możesz zostać z nami tak długo, jak zechcesz, a Mo też nie ma nic przeciwko temu.

Czarodziejski Język wciąż rozmawiał z Czarnym Księciem. Farid zauważył, że Orfeusz obserwuje rozmawiających. Po chwili podjął znów swoją bezcelową wędrówkę tam i z powrotem, pocierając czoło, i mrucząc coś do siebie. „Zachowuje się jak wariat! – pomyślał Farid. – Związałem swoje nadzieje z wariatem!".

– Poczekaj tutaj! – Zostawił Meggie i podbiegł do Orfeusza.

– Zdecydowałem się. Idę z Meggie! – powiedział opryskliwie. – A ty możesz robić, co chcesz.

Świecąca Gęba poprawił okulary.

– Co ty wygadujesz? Oczywiście, że idę z wami! Chcę zobaczyć Ombrę, Nieprzebyty Las, zamek Tłustego Księcia. – Spojrzał na wzgórze zamkowe. – Mroczny Zamek też bym chętnie zwiedził, ale po tym, co zaszło, to chyba nie jest odpowiedni moment. No cóż, to dopiero mój pierwszy dzień tutaj... Widziałeś już Żmijogłowego? Czy jest bardzo przerażający? Chętnie bym zobaczył te kolumny pokryte srebrnymi łuskami...

– Nie jesteś tu po to, żeby wszystko oglądać!

Faridowi głos się załamał ze złości. Co ten typ sobie myślał? Jak mógł tak stać i się rozglądać, jakby był na wycieczce, podczas gdy Smolipaluch wkrótce legnie w ciemnym grobie czy gdzie tam Roksana zechce go położyć!

– Nie? – Orfeusz zrobił ponurą minę. – Jak ty w ogóle ze mną rozmawiasz? Będę robił, co mi się podoba! Myślisz, że po to zjawiłem się w końcu w tym miejscu, w którym zawsze chciałem się znaleźć, żeby pozwolić się wodzić za nos smarkaczowi? A może myślisz, że słowa można wytrzasnąć z powietrza? To sprawa życia i śmierci, młokosie! Może minąć kilka miesięcy, nim wpadnę na odpowiedni pomysł. Pomysły nie zjawiają się na zawołanie, nawet ogniem nie można ich zwabić. A nam potrzebny jest pomysł genialny, boski! A to oznacza – Orfeusz oglądał swoje paznokcie – że będę potrzebował służącego! Chyba nie chcesz, żebym tracił swój cenny czas na pranie odzieży i zdobywanie pożywienia?

„Ty psie! – pomyślał Farid. – Ty przeklęty psie!".

– Dobrze, zostanę twoim służącym – Farid z trudem wydobywał z siebie słowa – jeśli go przywołasz do życia.

– Wspaniale! – rozpromienił się Orfeusz. – W takim razie przynieś mi coś do jedzenia. Wygląda na to, że czeka nas długi i męczący marsz.

Do jedzenia! Farid zacisnął zęby, ale posłuchał, nie miał wyboru. Zdzierałby paznokciami srebro z wież Mrocznego Zamku, gdyby to mogło przywołać Smolipalucha z martwych.

– Farid? No to jak? Idziesz z nami? – Meggie złapała go za ramię, gdy przebiegał obok niej z kieszeniami pełnymi chleba i suszonego mięsa dla Świecącej Gęby.

– Tak, tak, idziemy z wami! – zawołał i objął ją, ale dopiero wtedy, gdy Czarodziejski Język odwrócił się do nich tyłem. Z ojcami nigdy nic nie wiadomo! – Uratuję go, Meggie! – szepnął jej do ucha. – Sprowadzę Smolipalucha z powrotem. Ta historia znajdzie szczęśliwe zakończenie. Przysięgam!

Podziękowania

Wielu czytelników żywi wciąż mylne przekonanie, że książka jest gotowa z chwilą, gdy autor napisze ostatnie słowo. Dlaczego w takim razie mija z reguły rok, nim maszynopis zamieni się w książkę? Otóż dlatego, że musi zostać zredagowany, zilustrowany, sprawdzony, wydrukowany i oprawiony...

Książka nie jest jedynie dziełem autora. Bez pomocy wielu innych ludzi, którym w tym miejscu pragnę podziękować, byłaby czymś niedoskonałym i mało ciekawym.

Po pierwsze, chcę podziękować redaktorce prowadzącej Urszuli Heckel. Również tym razem to ona pierwsza przedzierała się przez sterty maszynopisu – dwa grube segregatory – który oddałam w wydawnictwie. A na każdej stronie trzeba tropić błędy, sprzeczności, nieporadności językowe i zachować dystans, nie dając się wciągnąć historii do końca.

Po drugie, dziękuję graficzce wydawnictwa Cecilie Dressler, Martinie Petersen, która wykonuje swoją pracę z poświęceniem i profesjonalizmem. Bez jej pomocy zapewne nie udałoby się rozwiązać problemów związanych z kształtem obu okładek – do *Atramentowego serca* i *Atramentowej krwi*. Sprawiła, że i tym razem nie potrafię sobie wyobrazić dla mojej historii piękniejszej szaty graficznej. Bardzo, bardzo dziękuję.

I wreszcie, po trzecie, dziękuję introligatorce Anke Metz. Opowiedziała mi na temat sztuki konserwacji książek wszystko, co było mi potrzebne w trakcie pracy. A w gotowym maszynopisie jeszcze raz przejrzała te miejsca, gdzie jest mowa o rzemiośle, które sama opanowała w sposób mistrzowski. Mo i ja dziękujemy jej stokrotnie.

Osób, które zasłużyły na moją wdzięczność, jest jednak więcej. Wymienię tylko niektóre z nich. Katja Muissus z działu reklamy stworzyła przepiękne materiały reklamowe; korektorzy Jutta Kirchner i Udo Bender poświęcili wiele godzin, by usunąć nawet najdrobniejsze błędy składu; a gdybym chciała wymienić nazwiska drukarzy, introligatorów i innych współpracowników wydawnictwa, powstałaby druga książka.

Ale gdy książka jest wreszcie gotowa, to jeszcze nie koniec wysiłków. Dziękuję Frauke Wedler, rzeczniczce prasowej wydawnictwa, która potrafi czerpać przyjemność ze swej trudnej pracy, Judith Kaiser, która wspiera ją w jej działaniach, a także wszystkim przedstawicielom mojego wydawnictwa, którzy starają się o to, by książka trafiła do księgarń. I wreszcie serdecznie dziękuję tym, którzy tworzą ostatnie, lecz wcale nie najmniej ważne ogniwo w tym łańcuchu: wszystkim księgarzom, dzięki którym książka dociera tam, gdzie zaczyna oddychać – w ręce czytelników!

Serdeczne pozdrowienia... z Los Angeles

Cornelia Funke

Wykaz cytowanych źródeł

Motto [s. 6]

Michael Longley, *Staying Alive. Real Poems for Unreal Times,* red. Neil Astley, New York 2003*

Rozdział 1

Marie Luise Kaschnitz, *Ein Gedicht*, [Wiersz], [w:] *Überallnie. Ausgewählte Gedichte 1928-1965*, Claassen Verlag in der Ullstein Buchverlage GmbH, Berlin 1965

Rozdział 2

Mark Twain, *Przygody Tomka Sawyera,* tłum. Kazimierz Piotrowski, Wydawnictwo PTWK, Warszawa 1953

Rozdział 3

Rudyard Kipling, *Jak lampart dostał plam na skórze,* [w:] *Takie sobie bajeczki*, tłum. Maria Krzeczkowska, Stanisław Wyrzykowski, Nasza Księgarnia, Warszawa 1970

Rozdział 4

Philip Pullman, *Magiczny nóż*, tłum. Ewa Wojtczak, Albatros Wydawnictwo A. Kuryłowicz, Warszawa 2004

---

* Polskie cytaty na podstawie niemieckich przekładów © Cornelii Funke, *Tintenblut,* Cecylie Dressler Verlag, Hamburg 2005

Rozdział 5

[s. 53] Louis Pergaud, *Der Krieg der Knöpfe,* [Wojna guzików], Rowohlt Verlag GmbH, Reinbek bei Hamburg

[s. 63] Owidiusz, *Przemiany,* księga XI, wersy 44-48, tłum. Bruno Kociński, Unia Wydawnicza „Verum", Warszawa 1995

Rozdział 6

Philip Ridley, *Dakota Pink,* [Różowa Dakota], Fischer Taschenbuch Verlag GmbH, Frankfurt am Main 1995

Rozdział 7

Philip Pullman, *Der goldene Kompass*, [Złoty kompas], Carlsen Verlag GmbH, Hamburg 1996

Rozdział 8

Elimar von Monsterberg, *Der Spielmann*, [Wędrowny grajek], [w:] Margit Bachfischer, *Musiker, Gaukler und Vaganten. Spielmannskunst im Mittelalter*, Battenberg Verlag, Weltbild Ratgeber Verlage GmbH & Co. KG, München 1998

Rozdział 9

Carlos Ruiz Zafón, *Cień wiatru*, tłum. Beata Fabjańska-Potapczuk, Carlos Marrodán Casas, Muza Wydawnictwo Literackie, Warszawa 2005

Rozdział 10

James M. Barrie, *Piotruś Pan*, tłum. Maciej Słomczyński, Wyd. Zielona Sowa, Kraków 2002

Rozdział 11

David Almond, *Zeit des Mondes*, [Czas księżyca], Ravensburger Buchverlag Otto Maier GmbH 1999

Rozdział 12

Lyman Frank Baum, *Czarnoksiężnik z krainy Oz,* tłum. Paweł Łopatka, Wydawnictwo Zielona Sowa, Kraków

Rozdział 13

Kevin Crossley-Holland, *Artus, Der magische Spiegel*, [Artus. Magiczne lustro], Verlag Urachhaus, Stuttgart 2001

Rozdział 14

Philip Pullman, *Der goldene Kompass*, [Złoty kompas], Carlsen Verlag GmbH, Hamburg 1996

Rozdział 15

Matthias Claudius, *Abendlied,* [Pieśń wieczorna], [w:] *Deutsche Lyrik,* red. Hanspeter Brode, Frankfurt am Main 1966

Rozdział 16

Jerry Spinelli, *East End, West End und dazwischen Maniac Magee,* [East End, West End i Magee Maniak], Cecile Dressler Verlag GmbH & Co. KG, Hamburg 2000

Rozdział 17

James Fenimore Cooper, *Ostatni Mohikanin*, tłum. Tadeusz Evert, Iskry, Warszawa 1972

Rozdział 18

Pablo Neruda, *Die Tote*, [Umarła], [w:] *Liebesgedichte,* Luchterhand Literaturverlag, ein Unternehmen der Verlagsgruppe Random House GmbH, München 2004

Rozdział 19

Khalil Gibran, *Der Prophet*, [Prorok], Deutscher Taschenbuchverlag Gmbh & Co. KG, München 2002

Rozdział 20

Clive Barker, *Abarat,* HarperCollins, New York/N. Y. 2002

Rozdział 21

Felix Karlinger, *Der König im Korbe,* [Król w koszu], [w:] włoska baśń ludowa, Eugen Diederichs Verlag, München 1993

Rozdział **22**

Wallace Stevens, *All the Preludes to Felicity*, [Preludia szczęścia], [w:] *Collected Poetry*, red. Frank Kermode i Joan Richardson, Library of America, New York/ N. Y. 1997

Rozdział 23

Xi Murong, *Poetry's Value*, [Wartość poezji], [w:] *Anthology of Modern Chinese Poetry,* red. Michelle Yeh, Yale University Press, London 1992*

Rozdział 24

Xi Chuan, *Books,* [Książki], [w:] *New Generation. Poems from China Today*, hangingloosepress, New York/ N. Y. 1999*

Rozdział 25

Frances Cornford, *The Watch*, [Zegar], [w:] *Collected Poems*, New York/ N. Y. 1954

Rozdział 26

Fryderyk Nietzsche, *Ich brauche nichts...,* cyt. za: *Von den Wohltaten der Weissen und der Schwarzen Kunst*, red. H. G. Schwieger, Wiesbaden 1987

Rozdział 27

Roald Dahl, *Czarownice,* tłum. Tomasz Wyżyński, Prima, Warszawa 1997

Rozdział 28

François Villon, *Die Ballade vom kleinen Florestan*, [Ballada o małym Florestanie], [w:] *Die lasterhaften Balladen und Lieder des François Villon*, tłum. Paul Zech Nachlass Bert Kasties, Stolberg

Rozdział 29

Heinrich Heine, *Król David,* [w:] *Poezje wybrane,* tłum. Robert Stiller, Ludowa Spółdzielnia Wydawnicza, Warszawa 1978

Rozdział 30

Garth Nix, *Sabriel,* tłum. Ewa Elżbieta Nowakowska, Wydawnictwo Literackie, Kraków 2004

Rozdział 31

Henry Wordsworth Longfellow, *O zmroku,* [w:] *Wiersze,* tłum. Antoni Lange, PIW, Warszawa 1975

Rozdział 32

Dieter Kühn, *Der Parzival des Wolfram von Eschenbach*, [Parsifal według Wolframa z Eschenbach], Deutscher Klassiker Verlag, Frankfurt am Main 1993

Rozdział 33

Rainer Maria Rilke, *Dzieciństwo,* [w:] *Księga obrazów. Wiersze nowe,* tłum. Witold Hulewicz, Wydawnictwo W. Hulewicza, Warszawa 1927

Rozdział 34

Faiz Ahmed Faiz, *The Love I Gave You Once*, [Miłość, jaką cię kiedyś darzyłem], [w:] *An Elusive Dawn. Selections from the Poetry of Faiz Ahmed Faiz*, Center of Social Sciences and Humanities, University Grants Commission, Islamabad 1985*

Rozdział 35

Jehuda Amichaj, *Mój ojciec,* [w:] *Koniec sezonu pomarańczy,* tłum. Tomasz Korzeniowski, Świat Literacki, Izabelin 2000

Rozdział 36

Pablo Neruda, *Das Wort*, [Słowo], [w:] *In deinen Träumen reist dein Herz,* Luchterhand Literaturverlag, ein Unternehmen der Verlagsgruppe Random House GmbH, München 2004

Rozdział 37

Francis Spufford, *The Child that Books Built*, [Dziecko stworzone przez książki], Faber & Faber, London 2002*

Rozdział 38

Melvin Peake, *Tytus Groan*, tłum. Jadwiga Piątkowska, Wydawnictwo Literackie, Kraków 1982

Rozdział 39

H. G. Schwieger [red.], przysłowie chińskie cyt. za *Von den Wohltaten der Weissen und der Schwarzen Kunst,* Wiesbaden 1987

Rozdział 40

T. H. White, *Był sobie raz na zawsze król,* t. 1 *Miecz na króla,* tłum. Jolanta Kozak, Świat Książki, Warszawa 1999

Rozdział 41

Harper Lee, *Zabić drozda,* tłum. Zofia Kierszys, Książka i Wiedza, Warszawa 1979

Rozdział 42

Clive Barker, *Abarat,* tłum. Danuta Górska, Amber, Warszawa 2002

Rozdział 43

Paul Stewart, *Twig im Auge des Strums*, [Łowca burz], Patmos Verlag GmbH & Co. KG, Düsseldorf 2002

Rozdział 44

James Krüss, *Das Feuer*, [Ogień], [w:] *Der wohltemperierte Leierkasten*, München 2001

Rozdział 45

Eva Ibbotson, *Das Geheimnis der siebten Hexe*, [Tajemnica siódmej czarownicy], Cecilie Dressler Verlag GmbH & Co. KG, Hamburg 2002

Rozdział 46

T. H. White, *Był sobie raz na zawsze król,* t. 1 *Miecz na króla,* tłum. Jolanta Kozak, Świat Książki, Warszawa 1999

Rozdział 47

William Szekspir, *Sonet CXXX,* [w:] *Dzieła. Sonety,* tłum. Maciej Słomczyński, Wydawnictwo Literackie, Kraków 1988

Rozdział 48

Rainer Maria Rilke, *Improvisationem aus dem Capreser Winter (III),* [Improwizacje z zimy w Capreso (III)], cyt. za: *Werke in drei Bänden*, tom 2 *Gedichte*, *Übertraugungen* i tom 1 *Gedicht-Zyklen*, Frankfurt am Main, 1966

Rozdział 49

Astrid Lindgren, *Bracia Lwie Serce*, Teresa Chłapowska, Nasza Księgarnia 2004

Rozdział 50

Kate DiCamillo, *Despereaux – Von einem, der auszog das Fürchten zu verlernen,* [Despereaux – O takim, co chciał pokonać lęk], Deutscher Taschenbuchverlag GmbH & Co. KG, München 2004

Rozdział 51

William Szekspir, *Burza,* [w:] *Komedie* t. 1, tłum. Stanisław Koźmian, Leon Ulrich, PIW, Warszawa 1964

Rozdział 52

Philippe Jaccottet, *Parlet,* [w:] *Chant d'en bas,* Editions Gallimard, Paris 1994

Rozdział 53

Paracelsus, *Und das soll ein jeglicher Artz...,* [Pisma medyczne], [w:] Paracelsus, *Werke* tom 1, *Medizinische Schriften*, red. Will-Erich Peuckert, Wissenschaftliche Buchgesellschaft, Darmstadt 1968

Rozdział 54

Georg Trakl, *De profundis,* [w:] *Poezje zebrane*, tłum. Andrzej Lam, Wydawnictwo Vim Press, Tarnów 1992

Rozdział 55

Wisława Szymborska, *Radość pisania,* [w:] *Widok z ziarnkiem piasku*, Wydawnictwo a5, Poznań 1996

Rozdział 56

Joseph von Eichendorff, *Czarodziejska różdżka,* [w:] *Wiosna i miłość,* tłum. Andrzej Lam, Dom Wydawniczy Elipsa, Warszawa 2004

Rozdział 57

Khalil Gibran, *Der Prophet*, [Prorok], Deutscher Taschenbuchverlag Gmbh & Co. KG, München

Rozdział 58

Joanne K. Rowling, *Harry Potter i kamień filozoficzny,* tłum. Andrzej Polkowski, Media Rodzina, Poznań 2000

Rozdział 59

Sterling A. Brown, *Thoughts of Death*, [Myśli o śmierci], [w:] *The Collected Poems of Sterling A. Brown,* red. Michael S. Harper, New York/ N. Y. 1932*

Rozdział 60

Heinrich Heine, *Baltazar,* [w:] *Romantyk znad Renu,* tłum. Ludwik Krasucki, Fundacja Współpracy Polsko-Niemieckiej, Warszawa 2003

Rozdział 61

Francis Spufford, *The Child that Books Built*, [Dziecko stworzone przez książki], Faber & Faber, London 2002*

Rozdział 62

Clive Barker, *Abarat,* tłum. Danuta Górska, Amber, Warszawa 2002

Rozdział 63

Frances Hodgson Burnett, *Mała księżniczka,* tłum. Wacława Komarnicka, Nasza Księgarnia, Warszawa 1994

Rozdział 64

Matthias Claudius, *Kriegslied,* [Pieśń wojenna], [w:] *Deutsche Lyrik,* red. Hanspeter Brode, Frankfurt am Main 1966

Rozdział 65

Heinrich Heine, *Walküren,* [Walkirie], [w:] *Gedichte*, München 1969

Rozdział 66

Michael Kongehl, *Gedicht über die Weise Kunst*, [Wiersz o białej magii], cyt. za: *Von den Wohltaten der Weissen und der Schwarzen Kunst,* red. H. G. Schwieger, Wiesbaden 1987

Rozdział 67

François Villon, *Nagrobek w formie ballady...,* tłum. Tadeusz Żeleński (Boy), PIW, Warszawa 1975

Rozdział 68

Robert L. Stevenson, *Czarna strzała,* tłum. Tadeusz Jan Dehnel, Iskry, Warszawa 1987

Rozdział 69

William Szekspir, *Romeo i Julia*, tłum. Józef Paszkowski, Siedmiogród, Wrocław 1996

Rozdział 70

Joanne K. Rowling, *Harry Potter i kamień filozoficzny,* tłum. Andrzej Polkowski, Media Rodzina, Poznań 2000

Rozdział 71

Felix Karlinger, *Das Land, wo man nein stirbt*, [Kraj, gdzie nikt nie umiera], Eugen Diederichs Verlag, München 1993

Rozdział 72

Georg Trakl, *Nocą,* [w:] *Poezje zebrane,* tłum. Andrzej Lam, Vim Press, Tarnów 1992

Rozdział 73
Lynn Sharon Schwartz, *Ruined by Reading: A Life in Books,* [Zniszczona przez lekturę], Boston 1996*

Rozdział 74
Philip Reeve, *Grosstadtjagd,* [Polowanie w wielkim mieście], Beltz & Gelberg, Weinheim 2003

Rozdział 75
Emily Dickinson, *Nadzieja,* [w:] *Wiersze wybrane,* tłum. Stanisław Barańczak, Wydawnictwo Znak, Kraków 2000

Rozdział 76
Wisława Szymborska, *Radość pisania,* [w:] *Widok z ziarnkiem piasku*, Wydawnictwo a5, Poznań 1996

Rozdział 77
Brian Patten, *The Story Giant,* [Olbrzym zrodzony z historii], Coleridge & White Ltd., 20 Powis Mews, London W11 1JN*

Spis treści

Cornelia Funke, jedna z najpoczytniejszych niemieckich autorek książek dla dzieci i młodzieży, zaczęła pisać po uzyskaniu dyplomu z pedagogiki oraz ukończeniu studiów artystycznych na wydziale grafiki. Najpierw pisała teksty do książek z obrazkami i do nauki czytania. Potem zaczęła pisać powieści dla dzieci i młodzieży, które w większości sama ilustrowała – niektóre z nich to znakomite lektury dla całej rodziny.

Za swój dotychczasowy dorobek literacki autorka otrzymała wiele nagród i wyróżnień, zarówno krajowych, jak i zagranicznych, a jej książki przetłumaczono już na ponad 30 języków.

Światowy sukces odniosły powieści *Król Złodziei, Smoczy Jeździec,* a przede wszystkim *Atramentowe serce* – pierwszy tom trylogii o Atramentowym Świecie; *Atramentowa krew* to druga część tej trylogii.

Książka *Król Złodziei* doczekała się już ekranizacji, a obecnie przystąpiono także do realizacji filmu na podstawie *Atramentowego serca.*

Cornelia Funke przez wiele lat mieszkała w Hamburgu, ale w maju 2005 roku postanowiła na jakiś czas przenieść się wraz z mężem, dziećmi i suczką Luną do Los Angeles w Kalifornii, gdzie pracuje nad ostatnim tomem trylogii o Atramentowym Świecie.

Więcej informacji na temat autorki znajduje się na stronie internetowej: www.corneliafunke.de